U0839896

中國鄉土小說名作大系

平凹题

主编 郑电波

中篇小说系列（一九七七年至二〇一二年）

第三十三卷

中原出版传媒集团
大地传媒
中原农民出版社

图书在版编目(CIP)数据

中国乡土小说名作大系. 第33卷 / 郑电波主编. —郑州：中原出版传媒集团，中原农民出版社，2014.12
ISBN 978-7-5542-1007-9

Ⅰ.①中… Ⅱ.①郑… Ⅲ.①中篇小说-小说集-中国-当代 Ⅳ.①I247

中国版本图书馆CIP数据核字(2014)第278505号

中国乡土小说名作大系

出 版 人 刘宏伟
总 编 审 汪大凯

总 策 划 刘宏伟
策划编辑 郑电波
责任编辑 郑电波 高燕燕
责任校对 尹春霞
装帧设计 吴丹青
装帧制作 董 雪
封面题字 贾平凹
插　　图 董 钺

出版发行 中原出版传媒集团 中原农民出版社
地　　址 河南省郑州市经五路66号　**邮 编** 450002
网　　址 http://www.zynm.com　**电 话** 0371-65751257
邮购热线 0371-65724566　**传 真** 0371-65751257
承印单位 河南省瑞光印务股份有限公司

开　　本 787mm×1092mm 1/16
印　　张 23.5
字　　数 455千字
版　　次 2014年12月第1版　**印 次** 2014年12月第1次印刷

书　　号 ISBN 978-7-5542-1007-9　**定 价** 98.00元

《中国乡土小说名作大系》
编辑工作委员会

凡 例

本大系全套共36卷，精选了1977年至2012年在中国国内公开发表、出版的乡土小说作品中的短、中篇名作。其中前6卷为短篇小说，后30卷(7卷—36卷)为中篇小说。其中包括荣获全国大奖的乡土短、中篇小说；被小说选刊选载且极具影响力的作品；在当时受到社会广泛关注、在读者记忆中留下深刻印象的优秀作品。

本套书的选编原则上是以发表、出版的时间顺序排列的，每卷从作品的品质考量前后有所微调，但大的格局不变。

上世纪整个80年代，是中篇乡土小说创作的黄金时段，名作灿若群星，该大系收录此时段的作品较多。短篇小说系列每卷分上、中、下三部分，而中篇小说系列不作界分。

每卷的字数大致相当。由于上世纪80年代及90年代初，一般中篇小说的篇幅比后来的较长，因此每卷的篇数较少，这也是全套各卷选篇数目不均的原因。

卷首语

中原农民出版社出版《中国乡土小说名作大系》，是当今文化界一个大事件。

中国现代文学过去多少年取得的成就主要是乡土小说。

现在我们国家的改革进入到了城乡一体化阶段，农民进城，小城镇的人到县上，县上的人到省城，省城的人到北京上海等大城市，中国社会已是迁徙的社会。我估计将来再过一两代人，乡土小说类型慢慢就要消退了，肯定不会再成为中国文学的主流了。但是，消亡我觉得是不可能的，因为大量的农村还在，更重要的是中国农村文明的思维还在，只要土地在，思维在，农耕的思维观念在，不管在哪儿，就是你在美国，到月球上去，你还是中国的，中国式的，写中国人的文学就不会消失，因此乡土小说也不会真的消失。

在中国，你想真正了解这个社会，获得一些更深层的东西，就去看一看乡土小说。乡土小说就好像馆藏一样，那里有丰富的宝藏。现在它已经不出现在街头了，就像庙堂或者说茶室一样，有闲时可以去坐一坐，静一静，慢慢品味它。

贾平凹

2014 年春

前 言

中国是一个乡土性很强的大国，诚如社会学家费孝通所说，中国是一个“乡土中国”。

乡土，几乎是每个中国人的精神家园。

在新时期文学中，乡土文学堪称最敏感的文化神经。新时期当代文化思潮的演进变化，许多是从乡土小说中透露出重要信息的。应该说，从中国乡土小说中可以读懂当代中国。

农民在我国的文学中，历来处于一个突出而显赫的地位。农民的社会地位不高，而文学地位不低。这是由中国作家的乡土情结、生活阅历、审美情趣及价值取向所决定的。在文学对民族文化心理的反思中，农民作为民族文化心理的主要载体，自然成为小说家关注和表现的对象，故乡土小说天然地在新时期小说中，有着举足轻重的地位。

改革开放的三十多年，这是一个伟大的时代，一个中国前所未有的大变革时代。农村生活的改变，农民心气的勃发，新一代农民在精神、意识、思想上的吐故纳新，新与旧在现实生活中的冲突与较量，以及对于腐败现实的理性批判，随后成为乡土小说在一个时期里反复吟唱的主旋律。作家成了这个时期乡村广大农民理想的抒发者和愿景诉求的代言人。农民在内心理想的感召下奋发向前，作家与之击鼓前行。

改革开放以来的文学，我们称之为新时期文学。新时期文学有三个相互联系的阶段：“伤痕文学”、“反思文学”和“改革文学”。许多作品系统地反映了农村农民生活命运的变化，社会的深层变革，抒写了自己的社会理想。有些作家把思想的锋芒指向乡土文化与农耕文明，以自己的眼光与理性来发现和表现乡土中国的浑重、复杂与嬗变。当然，也有不少作家在作品中多有对自身命运的描述和情感宣泻。

新时期文学初期，印象深、乡土味儿较浓的有何士光的短篇小说《乡场上》，高晓生的《陈奂生上城》《李顺大造屋》，张炜的《一潭清水》，贾平凹的《黑氏》，铁凝的《哦，香雪》，邵振国的《麦客》，张石山的《镢柄韩宝山》，王润滋的《内当家》，史铁生的《我的遥远的清平湾》，田中禾的《五月》，乔典运的《满票》等。中篇小说有郑义的《老井》，路遥的《人生》，张贤亮的《绿化树》，张一弓的《犯人李铜钟的故事》，叶蔚林的《在没航标的河流上》，莫言的《红高粱》，张炜的《秋天的愤怒》，映泉的《桃花湾的娘儿们》，王安忆的《小鲍庄》等等。

新时期文学的早期，是一个激动人心的时期，是一个重建希望的时代，人的内心如同枯木逢春，激情被时代精神所鼓舞并迅速地再度燃烧起来。人们在思想解放运动的昭示下又一次看到了未来的希望，并热情地期许这一切尽快变成现实。深怀理想主义文化信念的作家，无论用什么样的创作方法，骨子里都潜伏着浓重的浪漫主义基因，时代气氛使这浪漫潜滋暗长。那个时代的作家极少悲观，历经再多的苦难也不能告别乐观。作家几乎对未来用承诺的方式描绘着生活，读者的期待使写出好作品的作家一夜成名，自发阅读小说的人超过以往任何时代。人们最大的自由就是对美好的向往，人们在想象的话语中得到满足。

时间在飞驰，中国的变革在加深、加快。二十世纪九十年代引发的经济热潮、商业大潮席卷而来，文学受到很大冲击，一些作家纷纷下海弃文经商，文学创作受到了影响。然而乡土小说的创作，因与政治思潮、商品大潮都有一定程度的疏离，也由于作家的坚守，似乎并没有出现中断或萎缩的情形，无论是中、短篇小说还是长篇小说，都在坚守中有所拓展，且成就了乡土小说创作的特有景观，其作家创作形成了楚文化群落、吴越文化群落、齐鲁文化群落、燕赵文化群落、秦晋文化群落、中原文化群落、东北文化群落、巴蜀滇黔文化群落等，乡土小说内容丰富，五彩斑斓。

九十年代的乡土小说不再是单色的，而是多色的，很耐人寻味。如陈源斌的《万家诉讼》，李佩甫的《无边无际的早晨》，关仁山的《九月还乡》，余华的《活着》，迟子建的《雾月牛栏》，张宇的《乡村情感》，韩少功的《马桥人物》，杨争光的《公羊串门》，赵德发的《通腿儿》等等。

这一时期的长篇小说数量不太多，但质量很高，作家开始向家族、人生命运深处思考，审察人性、反思历史、反观传统，因此作品更显得有分量。长篇小说取得了重大成就。先有张炜的《古船》初现端倪，继有陈忠实的《白鹿原》，莫言的《丰乳肥臀》，阿来的《尘埃落定》的联袂冲刺，掀起长篇小说创作的第二个新高潮，是继八十年代古华的《芙蓉镇》，路遥的《平凡的世界》，贾平凹的《浮躁》之后第二个创作高峰。

新世纪阶段比之于前二十年文学文化领域，因面临着商业文化、传媒文化与信息科技的多重冲击，更由于人们价值观的变化，乡土小说读者的减少，作家浪漫情怀的式微，总体来说乡土小说创作出现了下滑和萎缩的趋势。然而，乡土小说并未到这部乐曲的尾声，不少乡土作家还在这片“土地”上耕耘，他们的笔墨自由而灵动，多元的叙事与多元化的观念已出现，令人感到振奋的是长篇小说的进一步繁荣，乡土长篇小说的创作出现了新的景观。贾平凹的《秦腔》，蒋子龙的《农民帝国》，孙慧芬的《歇马山庄》，铁凝的《笨花》，张炜的《你在高原》，刘震云的《一句顶一万句》，莫言的《蛙》等，其中有的作品的水平，已达到乡土长篇小说的新高。这是由于一些乡土小说作家一直在创作的深刻思考之中，他们甘于寂寞，其思考已抵达生活、社会、历史、人生甚至哲学的深处。

中国乡土小说可以说是新时期文学的精华与支撑，几乎所有的小说名篇都与“乡土”血脉相连，这不但有广泛的共识，也是不争的事实，它们占据了文学、文化、出版价值的制高点。

它是我们这个时代特有的文学形态，具有深厚的人文价值，就中国乡土小说而言，可以说达到了中国文学史上“前无古人”的思想和艺术高度，而且由于我们社会的深度变革，农耕文明的逐渐瓦解，这种形式的文学必将终结，因此可以说，它不仅是空前的，也是绝后的，它的辉煌如同唐诗宋词在中国文学史上的辉煌一样。

乡土小说植根于中华民族精神深处汲取营养，又表现并滋润着民族精神和意识，形成了新时期的文化景观。它不但被中国有识之士充分肯定和赞许，同时也被世界看重。“越是民族的，越是世界的”，莫言获诺贝尔文学奖，就是一个有力的证明。

多年来，从鲁迅到沈从文，中国作家无不有着共同的诺贝尔文学梦，可是直到去年，莫言才为中国作家实现了这个梦想。我认为，莫言获诺贝尔奖，不是他一个人的胜利，而是一大群中国乡土小说作家的胜利。这片热土，造就了这一批作家；这个时代的气候，滋润了这一批作家的成长。如张炜、贾平凹、陈忠实等一批作家，其文学创作的实绩和水平，也大都进入了这个层面。我们为中国乡土作家的成功而鼓掌，为中国乡土小说的辉煌而欢呼。

这是一套乡土小说的精选本，我们这套书重在推出改革开放35年(1977—2012)来中国乡土小说的精华部分，它们绝大部分是获奖名篇或被小说选刊选载、被评论家和广大读者所关注、极具影响力的作品。这些作品是时代的一面镜子，较深刻地反映了一个时期的社会现实。

本套书重时代感，所选作品的排序按照原作初次发表的时间先后顺延。选篇首重乡土气息、时代精神和文学价值，以作品品质为标杆(作家名气、地位作第二位考虑)以期展示35年中国农村变革、农民精神嬗变的文明进程，使内涵巨大的乡土小说所构成的文字画卷，具有以文学纪录时代史诗般的价值。

虽然过去也有一两家出版社出版过一些乡土小说选集版本，但大多是以作家为标杆选择篇目，规模小，不全面；而这套书以整个大改革时代为着眼点，登高望远，选篇宏观铺陈，将散失于长达35年间奇珍般的乡土小说，用一根乡土彩线串系在一起，这是对乡土小说的寻找与抢救，也是在打造我们中国人共同的心灵家园。

由于书的印张所限，有不少影响大、水平高的乡土小说未能选入，对此我们深感遗憾。我们希望这套书的出版，不但能让热爱乡土小说的读者喜欢，而且能让更多的农民兄弟读到。让农民了解农民，了解农村的变化，关心自身命运，关心社会变革，这是我们的初衷。

郑电波

2013年初春

目　录

太 平 狗

陈应松

一

程大种烦乱得直吼。自家的狗不知怎么跟上了他。他是出外打工的，可他带着一条狗。嘿嘿！哭笑不得哟！

天气还好，路上净是尘土，头上、身上裹着一层磷矿粉。他搭上了磷矿的一辆顺风车，走过了两个县的地界，根本没想到狗会跟着他。他那时站在远安县苟家垭的岔路口上——汽车把他甩下往另一条路走了。他看天空，舒筋骨，再拦车，就看到后头远远地向他奔来一只紫铜色的狗，溅起一路灰尘，鼻子里喷着糟气。

"太平！"程大种惊叫起来。我咋没见着你呢？一路在车上往后看哩。你，你是怎么跟来的……

几百里地，离家已有几百里了，它就这么在汽车的屁股后头跟着——我上车时它藏在哪个旮旯呢？

"快回去！快回去！"想起自己前脚才踏出门槛，后脚就有家里的东西跟上来了，这不是不让你走嘛！这鬼狗，比人还讨厌——幺儿还能哄了，说我回来给你带糖吃，幺儿就不赶你的路了。

可那狗不服攆，一脚踢去，踢走了两步，又依依回了头，还向你摇动着谄媚的尾巴。狗不跟着主人跟着谁呢？这让那狗有点迷惘。狗是条神农架的纯种猎狗，当地叫赶山狗，嘴头粗，尾巴直，下巴上两根箭毛，是同村的蔡三爹捉来给他的。蔡三爹过去是个打匠（猎人），最多时家里养了八九条狗。狗通红的鼻子，从小就很好看，腿长，眼像镀了层金子似的，炯炯有神；每天睁着警惕的眼睛，对着山、鸟、虫子、老鼠狂嗥，连虱子也不敢进他家。它就是一百把安全锁，所以就取名太平。话又说转来，咱丫鹊坳的哪条狗不是太平狗？没有野牲口咬伤人畜的事件，盗贼闻见了它们的气味，一泡尿百分之九十撒在裤子里。可我现在不要你，太平，你这哑糊苕！我这不是走亲戚，是去城里找活干的！滚滚滚！滚！回去！

试了几下，一来二去，赶不走，黏上了，就火了，怒从心起，操起路边小卖部门口的一把锹，劈头就照狗砍去。那狗哪晓得主人会对它下如此毒手，防都没防，腰椎就咔嚓一声断了，打落尘埃，发出悲恸的惨嚎，爬不起来了。

主人准备继续赶路，懒得理这狗了。别人把它拖去剐皮煮肉那是别人的事，与他无关。狠心了结了一桩事，还一阵轻松。人在外，心就狠了，像毒蛇。可狗在后头哭泣着，挣扎着，那小卖部里的老倌子还出来心疼地观看，一个陌生人打一条陌生狗。看狗时，狗又晃晃悠悠地爬起来了，狗很怪，怪模怪样的，一看就是深山里的怪物，与野兽们一起长大的。那怪狗叉开四条长腿站起来，平衡了一下身子，用舌头舔了一下鼻子里流出的血泡——鼻尖通红，不是血，这狗就又向那个陌生的施暴人撵去，夹着粗壮笔直的尾巴。可那人依然不依不饶，一双山魈眼横竖看不惯它，又跑过来操起那锹，又是一锹。这一下，是尘埃落定了，狗再也爬不起来，呜咽着悲愤和绝望，听那时断时续的哀鸣，是在喊痛哩，或者还有什么，控诉一般的。那个施暴人在路上暴躁地走着，拦车，什么车都拦，自行车也拦。后来拦到了一辆长途客车，跳上车去。车就被自己轮子搅起来的漫漫黄尘给吞没了，就像一条沟里的鱼搅浑水藏起自己一样。

一团黄尘在蜿蜒起伏、颠簸如浪的公路上渐行渐远。

半夜时分，昏昏沉沉的程大种从梦中醒来，感到一个暖热的膀子挨着他，这是卧铺客车，心想着旁边的人是个男的，不会离自己这么近，各自在臭熏熏的毯子里睡觉嘛。一睁开眼，一张狗脸在黑暗中闪现。狗，太平！这狗何时爬上客车来了？半路上是停过几次，人上上下下，还拉尿、加油，狗就蹿上了车？狗不是已经给打死了吗？

程大种心像刀子割，这狗可是只异狗，狗皮膏药粘上自己了。他就势一掀，将那狗掀到过道里，还踢了一脚。狗嗷嗷大叫，好不委屈。一声狗叫，吓得那在半夜漫游的司机从鸿蒙中惊醒过来，差点撒了方向盘。只见车一个尥跃，在路上摇晃了几下，满车人也都给惊醒了，从毯子里伸出头，一双双通红的眼里全是遭劫般的觳觫。这时就见一条狗从人的头上跃过，撵狗人在过道里高捋着袖子，咬牙切齿，骂骂咧咧。这激怒了一车人，司机在民意的支持下动了怒，将人与狗双双驱逐下车，将他们丢在了荒郊野地。

两天以后，程大种与他的狗才到达汉口。

他是把狗装入一个蛇皮袋子里，紧紧扎着，像装一块石头一样，怕狗乱叫，又将狗两脚踹昏了，这才上了另一辆汽车。

到了汉口，那叫太平的狗还没能吸一口城里的空气，还蜷在自己的屎尿里，在黑暗憋闷的袋子里煎熬着。但从车上下来后，它已经醒过来，浑身疼痛难忍。一阵冷水，浸到心中去了——那是主人程大种在一个自来水管前浇它——是怕它有股子臭味。这样就背到了程大种的一个姑妈家里，这可是亲姑妈。这姑妈是随自己在神农架林场的丈夫进城的，在省林业厅一个下属的木制品厂做技术活。那男人——也就是程大种的姑父早死了。姑妈住在一栋灰不溜秋的老房子里，从楼房外一个砖石砌的楼梯上去，进黑咕隆咚的走廊。找到姑妈家，就说："姑妈，我给您背一只狗来了。"

那意思是说，您杀了吃吧，神农架的特产，肉狗啊。程大种倒出那狗来，那狗像得了软骨病一样，已经快不行了。哪知姑妈误会了他的意思，以为是让她养这只狗——这只巨大的、长相怪异的猎狗，姑妈立马变了脸色，大怒狂呼道："还不甩出去！"

狗像一床破棉絮被扔了出去。这神农架赶山狗太平趴在楼梯口那个露天平台上，费了好大的劲才清醒，一看是异乡世界，它心里火烧火燎，几天没吃没喝啊。

又站起来了，狗的生命力是顽强的，特别是猎狗，野兽只要不把它的身体吞吃，只剩下一块肉，这块肉也能行走。现在，它急切地寻找它的主人，它踅回去，抓门，啃门，无济于事，就趴在了门口，依然不吃不喝。不见到主人，它是不会吃喝的。这狗倔。

半夜之后，城里的喧嚣小了，风渐渐加大了，冷得不行。水泥地忒冷，像趴在冰窖里一样。太平就用两只前爪垫着自己的肚皮，也就垫了自己的身子。肚子里咕噜咕噜地乱叫，嘈嘈切切，吵吵嚷嚷。它就站起来，想松松筋骨，又疼痛难忍，在黑暗中嗅看着这走廊里有没有可吃的东西。一个洋铁罐里有一些臭水，太平喝了几口，不对味，还烧心。一只老鼠从蜂窝煤堆里探出头来，又缩了回去。太平在那儿守了半夜，没见到老鼠再出来。东窜西窜，竟在一个塑料袋装的垃圾里寻到了两块骨头。因为害怕，又吃得急切，骨头没嚼碎就吞进了肚里。那骨头就戳着它的胃，戳着肚皮，用爪子一摸就能摸到，可难受了。太平真想把那骨头抽出来重新咀嚼一遍，没什么危险嘛，何必这么慌里慌张呢？

再趴下来时，胃更难受，就像吞进去了一堆碎玻璃。三月的风蛮横无理，比神农架的风大多了。话又说转来，神农架再大的风，它也有一个草垛呀，有个狗窝呀。在城里却没有。

二

早晨程大种从门里出来的时候，一脸被姑妈数落过的痕迹，眼肿肿的。姑妈被那要死不活的狗惊吓过后，就在侄儿程大种的面前完全变了个人，像个泼妇，像公安局的，对他大加斥责。具体归纳起来有如下几条：

一、你太野蛮不懂事了，弄一只活狗来让你七十三岁的信佛姑妈剐，你是个神农架的野人？

二、自你姑爹(父)死后我就不喜欢别人到我家，逢年过节我也不让儿子媳妇回来。我骨质增生，长了骨刺呢，我这么大年纪了伺候哪个吃？我自己都吃不来了。

三、你作为一家之主，丢下老婆娃儿到城里来寻快活，地不种了，娃儿不管了？老大狗儿读初中，正要人管的时候，你不辅导他的学业，丢下不管了，他学习上不去，到时考不取大学又像你一辈子在神农架挖山不止，把自己弄得没一点教养没一点出息，你失职哩！

程大种想解手问姑妈厕所在哪儿，姑妈说在楼下往西拐走三百米再靠左进去，有公共厕所，不要在屋里屙。程大种竟不想出去，没了一点尿意。在城里，连尿意也没有，人只有一个大脑和嘴，嘴以下没了知觉。姑妈丢给他一床旧毯子，还是姑父当兵时用过的，就这么在沙发上对付了一夜。

早上起来的时候他下楼去找厕所，带着自己的狗，那狗又活过来了，找了一棵蔫不拉唧的树撩起腿排泄了几滴。虽受了汹涌的斥责，东西还是放在姑妈这里去找工作。在没找到工作前，还得厚着脸皮在姑妈这儿蹭个沙发。人到了城里就没个尊严了，就把脸皮取下来让人当茅厕板子踩。自己的亲姑妈都这样对待自己，还能指望城里人什么？也是，她怕个甚！她还怕得罪你不成？她七十多了又长骨刺，还指望重回神农架那老山里让你这侄儿好吃好喝招待她？她也不在乎你拿来的那两包木耳香菇，这东西贱哩，程大种知道城里到处都有卖的，比不得过去连白糖肥皂猪肉都要票。

程大种一脸苦相黄着脸去找工作，后头跟条狗，一肚子火气，糊里糊涂地上了一辆电车。

“呀！狗！”

一声女性受虐的疯叫，一个女子就扑向了一个男人的怀中。这女子正坐在程大种的旁边。

狗在自己腿缝里夹着，狗又没惹事，低着头，让形象缩得很小，可一个男人保护女人的豪气就冲过来了，唬着两只眼，说:“把狗搞下去!”

“这狗……”程大种分辩。

“狗啊狗，这是只乡里的狗！这狗多脏，这狗肯定有狂犬病!”

一听说有狂犬病，车上的人纷纷挤到车门口拍着门要下车，有人打开窗子就往下跳。一时间电车乱了，电车的辫子也掉了。程大种惶恐不已，知道自己闯下了祸，在城里这乡下人就很敏感还自责。他连连说:“这狗没病，没有病！它是条猎狗，赶山狗!”

他的意思是说这狗雄壮能干着呢，不是条病狗。可几个不怕事的男人就要来揍他了，因为有几个女人开始哭叫，这是男人大显身手表现自己的好时机。

“没有病!”他喊，想找个能声援自己的人，目光搜遍了车厢也没有，全是仇恨和冷漠的眼睛。那狗此时也不争气，因为主人在与人争执，就像主人在山里遇见了野牲口，它当然要跳出来，虽被主人夹紧了，可头高昂着，舌头拉长着，嘴龇着，猎狗的威风出来了，只等一声喝唤，一阵风，就能咬住猎物，拼个鱼死网破。

“没有病的！”

程大种急中生智就将手塞进了太平的嘴里，紧挤它的两排牙齿，让它咬自己。那狗的上下颚被程大种狠狠地挤压，像压一副磨子。程大种的手指终于凿破了，血从指头流出来，狗嘴里全是红津津的血，人血，乡下人的血。

“不要紧的，没有狂犬病。”程大种高兴地说。

程大种吮着自己的鲜血，走在大街上。黄黪黪的天空根本分不出是早晨还是傍晚，红尘暴土，人流匆匆。他来到了武圣路劳动力市场。那里聚集着黑压压的找工作的人，操着不同的口音；也游弋着一些坏人，眼珠贼溜溜地围着一些年轻的乡下妹子看，不怀好意。那些乡下妹子护着自己的各色背包、款包、旅行包，表情落寞，就像赶集时牛市场那些站在粪水里等人看牙口膘色的牲口。几个卖馒头和豆浆的老太婆穿梭在人群中，一些招工的人站在一块预制构件上大声地宣传着他们的优惠条件，以吸引人跟他们走：“……包吃包住，每月五百元，每天工作八小时，加班另记工资……”可说破喉咙，周围的人也无动于衷，一副害怕受骗上当的警惕神情。招工的人只好无奈地丢下烟头，啐一口痰，骂骂咧咧地走了，再去找另一处的女孩。

带着狗的程大种在找工作的人群里，立马就被好奇的人包围了。“这狗好怪啊，是什么狗？”“你想卖狗？”“这狗脏。”“烂狗。”有人捂着鼻子，唯恐避之不及，但还是有许多人要问个究竟。程大种不说话，巴不得别人把这条狗牵走。狗身上有血，有脏屎，有苍蝇一阵阵向它袭击，而且因饥饿使肋骨凸现，走起路来有点喝醉的样子。等有人问清情况后，就给他指点说：带着狗是找不到工作的，又是条老山里的猎狗。不带狗如今都找不到工作。这狗伤痕累累，一看就是条疯狗，你怎么说也没人信。如今城里人很难信别人说的，报纸上的都不信还信你？

看狗的人多雇他的人少，谈了几个，没谈拢。有的言谈时旁边的好心人还给他递眼色，意思是不言自明的。

整整一天，程大种徜徉在市场上，有时看着这狗，狗也可怜巴巴地看着他，没有结果。程大种只好回姑妈那儿去。

他走到姑妈家门口敲门始终没人应声。他姑妈发誓不给这个山里的侄子开门。昨天晚上，她无端地梦见了老头子，老头子变成了一只狗——狗头，而身子还是人。那狗就是侄儿牵来的那条狗。老头子说，你把我剐了，腌了吃，炖汤喝。她不干，老头子就朝她一口咬来。老头子哎老头子你咋变成一只狗了？姑妈怀着绝世的仇恨在屋里保持着沉默，并且准备着那个乡下的侄子破门而入。好了，总算这样的结果没有出现，那个敲门声消失了，走远了。老妇人揪着心，终于吐出一口长气，丢进一颗防心脏早搏的药，人紧张啊。

三

程大种原路踅回大街。

黄昏的城市发出冷灰色的光芒，马路牙子上到处是油腻腻响当当的呛人声音，到处蒸腾着炒菜的热气和辣味，到处是泼出的脏水和冲出来的碗筷声。从煤气管里喷出的蓝火发出呼呼的轰响，炝锅的节奏就像是一种嘲笑，对程大种这种人不顾一切的嘲笑和厌弃。乞丐正在沿街乞讨，拿着碗，斜背着用绳子当背带的蛇皮袋子。民工正在啃干馍馍。程大种想起昨夜姑妈数落他的话：不读书就像你们一样，男的出来当苦力，女的当鸡，不是死在城里就是伤残在城里。

程大种吃了一碗热干面，讨了一碗开水喝，然后将碗（一次性的纸碗）装了些残水，让太平舔。太平舔着热干面碗，又瞅准桌底下的半截面窝，飞快叼来就吃了。又跟着主人在马路上游荡，又捡了几个乱七八糟的可吃的东西，如梨子核，灰裹着的硬馍，还有一泡小儿的干屎。

天已经黑了，风加大了。狂怒的寒风趁着黑暗肆虐，横扫着街道和路人；一些店铺的牌子和雨阳篷被吹得啪啪嗒嗒乱响，风沙弥漫，人睁不开眼睛。寒潮下来了。

程大种没想到会遇上这场寒潮的，倒春寒让他一点准备都没有。老山里都已经暖和了，老婆陶花子给他准备所带的衣物时，他坚称别带这么多，硬是把毛衣绒裤放家里了，身上就一件老婆织的旧毛背心，轻装出行。城里的风像刀子，因为你没地方可去，没有一个可躲的茅棚或山洞。到处都是人，到处都是房子，可你进不去。高楼高得望断颈子，无数个窗和门，那不是你的。背着一个山里的背篓的程大种，带着一条与他一样冻得瑟瑟发抖的狗，行走在街头——今夜到哪儿去投宿呢？

狗望着默默无语的主人。程大种没看那狗，他的目光停在了高架桥下的一块地方，那儿避风。有几个拾荒人或者乞丐或者傻瓜聚集在那儿，围着一小堆半燃不燃的火。火很好，柴烧得火很好，很接近神农架。冷了，拾一抱柴，架上，点着，人就暖了。在石崖下，在山洞里，也是几个人围着。

程大种就走过去了。

一个犬牙交错、头发深长的流浪汉对着不肯停息的北风正窝着一肚子火，见一个人牵了条狗走过来，是想避风的样子，他于是找到了挑衅的对象——在黑暗中突然给使了一个绊子，程大种就一个踉跄。

"狗！狗子！狗！"

流浪汉恶躁地吼叫着，抄起一块砖头就砸那狗。一砖头砸在太平的头上，太平顿时天旋地转，嘴里发出哀叫声。程大种见人砸自己的狗，就拿眼找挥砖人。

“狗又没咬你。”他查太平的伤，太平浑身战抖着。这时一个老者拦住了撒泼的流浪汉，并向程大种示意他可以不管，可以坐在这里，坐在他们一堆，可以烤火——假如他不想走开的话。

程大种因为整个的表情跟他们一样：无家可归，从装束到神色。那些人就以十分遥远的、敌意的目光接纳了他，有些人还在咕咕哝哝，估计是喃喃自语。火很小，狗和人很大，程大种挤不进去，也没想挤进去，坐在可以伸出一只手去取暖的外围。因是高架桥的下坡，很矮处没有风，几乎没有，还有一扇水泥墙，程大种就慢慢靠上了那堵墙，屁股下也悄悄塞进了一个草垫。

一个遛狗的人横过了马路——被一条苏格兰牧羊犬拽着。那狗看到了太平，就要来嗅嗅它了。狗嗅着狗，不管它脏不脏。一只是干净的喷香的狗，一只是肮脏的发臭的狗；一只精神抖擞，激情澎湃；一只神情倦怠，要死不活。可两只狗都十分高大，差一点就一见如故，一见钟情，但被那城市狗的主人给呵斥住了，并下力地把城市狗拉开。两只狗以狗的语言吠叫时，太平就显示了它喉咙的粗壮，是一只喊山的嗓子，胸腔有积蓄，气流宏大，吸海垂虹，可以产生坚定堂皇的回音。它还在吠，好像是在继续与城市犬交流，表达自己的礼仪，也表达着自己的存在。以太平的见识，它没有见过这种苏格兰牧羊犬，还有一股奇异的香味，这香味带着令人沉醉的高贵，这是神农架所有的狗没有的。多香啊。太平回味着那狗身上的香味，突然身体有些回温苏醒了。

风依然在残酷无情地吹，太平还在叫着。它的叫声听起来像是对这个城市的一种警告。至于它让城市小心什么，那是不知道的——它确有一种震慑力。

那些烤火和聚集的城市流浪者们这时都不敢出声了，都缄默着，抱着膝盖，不敢再对程大种怎样。那个想给他和太平一点颜色的男人也不再发难了，闭目养着神，并躲着太平。程大种这时才回过神来：有一条狗多了个胆啊！这跟咱山里一样，在山里砍柴采药、出坡干活，跟上条狗，就啥也不怕了。坏人不怕，野兽不怕，迷路也不怕。

狂风依然在马路和人行道上狂吼，行道树被风吹得东倒西歪像患了癫痫，发出受虐的呼叫。寒冷和凄伤此时像把剑刺穿了山里汉子程大种。他唯一可以抱着的就是那条狗：太平，被他几乎置于死地的狗。现在，太平是他唯一的亲人，是唯一散发着神农架深山丫鹊坳家中气息的东西，它那从肚子里发出的温热在一阵阵安慰着程大种，并且暗暗帮他抵御刀割般的寒冷和心酸。在家千日好，出门时时难哪，他在想。可不出来又咋办呢？娃子要上学，老母亲好在死了，自瘫痪之后，加上办丧事，亏了一笔债。收成少，人又没什么本事，不出来找点事干怎么办呢？出来之前，瘫痪叫唤了三年多的老母亲终于闭气了，到天堂享福去了，他也舒了一口气，就想到山外透透气，挣几个钱，然后再打理这个家。希望总是有的，特别是当老一辈的累赘卸下之后，人的担子好像遽然轻了许多，心中有一种隐隐的愉悦。这一点不假，久病床前无孝子啊。我程大种这三年来为妈端屎端尿，擦澡洗身，尽到了一个儿子的责任，病得这么久，也该走了。

可是，我却走到了这里，出门不易哟！

有一种鼻酸。这时那个和气的老者要躺下来睡觉，也示意要程大种躺下来睡觉，还从自己身下拉出来一张草垫给他。程大种这才看到，老人家只有一条腿。程大种看他缩紧身子，把自己钻进一件黑黢黢的棉大衣中去。那些人也一个个钻进桥洞更低矮的地方，默默地躺下了。

火差不多熄了，夜往深处刺去，风越来越大，气温越来越低。程大种枕着背篓，平躺半卧着，狗像一个乖娃子偎在他身旁。他睡不着，看着城市夜空璀璨的灯火。光亮还是有啊，日夜不熄，可就是冷，阒静无人。无人的大街何必点亮这么多的灯呢？还有会跑的、会闪的、会变幻的霓虹灯；霓虹灯在大楼的顶上，孤零零地向天空传情。丫鹊坳的家没有这么明亮，可温暖，家中四壁被烟熏火燎像刷了一层黑漆，特别是厨房旁边的火笼屋。火笼屋啊，火笼屋。他想火笼屋。火笼里总是有未燃尽的火屎，壅在那白灰里，什么时候再烧，把火屎拨出来，架上柴，火笼就又燃了，发出噼噼啪啪的声音。火光撩人，人就从寒冷中回到了人间。那壅在灰烬中的火屎，早晨起来总是燃的，那就是灰中埋存的火种，跟庄稼地里的种子一样。有火种，添两把柴，一天热气腾腾的生活就又开始了。冬天我们并不害怕。火一燃，将那铜炊壶的隔夜温水倒出来洗脸，再续上水烧茶，给娃子烘热衣服催他们起来去上早学。然后喝茶，煮汤汤水水的饭吃，门外的雪与风那不是咱十分关心的事了。反正是冬天，反正是要下雪和起风的，冬天就是这个样。可城里的春天比咱山里的冬天还冷啊……对了，还有那挂在头顶的一排排腊肉，陈年的，熏成黑炭色；新鲜的，也不几天就熏成了板栗色，透出一股子松针木脂的香味儿。走进火笼屋，全是那腊肉香味——肉是吊在楼梁上的，在楼板上——其实只是用细竹稀稀织成的楼板——炕着因山里过早下雪还来不及成熟的苞谷棒子，靠火笼的热量慢慢炕干，就叫了"火炕籽"。这火炕籽苞谷磨出的粉做的糁子，跟腊肉一样，也有股松香味儿，吃起来那个香呀……鸡笼也在火笼屋里，农具也在火笼屋里，猫狗也在火笼屋里；打盹儿、唱山歌子、逗娃儿玩也在火笼屋里。这火笼屋总像个碉堡，坐在厨房旁，与厨房相通。它不是火塘，火塘在堂屋。小火笼屋让咱家人、畜禽度过山里漫长寒冷的冬天。一坛苞谷酒一到了冬天就搬到火笼屋了，吃饭时，取一杯酒，鼎锅煮些懒豆腐或者洋芋煮腊肉，一家人围着火吃饭，火就是桌子，满头覆盖的木柴白灰就是幸福……

太平与主人紧紧地挤着。主人在半夜冻醒过来之后，摸摸那狗，他想应该把狗扔了，找个有活干有床睡的地方。

太平在主人决定坚决弃它的时候，因伤痛和饥饿而悲伤着。主人的两锨已让它大伤元气，无法恢复过来。主人的如此凶残让它闻所未闻，至今还大惑不解。这只狗还有一些没想明白的是：主人为何没一点笑脸？为何睡在桥洞里？为何在城里吃点东西喝上一口水有这么难？饥饿像北风一样呼号在它的体内，折磨着它的梦境。它想到了丫鹊坳那个芭茅草垛的梦境，还有在向阳的时候屋檐下木柴堆上的梦境。它自己在芭茅捆里掏出个洞，把整个身子蜷在里面，通红的鼻子从草里懒洋洋地伸出来。它会经常梦见一个叫火笼屋的地方。梦着梦着，它就会从火笼屋的火堆边醒来，不知道是谁把它弄到火堆边的，毛给火烤得嗞嗞地响，散发出一种焦臭。它与猫拼命地打着架，猫是懒猫，一年四季懒，它看不惯它。它在火边喵喵地叫着，以求得人的同情。可狗是不可能懒的，在冬天，闲得无事的主人会很早唤醒它，带着猎叉和挠钩，奔向雪野和森林。你吃着骨头，你身子暖暖的，没有从早到晚的无望行走；你在森林里狂吠，捕食着毛锦鸡、野兔和竹溜子（竹鼠）；森林滋养你，让你豪气冲天。一只几百斤重的野猪又怎样，只要主人一声令下，你就会将它从刺丛、山沟里咬出来，与它展开绝命的厮杀！肉搏和噬咬，狂吠和奔驰，伤痕累累。可这无法阻挡你内心的狂喜，赶山狗的生命本应是这样的啊……为什么在城里无法狂吠和奔跑呢？为什么不敢撕咬……

四

太平在没有弄清这一切的时候，就被主人程大种带进了一个乱糟糟的集贸市场。

鸡鸭在以各自的声带拼命嘶嚷着，鱼在砧板上血淋淋地跳跃。活扒鹌鹑的人从鹌鹑的颈子那儿下手，像撕一张纸就把鹌鹑的皮毛给扒下来了，像脱一件羽绒衣，剩下光溜溜的、紫红色的肉；那鹌鹑可怜地还在站着，还能站稳行走，还在叫着，咿耶咿耶……割羊头的先抓着羊头，一刀下去，羊头就掉了，羊四蹄踢蹬着；买新鲜羊肉的妇女们站着队，手上攥着人民币，嘴里流着哈喇子，只等新鲜羊肉扔到案板上，那羊肉还因为疼痛在一跳一蹦，一个妇女就机灵地抓到了一块，扔进篮子里，羊肉仿佛依然在跳动着。

踏着一地鲜血往深处走，就是一个剐狗市场。十几个刽子手拿着刀在研究着屠狗方案。每一条狗因性情、大小不同，屠杀方式也是不同的。满地的狗血、狗毛、狗头、狗屎。笼里箱外，净是些各种各样的狗。一边，狗与狗在调情；一边，狗在屠刀下被精心地杀戮。有的狗在笼子里吼着，不停地走来走去，像狼一样发出阴森的嗥叫；有的狗沉静地看着笼外走过的人和屠夫，对身边不远处被宰狗的惨叫声和喷出的狗血无动于衷。没有绝望和恐怖，仿佛永远与己无关。

太平被牵着走到一个戴着一顶帆布旅游帽子的男人那里。那个男人是个秃头，叫范家一，从小喜欢屠狗，靠着一剑封喉的绝招，在肮脏的血水与惨嗥中煎熬着生活来养活乡下的一家人,并建造了村里最高大、用钢筋最多的房子。

太平看到范家一从他胸前挂着的一个小帆布包里掏出一百元钱给了主人程大种。

程大种说:“别找了吧,就一百嘛。”

“九十就是九十,找十块钱来。”

程大种面露不情愿的神色,在口袋里左抠右掏。范家一就不耐烦了,用一副比狗还不耐烦的嗓子说:“谁知道你在哪儿逮的条疯狗,不是疯狗砍我的头!”

程大种说:“这是条猎狗,你杀狗的人不识货啊!”

“猎狗也疯了。”范家一说,手就伸了过来,十个指甲缝里全是乌红的狗血,非要程大种找回他十块钱。

对范家一来说,他眼里不分猎狗与什么狗,都是狗,都是一块肉,只有肥瘦不同大小不同。

一个人就将太平牵去,关进了一个铁笼子里。太平本来看着程大种与范家一在争钱的,不知怎么就被关进了一个大铁笼子里。这是太平放松警惕后犯下的一个错误,也可能是范家一认为这条乡犬老实,对它下手迟而留了条命的原因。

太平被关进了大铁笼之后,它的主人程大种连看也没回头看它一眼,就莫名其妙地消失了。太平进了笼子,笼子里关着许多狗,一下子置身于那些千奇百怪的狗中间,让太平无所适从。那些狗有狗味,却没有狗形——太平认为它们没有狗形;脏——全是街上抓来的流浪狗;怪——一个个长得奇丑无比。你看那没毛的沙皮,毛都没有那叫狗吗?太平还以为是范家一将它给拔了,拔净了呢。这秃狗,光光溜溜的好恶心,城里人爱无毛的狗,还爱没有尾巴的杜宾狗。太平看见一只大约是得了狂犬病的狗,没了尾巴,以为是它惹事给手痒之人剁了呢,心中想笑,但一看,又看到了还有一只。这杜宾狗,生来无尾,可太平在山里看到的狗都有粟穗一样的蓬松的尾巴,那是在追逐奔跑时的舵,随时校正着它进击的方向。狗尾竖卷起来就是一股英气,让野兽望而逃遁的旗杆。更丑陋的是腊肠狗,就是狗中侏儒嘛,这狗日的狗,无腿狗——狗为何没有腿呢?腿为何只半长呢?可一条赶山狗要的就是四条好腿,翻越千山万岭,追捕飞禽走兽,赶撵着一座又一座山,没有高高的健壮的四条腿,凭什么在山野中生活?狗腿是在山中奔跑的枪刺啊——如果狗是一支箭,狗腿就是箭镞。可城里的狗不需要腿,主人不让它长腿,宁愿让它变态、残疾——城里人爱的就是这种千挑万选、一代代劣胜优汰、残疾繁殖的烂狗滥狗!

巨人:一条苏格兰牧羊犬,超凡脱俗的阴森相,一张尖鼻子脸像一张挖锄,可怜只剩下一只眼睛了,另一只眼老瞎了——它是只被主人遗弃的老狗,站着像座山,可太平看到了它虚弱的部分。那色厉内荏的独眼你可以忽略。巨人犹如巨人站在笼子的最中心,以它苍茫的阅历还没见过这么一只紫铜色毛、红色鼻子且下巴上有两根箭毛的高腿厚尾狗。这狗显示着响当当的士气,嘴里喷着石头般的气息,一进笼就把一只叫乖乖的拳师犬给踩趴在粪泥中了。那乖乖的两个鱼鳃一样的下巴就像两片破抹布固定在太平的脚下。这有什么，这无意的一踩莫非不是一种宣示？

八格牙鲁：一条长毛西施犬，因为烧伤被做小贩的主人扔在东湖里，它顽强地爬上岸，还是没逃脱一个专捡湖边死鱼的人抓捕——这条屁股溃烂的狗，给换了二十块钱。八格牙鲁想到那炉火的烫伤，无数的狗舌头就像是蓬勃燃烧的火，正向它漫卷——它又患上了肺炎，眼睛红红的，喘着粗气。如果洗去它身上的污粪烂泥，治好它的伤口，就会发现这是一只纯白色的美犬。它的脸小巧可爱，性情温顺，连哼叫也细声细气。

门槛：一条黄毛獭犬。

还有一条像狐狸的不声不响的金色沙米狗。

“噗——哗——”一盆铺天盖地的脏物从笼顶上泼进来，狗们顿时一只只淋了个五花八门，呜呜地躲着不知为何、受何东西的打击，再一细看，狗身上、头上都挂着一根根的鸡肠、鱼肠子。就像是被猎物唤醒了，加上置身于一堆陌生同类中的警觉，太平已经初步判断它不惧这些城市玩物狗。这些狗来自各地，还没有团结起来以对付一条乡下狗的自觉。何况，它感觉到，这些城市狗根本不懂团结，它们没有团结的概念，除了咬对方，就是向对方示出赤裸裸的性欲。它们自私，矫情，依恋高楼大厦，失魂落魄，疾病缠身，只有等死的份儿。在看到美味的禽鱼下水后，太平虽然睡眠不足又旧伤未愈，可饥饿驱使它向那些食物扑去。胃口极好，被森林、大山和野兽磨砺过的残缺不全的牙齿，恨不得掳进天下的美味，连那些小小的玩物狗也差一点被它的大嘴给吞进去了。巨人这时结结实实地踹了它一腿，乖乖挣扎出两片腮皮后也向疯狂争食的太平咬了一口，可太平没有感觉。

“吃呀，吃呀，这些狗东西！”

“噗——哗——”范家一又一桶连毛带水的脏物泼进来。太平与巨人苏格兰犬展开了搏斗——这是乡村巨人与城市巨人的一场搏斗。无外乎牧羊犬看不惯太平，加上在抢夺食物时太平的牙齿无意间碰到了巨人的那只瞎眼。两条狗在铁笼中为着各自的尊严展开了血淋淋的较量。两条在屠刀边缘的狗，无视着共同的命运。虽然，苏格兰牧羊犬有着高贵的血统，也有着伟大的基因和英雄的气质，但它垂垂老矣。太平虽然没有城市生活的经验，可对巨人来说，它同样也没有在一个铁笼里像关鸡一样湮埋在一堆乌七八糟的狗中间生活的经历。老狗、疯狗、伤狗、白痴狗、残狗、饿狗，大家共同要学会的就是在生命的最后日子里如何显示自己的自私和暴虐。

两条狗扑向对方撕咬着。一个年轻的叼着烟的屠夫就喊开了：“范家一，你的狗打架啦！”

在太平与巨人对仗时，其他的狗汪狂叫个不停，这引发了周围笼中的狗和拴在北风中的狗的回应，整个屠狗场一片啸叫之声，百狗狂吠，世界恍若末日。

太平已经听不见狗叫，它的牙齿在愉快地撕扯，哪是同类，分明是野兽！在那些狗的纷纷退让与叫喊声中，太平突然感到它又懂了不少：只要你拼命，没有什么能够抵挡得了你。

但是，面目狰狞的范家一气歪了鼻子和帽子，他手拿着一根可以把狗皮打松的铁条，朝笼中一阵乱捅，巨人的唯一一只好眼给捅瞎了。太平看见那根铁条刺中了巨人的眼睛，再一猛力地拔出，那喷起的鲜血就刹那间布满了笼子，好像笼子里在下红雨。这“红雨”救了太平——太平本已被范家一刺中了几下，几次都刺进了体内，好在太平的皮因狩猎传承了它祖先的厚度，又未刺到动脉。就在它无法躲避时，巨人的血遮挡了范家一的视线。范家一见巨人因瞎了双眼趴下了，还发出老人般的号啕声，就更烦了，大喊道：“把你宰了！狗日的，宰不光你们！”

那范家一摆出一副要与巨人斗争到底的样子，人犟了比狗还倔。范家一就用一根极像猎人用的挠钩，打开笼门一钩一个准地钩住了瞎眼的老巨人。老巨人知道了自己的死期，就张开那所剩不多的牙齿去咬挠钩，牙齿又在挠钩上碰掉了两颗。其他的狗这时不是趁机跑出笼门，而是缩向笼子深处，给巨人让路。那老巨人就给钩拽出来了。可是老巨人不会束手就擒，一阵垂死挣扎，又刨又咬，似乎知道自己是被打入地狱去的。在被摁上台板时一口咬着了一个挥刀的十五六岁的年轻屠夫，那年轻屠夫吮着自己的手指，就势一刀屠去。狗软是软了，只见抽搐，却不见出血，痛苦地在台板上挣来挣去。范家一骂骂咧咧，夺过徒弟的刀，在自己的裤子上荡了几下，再一刀捅去，再抽出来，那血终于通了，喷泉一般往外涌。徒弟拿盆去接狗血，那巨人也就平静安详地了结了一段尘缘，回苏格兰它的故乡草场去了。

笼子又重重地关上。

五

程大种捏着那卖狗的钱出来，没敢朝后头回看一眼。虽然一阵轻松，毕竟悲伤多于轻松，为自己的那狗。狗千里迢迢跟他来到城里，却被他卖给剐狗人剐了。那是一条灵犬呀，甚至有点灵异。他伤心着，吃了一大碗红油的湖南米粉，还加了荤，辣出了几天未出的汗，把伤感赶跑了一些，就又去了武圣路劳动力市场。

昨天他还要求解木拉大锯，今天他就不这么坚持了，甭说昨天，昨天的昨天在此游弋的人，数天在此游弋的人，都没找到工作。

市场旁汽车们正在灰蒙蒙的大街上飞速运行，喧腾有如涨水时的河谷。一辆大卡车撞瘪了一辆小汽车，死人血淋淋地被从车里拖出来。刚才还是个活人，瞬间就成了死人，比山里的野牲口吞噬人还快呀！一溜的红色救火车催逼人心赶往一个地方；两个在人行道上行走的男人无缘无故地打了起来，打得头破血流，看热闹的人刹那间围了过去，像一群见了甜的山蚂蚁；一个挑担小贩跑黑了脸要甩掉一群城管。城市让人茫然无措。

可是我已经没有了狗啊，没了累赘。

一无所获的程大种晚上找到了专为找工作的乡下人准备的仓库旅社，两块钱一个铺位。空气污浊，臭不可闻，可没有寒冷的北风。在这两块钱一个的铺位上，程大种躲过了这一夜更加凌厉的寒潮，心中涌动着对"床"的感激膜拜。多好啊，床和被子，磨牙声、放屁声、紧跑慢行的哼叫声，在半夜里恣意横行。程大种好好地睡了一觉，醒来天还没有亮，上了一趟厕所……

狗死了，可我得找工作啊。睡了个好觉，就早起了，第一个来到劳力市场。风依然很大，吹得人清鼻涕直流。有两个招工的早候在那里了，缩着脖子抽烟，看他背着个背篓，就知是从大山里来的，就问他挖不挖土，二十块钱一天。程大种就说干，干。就跟着他们走了。

城市新的一天又在喧腾中开始，大车撞小车，小车撞行人；来的，去的，车大喊大叫，人不言不语。城市比起那每天安静如初一模一样的山里，还是蛮有活力的，像七岁八岁狗也嫌的男娃子。

程大种来到的是一个修路工地，在几丈深的泥水里挖稀泥埋涵管。程大种不知道，是两个死人给他们让出了空缺——昨天这个深坑旁的挡板垮塌埋下了两个民工，再把他们挖出来时已一命呜呼。这事儿惊动了电视台，还有一个什么领导也亲临现场指挥挖人。程大种他们没有看电视，对这儿的事一无所知。因死了人，挖土的民工跑了大半，工程又叫得急，包工头只好去招了程大种等五六个新人。

别人给了他一把锹，他就和新来的民工跳到昨天死人的泥坑里去挖泥。那泥坑少说一丈深，两边有人在捶打着安装护泥板，但泥巴还是簌簌往下掉。赤脚站在刺骨的泥水里将泥挖进一个筐中，升降机就将那筐抬升到地面倒掉。

在城里的第三个晚上，太平就挤在了一堆待宰的城市病狗和流浪犬中间，挤在屠笼里。范家一生气暴虐戳给它的血洞除了灌满疼痛外别无其他。狗们堆叠着来抵挡寒潮中的北风，因为饥饿，体内的热量所剩无几，一只只狗都有气无力的，在黑夜中睁着无望的眼睛，或是闭目如死去一样。这些自私的城市狗每只都各自顾着自己，巴不得削尖身子往深处钻，就像钻进自己曾经十分温暖的狗窝，就像太平钻进那个丫鹊坳的草垛。

害着狂犬病的无尾杜宾狗本就肮脏，它淌下的口涎散发出恶臭，不停地滴到太平的身上。太平嗅出它有病，这十分危险。杜宾狗因为口渴，不停地发出求水的呻吟。太平必须躲开这条狗，它就干脆让出了有利的位置——因为它身坯大，那些狗都贴它而卧，这为它阻挡了寒风。现在它从狗堆里爬了出来，更多的狗就顺势挤占了那个空间。太平出来，可这又很危险，离笼门太近，就是离死亡和屠戮更近。范家一不会挑拣，反正都是野狗，开了笼子，抓钩钩出来一只就杀。但是此刻是深夜，离天亮后的杀戮还早。它钻出狗堆，就像从火笼屋抛身旷野。屠宰场腥臭的风没遮没拦地恣意横行，数十个铁笼子和挂在墙边的狗们在绝望和苦难中吠叫呻唤，好像是在呼唤着亲人们来解救自己，或者向无边的黑夜申诉。

太平因疼痛而清醒。它在狗们那待宰的状态里突然获得了一股强烈的求生期望——逃亡！这种意向紧紧地攫住它，或者说它紧紧攥住了这根生命叛逃的绳子。对主人愤恨还不是这条狗所能具备的，它只是渴望着逃出去，与主人会合——那个在城市的街头，背着显眼的山背篓的人，那个程大种，时常对它喝吼，还给了它致命两锨的人，过去一直对它很好很好给它吃喝还时常要抚摸它的人。逃出去，逃出去！向那最广阔的世界奔去，在渐入昏冥的城市灯火深处，海洋一样幽深的陌生世界，那无尽的神秘和诱惑，突然给它旷世的激励！

因为寒潮的到来，狗肉火锅火爆起来了，这是屠宰场的屠夫们没有料到的。凌晨四点多钟的时候，屠狗声就撕心裂肺地在这个城市的角落响起来了。太平打了一个盹，梦见了神农架的森林，睁开眼睛一看，影影绰绰的屠宰场已经有了叮当的快刀声和将狗们抬上厚厚的台板过刀的闹吼。那些城市的狗在生命的最后一刻，只是可怜巴巴地叫着，虽然十分凄惨，但并不愤怒悲壮，没有多少像狼一样的叫声，没有穿透力，仿佛这种赤裸裸的杀戮是很正常的，不是一场罪恶。一块活着的肉与刀亲吻时总会那么浅浅地叫上一声，就变成了一块无声的平静的死肉，血糊汤流地扔进肉筐。再一块活肉再叫上那么几声相同的调，在刀下又平静了，分解了，即将变成寒潮来临时餐馆的美味。餐馆老板会说，大补啊，御寒啊，提气啊。狗肉不过是一种菜，一种时令菜，这个大家都清楚，除了狗。

太平醒过来之后，就开始拼命地往狗堆里扎，虽然饥饿、寒冷和疼痛缠住它，但它有着足够的力量，把那些沉睡的狗们掀往两边，劈波斩浪地躲进了范家一的铁钩钩不到的地方——至少第一钩抓不到它。因它的奋勇冲击，笼子里突然闹腾起来，好在范家一没有听到，他在与徒弟剥另一些狗的皮。太平扎进狗堆里，那些狗用爪子、用身子践踏着它的痛处，并用牙齿咬它。太平蜷缩着身子，以减小目标，可那些狗爪狗嘴仍持续地、尖锐地制造着它的疼痛。后胛有一处非常痛，像被人用刀在里面搅。太平看到那只叫门槛的黄毛獭犬用尖齿咬着它的皮肉不放，就像在夺一块咸肉。太平回睃了它一眼，可那獭犬十分机灵，一双贼眼似乎还带着神秘的嘲笑，在晨光中明幽幽的，仿佛看透了太平的一切。太平想用腿踢它，但这獭犬钻在狗的最高处。好在这条狗只是只流浪犬，没有病。太平费了好大的劲一点一点地把自己的皮肉从它的嘴里拉开，又拉出了一条口子，太平恨得牙痒痒的。机会是在吃鸡鱼下水的时候，借助混乱抢食的那一会儿，太平瞅准了时机，一口咬住了獭犬门槛！它的噬咬野兽的牙齿插进门槛的皮肉犹如梭镖插进敌人的心脏。那门槛在争食的吵闹声中一阵悲惨的吠叫一点都不引人注目。也许是太平的肆无忌惮和狠厉，先来的那些狗虽然见识了太平作为一条山里猎犬的优秀品质，但是后来者矮三辈，这匹粗野的山狗不仅咬了先来的狗还抢夺笼里少得可怜的食物，于是，那条极像大狐狸的金色沙米狗终于站出来对太平示威，双爪伏地向太平张开了怒斥的大嘴。一时间，无尾杜宾狗、乖乖以及高烧得糊里糊涂的八格牙鲁等几条病犬也一起向太平发动了进攻。为了争夺食物，这些城里狗也焕发出从未有过的英雄激情，大不了决一死战，反正死到临头了。与其死在异类范家一手上，不如死在与同类的战斗中；与其冻饿而死，不如捞一口成个饱死鬼！

淡薄的太阳此刻已经露出来了，在一片低矮建筑的屋顶上，灰霾在阳光里呈现着迷蒙的灰蓝色。范家一正在屠板上喝早酒，脸上笑眯眯的。太平抢占了一个有利的地形将尾部和右边的身体紧靠在笼齿边，以防四面受敌，又能看清范家一的一举一动。然后，它向领头的金色沙米狗发动了进攻，先是一嘴将它掀翻身，再快速咬住它裆里的睾丸——这是对付野牲口的绝手。这样的速度也只有在与野牲口搏斗时才可能出现。现在，伤痕累累的它实现了，在没有主人也没有枪支做后援的情况下；在笼子里，它又一次出猎，并且飞快地躲过了一只狂犬对自己的偷袭。太平咬住金色沙米狗的睾丸，它只是想教训一下它，可不知怎的，当它抬起头来去看范家一时，发现所有的狗都张大了狗眼望着它，就像看一个异物。它这才发现，它嘴里是一个腥臊的东西——那沙米狗的一个睾丸。它把那东西吐出来，看着沙米狗在那儿汪汪地抽搐，就像犯了病一样。太平猛然发现自己已变得不可理喻与残暴无情了，它变成了一只野兽，不是来到城里，而是没入了大荒。可这分明是城里呀。

太阳在悠然地上升，在血水成河的屠宰场，一个范家一的徒弟牵来了几条狗，这几条狗没有被立即宰杀，它们因为有绳子，就被拴在了墙边的木桩上。大小狗的宰杀是搭配的，拴在墙边的几条狗因为胡喊乱叫，把范家一弄烦了，一个不剩拉去宰杀了。太平它们的笼子一直到范家一宰杀第二十条狗的时候，一直到下午 5 点，还没打开过笼门。虽然那只被太平咬掉了睾丸的狗嘶叫了一整天，也没有人光顾它们的笼子，对它们的死活痛苦不闻不问。

5 点钟过后，又是一阵鸡肠鱼肚加上烂白菜死鱼臭虾的降临。太平津津有味地抢食着，对于它来说，这就是美味佳肴了。在山里，这些年出猎越来越稀少，它除了自己去撵一两只老鼠外，其余就是主人给它的残羹剩菜；骨头不多，最多的是在猪圈里与猪一样咽糠菜。现在它吃着，那些城市狗虽然本能地去抢了一两截肠肚，可对于它们来说，是难以消受的。这些曾养尊处优的狗，这些曾在主人的呵护下过着奢华生活的玩具狗，就算流浪过，就算重病在身，还是无法适应这笼中的环境。在这人间地狱，它们依然显露出它们的矜持，但饥饿很快会狂扫尽它们的尊严。面对下三烂的食物，它们只有适应并吞下去，才能保证悲惨生命的苟延残喘。

吃了一些或者没吃饱一些之后，又一阵冷水来浇透。范家一的自来水管就势将笼里的狗一只只冲洗了一遍。狗们趁机大口地舔咽着冷水，又躲着冷水的冲击，一只只像落汤鸡，被寒风一吹就像进了冰窟。狗们奋力地耸着身子，想把那水抖搂干净，但这是枉然。狗一只只打摆子般地抖着，大汪小叫。每个笼子都在重复着同样的骚动和命运。

又一天就这么过去了。

六

早晨到来的时候，太平拿眼睛去搜索那哼叫了一夜的金色沙米狗，看到有两条狗趴在它流血的裆里，正呼呼大睡哩。当太平站起来想伸个懒腰时，看到那金色沙米狗的狐狸脸朝它愤怒地瞪着，瞪着。太平没有防备，也没有想到那沙米狗还会有一跃而起的力量，带着复仇的狂怒向它扑来，与它一决雄雌。太平本能地狂吠起来，赶快迎敌，可那沙米狗估计也是野性未泯，或者在难耐的疼痛中磨砺出了斗志，反正一口就咬破了太平的皮肉。那太平也是个伤病号，在与己拼命的狗面前没几下就露出了自己的软肋。两条狗在笼子中撕咬着，其余的狗都夹着尾巴嗷嗷求救。太平看到魔鬼范家一向这边跑来了——他听到了打斗声和满笼狗的叫唤声。这下要遭罪了！太平想停下来，要那个“狐狸”不再发怒，否则将是它们共同的末日——末日在早晨时就突然降临了！

范家一这次不是拿捅条，而是拿大棒，拉开笼门就朝里面一阵乱打。那笼子是个大笼，棒子有挥舞的空间。太平只觉得头上、身上落下了雨点似的棒子，整个就被打蒙了。一笼的狗都被打得汪汪直叫，一条从棒缝里没逃出来的狗当场被打死了，口鼻流血。狗们被打着，趴着，跳着，蹿着。也就是在这时，太平的命运发生了奇迹般的变化。

范家一还嫌打得不过瘾，就把太平和那条沙米狗牵了出来（太平脖子上已套了截绳子），再一顿好打。两条狗被打得奄奄一息，鼻子上冒着血泡。范家一又大声地骂着指挥徒弟要他们来帮忙把这两只狗趁早宰了。

太平在棒下想寻找逃生的路几乎是不可能的，它想躲闪也不可能，只能在棒子砸下来时以瞬时的扭摆来保护致命的部位。可它也在奋力地上蹿下跳，想一口气挣断那根绳子。

“住手！住手！”一个年约五十、头发花白的男子一把拉住了范家一的手，并狠狠地拽住太平颈上的那根绳子。

“不要打了，老范！”他喊。

气急败坏的范家一一看，是住在不远处的徐汉斌。徐汉斌用武汉话愤愤地骂道：“个板妈，我信你的邪！这狗是么事狗你晓得啵？这是赶山狗，神农架的赶山狗，哪个送来的？”

范家一平时对说武汉话的人是不敢马虎的，他是个粗人，乡下人，在城里占了块地盘杀狗，还不是武汉人的地盘？虽拿着刀子，对武汉人还是毕恭毕敬的。

“拐子，你说么事呀！”范家一撇着一口不成形状的武汉腔说。

那徐汉斌就蹲下身来摸着被打得体无完肤的太平，说：“你还不如这条狗，姓范的，它叫赶山狗，连山都赶得动的！你看这一身的紫铜毛，哪里找得到？我都三十年没见啦！你不识货呀伙计，个板妈这是真正的猎狗，咱湖北最好的猎狗，咬得死狗熊和老虎的！守家防盗那也是最好的！熊都咬得死强盗咬不死?！哪个送来的?”

“我忘了，”范家一说，“病狗么。”

“没病。个板妈，从哪儿搞来的？神农架离咱汉口一两千里，这狗平原地区见也不会见着的，生就是山里的狗，昨天晚上我刚好梦见我那条赶山狗，今日就见着了，怪呀……”

“拐子，你喂过这种狗?”范家一问。

“我是下放到神农架的老知青你不晓得？老子是知青！”徐汉斌拔下台板上插着的砍刀猛力一剁，“我把它带回去！”

“一百五给您啦！”

“个板妈你杀肥羊啊！送条狗我死了人！”

“我买来两百，拐子啊！”

徐汉斌见这人不爽快，想了想，好难受地从他的陈旧羽绒棉袄里深深地掏着，掏着，掏出了所有的钱，就是百把块钱，塞到范家一的手里：“行了行了，个板妈不懂味，小气得像打屁虫子。”

“我如何牵回去?”他又说。这老知青捡起范家一的大棒，突然向太平的头上敲去，敲了两下，这两下，太平就晕了。等它再清醒过来，就已经到了徐汉斌的家里。

“……1976年的时候，粉碎‘四人帮’，我招工啦。我说，大刀啊大刀，再见了，我不可能把你带到武汉去。怎么办呢？我把大刀托付给了康大爹，我说我马上就回来看它的。可是大刀咬断绳子跟上了我，我不能走啦，个板妈，这狗恋我啊。我招工了，要飞出神农架，心里甭提多高兴了，如脱笼之兔，哪能带条狗？我想啊想啊，走了二十多里快出山了又带狗回来了。我想了想大刀是条好赶山狗，我没吃的它给我抓过好多锦鸡、竹溜子。我一定要让它没痛苦死去。我回来后就晚上下夹子夹了三只竹溜子，打死，提着，再走。走到野竹崖，我呼唤大刀，扔下第一只竹溜子下崖，大刀是极听我的话的，我想它去抓我扔的竹溜子，就会冲下百米悬崖。第一只它没冲，对着崖下狂叫；第二只我又扔了，拍打它，要它去抓，它还是没冲；第三只，最后一只啦，我就高高地一扔，大刀看着我，它似乎知道了我的心思，是要它永远地留在神农架——它眼睛湿湿的，恋恋不舍地看着我，就义无反顾地往崖下跳去了……"

这个人在讲另一只赶山狗的故事，太平不懂，它只是虚弱地看着他老泪纵横。可它被这个人打了两棒，现在，他蹲在它对面，给它好吃的火腿肠和猪骨头，哭着喊着一个它似乎听起来熟悉的名字——叫大刀的狗很多，在神农架。他叫它道："大刀，你是我那大刀么？"

它不是大刀。它叫太平。这个人不知道。

"大刀，呜，喔，大刀，大刀……"那个人不厌其烦地唤它，给它摆弄那骨头上肉多的地方让它看清。

可这个人的老婆并不欢迎太平。这人的老婆是个个子矮矬说话尖声的女人，极度害怕狗。

"哎哟，哎哟，你把它捆紧没有，死东西！"

"个婊子养的，哪儿拖回的一条疯狗？你发狗疯？！自己都没得吃的一个下岗工人，还给这大条疯狗吃火腿肠？你是发神经吧？"妇人说。

"它是神农架的赶山狗，我下放在神农架你晓得啵？"那个人吼。那个叫徐汉斌的人，一吼，额上、颈上的青筋就像蛇一样鼓胀起来。

"赶山狗，你没看它的架势？你在武汉见过这样的狗？"

"还不赶快把它丢了。"

"丢了？这样的狗你会丢？咬得死老虎的狗！"

"你看见过老虎吗？你看见它咬死过老虎吗？在汉阳动物园？"

"滚！"那个男人说不赢那个快刀嘴女人，气得喉咙里滚动着无边的恨意，咕噜咕噜直响。

"把它扔走，莫让它咬着我了！"女人把一个桶往门口一蹾，发出清脆的爆破声，桶一定裂了口。太平一惊。太平已经服帖了，两棒就被这个男人打服了，任何一点尖锐的响动都会要它的魂。

武汉的老知青男人是不会屈服女人的，他给太平洗毛刷毛，给它伤口擦药，还给它颈上安上了一个皮套一根链子。这样虽然皮肉之伤还未愈合，但狗的架势就雄赳赳地出来了。这真是一条与众不同的狗，它很怪，似狗非狗，似狼非狼，洗过飘柔二合一的紫铜色毛像森林一样蓊郁闪亮，高挑的腿，紧巴巴的腹部，竖起的耳朵，就算它十分虚弱疲惫，就算它眼中充满了恐惧忧郁，它站在那里，它出现在人们面前，就会让人大感惊异。

这是一定的。

"……汉斌，好呀你，你的狗？"

"这狗，老徐，这狗！啧啧……"

"徐师傅，好狗呀！牵紧点，不是狼吧……"

徐汉斌走在大街上，认识他的人争相向他打招呼。他只往有熟人的地盘上走，就是要的这个效果。

“吃皮蛋，鸡巴！它不吃皮蛋！你给火腿肠……”

“个板妈，不认识，神农架的赶山狗。纯种猎狗，专咬老虎豹子和狗熊的，它咬死过三头老熊……”

徐汉斌坐在有些阳光闪出的小巷口的店铺板凳上，跷着腿，抽着烟，接受着人们的赞赏和议论。许多人给太平投来食物。一个年轻人还将手上提的一块牛肉完整甩过来，太平三口两齿就给吞进去了。它不知道它为什么会得到这么好的食物，被这么多人围着观看和议论。

这个晚上在一个风沙弥漫的大排档里，几个当年的知青抱着太平，高唱着“大刀向鬼子们的头上砍去”。他们唱着：“亲爱的江城，我的故乡，我哪年哪月才能回故乡？雄伟的大桥，横跨龟蛇山，想起了故乡我泪水流……”

这几个人中有一个是刚从牢房里放出来的，有一个刚割了瘤子，有一个坐在助动车上，是个瘫子，有一个是刚做了奶奶的女人，还有一个当了青山区某街的城管队长。他们喝着白酒，眼睛红红的，有的还从眼里挂出了两串泪水。泪光闪烁在高楼传递过来的霓虹灯光下，风掀动着他们无力的、花白的头发。太平望着他们，听他们在说：按神农架的喝法，敬一个，回一个。一时徐汉斌面前堆了一大堆杯子。太平知道这种喝法。它还闻到了苞谷酒的香味，这多熟悉啊。

“汉斌，这狗是从哪里来的？”从牢房里出来的男人两眼凶巴巴地问。

“实话说了吧，从屠宰场救出来的。”徐汉斌说。

“那屠宰场又是从哪儿搞来的呢？”城管队长正正威武的大盖帽问。

“还不是收来的？”徐汉斌说。

“这狗来路不正啊。”那个当了奶奶的女人用婆婆嗓说，“莫非宜昌、十堰就没有么？这狗一看就是恶斗过的，满身抓咬伤，性恶啊。我那嫂子会答应你养吗？”

“哪让我养？欧阳，你牵去帮我养几天吧？”徐汉斌说。

坐在助动车上的欧阳卫东大嚷：“我自己都养不活，还养只狗啊？嘿嘿！”

“那你养。”徐汉斌指另一个。

刚从牢房里出来的凶巴巴的人说：“鬼！我还找人扯皮呢。”

大家问扯什么皮，那人说：“老子出来就是要报仇的。”

大家就劝他忍了，好好安心过日子。

“这狗难上户口，还得去打防疫针。这狗恶，我在神农架时最怕的就是狗。”女人说。

“你那时才十七岁，见什么都怕，小女生嘛。”大盖帽声音怪怪地说。

“你们把什么都忘了。”徐汉斌失望地说。

后来，太平听着徐汉斌以哭似的、绝望的、怪异的声音唱着“大刀向鬼子们的头上砍去”，一路晃晃悠悠地回家去了。

七

“两百？啊？两百？”

“一百。”

“人说的两百。”

“把我砍了我也没两百。我荷包里何时捂过两百块钱？我是天下最可怜的人。”

“这狗也不值一百，你竟敢花一百，还请客……”

“我的狗回来了，我不请客？”

“你的狗？”

“我想了三十年！”徐汉斌“啪”地摔碎了一个杯子，这就镇住了他的老婆。

一个人想了三十年，你是拦不住的。他老婆愣了半晌，打开门就冲出去跑了，不回来了。

徐汉斌看着狗，狗看着他。

“个婊子养的！”徐汉斌骂。

“我又不想搞女人，又不想赌博，又不想抽烟喝酒，我就想一条狗……个婊子养的……”

一个内心枯竭的人，突然因一条狗，泪腺像干涸的泉眼复活了，许多感情复活了。一条狗，就像一场甘霖，狗的到来打乱了他的生活。回忆像魔鬼，缠住他不放。

“我于 1973 年 1 月 19 日插队落户到神农架野马河……”

“我响应伟大领袖毛主席‘知识青年到农村去，接受贫下中农的再教育，很有必要’的伟大号召，如今，我已老了，一晃，就老了……”

回忆像海潮，不可遏止，铺天盖地，像一场大病，高烧不退，谵语连连。

老知青徐汉斌为了弥合、敷衍与妻子的关系，偷偷地把太平牵到了八楼顶上，在一个角落里撑了张雨布，给它安了个家。

到了晚上，思念主人和故乡的赶山狗太平终于发出了凄厉的长鸣。这是寒潮加深的某一个晚上，太平的脖子上勒着短短的铁链，它无法习惯这么一根链子。在山野，在它的丫鹊坳，它是自由的，奔放的，散漫的，脖子上除了毛就是吹拂着的山风，还有温和的阳光。它在链子里紧巴巴地睡着，虽然没有了同类的觊觎和争斗，没有了大棒和杀戮，可从楼顶望着满城迷离恍惚的灯光，它悄悄地淌下了眼泪。这是孤独的时刻。它想念山冈，黑沉沉的森林，奔流汹涌的峡谷，到处柔嫩的苞谷茎秆。它想念日落时分，想念早晨。这是什么地方啊？主人程大种为何要将我带向这儿，让我遭受九死一生暗无天日的日子？孤独。离别。无法交流。灯火像星空一样，带着诡异和狞笑，无声地跳动在大地的深处。更远的地方是什么呢？于是，太平像一只狼一样嗥叫起来。它哭泣似的悠长的声音在夜晚的上空刺入城市的心脏，连它自己也说不清为什么会有这样的声音。是呼唤，还是哭泣？是长叹，还是悲号？

那一夜，汉口前进纱厂宿舍区里，听到一阵阵毛骨悚然的狼嗥，就像一种十分阴暗的东西直往人的寝榻而去，在人们睡梦的边缘固执地游荡，犹如阴魂。

第二天晚上又是如此。第三天愤怒的人们找到了那个楼顶，一起手拿棍棒来厉声质问徐汉斌。这些人都是他的左邻右舍同事上级。他于是牵着太平逃也似的离开了这个厂区，将狗交到了瘫子欧阳卫东手里。

欧阳卫东是一个自己的生活都无法料理的人，老婆自打他无缘无故地下肢瘫痪后(一觉醒来就这样了)，带着女儿离开了他。徐汉斌虽振振有词说给他找个伴儿，可欧阳卫东被生活压得几近绝望。他去摸那狗，狗就虎视眈眈地看着他，极度不信任他似的，那阴森森的眼睛里藏着一万个野兽和森林，并且，在晚上发出狼一样的嗥叫，使他想起几次迷路山中饥寒交迫的知青岁月。

欧阳卫东说，狗啊狗，我没法养你，我给你找个好人家吧。他就把太平绑在助动车后面(因车内太小，装不下这狗)，发动车子，带着狗往江南的青山区而去。

太平跟在一辆冒着黑烟的呛人的助动车后面，昏天黑地地奔跑起来。助动车的机器声异常刺耳，车轮像峡谷的流水一样急遽。太平系在这么一个比鸟飞得还快的家伙身后，四条腿只好没命地迈动。它知道，稍有闪失，它就会完蛋，被这水泥大马路拖成一副骨架。

车上了长江二桥，宽阔的大桥上几乎没有汽车，只有它在铁链的牵带下奋力奔跑着，既不能跑得太前，也不能太后，那链子的长度让它吃过几次苦头，一个趔趄跪地，腿关节就会被路面锉开一道口子。它跟着车子跑啊跑呀，来到了长江南岸的武昌，车还在发疯地前行。不知跑了多久，车才慢慢停下来。那车上的人将它牵到一个楼房里，上了楼梯，去拍门。门半天才开，原来是那个戴大盖帽的城管队长。瘫子欧阳卫东拄着拐杖在门口说："二毛队长呀，给你送大刀来了。"

那叫二毛的城管队长没让欧阳卫东进屋，拦着门说："给我送狗？我何曾要过这×狗？"说着就唤出了一条狗，那狗扑上来就要咬欧阳卫东和太平。那狗毛茸茸的，像条大狼，嘴里发出空旷凶恶的叫声，好在被城管队长拽住了。

"这是条什么狗啊？"欧阳卫东惶惶地问。

"藏獒，纯种藏獒，全国就三百多只。"

"这要多少钱啊？"

"二十万。"

"你买的？"

"我只要歪歪嘴，就有人送上门来。"队长得意地说。

欧阳卫东拄着拐杖下楼来，坐上座垫，掏出下身向城管队长的楼门射了一泡尿。摸着太平，摇着头，几乎快哭出声。边淌泪边给太平丁零当啷地解链子，说："大刀大刀，你向贪官污吏们的头上砍去吧！"那助动车发动了，突然一个急转弯，便自个儿往回路一溜烟地开走了。

现在，太平的身份是一只流浪狗。跟那些范家一笼子里关着的狗一样，身上布满了灰尘，四个爪子上全是黢黑的煤炭——那是在垃圾堆里刨食弄成的。

对着滚滚的长江，对着长江对岸灯火阑珊的汉口长吠着，它是从那里来的。在长江边上的一个破棚子里，是它跟一条破脸狗的家。

是破脸狗把它带到这里来的。破脸狗也是一只乡下狗，高大正常的身体，不像城里的那些怪模怪样不成器的玩具狗。可只因为它脑门子上有一撮雪白的毛，乡下叫破脸狗，好哭死人。也就是说，这种狗的叫声像半夜的哭诉，于是这条可怜的狗就被它的主人带到城里给扔掉了。第一个晚上，太平和破脸狗在一家餐馆的大门口，在一个冰冷的石狮下，互相依偎着度过了寒冷的一夜。它们不知道，这家餐馆的大字招牌就是"狗肉火锅城"。太平第一次尝到了友谊的滋味，一只真正向它示好的同类。它们流浪在青山、武昌的大街小巷，共同啃着一块骨头，共同寻找着栖身之所。因担心危险，两条狗来到长江边，那里荒草稀疏，沙滩清静。在月朗星稀夜风如刀的深夜，太平向着汉口的灯火长长地吠叫着，破脸狗也莫名其妙地号哭着。江水在无声地东流，灯火的波影把城市的梦境摇曳得妖娆奇诡。两只狗嗥叫够了，又找到了一具被波浪送到滩头来的死猪，为了填饱肚子，在黑暗中撕扯着吃了起来。

可太平不能留恋。有一个影子，一种气味正在向它招呼，那就是主人程大种，狗的本性使它没有能力恨抛弃并殴打了自己的主人，它依然要向他的气味走去。在某一个夜晚，对那个气味的依恋最强烈的时候，它从寒冷的梦中被唤醒，悄悄惜别了破脸狗，沿着长江二桥，跑向了汉口。

它穿过无数的街道、小巷，在一个高架桥头，它看到了来城里的第二夜与主人一起躲避寒潮的桥洞。那个独腿的好心老汉正一如既往地蜷缩在大衣里，无声无息。它迎着那渐渐强烈恶心的血腥味，找到了那个屠宰生灵的集贸市场，又听到了它的同类们在笼子里发出的撕咬声和在屠刀下的惨嗥声。在深夜，那声音悠长刺耳，让它闭上眼睛就是一连串的噩梦。

主人，你在哪里？

它期望着主人程大种重现，重现在那个集贸市场的门口——他就是从那儿消失的。

尽管狗的嗅觉异常灵敏，能嗅辨出成千上万种气味，可是，森林中的气味是单纯的、冷静的，连风也不会无缘无故地乱吹。在这里，在这气味大混杂的城市街头，气味稍纵即逝，要抓住一种气味并跟踪它，牢牢地把握它，这是根本不可能的。太平躲在隐蔽的角落几天守候主人的出现失望之后，它决定在这个浩大的城市里去寻觅那微小的、像一粒蚂蚁般的气味，主人的气味。它必须行动，坐等是不行的。赶紧趁空气中那一丝气味还没有彻底消失时（谁知道呢），尽快抓住它。

那天晚上（最好晚上行动），它从下水道里捞出了一些腐烂的下水（有狗的，也有其他生灵的），吃饱了肚子，就开始了搜索和寻找。

八

负责城市道路修建的官员们以及包工头们，为了不破坏城市的美观，将施工现场用塑料布严严实实地包在了里面。现场其实泥泞不堪，大小土堆像山一样，挖土的民工像一个个活动的泥塑出现在深坑中，机器杂乱无章，电线像一团乱麻；民工们住的工棚里臭气熏天，吃饭、拉尿都在塑料布里，塑料布外写着“我为城市增光添彩”等鼓舞人心的标语。两个民工还专门用水管子冲洗着塑料布外面的道路，使之光亮如初，让城管人员看不出塑料布里正在施工的乱象，以避免污脏了城市而罚款。

程大种开挖之后便秘了三天。三天里他认识了与他一起来的两个老乡，讲着与他近似的土话，一打听是宜昌兴山人，这就攀了老乡。晚上，他用卖狗的钱买了三瓶啤酒，就着工地食堂的榨菜肉丝（肉丝占十分之一）请他们喝酒。下工后，他们还在一起斗地主。民工们的工作异常辛苦，晚上 10 点了还在挑灯夜战，一双脚已经被城市深处挖出的脏水泡出了一个又一个大红疙瘩，奇痒难耐。工地包工头后来给他们一人发了一双深筒套鞋，但必须扣除他们一天的工钱。三个人用家乡话骂着穿皮鞋的包工头和监工们。那两个老乡一个叫大嘴（只因嘴很大），一个叫王长清。三个人年龄相当，经历相近，都是为了给娃儿挣钱读书，都是在山里。对喝啤酒不太习惯，想喝地封子酒，就是苞谷烧，说，最好是有党参酒喝，那才是提热气哩。

三个老乡有时在深坑里挖土埋涵管，有时在上面拉葫芦（提升土筐）和往土山上运土。其实这样的劳力活很容易适应，摆正心态很重要。程大种想着每天的二十元钱，刨去吃喝和那双套鞋，每天可以落个十多块，一个月就是三四百元。可恼的是不出五天，坑壁又塌了方，又埋进了一个河南人。等大家把他挖出来，双腿都断了。河南人在医院里上了夹板，就拖回了工地的工棚，每到晚上，就凄凉地悲号。大家每晚不能睡觉，白天又是繁重的劳动，就想把这个河南人赶出去，并要求包工头发发善心把他送到医院去打止疼针。可包工头骂骂咧咧道：“我这段工程转了三道手，还死了两个人，又伤了一个，我哪有钱让他住医院？如今住一天医院抵老子一年的吃喝,我亏了血本啦!"

这个河南人慢慢地开始发臭,两个露在外头的光脚都变黑了。程大种为不让他悲号,给他买了瓶"驴子尿"(啤酒)。但是他喝了依然高亢地悲号,估计是疼得受不了。没几天,便头发深长,口腔溃烂,人已瘦成一副骨架子,等到他的双脚开始流脓,包工头才把他弄到医院去,听说双腿都要锯掉。就在这天晚上,喝了一顿好酒的程大种起来小解,在工棚门口,看到蹲着一只黑影庞大的狗,那狗呼哧呼哧地喘着气,身上散发出一股恶臭,脏得就像那个要锯腿的河南人。

"这不是太平吗?太平!"

太平把夹了多天拖地的尾巴吃力地、一点一点地翘卷起来,向主人摇动了两下。

"你不是被宰了吗?你是怎么找到我的?!"

太平抬起沉重的头,眼角里挤满了眵目糊,嘴巴脏得像一个下水道,牙齿上沾着血,估计是与什么东西搏斗过。

"你还活着?爹爹!"

狗的一只腿骨外露了,白的,可狗还是靠着这可怕的伤腿行走,终于找到了主人。主人给狗包扎,给它清洗,看着它,泪水哗哗流个不停。狗哼哼着,很轻很轻,很压抑,想把许多只有它知道的东西,轻轻地表现出来,或者是藏着。狗静静地舔着自己的伤口。主人望着这条狗,狗却眼里像没事一样,就像刚刚离开主人一会儿,懒懒地看了主人一眼。

"我的太平啊!"程大种说。

三位老乡抽着烟,决定保守秘密,暂不说这条狗的来历,只说是收留的一条流浪狗。这条狗回到程大种的身边,这让他感到匪夷所思,也让两个兴山人啧啧称奇。"狗就是这样的。"他们后来承认这个现实之后说。其中的大嘴说:"赶山狗赶山狗,就是有名。"他说他们村有个打匠(猎人),就是在神农架买的四条赶山狗。那赶山狗不仅记路,还英雄啊,跟豺狼虎豹斗起来,没有服输的,咬得脖子断了肚子穿了也不服输。有一次两条赶山狗追一只獾子,那獾子也烈,追得走投无路了,就跳下了天坑。天坑几百丈深啊,那两条猎狗也不怕,也跟着跳下了天坑,两狗一獾,在落下的途中,还死命追咬哩,你说那狗性烈不烈?大嘴说,这事之后,那打匠跪在天坑口足足哭了三天三夜,比哭自己的亲娘老子还凶,没见过这样的赶山狗啊!瘦瘦的王长清也说,他舅子一条赶山狗,白呲呲的长毛,是个白化种,在从神农架回来的路上捡的。别人说不吉利,他不在乎,这狗长大后,常从山里拖回来麂子啊山狸啊大飞鼠啊回来吃。有一次他舅子去镇上赶集,搭的是林业站拖树的拖拉机。坐上去了,那狗就把他咬下来;坐上去了,那狗就又把他咬下来,不让他上车。他就没上车。结果,到晚上听说那个车半道上翻了,一车人全死了。你看这狗,不与神通是什么!这么说,大家一致认为应该把这狗养着,又听说狗被程大种打了,卖了,可狗还是找来了，就说着包工头的坏话，说包工头不是连狗都不如么，一点人性都不讲。

说这些话时他们是在下雨的塑料雨棚里，三个人身上湿漉漉的。雨棚很矮，只能让人坐着，棚顶上汪着水，雨打在顶棚上。包工头要他们干活哩。多了条狗就多了份粮食，那狗嘴比人嘴还大啊。三个人商量要包工头先预支点工资。程大种卖狗的钱也花完了。三个人斗地主，输了的就输了，赢了的买“驴子尿”。他们去给包工头说，连抽烟的钱也没有了。包工头很烦，朝他们鼓着眼睛说：“别带着狗来一起吓唬我，你们快把狗赶走，我已经忍无可忍了！在这个工地上，一只这么大的高脚狗吊着一两尺长的舌头在我面前晃来晃去，我还有威信不？是你们的工地还是我的工地？”

程大种又得想着怎么处置这条狗了。城里容不下一条狗。可狗费尽千辛万苦找到了他。狗跟他出来，是没有罪的，先挨了两锨，又给卖了，让人去剐，但不知怎么又出现了。这未必是太平的魂么？程大种总是盯着他的狗看，越看越陌生。他摸着太平，摸着它身上的累累伤痕，不是他的狗是谁的！他只有一阵阵心疼和忏悔。如果回去，讲给老婆和娃儿听，他们会相信吗？如果我讲给包工头听，他会相信吗？不会说我是在说谎，诓骗他？

我只求把这条狗留下，就是讨米要饭，也要把这条狗留下，最后，完完整整地跟我一起回丫鹊坳。

程大种牵着歪歪倒倒、一走一瘸的太平在半夜里去找食。狗已经很会找食了，对钻垃圾桶有着丰富的经验。城市的垃圾堆得各种各样，有的垃圾堆，太平几拱几拱就能拽出一块骨头或鱼刺，在黑暗中嘣嘣大嚼；有的垃圾是在烂竹筐里，有的是在铁皮桶里，有的是在高高的塑料桶里。有时候塑料桶冒着滚滚的浓烟——那是未烧尽的煤点燃了塑料和废纸。但太平却能毫不畏惧地、神速地从火堆中扒出一块食物来，而不致身上和爪子烫伤。程大种看着太平的寻食本领，十分惊讶和敬佩，他感到这条狗真有能力在这个大城市生活了，完全能在茫茫人海中找到他。这狗在城市似乎比他多生活了十年甚至二十年。它的老到，它的生存能力和生存经验，已经让程大种望尘莫及——真是士别三日啊。

狗吃饱了，就跟他回来。

有时候，他不用牵它出去，放了链子太平也会自己离开工地去找食。有时半夜他担心这狗，去找它，突然从暗处跑出太平来。这狗为何躲在暗处呢？程大种看到垃圾箱那儿有个捡破烂的。再仔细观察，太平总是躲着捡破烂的。但只要他们在垃圾箱翻箱倒柜过后，太平就会神速地冲过去，去找食物。捡破烂的都拿着一种两齿耙，估计会对着与他们争垃圾的流浪狗狠狠一耙，两个耙齿洞就会留在狗的身上。程大种观察，这些捡破烂的常常有着怪异的举止，衣不遮体，或是身上挂着几十个塑料袋——是些神经有问题的人。但是，面对其他流浪狗，程大种看到太平总是英勇无畏的：它先是两只前爪伏地，喉咙里像闷雷一阵滚动，然后，发出城里狗们没有听到过的恐怖人的狼嗥。就是狼嗥，夜半山冈的狼嗥！宽大的尾巴紧紧拖着，拧满了警惕和决斗的意志，然后，扑上去用牙齿驱赶它们，把它们远远地逐出垃圾堆。程大种看着太平的觅食表演，真是赏心悦目，惊心动魄。但面对走路颠三倒四、动辄向路人乱咬的狗，太平总是让着，并在程大种身边保护他，防止那些狗咬到主人。那些狗是有病的狂犬。

尽管如此，太平还是饱一顿饥一顿，甚至可以说基本处于饥饿状态。因此太平营养不良，面目全非，瘦骨伶仃，紫铜色的毛没了一点光泽，像一堆发黄的茅草披在身上，全身的骨头都尖削凸出，肚子瘪得像一张纸，随风飘扬。加上它必须不停地与其他饿狗争斗，耗尽了所剩无几的脂肪，最后只剩下一架骨头了。

工地的伙食差得不能再差，程大种自己都吃不饱，还要进行高强度的劳动，因此没有一口剩饭给这条狗吃的。有一天，太平终于犯了一个大错误。就在那天，一个叫马二剪的工友吃饭吃到一半，气胀肚子，想去厕所解决问题，就把半碗饭放在了一个土墩上，回来见程大种收留的那条大狗正在代他舔碗呢。马二剪是先来的，底气足，气得青筋暴涨地就拿砖头朝狗劈去。

这条可怜的狗已经被人打够啦，程大种见了，就大声说了几句。可马二剪正在气头上，要程大种赔饭和碗——碗让狗舔了那还叫人碗吗？两个人不知怎么就动上了手。马二剪的同伙也一哄而上，狗在工棚内外，被打得东躲西藏，落荒而逃。两个兴山老乡将程大种拉开保护了，并且在情急之下说出了这条狗是程大种从神农架带出来的，是只晓人世的猎狗。可愤愤不平的那些人一致要求把这条狗宰了煮汤喝，工地上天天萝卜汤，这狗就算光骨头也总有狗肉味。包工头早就烦了，听两个兴山人这么一说，就对程大种下了最后通牒：有狗无你，有你无狗。要不，把你们赶走。马二剪的人都在斥责这条狗的不是，说这条狗还是什么猎狗，就是条癞皮狗，扰乱了大家的生活。这么大的骨架子，眼里全是腊月的冰块，半夜时还有事没事像狼一样嗥叫几声，听着都骇人。

已经被马二剪打得鼻青脸肿、衣衫破碎的程大种在工地尽头的一堆木板缝里找到了太平，它正躺在角落里呜呜地舔着被砖头劈开的伤口——臀部破了两三条口子，流出的血被它自己一点点地舔干净了，可是伤口却不能舔合拢，依然悲壮地裂开在那里，像无声抗议的嘴巴。程大种说什么好呢，恨它？爱它？都没有了。他只想着怎么办，可有一种意思是：不能让这些人宰了，范家一都没能宰，这些狗日的民工们更没资格宰。他们跟他一样面黄肌瘦，面朝黄土背朝青天，真说起来比狗还不如哩。狗还能在垃圾堆里刨到骨头吃，他们跟他一样，一个星期吃不到一次荤。也不能让裆里满是恶疮的黄牙包工头宰这条狗。不能！这条狗大难不死，必有后福。这条狗一定要坚持住，跟我回去，回丫鹊坳去！

程大种抚着太平的伤口，太平看到主人的眼里在黑暗中有闪动的泪光，在城市的灯火下。因为疼痛，寒风挤着伤口，伤口似乎在无限扩大，要把它的身体扒开，扒一条能走汽车的大缝。现在除了疼痛、寒冷与饥饿，它一无所有。其实，太平它拥有许多，当它泡在疼痛中回忆的时候。那深夜的山风正在森林中呜咽蹒跚，草垛吹得飒飒直响。那只因为没有主人在家而安然熟睡的狗太平，细匀深沉的鼾声正应和着一阵阵山潮哩。它撵花栎林中的社鼠。它吃猪槽的食。它梦见峡谷尽头落日的余晖。它狂吠不已，那是因为它想吠，没有任何原因。早晨的山冈满是露水打湿的鸟声和牛铃声。它还有一个家徒四壁的屋子。它有两头哼哼哈哈的猪，有三只羊，有一只黑白相间的猫。有两个娃儿，一个叫狗儿，一个叫毛丫；狗儿大，毛丫小。它与他们一起上山割猪草、挖柴胡、剥杜仲、下菜园。它还有主人的老婆，一个整天忙里忙外吆三喝四的勤快女人，她害着鼻炎，鼻子不停地抽气，发出悦耳的响声。深夜，优美的深夜，一无所想的深夜。夜太长，在柔软的草窝里，它强闭着眼睛一次又一次地进入梦乡，日子一天一天美美地过去……

可它已经来到城市，它已经误入城市。它的眼里滚出了大颗大颗的泪珠，没让主人看见。

它听见主人说："唉——"

主人说："我们走吧。"

九

这一次，主人为了狗而离去，使他自己最终遭到了厄运。对于太平来说，也当然不是一桩什么好事。

天气转暖了些，程大种已有了些经验，敢再一次回到武圣路劳动力市场撞撞运气。他是想能找到更好的工作，不再在泥水里，在深深的泥坑里挖泥，两只脚都泡得稀烂了，十个趾缝里流着臭水。他尽量想修路的坏处，包工头和马二剪那一伙人的坏处，想有一个能让太平生存的地方。这样，他就来到了劳动力市场。

坚称还是要干锯木活的程大种最后被一个嘴上栽花的男人带走了。那男人说："人是活的，活儿是死的，只要工钱对，锯不锯木又有什么卵要紧！"并讨好地称赞他的太平是条好狗，他一定帮程大种养狗。

程大种坐着一辆乱七八糟的车两三个小时后才到一个乱七八糟的地方，一个怪味刺鼻的黑水大湖。程大种要去的工厂坐落在湖边，厂子里也怪味刺鼻。进了一个生锈的大铁栅门时，那嘴上栽花的男人就要程大种把太平交给门房的一个哑巴，那哑巴胡子拉碴。程大种把狗交过去后，才看到门房旁的一排平房雨廊里，拴着两条大狼狗。哑巴拿来一条绳子，就势套住了太平的脖子。

太平面对凶险的未来不是没有预料，当它在挣扎着别让哑巴的绳子把自己勒得太紧时，那送走了程大种转来的嘴上栽花的男人此刻露出了狰狞的本相，只等那狗脖系进粗壮的绳索之后，挥起一根钢筋，照太平的脑袋就是一下。太平来不及哼叫，就被打入了地狱。

为什么这样对待一条狗？为什么对这条狗有如此深的仇恨？这些人是不是与它结下了孽，或它冒犯了他们？什么也没有。原因只能说是恐惧，一条太大的狗会横亘在这些人的心上，让他们寝食难安。如果是一只小狗，命运可能就截然不同了。人们恐惧这条怪模怪样、师出无名的乡狗。如今它又因为饥饿与磨难而更不中看，简直像从非洲跑过来的一条饿狗，病入膏肓，颇有侵犯人的意图。人们只求赶快了结它的性命。那哑巴也是个天才，刚才还对着电视里的小品咧嘴傻笑，现在却磨刀霍霍，拿出一把切菜刀来，就地想把太平的脖子切开。这是那嘴上栽花的男人的"指令"——这男人是该工厂的老板，他要哑巴"切了算了"，同时朝自己的颈子一比画。哑巴没有杀狗的经验，但有杀狗的豪情，一点也不害怕，刀刃在太平的身上荡了两下，又在太平的颈子上比试了两下。太平因躺在地上，不好下手，那哑巴就试着用刀尖去给太平翻身。刀尖一戳着太平的身时，太平这时竟一跃而起。对刀的反抗使它残存的生命得到激活。它是不会死的，神农架的狗有无边的神力，因为它是在深厚的石头上长大的，生命与山冈和森林一样古老顽强，这是它故乡的大地赐给它的神奇力量！

当它跃起的时候一口咬住了哑巴的手，菜刀当啷落地。哑巴用悲惨短促的号叫来证明这一切，并且捂住流血的手拼命摆动。两只狼狗这时突然像两座黑暗的大山压过来，将苏醒过来的太平制服了，压在地上。太平看到两只大狼狗的四颗卵子在头上雄赳赳地晃动着，它多想跃上一口咬掉它们，可两条狗把太平像钉子钉在地上，顾不得它只剩下半口气，用它们罕见的大锐齿撕开它的皮毛，怀着莫名的好奇，要看看这只赶山狗肉里面的秘密。它们一点点撕扯着，就像在表演拉面。那个哑巴一阵奔跑止痛过后，还是提刀朝太平的身上一阵乱剁，那血就喷得哑巴满身满脸，两条狼狗也止不住地兴奋呻唤，加上哑巴的快意号吼，几股声音在天空中缠绵回旋，在这清冷的工厂里恣肆穿梭。太平淌着大滴大滴的泪珠，动弹不得，又一次昏死过去。

太平是在夜间逃跑的。因为被扔在地上，它的身子沾上了地气，就会从死亡中活过来。地气有一种让生命复活的伟力，只有在大地和山冈上生长的狗，才能接受到这种地气的灌注，死而复生。对地气的无比敏感和依赖，是那些赶山狗生命力会出现奇迹的根本。它们像一株株植物，承接着、汲取着大地的养分，它们的身体里有这种聚集吸收的根须。它们的生命属于遥远的山冈和无处不在的大地。

深入骨髓的持续痛感在一阵冷风的猛刮下苏醒过来，太平看见了链子锁着的睁着绿莹莹狗眼的那两条狗，而它却没被绳子拴着——他们以为它已经死了吧。

太平摇摇晃晃地站起来，大地推了它一把，将它撑持了起来，四条腿，都给了它

平衡的力量。大地说：你是不死的，你是罪恶城市的邪火中的金刚；大地说：你必死在故乡，安然长眠在阳光的森林里，山冈上的马尾松和清风必是你送亡的见证人。一只蜜蜂在杓兰的紫花笼中为你嗡嗡念着悼词，山坡草地上的芍药是你铺满夏天的白色挽幛。鸟声啾啁，那是天上的香雨，一直穿透你的忠魂，飞入云端……

太平依托着大地站了起来，满眼泪光闪烁。那是感激的泪光。它开始寻找着逃跑的路径。

狼狗开始叫了，它不能再耽搁了，它要逃出去，逃出这个魔窟，这个静静的魔窟！

哑巴因为被太平咬了疼痛难忍不能入睡，吃了三颗安定才进入梦乡，两只大狼狗的叫声一点也没震醒他。加上有很高的墙和带电的铁栅门（一到夜间铁栅门就通了电），所以哑巴很放心地入睡了。

太平试着走了几步，刚挨着铁栅门，就被一股力量掼了回来，重重地摔在地上，所有的伤口都强烈地醒了。它又爬起来，一步一步沿着围墙和灯光的暗处走着——它寻找主人程大种时学会的一系列隐身术又一次用上了，就像在凶险万端的大街上行走一样，它走得慢，走得无声。但是，越接近那嗡嗡作响的车间越让人头昏脑涨，刺鼻的气味像一记记闷棍朝它的大脑打来，比神农架森林里夏天那令人惊骇的瘴气凶悍一万倍，顿时刺进它体内的每一寸地方，把它泡得稀烂，浑身无力。它还是坚定地、固执地找着它的主人，它屏息在一个灯光模糊的大房子里，终于看见了许多人——有它的主人程大种！那刺鼻的气味就是从那里面出来的，里面热气蒸腾，毒气一团团一阵阵向屋外涌出来，里面劳动的人在大池子周围活动着，行走着，一个个像一张张薄纸。两个人看管着这些劳动的人。那两个人脸上戴着一种突出的面罩，就像两只嘴腮突出的野兽。太平看着它的主人，主人好像病了，脚踩着浮云，在梦游一样。当他蹲下去的时候，那两个"野兽"突然在他的头上给了狠狠一棒，主人程大种发出尖锐的惨叫。捂着头站起来的程大种，只好又开始拿起一根沉重的棒子在池子里搅拌起来，那腥黄的厚重的热气一下子吞没了他。

太平心疼地看着自己的主人。就在这时，狼狗突然离它很近地狂吠起来，同时响起了吆喝："抓住他！"荒草密布的院子里出现了奔跑的人影。狼狗向这边奔来了。一个人被打倒了，发出呻吟声。太平赶快寻路逃跑，真是慌不择路，它看见一条汩汩向院墙外流淌的臭水沟，穿出墙洞，那墙洞也就只能一条狗通过。它纵身跳进沟里，臭水滚烫，浑身的伤口如千万把刀割，如万箭穿心，皮肉在烧灼着，腐蚀着。它游出了院子，吃力地爬上一个草滩，全身的灼痛使它禁不住想狂嗥，可它忍住了，牙齿咬出了血。它知道不能吠叫。

昏昏沉沉中，风把它吹醒了。它逃了出来。疼痛已经使它麻木、绝望，烫热的泪滴也像那奇怪的臭水，淌出时让脸面灼痛。它像死了一样地趴在草滩上。天空群星如蚁，银河依稀倒悬。远远的城市灯火依然不舍昼夜地荡漾。这是哪儿？这噩梦一样的地方，主人和我为何会来到这样的地方呢？美丽平和的丫鹊坳为什么把我们推向这样的地方？主人程大种为什么要遭受这种惩罚并且牵累我？

肮脏的大地它也是大地，腥臭的大地它也是大地。太平用肚腹紧贴着沁凉的泥土，汲取着深处的能量。它站了起来，回过头看着那黑的院子，那蒸煮着地狱沸水的院子，这莫不是传说中的地狱？

有一片小小的林子，在一个高高的土台上。它向那儿爬去。它爬了上去。在那儿，居高临下，多少能看清楚院子里的事情。太平的眼睛还锐利，虽然嗅觉已完全被这汹涌的异味破坏了。

它在那儿等着，盼着它的主人从那个生锈的铁栅门里出来，带着它，回到丫鹊坳去。

十

太平晚上出去找吃的，白天，就在自己用爪子刨出来的一个土洞里养伤、休息、避险。有泥土的抚慰，伤口在时间的流逝中慢慢愈合。不过，那被下水道的奇怪臭沸水浸过的伤口，有几处始终不能封口，往深处溃烂，形成窦道，流着黄水。

湖边有许多死鱼，也有扔弃的死猪死猫。为了生存，它必须学着吃那些腐物，刚开始，它不停地闹肚子，但闹过一阵，它挺过来了。再吃就注意吃稍微口感好一点的烂货，或者多跑点路，去寻些新鲜垃圾。等身体好转之后，它就在土台周边、湖边和小树林逮老鼠。这里的老鼠泛滥成灾，而且肥硕无比，一只只比狼还凶，也是吃腐物的，可它们的肉质却十分鲜美。

吃老鼠的事缘于有一天晚上，它在土洞里被一股森冷的风吹醒，预感到有危险，接着就听到一阵吱吱乱叫的声音。睁开眼探出头往外一看，我的天！有几十只壮如猫的老鼠已围在它的洞口。老鼠们缩着丑陋的鼻子，一排排尖锐的啮齿向太平发出了示威——很显然，这些老鼠是有备而来，准备在洞里围歼太平将它吃掉。

就算它们凶狠如竹溜子，就算它们是一头头狼——搏斗，与这些不知天高地厚的城市老鼠的搏斗会激发它体内的征服激素，求生的意志也使它的牙齿和爪子再一次有了剑吼西风的英气。那些老鼠不知道太平是一条与众不同的狗，是一条神农架深山里的纯种猎狗，在这个小土台上的战斗，简直不值一谈。于是，太平不顾一切地冲了出去，一个一个地咬死它们：先咬死，再吃它们！老鼠们以为这是一条静静等死的病狗，阳气全无了，可一阵狂风卷来，一会儿就鼠尸狼藉，鼠们被咬死了大半。它自己的伤口再次哗哗震裂了。可是，对敌人的杀戮使它获得了自信。它知道自己是不败的，因为它是一条赶山狗。山都不怕，何惧土台！

喝了老鼠青春的血，体力恢复得很快。它常常望着那个院子里的车间、衰草和人，想悄悄地潜进去，救出它的主人。

春天正在悄悄地到来，在这个城市不被人注意的边缘，在土台和湖边，各种绿色的植物被一阵夜雨染绿了，不知名的野花顶着鲜艳的颜色摇荡起来，腐臭的水边也有不知情的水蒿和芦苇的芽子依然娇嫩地蹿出身，显得尤为壮美。竟然还出现了青蛙的叫声。野蜂和鸟都在各自自由地飞翔，而它的主人却在里面暗无天日地受难。

那些天，到了深夜，终于看到那铁栅门打开了，有轰轰作响的汽车开进去，然后汽车再开出来，大门就被那鬼鬼祟祟四处张望的哑巴急急地、重重地关上了。狼狗牵在他的手上。那两条狼狗会在半夜从院子里嗷嗷乱叫，偶尔，也能听见人的惨叫声，其中有它的主人程大种。

害怕是肯定的，那种种的惨叫声会让太平听得阵阵发抖，心有余悸。每当看到那个哑巴，它就会莫名地战栗一阵子，好像患了疟疾或遇上了寒潮。

哑巴守着的大铁门是千万不可进去的。好些天，在晚上，太平围着那个院子长长的、泥沼黑臭的围墙转圈儿。唯一可走的依然是它急中生智随水流出的那个下水道。可是，望着那卷着泡沫、冒着热气、怪味难忍的黄水，它就怵了。它试着把爪子探下去，爪子就一阵灼疼。最后，它憋足了劲，憋了一口气，还是勇敢地跳入水中，拼命地向洞里游去。

程大种已经病了三天，不知道是什么病，那个嘴上栽花的男人给他吃了几颗什么药片，他就昏昏沉沉地睡了。宿舍没有窗户，难闻的气味凝滞在屋子里。他的皮肤发痒，一抓一个水疮，流出难闻的黄水，跟下水道的水一个样。恶心，呕吐，眼睁不开，呼吸困难。他感到他快要死了。他身上盖着从家里带来的被子，已经很脏了。可是那被子上的红碎点的花使他的眼前出现了幻觉，老婆陶花子就在那红碎花点中间，纳着被子朝他笑着，有时又骂着，骂得十分难听。

"陶花子……"

他冷得不住地打着牙磕，身子痉挛成一团，胸口堵得慌。

"我可能……回不去了……还有一个工友……躺在那儿哩……"他的手给陶花子指指说，"老板不让、我们走，你只要说走……就有人拿大棒打你……"

稻草角落里爬着一群群大老鼠，对面床上的那个工友的脚趾已被啃了，在那儿成天哀号，估计又昏死过去了。老鼠估计又在啃那个工友的脚趾，程大种抬起头，想去看看，在黑暗中，忽然看到有一排排荧荧闪闪的小眼睛，这么多的老鼠！是不是它们嗅到了这个工友快死了，准备来饱餐一顿？

"老鼠……"他想喊，可喉咙堵了，声音像从墙缝里发出的一样。

他吃力地够着床底自己的鞋子，终于拿起了一只，用尽力气朝老鼠砸去，一阵吱吱的响声，老鼠不见了。

其实他什么也没有看到，看什么都模模糊糊，头沉得像箍了个铁箍子。

他突然想那些老鼠该不会啃自己吧，我也快死了，还管别人！他感到那些老鼠还待在屋子里，正在伺机行动，它们正向他的身体爬来。他昏昏沉沉地想着这事，手脚拼命动弹着，生怕一停下来老鼠就会张出啮齿来啃他。

就在他本能地舞动着四肢时，手触到一个毛茸茸的东西。

“老鼠!”

他吃力地收回手来，吃力地把眼皮撑开，分明是一个大大的长毛的家伙——狗！是厂里凶狠的狼狗？不是，它舔着自己哩，是太平？是我的狗，是太平！

狗像久别的亲人一样用湿漉漉的身子紧紧地摩擦着他，舔舐着他，温热的舌头像故乡的阳光。狗尾巴不停地摇摆着，嘴里发出呜呜的呻吟，并用嘴咬着他的衣服往外拖拽。这狗是在救我，想让我出去！狗啊，它要救我逃出去！一阵感动，接着是一阵虚脱的晕眩，程大种手脚顿时冰凉，晕厥过去。那些在脚头等待的老鼠这时候疯狂地扑上来，猛啃程大种的脚趾。钻心的疼痛传来了，程大种一声尖叫，就引起了太平警觉，嗅觉丧失了，眼睛却一下子逮住了猎物。只见它用极低沉(怕人听见)但很震慑的声音怒吼了一声，就像一只大鸟跃起，朝床上的老鼠罩去。顿时，屋子里飞蹿起一只只笨重的老鼠，纷纷落到程大种的身上、被子上、头上。老鼠在被咬死时，竟发出一种令人毛骨悚然的惨叫，使人知道无辜死亡是多么可怕。

程大种已无力坐起来。老鼠在屋里疯狂逃窜，叫声一片。它们撞在墙上，撞在门上，撞在天花板上，被撞被咬得鲜血四溅。

“好样的，太平！你真是好样的!”程大种在心里赞叹自己的狗。

一阵狼狗高亢的叫声像风暴在院子里刮过来，还伴有哑巴那含混不清、仇视一切的吼叫。

“快跑，太平！快!”极度虚弱的程大种在黑暗中摸到狗，用尽最后的力气猛拍它一巴掌。

太平正在亢奋地咬着老鼠，它愣了一下，马上明白了。主人的指令就是一切。

就在狼狗和哑巴赶来时，只见一道粗壮的黑影像闪电蹿出门外，飞进院子的荒草中。两只狼狗马上朝草丛里扑去。哑巴没看清是什么，在那儿正搜寻着想看个明白，忽然一阵狂风，一个黑影罩来，他的腮帮子就被撕掉了一块，发出“啪啦啪啦”的声音。“啊!”哑巴惨痛地叫唤，人竟跳起了三尺高。两条狼狗急急追去，那黑影跳进滚烫的废水中，沿着下水道钻出了院墙。

太平再一次潜入院子是在两天以后，它看见它的主人程大种已经死在床上，七窍流血，骨瘦如柴，老鼠已经啃坏了他的脚趾，两个耳朵也没有了。它躲在那一人多高的野蒿中间，看到哑巴和另几个人把它的主人抬上汽车，然后车开走了。太平潜出来后，追赶着那辆汽车的尾尘，可是到了一个三岔路口，它辨不出车去的气味，空气里的浓郁怪味绞杀了它的嗅觉。

它在城里找了几天，后来它来到了一个火葬场，在空气中似乎嗅到了一点点它的主人的气味，那高耸的烟囱上正飘过一缕缕的白烟，它的主人程大种随那缕白烟飞走了。

“故乡……”它在心底里大声说。它喊。它，太平，一条狗。一定是回到故乡去了，它的主人。那缕白烟正向遥远的天际飘去，在很远的地方，在川、陕、鄂交界的那一片山冈上，总有这样的烟云，像透明的梦境，从它的眼际飘过！还有一种更醇厚亲和的气味，不是这儿死亡的冷漠气味，那气味突然从很深的地方泛了出来，还没有死去，它蛰伏在太平的心灵深处。那气味使它回忆起了过去的一切；那气味拉拽着它，牢牢地拴住了它，让它不可遏制地带着坚定的步伐，向那儿走去！

它跟着缥缈的主人，跟着云端里的呼唤，在星星的指引下，嗅辨着那若断若续的来路，向回走去。

越过了千山，涉过了万水，不停地行走，不停地寻找着那从小就熟悉的气味。它已经走掉了身上的毛，走秃了脚爪，尾巴被围攻的野狗扯掉了半截，耳朵拉开了口子，一只眼睛也被顽童戳瞎了。它见过了世面，伤痕累累，泪流成河，可脚没有停下半步。它死了，又活了；活了，又死了，九条命（猫狗九条命）已经用了八条，还有一条攥在自己手里。它走着，走着，已经不是一条狗，是一个行走的魂。

在一个深秋，在百果摇曳、万树如火的日子里，狗儿和他的妹妹毛丫看到山路的尽头走来了一只歪歪倒倒的狗，狗一走一瘸，浑身裹满了尘土，身子已像一个纸糊的架子。这狗熟啊，这不是咱家的太平吗？

“太平！妈妈，太平回来了！”他们忙向厨房里的妈妈大喊。

听到喊声，那个厨屋里的女人陶花子从里面出来，在围腰上揩了揩手，揉揉被灶火熏红的眼睛，朝那远远走来的狗看着。

“真是的！太平！太平回来了！”那狗不紧不忙地走了过来，睁着唯一的一只眼睛望着他们，面色沉静，没有表情，尖削的嘴紧紧咬着，眼神倦怠，好像是从一个深深的山洞里走出来似的。

“太平！太平！他爸呢？大种呢？太平！他没跟你一起回来吗……”

女主人陶花子蹲下来一把抱住了它，摸着它瞎掉的眼睛和开叉的耳朵，摇着它问着。狗依然没有表情，一声不吭。这时候，陶花子看到它的眼睛里滚出了一滴一滴的泪珠。

生活还在继续，因为日子还在延续。

丫鹊坳和神农架的人都在谈论着这条叫太平的狗，这条神奇的神农架赶山狗。这件事刊登在200×年10月的报上。

报道说：

狗的主人程大种（化名）音讯全无，狗却千里迢迢回家了。

希望狗的主人也能像他的这只神犬一样回家，因为他的亲人们在日夜盼望着他的归来——假如他还活在这个世上的话。

陈应松

1956 年出生于湖北公安县，祖籍江西余干，中国作家协会会员。武汉大学中文系毕业，出版有长篇小说《魂不守舍》《失语的村庄》《别让我感动》，小说集《松鸦为什么鸣叫》《狂犬事件》《马嘶岭血案》《豹子最后的舞蹈》，随笔集《世纪末偷想》《在拇指上耕田》《小镇逝水录》，诗集《梦游的歌手》等二十余部。小说曾获第三届鲁迅文学奖，首届全国环境文学奖，第六届上海中长篇小说大奖，2004 年人民文学奖，第一、二届湖北文学奖，2004 年湖北文化精品突出贡献奖等。其作品 2001—2004 年连续四年入选中国小说学会的“中国小说排行榜”。

乱 季

孙春平

一

电视里正播一周国际形势述评。伊拉克炸炸杀杀的还没消停，巴以那边又战火密布，还说又抓了一个间谍。项林眼盯着电视，突然抓起电话，叫司机马上把车开来接他。正在铺床放被的夫人问，又啥急事呀？这大半夜的。项林忙着穿衣蹬鞋，说，又要打起来了。夫人恨道，打不打起来关你屁事，你是联合国秘书长啊？怕是在外头养小蜜，连觉都不想在家睡了吧？项林不理她，开了门就下楼去了。

乡政府离县城三十多里，四个轮子飞转，也就抽两棵烟的工夫。项林进了大院时，几个值班和明早还要执行拉堵任务的乡干部刚刚扔下扑克，各回屋子正准备睡觉。项林径奔了副书记谷秉芳的屋子。

项林原在县里当局长，到西林堡任乡党委书记兼乡长也有一年多了。西林堡乡在102国道西边，土地一马平川，条件不错，老百姓吃不愁，穿不愁，算是过了温饱线。以国道为界，那边就是东林堡，地理条件跟西林堡差不多，地平路直，土质肥沃，人均占地都是两亩多，可那边的经济状况就远不是温饱型的了，隔路相望，哪个屯子都戳起了十户八户的小楼，姑娘小伙子们连下地干活都骑摩托车。突突突一溜烟，别提多神气了，人均收入要比西林堡高上近千元。东林堡乡政府的门前就是一个蔬菜批发大市场，占地上百亩，光是那个市场，一年的财政收入就在七八百万元，大市场带动了蔬菜产业化，全乡农民一年四季往手里搂钱，老百姓不富得流油才怪呢。

其实西林堡的大棚也不少，乡政府门前也有一个市场，所差只是比人家稍迟了一步。这一步可就了不得，好比百米赛跑，响枪时打了个趔趄，要想追上人家就难了。东林堡乡的领头人刘成吉又是赛场上的高手，凭着经验和技巧，越发把西林堡落得远了，每到交易旺季，吸引得附近乡镇的菜农都往那里拥，大车小辆想挤进去都难，去晚的就得在市场外排队，一排排出好几里。可西林堡就冷清得多了，偌大的市场上车辆稀稀落落，像羊粪蛋蛋儿形不成规模，自然也就难见效益。为这事，乡领导急得嘴巴上直起泡，大会小会没少开，又连轰带撵地让乡干部们天不亮就蹲到各个路口去，把外地的拉菜车往西边拉，堵着西林堡的菜车不要往东边去。可堵紧了，菜农们就和乡干部吵起来，说不是自由交易吗？谁规定的非得在西林堡卖？问得乡干部们干嘎巴嘴说不出话。还有的菜农不争不吵，调头磨车，可转眼的工夫，不定又从哪条乡路上偷偷摸摸过去了，好像土八路打游击，神出鬼没，乡干部倒成了日本小鬼子。大棚菜的旺季在初春，交易高峰主要在每天天将亮到日上三竿的那一阵，所以每天人们回到乡里时，一个个冻得又是蹦又是跳的，嘴里一个劲地骂，骂天气干巴冷老天爷该被刀剐，又骂菜农见利忘义吃里爬外是汉奸，有时连自己都骂，说乡干部们坐在家里像孙子，出去拉堵屁事不顶像傻子，一个个冻得又像王八犊子……

谷秉芳正在洗漱，见项林敲门进来，忙吐了嘴巴里的白沫沫，问，哟，乡长没回家呀？刚才打扑克怎么没看到你？

项林从衣袋里摸出一棵烟，叼在嘴上，说，回去了，又回来了，在家也睡不踏实。眼下咱乡的市场就这么个局面，你是从上边下来的，眼界宽，得帮我多想想办法。

谷秉芳说，我初来乍到的，能跟上鼓点敲敲锣就不错了。有什么需要我做的，尽管吩咐，我这人缺眼力界儿。

谷秉芳原来是团市委农村部的部长，市里组织青年干部到乡镇基层锻炼，便坚决要求下来。县里在安排她去哪个乡时，还很是费了一些脑筋。女同志嘛，又年轻，且不说水平能力如何，只那日常起居便不好安排。县委组织部长把几家有安置任务的乡党委书记找了去，先请各家主动请缨，又介绍说这位谷秉芳虽说是女同志，但风风火火的，有男士之风，在团市委时就经常往乡下跑，一点儿女人的小家子气都没有。乡镇党委书记们闷着头，只是不吭声。组织部长一催再催，项林说，上头既给派下来了，就好像新媳妇进了婆家门，总不能往回打发呀，依我看，抓阄吧。大家立刻表态说，好，抓阄，看谁手臭，活该。没想在那十几个纸团团里，就让项林一把抓到了手，看着大家幸灾乐祸哈哈地笑，气得他直用手抽自己嘴巴，骂，我让你嘴欠！我让你手臭！乐得大家越发不可支，还一再加油，打就真打，使点儿劲！组织部长也笑，强调说，那就这么定了，但我把丑话说在前头，这事到此拉倒，谁也不许再往外说，谁长个娘儿们嘴我跟谁没完，真要传进新来同志的耳朵里，不好！

谷秉芳估摸项林这时候返回乡里来，一定是又有了什么新想法。项林果然问，东林堡的刘成吉你不是认识吗？

谷秉芳点头说，刚到县里报到时，县里组织去东林堡参观，听他介绍过情况。

那他认识你吗？

谷秉芳摇头说，当时一块儿去的有二十来人，虽说挨个握过手，也是礼节性的，后来也没再打过交道。咱记得人家，人家未必记得住咱。

项林沉吟地说，刘成吉那人可了不得，脑子活，胆子大，敢想敢干，招法也多。

倒退几年，东林堡是地瓜，西林堡是土豆，不见得比咱们强多少。扣大棚就是他坐了一把交椅后闹腾起来的，建蔬菜大市场也是他的主意。我看咱们要想摆脱被动局面，光拉光堵不行，得想办法从刘成吉那儿淘弄点真玩意儿了。尤其是眼下这一阵，正是大棚里的乱季蔬菜争行抢市的关口，误了一时便误了一季，误了一季又误了一年，不抓紧想想办法可不行了。

谷秉芳说，哪天把他请过来，或者干脆组织乡里干部到他那里去，叫他掰开饽饽说馅，给咱们好好讲半天。刘成吉不至于跟咱们还留一手吧？

项林摇头，他讲的，我还少听了？可讲是一回事，具体操作起来又是一回事，很多事情是只能做，不能讲的，或者是只能讲手心，不能讲手背的。况且，商场如战场，同行是冤家，谁心里不暗藏两张牌？你别看刘成吉嘻嘻哈哈，整个儿一个心大舌敞心不藏事的样子，哼，打呼噜都半睁一只眼，放个屁未必不掺假，比猴子都精。

谷秉芳说，你就痛快说吧，想叫我干什么？我认真执行照办就是。

项林说，刚才我在家，突然想起一个主意。你说，如果咱们暗中派个人过去，鸦雀无声地跟上刘成吉一些日子，看看他每天都在市场上转些什么，都用些啥招儿法，行不行？

谷秉芳点头，是个好主意，知己知彼，才能百战不殆。

项林说，但派去的这个人不能露身份，这老兄要是知道了，立刻就会把派去的人请进宾馆，又是烟又是酒的一顿客气，保准屁也不让你撒抹一分。我思来想去的，这事你去最合适，你认识他，他却不认识你，你又是个女同志，估计他心里更不会设防。你每天天不亮过去，等市场上人一见少就回来。

谷秉芳笑说，给我的任务是当卧底特工。

项林说，话叫你这么一说，先叫我脸红。

谷秉芳说，气不虚，胆就壮，我不光觉得光荣，还挺刺激呢。我看这事就这么定了吧。

项林说，为了不打草惊蛇，只好就得让你吃点儿苦了。你不能坐小汽车去，最好采取鬼子进村的办法，找一辆去那边卖菜的大车，你装作跟车的，保他人不知，鬼不觉。

谷秉芳说，行，什么时候行动？

说干就干，明儿一早就开始吧。项林说道，肩一耸，将军大衣扔到了床上，说正是春寒刺骨的时候，你把这个穿上，虽不好看，但挡寒，又遮眼，一会儿我再给你找顶狗皮帽子，往脑袋上一扣，更让他连男女都辨不清。有句老话，三人同行，小弟受苦，我却让老妹起五更爬半夜的去遭这份罪，不上讲究啊！

谷秉芳爽快地说，你只管把我当老弟，就上讲究了。

二

项林夜不能寐密谋于暗室，其实刘成吉也没闲情逸致马放南山。

东林堡市场的边上，新建了好几家宾馆，虽说规模都不很大，可档次却不低，设施不比城市里的宾馆差多少。紧挨着宾馆还有两家娱乐城，能吃能喝，能歌能舞，还有地方桑拿按摩。既是蔬菜集散批发之地，天南地北的商人们自是不会少聚于此，少不得灯红酒绿的去处。

刘成吉入夜后的时光常在酒吧里打发，他独往独来，酒吧老板一见了他，便安排他坐到一个不引人注目的幽暗去处，一包烟，一壶茶，静静独坐。进到这里来的多是酒徒，三五一聚，豪情大发，山侃海聊，嘴巴上全无遮拦。菜商们的高谈阔论，声声入耳，去了那些南山打狼北山擒虎的吹牛成分，刘成吉没少从中探得一些各地的市场信息和经商招法。这是刘成吉的一个秘密，在东林堡也只有少数几个人知道。

这一夜，刘成吉又听邻桌一位北方老客洪声亮嗓地叫，这回哥儿们回牡丹江老家去，主要是搞鲜菜批发，还望各位老兄有菜多往我那里送。我老崔，别的长处没有，就是一个仗义，从不做食亲财黑的事，挣了钱咱们一个饽饽掰两瓣，一盅酒匀着喝，利益均摊，保证亏不了诸位！立刻有人响应，酒杯碰得噼啪响，说得热烈，酒也喝得畅快。

刘成吉整天在市场上转，对各地来的菜商基本都有些印象，这个崔老板确是个粗豪的人，收菜张口一个价，不在小钱儿上计较。有一天，他的摊位收青椒，比别的菜商一斤高抬了五分钱，惹得菜农们都往他那里拥。有个菜商气不过，凑过去跟他辩争，不免冒出些不恭之词，他甩手一个耳光，打得那人口鼻流血。市场管理所的人赶过去，说他违犯了市场治安管理，罚他两千元钱，不然就送他去派出所。他二话没说，从怀里摸出一沓票子，说这是两千五，多的五百，我再往他脸上吐口唾沫行不？没等工作人员做出反应，他呸的一口已向那人脸上吐去。气得管理员又罚他十天不许在市场收购蔬菜。

夜已深，刘成吉悄然起身，出门时小声吩咐服务小姐，一会儿那张桌的客人散时，请转告崔老板，就说我在乡政府等他，不见不散。

东林堡的乡政府是一幢新盖的四层大楼，坐落在市场的北侧，站在四楼窗前，百余亩的宽广市场一览无余。崔老板一身酒气赶来时，已是午夜。刘成吉端坐在老板台后，展着一张报纸在看，惹人注目的是老板台正中摆着两条红亮亮的中华烟，还有两瓶五粮液。见崔老板进来，刘成吉也不起身，只是将报纸放下，笑吟吟地说，崔老板好兴致啊。

嘿嘿，收了一天菜，浑身的筋都紧了，跟几个哥儿们乐呵乐呵。不知刘乡长找，要不早过来了。

崔老板满面通红，好似熟蟹盖，惴惴地赔着笑。别看这些人在市场上腰里绑扁担，在菜农们面前横晃，可到了刘成吉面前，先觉矮了三分。但凡想来东林堡挣大钱的，都知刘成吉就是这里天字第一号的土皇上，随便给谁紧紧鞋带找找小茬儿，都得在腰包里的票子上算计算计。强龙难压地头蛇，齐天大圣得拜土地佬，何况这刘成吉确可算得一方神圣呢。

刘成吉扬了扬下巴颏，示意对面的一张折叠椅，说坐吧。整日常听人喊崔老板，如雷贯耳啊，还不知你的大号呢。

崔长富。长久的长，富裕的富。

好名字呀。刘成吉淡淡一笑说，可究竟是长富，还是短富，可就看你自己的造化啦。

那是那是。崔长富随口应着，又觉不妥，忙又说，我们这些菜贩子还不是全托刘乡长的福，要不，咋的也是毛猴子戴鬼脸，白闹腾。

这可就是你的心口不一啦，我一个不入品的土地佬，管的也就是这一亩三分地，能有多大神通？搞活市场经济，离不开你们呀。听说老家在牡丹江？

哟，乡长这也知道？

别人可马虎，不知崔老板可就有点犯官僚主义啦。我有个舅舅就在海林，离牡丹江不远吧？

不远不远，出了牡丹江，往东第一县就是海林。乡长咋不早说？我早该去拜见拜见老人家。

这么论起来，你我就算半个老乡啦。老乡见老乡，两眼泪汪汪。我那个舅舅，当年挨饿的时候，实在扛不住，就去了海林当伐木工啦。

崔长富看了桌上的烟酒，就觉心里有了底数，也不那么紧张了。看来，刘乡长这是想让我给他舅舅捎东西呀。好，有了这层关系，再跟他舅舅搭上头，好好孝敬孝敬，东林堡市场上的事可就好办多了。

牡丹江那边有啥事，乡长尽管说话。崔长富说。

听说你就要回牡丹江去了。哪天走？

就想明天呢。

后天行不行？

那咋不行哩。乡长有事，咱头拱地也办。

刘成吉将老板台上的烟酒往前推了推，说有你这句话，我就放心了。这是送你的一点儿见面礼，礼轻义重，别看不起，收下吧。

崔长富顿吃一惊，慌忙地站起身说，刘乡长，这是怎么说？我还以为是让我捎给咱大舅的呢……

现在只要有钱，什么东西买不到？我何必大老远的让你受这个累，寄去几个钱就是了。

可……我到这块地面上挣票子，本该是孝敬你才是。我早听说刘乡长跟包老爷似的，脸黑，才一直没敢……

刘成吉哈哈笑了，你没敢，就对了。你要送我东西，那叫行贿，我撅了你的秤杆子，让你从此迈不进东林堡半步。这你信吧？可你收了我的东西，就是到了最高人民法院，谁也挑不出你的半点儿毛病。

崔长富仍是看着那东西发怔，问，乡长要是让我干点儿啥，这东西我就提走。要是平白无故的，我可是说啥也不敢拿，无功不受禄啊。

刘成吉说，那我就实话实说，我确实想让你替我办点儿事。而且这事只可你知我知，不管是办成之前还是办成之后，你要敢到外面去吹五诈六给我露出半点儿口风，我刘成吉可是翻脸不认人，脸黑手也黑！

崔长富愣愣神，还是拍了胸脯子，说中，只要不让我杀人放火，咋都行！

刘成吉笑起来，什么话，雇凶杀人放火，那叫黑社会，我是共产党的基层党委书记兼乡长啊，你可怎么想得出？我嘛，只想求你受点儿委屈。

崔长富问，怎样的委屈？

刘成吉说，说大不大，说小也不小，我只想当着众人的面，打你一个嘴巴！

崔长富呆住了，不知这个一乡之长是跟自己一样喝多了，还是在开玩笑。

三

第二天一早，窗外还黑着，谷秉芳上路了。附近屯落里的鸡鸣，一声声啼落了夜空里的晨星。

夜里下了小雪，寒风裹着细细碎碎的雪粉，旋搅着，直往脸上扑，刮得人透不过气来。虽已是早春，可北方料峭的春寒，砭骨彻髓，只一刻的工夫，面孔便刺疼起来。

谷秉芳坐的那辆大车，车老板是位五十多岁的老大爷。车上的鲜菜用棉被严严实实地捂盖着，可仍能依稀透出几丝鲜韭的清新。大车颠簸着跑了一程，车老板和谷秉芳忍不住腿脚的冰寒，先后跳下车，跟着四腿的牲口往前跑，待身上有了一些热乎气，再坐上车去。谷秉芳找些话题，借以打发这清晨的孤寂和清寒。

大爷，我一直没琢磨明白，咱西林堡也有现成的市场，为什么乡亲们还非得起五更爬半夜地，往东林堡那边跑啊？

嗨，庄稼人土里刨食，在又潮又热的大棚里忙活了几个月，谁不指望多往手里抓挠俩钱儿啊。东林堡菜卖得快，价钱也高，一斤贵个毛八分的，你算算这一车是多少？

那菜贩子也就傻了，眼看着咱西林堡的菜便宜，又为啥非往那边去？你这一车三五百斤都在算计着收入，他们往远处贩运，一家伙就是十万八万的，咋就不算计一下得多支出多少？

你这算计按说也有道理，当初咱庄稼人也都是这么笨心眼寻思的，可一来二去的，人们也就琢磨出另一个理儿了。你想想看，那菜贩子有几个是自家养大卡车的？就是自个儿有车，也要算计着多拉一车有一车的进项。人家把汽车停在东林堡，招招手动动嘴的工夫，菜就过磅了，上车了，等车上的货一满，立马开车走人，或是哈尔滨，或是长春，抢在第二天一早，就批发上市了。要是在咱西林堡呢，就得担心一时半晌能不能把车装满，装不满菜贩子们就得像雪地里的兔子似的，四处乱跑再找货源。你算算吧，那汽车误了时辰，可是得给车主掏钱的，再加上人吃马嚼，耽误一天得扔进去多少？若是再抢不上哈尔滨或长春的行市，那赔得可就更大了。时间就是票子，菜贩子可比咱们算得精呢。这也正应了你们当干部常说的那句话，叫规模出效益，人家东林堡的摊子铺得就是比咱们的大，没法子呀！

一股寒风兜地而起，裹着雪糁子，呛得人倒憋了一口气。好一阵，谷秉芳又问，那您老再说说，咱们西林堡的市场要论占地面积，也不比那边差到哪里，怎么就引不来人呢？

车老板脆脆地甩了一声响鞭，嘿嘿地笑了，说，那我就说一句不怕你们乡官心恼脸热的话，打个比方吧，咱乡里的头头儿是耍耙子的，人家东林堡的头头儿是抡金箍棒的，猪八戒能耐再大，还斗得过孙猴子呀？

说着唠着，天已蒙蒙亮了。东林堡果然又是个交易繁忙的日子，离市场还有二里多地，菜农们的牛马车和小四轮已密密地排列在道路上，想往市场里进，只好慢慢等了。

谷秉芳站在公路边，放眼望晨光里东林堡远远近近的村庄，心里不由好是一番感慨。仅是隔着一条国道，那村庄里的家家户户，几乎是清一色的新建北京平房，一排排齐齐崭崭，有的还建起了别墅式的小楼，而村外，便是连绵成片浩若湖海的大棚区。初升的朝日将金澄澄的色彩涂抹在那住房和大棚上，再加炊烟与雾霭的弥漫，如虚如幻，辉映出让人感动的油画般色彩。而回头望去，西林堡确是让人惭愧了，村庄里虽也有了一些新建筑，但陈旧的老房子灰土土的杂陈其间，就像女孩子虽穿上了一件漂亮的新上衣，却掩不住裤子上的补丁，那份寒酸，不能不让她的父兄脸红心跳无地自容。也难怪项林夜里在家待不住，他是恨不得一天就赶上东林堡啊！

再想想此行的任务，谷秉芳更觉百味顿生，一言难诉。时光倒退十几年，数九隆冬里，寻常百姓哪家餐桌上吃得起水灵灵的西红柿青椒大茄子？就是过大年时吃口韭菜，那也是乡下农民舍出热烘烘的炕头，侍候月子似的忙活几个月，才割下那么几扎几捆，小心翼翼地带到市场上去卖，金贵得胜过大鱼大肉。可自从有了大棚，一切都变得稀松平常了，甚至在冬日里想吃野地里生的苦麻菜，也变得吹口气般的容易。赶到大量的大棚蔬菜下来时，虽说还是比夏天贵些，但也有限，连乡下人也很少舍不得花这份钱啦。菜农们说，乱了，乱了，一切都乱套了，连季节都乱了，这哪还讲春夏秋冬二十四节气啊！所以便把违反了季节时令下来的蔬菜统统称作乱季菜，区别于那些土豆白菜大萝卜，倒也贴切准确。可仅仅是季节时令乱了吗？比如这人与人、乡与乡、单位与单位的市场竞争，哪里还管它昔日的章法与规矩？真就是商场如战场，拼实力，也斗心智了。乱世出英雄，乱季呢，也会出豪杰吧？

谷秉芳跟老大爷告别，只身一人往市场深处走去。市场正面，醒目地高悬着一块十几平方米大的电子标牌，上面显示着当日各种蔬菜交易价格。拥挤的大市场里有条不紊，青椒、韭菜、茄子、西红柿，分门别类，各有收购点，菜农们的车辆分别排列，蔬菜过秤后，立刻装上了大卡车。满载而行的大卡车又必须经由一个出口，那里有税务人员检验交易税票。按规定，市场交易税为百分之一，一天有这么多车辆满载而出，难怪东林堡财大气粗啊！

谷秉芳挤了一阵，又一路询问，在十八号摊位的地秤前总算找到了刘成吉。刘成吉完全是一副农民装束，一件黑布面的羊皮大氅，头顶狗皮帽，脚下一双踢死牛的大头鞋，一条长围巾不扎在脖颈间，竟拦腰束在腰间。如果不是有人指点，真是很难让谷秉芳认出他呢。他孤零零地一个人蹲在那里，拿着小棍在地面上胡乱地画，那神情与等待鲜菜过秤的菜农一模一样。

目标既已锁定，谷秉芳隐在人群里，和菜农有一搭没一搭地唠上几句闲嗑，不时地睃上刘成吉一眼，看他蹲在这里到底要干什么。

观察了足有两顿饭的工夫，天色大亮了。刘成吉仍神色不动地蹲在那里，不声不响。谷秉芳正纳闷，忽听地秤前争吵了起来。那是一个干干瘦瘦的中年菜农，听掌秤的菜商报了数目，便把脑袋凑到秤前细看。菜商仗着人高马大，一把将他拨出去好几步远，嘴里还骂，看什么看，你瞎呀！菜农委屈地说，我在家是过了秤的，怎么一下子就少了三四十斤呢？差也不能差这么多吧？说着，又要往前凑。菜商更凶了，往后重重一搡，菜农趔趄着倒退，如果不是身后有人扶住，就摔倒了。菜商凶凶地骂，想卖菜就得信我的秤，信不着痛快给我滚犊子，少添乱！

这边的骂声未落，只见刘成吉已呼地跳起身，照着菜商便将大巴掌抡过去，那菜商挨了一耳光，急往后闪，没想正绊在身后的菜筐上，一下摔了个屁股蹲儿。刘成吉也是凶凶地骂，你骂谁？还敢动手，我看你才是个彻头彻尾的正宗犊子呢！

围观的菜农们哄地笑起来。

菜商爬起来，跳起脚往前扑，骂，我×……我跟他做买卖，关你屁事？今儿我跟你没完！

刘成吉猛地甩下帽子，喝道，凡是到东林堡市场上卖菜的菜农都是我亲爹！谁敢欺负我爹我掘他八辈祖坟！你没完那你就跟我来，我还跟你没完呢！

刘成吉露出庐山真面目，顿时振奋了周围所有的人，有人惊呼，是刘乡长啊！又见几个市场管理人员急跑过来，一声声问怎么了。那菜商顿时软下来，僵立着不知说什么好。刘成吉脚下三蹬两甩，竟将两只笨重的大头鞋都甩到地秤上，喝道，我这双鞋早经了公平秤，四斤六两，只多不少，今儿我倒要看看上了你的这盘黑心秤，到底是个啥分量！

菜商忙去地秤上提鞋，说乡长消消气，快把鞋穿上，冰天雪地的，别冻着……

刘成吉两脚立地，不动，说，你少跟我玩儿虚头巴脑的，你让定盘星给我说话。

今儿是我财迷心窍，我认错，还不行吗？菜贩子赔着小心说。

你叫什么名字？

刘乡长，我认错了……

问你叫啥呢？食亲财黑的东西，连你爹给你起的名字都忘啦？

崔长富。

屁，就这德行，你就吹吧，还想长富呢？除非老天瞎了眼！

围观的人们又哄地笑起来。

刘成吉说，那你就给我说明白，今儿你是怎么财迷心窍，要鬼儿骗人的？

崔长富用脚尖做了个往上挑的姿势，说，过秤的时候，我趁人不注意，脚丫子在菜筐底下，嘿嘿，就这么了一下子……

刘成吉冷笑，这几天我就听说市场上有几盘秤不地道，我让你奸，我让你要！说，要了几天了？

哎呀，刘乡长，这可屈死人了，我是大姑娘上轿，头一回呀！

刘成吉骂，不定偷养过多少汉子了，还装处女！

人们哄地笑翻了天。

那一刻，地秤前已围了上百人。刘成吉抓过管理人员的电喇叭，大声宣布：把崔长富带到管理所去。一、弄虚作假，坑骗菜农，依照规定，罚！二、在市场上逞凶称霸，打骂菜农，罚！当然，对所有为发展东林堡市场做出贡献的经纪人和各地来的商客，我代表乡党委、乡政府和东林堡的父老乡亲深表感谢，可谁要胆敢胡作非为，坑农骗农，可别怪我们不客气，抓一个惩治一个，抓一对惩治一双。农民永远是我们的衣食父母，这一条东林堡市场啥时也不会忘！

人们欢呼着，感慨着，很快散去。眼见了这一幕的谷秉芳站在那里发怔，心里不得不佩服刘成吉处理问题痛快淋漓，而且恰到好处地借题发挥，作了一篇让人传颂的好文章。

当天午后，谷秉芳回到乡里，把所见的一切都讲给了项林。项林不吭声，好一阵，才将信将疑地说，刘成吉敢这么整，菜农们当然会喊他几声青天，可他就不怕得罪了那些经纪人和菜贩子？谷秉芳说，人家东林堡现在是店大欺客，菜商们心里想的头一条是发财挣票子，自然也就不会计较别的了。项林思忖良久，才说，搞市场经济，总得有买有卖，他心顾着咱四乡八邻的菜农，这一条咱们要学，但咱们也不能坐跷跷板，抬起了那头就压下了这头。你说是不是这个理？

四

此后的几天，谷秉芳每天起大早，连续去了东林堡，却再没见到刘成吉的影子。他是外出了？开会了？还是他本来就没把市场管理当作每日的必修课，只是偶尔过问一下呢？谷秉芳把自己的疑惑讲了，项林笑说，我知道这几天他在忙什么。他蹲坑去了。蹲坑？谷秉芳吃了一惊，说他还亲自去抓小偷啊？项林说，我说的蹲坑跟你说的可不是一个意思。他是到102线和外县的交界处蹲着去了，专门统计一天南来北往有多少拉菜车。谷秉芳说，公路上的汽车都连成了串，又是这大冷的天，这个数可咋统计得过来？项林说，要不我咋说刘成吉难斗呢，别人看来难办的事，他就肯办，敢办，还一定要办成。我听说他带人在路边，一守就是一天一宿不合眼，饿了啃面包渴了喝饮料，见到拉菜车就去拦，客客气气又递烟又递火的，非得让人家告诉他是哪来的，到哪去，菜是哪装的，都是什么价。听说他光香烟就递出去了好几条。谷秉芳有些不解地问，他这是图个啥呀？项林说，这老兄的胃口，海大，恨不得把咱全县的乱季蔬菜都弄到他们东林堡去卖呢。人家既有吞象之心，咱们不能不防，不然西林堡就得等着黄摊了。

几天后，谷秉芳又在东林堡市场见到了更为精彩的一幕。如果说上次看到的惩治黑心菜商是刘成吉登台唱主角的话，那这一幕就是他躲在幕后当导演；前一幕有浪花翻卷，追光灯照，不乏光彩照人的效果，后一幕便是大潮暗涌，幕后清唱，于平静中更见出了一种惊人的气势。

那天，谷秉芳一进市场，就明显感觉到了一种与往日不同的气氛。虽然市场上的车辆仍是排列有序，菜农们平平静静地等待交易，可大车小辆只是不往前移动，也不见有满载的大卡车开出市场。菜农们三三五五地凑在一起，交头接耳，眼睛则睃着高悬的价格标牌。那蓝色底板上的鲜红电子数字在不见变化的固执中，闪烁出一种让人难以捉摸的诡秘与深邃。

谷秉芳凑到一伙菜农跟前去，问：怎么，今天没人收菜呀？

菜农说，今儿上市的主要是头刀韭菜，菜贩子们拧着劲压价，就是不动秤，绷住了。

价格牌上显示得清楚：头刀韭菜2.60元。那是以公斤论，也就是一块三一斤了。

谷秉芳问，菜贩们开的价是多少？

一块一。

谷秉芳倒吸一口冷气。她虽说来乡下工作不久，可也知道，在蔬菜批发市场上，买方和卖方，各成营垒，拧成一股劲互相对峙是常有的事，在西林堡也没少出过。一旦出现这种局面，就得看市场管理人员调解水平，如何斡旋了。

就这么僵下去呀？谷秉芳不无担心地问。

没事，大老板早把话传下来了，让大家稳住神，谁也不要自作主张。他说邻近几个县的头刀韭菜近几天都是一块三，只要大家齐心咬住，菜贩们早晚得认账。

谷秉芳问，大老板是谁？

菜农说，刘乡长刘成吉呀。你不是咱东林堡的呀？

谷秉芳忙掩饰地说，我不大到市场上来。大老板现在在哪儿呢？

菜农诡秘一笑，说这种时候，他哪能露面？八成正在乡政府的小楼里稳坐钓鱼台呢。你没见到处都有管理所的人吗，腰里都有家什，那叫遥控，懂了吧？

菜农说的家什就是手机。四面望去，果然见分散各处的管理人员们看似漫不经心，四处游走，实则不时走到菜农们面前小声嘀咕几句什么，那显然是在安抚，让人们稳住情绪，静待胜势。

刘成吉在乡民心目中的威望，谷秉芳早有耳闻，来东林堡观察了几天，更有感触，但似这般切实地体察，还是让她心生感叹。都说农民们是散兵游勇，尤其是土地承包给各家各户后，似这般一声暗中叮嘱，便生出三军号令般的威势，那需要的是真心的信赖，而不仅仅是一乡之长的权威呀！

又僵持了足有一个多钟头，管理人员们忽然有所动作了，挨车掀起捂在菜筐上面的棉被看，从中找出几车略显成色差的，叫他们把车赶到前面去过秤。那几位菜农有些不放心，问给的啥价？管理人员说，你报价还是一块三，菜贩子必还一块一，你让到一块二，他点头你就卖，他不答应你还等着。菜农还有些不放心，问，大老板怎么说？管理人员说，这就是他的主意，你快去吧，亏不了你。

很快有话传出来，说菜商们松口了，那些车上的菜开始过秤，果然是一块二成交。菜农们脸上露出了喜色，说他们那种成色的韭菜都能卖到一块二，咱们一块三是老太太擤鼻涕，手拿把掐了。

几车菜很快过完了秤，市场上再一次出现僵局。趁那工夫，谷秉芳满市场转，见数十盘地秤前都空落静寂，菜贩子们同样凑成一堆一伙，神色紧张地商量着对策。买卖双方在沉默中较劲，就好似在拔河，那紧握在双方手中的大绳又岂止仅仅是价格呢？

突然，市场上一直在唱着《愚公移山》的高音大喇叭静了下来，一个清脆的女声平静地宣布“现在发布一个通知：为了保护广大菜农的利益，东林堡市场管理所决定，从即时起，以保护价收购鲜韭。价格是，一等每公斤二元六角，二等每公斤二元四角，一至五号秤马上开始收购，请菜农们凭检斤单到乡信用社领取现金。再播放一遍……”

市场上空顿时响起一片欢呼声，赶车来的车老板们喊着叫着，叭、叭地甩起了脆鞭，那划破天空的一声声炸响，不亚于除夕之夜的爆竹。那一刻，谷秉芳特别注意了那些菜商们，只见他们惊惊慌慌地一碰头，立刻向四处分散开。一元三，他们也急着开秤收购了，不然，他们若再想从管理所手里直接进菜，就要再交管理费，起码一斤得加五分钱呢。

谷秉芳回到西林堡，把这一幕再讲给项乡长，项林又是好一阵闷头不说话。谷秉芳说，刘成吉胆大包天，让我想来都难免有些后怕，要是菜商们真的齐心罢市，他可怎么收拾这个大摊子？我粗略算了一下，今儿东林堡市场上的韭菜少说也有五十万斤，收完怎么存放？冻坏了不说，怕是让信用社现印票子都来不及。项林说，这叫艺高人胆大，胆大人艺高，说句时髦话，那老兄玩儿的就是心跳。谷秉芳说，玩儿心跳也不是这么个玩儿法，菜农们拿不到现金，可要闹事啊，那不是玩儿火吗？项林摇头说，咱们看到的也许还只是其一，表面现象，不知的还有其二其三，在魔巾下捂着呢。戏法人人会变，各有奥妙不同。我看这样，这几天你干脆扮作菜商，在那边宾馆包间房。看来咱们光看市场早晨热闹的那一阵不行了。那只是前台，幕后的故事才是真的呢。你现在的侦察重点是夜幕下的东林堡。

五

刘成吉就像一只山林中的机警豹子，领地外的飒飒风响和他身边的枝摇叶动，不能不引起他的警觉。有人报告，说这两天入夜后见有陌生警察到东林堡宾馆和歌舞厅找人，都是一身警装，威威武武，惊得宾馆和舞厅老板以为又要搞什么扫黄打非行动，客人们眼看见少。刘成吉急把派出所所长找去，批评说我早有言在先，即使夜间有什么任务也尽量不要张扬，要内紧外松，这点儿道理你不懂？派出所所长委屈地说，这几天我们根本没有行动，我也正纳闷，怎么突然冒出了警察？刘成吉怦然心跳，吩咐说，今夜你把人都派出去，但都换上便装，注意那些警察的动向，看看他们到底要干什么？第二天，所长报告，说那些警察都认识，是西林堡派出所的，谁知他们在搞什么名堂？刘成吉心里暗笑，情知这是项林玩的疑兵惑众之计，意在把客商往西林堡那边挤，以此推想，项林可能还往这边派了探子。心里这般想，也不说破，只让所长将近些天各家宾馆旅店的客人登记名单送来。所长大惑不解，问是不是西林堡那边出了什么案子，他们怀疑潜在了我们这里？刘成吉冷笑不语，只说你快去办，看过名单便知。

很快，所长将名单送来，刘成吉匆匆扫过两眼，便圈定了几个身份证号码是本地区的客人，说你马上跟县公安局户籍科联系，把这几个人给我搞清楚。所长很快又将调查结果呈到案前。刘成吉望着谷秉芳的名字，把两月前曾来乡里参观的那些市里下派干部在脑子里过了一遍电影，便笑了，下派的那批干部中，男多女少，听说还为安排女干部抓过阄，一切已是秃子头上的虱子，一清二楚。他对所长说，你去忙去吧，西林堡的警察今晚不会来了。

刘成吉是特意选在午饭时间去了宾馆。服务员说，谷女士去吃饭了。刘成吉说，你把房间打开，我在里面等她。服务员认识乡长，不敢怠慢，沏上热茶，又开了电视，退出去了。

谷秉芳用过午餐，又在外面市场上转了一圈，刚回宾馆，便听服务员说刘乡长正在房间里等她。谷秉芳心一惊，想不出刘成吉怎么就知自己住在这里。可事已至此，只好硬着头皮回房间。刘成吉笑哈哈迎上来，说秉芳书记，这可就是你的不对，怎么到了东林堡，也不打声招呼？是市里大机关来的人看不起我这穷乡僻壤啊，还是咱两家界壁子(邻居)似的紧挨着，反倒生分了？这事要是传出去，还不让人骂我刘成吉万人臭没人理呀？

谷秉芳说，我从市里下来前搞过一个农村青年现状调查，因走的急，没来得及整理。最近团市委催着要材料，我只好躲个清静地方闭门造车。知道刘乡长忙，没敢打扰，只想写完时一并告别呢。

刘成吉笑道，你下来时间短，情有可原。可项林这事的毛病可就大了，女同志面子矮，拿深沉磨不开，他也该给我打声招呼嘛。咱两家，一条国道隔着，差哪儿呀？你锻炼两年，再接任命书时，就是管咱的大干部了，一点儿感情投资的机会都不给呀？这是他项林在搞垄断嘛。

谷秉芳笑说，这事要说失礼，也只怪我。项乡长本来说要找您的，电话都抓起来了，是我一挡再挡。我这就赔礼还不行吗？

刘成吉仰面大笑，说这个项林啊，没想还把秉芳书记当成大熊猫了，实行一级保护。还派了警察在各处转，这眼见是怕你在我的地面上被绑架啊。

谷秉芳大窘，情知刘成吉这是含沙射影，武林里的话，这叫虚晃一枪，点到为止。她到东林堡住了两天后，给项林打过电话去，说这边的夜生活要比西林堡那边活跃开放得多，娱乐城通宵达旦，宾馆旅店管理得也不那么严格，时见有年轻女子出入。项林在电话里沉吟了一下，说这事我早有耳闻，他刘成吉也不怕按下葫芦浮起瓢，在精神文明上栽跟头？谷秉芳说，不管怎么说，人家在投资环境方面，还是比咱们那边多动了心思。没想当晚项林就派了警察过来，谷秉芳心里还暗叹此招虽说损点，可也不失为一手狠棋。没料到这么快就被刘成吉看出了破绽，而且不动声色，迫你收鹰。

谷秉芳只好佯作不知地说，刘乡长开玩笑了，哪能呢？是派出所那边有什么案子吧？

刘成吉不在这个话题上纠缠，说这样吧，从现在起，你的吃住可就得听我的安排了。马上调换房间，我的贵宾安排这个档次不行。晚上，叫接风洗尘也好，叫聊补欠情也罢，我把乡里的几个书记乡长都叫上，咱们好好聚一聚。

谷秉芳忙说，晚上聚的事听您的，可房间就不要换了。我的材料只差个收尾了，再有半天的时间足以利索，团市委又追得紧，我已经准备回去了。

刘成吉摇头说，我要不来，你就深居简出，躲在这里连个面都不给我见，我刚一说尽尽地主之谊，你又立马走人。不行，就算我罚你，你也老老实实地再给我在这里休息两天。项林那边由我说，他还真把市里下派的干部当长工使呀？

谷秉芳装出很诚恳的样子说，我已经跟团市委打了电话，明天就得把材料送回去，那边急等着用呢。过些日子我专跟刘乡长取取真经还不行吗？

这一晚，谷秉芳回到西林堡已是夜深，是刘成吉派的车。第二天一早，谷秉芳就将在东林堡的情况都讲给了项林，又说我的情报工作看来只好到此告一段落了，但愿我没扮演蒋干盗书的角色。项林意味深长地一笑说，刘成吉口口声声说自己是粗人，却事事精细得鬼难拿。你慢慢品吧。

可还没等谷秉芳品出个子午卯酉，两个乡的工作人员突然打了起来，而且还动了拳脚。说起来事情也挺简单，因为拉菜的车辆主要来自吉林、黑龙江，所以东林堡早就在102国道北边来车的方向竖起了许多路标牌。标牌是给车上人看的，自然要竖公路右侧，而右侧又偏偏贴着西林堡。有一天，在给市场管理人员开会时，项林讲，东林堡的市场为啥比我们搞得好？其中一条重要的原因就是人家的市场意识强，广告宣传比我们出手快，抢去了许多滩头阵地和制高点。比方说，人家早就把广告做到十几公里以外的公路两侧，连我们的一侧都占去了，我们为啥没想到这一点？这就叫差距。当天夜里，就有几个年轻人提着油漆刷子，架着高脚梯，去公路上改画广告牌了。那种改画倒也简单便捷，只把每个牌子上的“东”字统统改成“西”，便立竿见影地为己所用了。东林堡的人闻讯赶去，自是不让。一方说你们为什么改我们的牌子？另一方说你们为什么把牌子竖到我们这边？一方说公路是国家的，哪是你们那边？另一方说以道心为界，这边就是我们的。这般争着吵着，就在公路上动起了手脚，一下子堵了好几百辆车，好一阵才疏导开。

项林在电话里挨了县长好一顿训，心里恼火，就把那些惹事的人召在一起，狠狠训骂了一顿，说你们都是猪脑子呀？我叫你们学学人家的市场意识，谁叫你们去捅猫蛋啦？我要夸一声谁家的祖坟有风水，你们是不是还得去扒人家祖坟，把自家老祖宗的骨头棒子往里埋呀？看你们一个个白挨打的这个熊样，我看活该，该打！直骂得几个年轻人坐在那里耷拉着头，委屈得不知说什么好。

这里正训着，房门开处，突然走进了刘成吉，身后还跟着两个人，一个提着一大袋子烧鸡，一个抱了一箱白酒。项林怔了怔，急敛起脸上的怒色，说稀客稀客，你老兄怎么来了？

刘成吉笑道，我不能不来啊！我们家里的那帮混屎子们冒犯了好邻居，我得给弟兄们压惊请罪呀。

项林不无尴尬地说，我也正批评这些人呢。事是我们先惹起来的，我随后就去你们那边道歉呢。

哪里话嘛。刘成吉仍是笑说，我们占了西林堡的地利，已经得了实惠，弟兄们要收回主权，本在情理之中。我们没说一个谢字，还出手打人，该挨骂挨批评的是我嘛。

项林使眼色，叫屋里的那些人撤出去，刘成吉却一伸手，拦住了，指指带来的东西说，赔罪总得有点赔罪的表示，我也没时间挨个给各位敬酒了，就这点小意思，带过去。

众人不动，为难地望着乡长。项林脸上越发挂不住，只好讪笑地说，那还客气什么，就谢谢刘乡长吧。

人们离去，经过刘成吉身旁时，不由感激地望上他一眼。项林看在眼里，心里更是窝了火，眼见是又被人家抢了上风头，所以一待人走尽，他就对刘成吉说，你老兄这是刘备摔孩子，收买人心。反倒弄得我猪八戒照镜子，里外不是人了。

刘成吉不愠不恼，仍是一副大大咧咧的样子，说，我买这些人的好有什么用？你非要说收买，我也是为老兄。照笨理说，孩子在外面捅了娄子，家长是该关上门教训他们一顿，可黑下脸吓唬几句也就是了，切不可下手太狠，不然两家孩子心里结了疙瘩，往后碰到一起，难说又会闹出些什么事，最后还得咱哥儿俩去揩那个臭腚。我刚才也把我们那些人狠狠教训了一顿，叫他们立马把公路边上的那些牌子都改过来，就照你们那样改，差一点儿也不行！项林怔了一下，说，这……合适吗？

怎么不合适？刘成吉说，西林堡的市场比我们那边晚起一步，自然就更需要多做些宣传，我没为老兄做些什么，要是再在前面打横捣乱，岂不是太不仁义了？远亲不如近邻，近邻不如界壁子，总不能让别人看咱的笑话，是吧？

项林只好笑道，那我就啥也不说了，谢谢老兄吧。眼看这就傍晌儿了，晌午咱俩好好喝喝。

刘成吉说，喝就喝，咱俩也有些日子没在一起碰碰杯了。那饭前这一阵是不是还得来点啥节目？

项林对一直愣在旁边的谷秉芳说，去，帮我把棋盘搬过来，我和刘乡长支巴两盘。你观阵，见识见识刘乡长的邪招怪招加损招。

几人都笑，笑里含了很多内容。谷秉芳心里说，这次过招，又让刘成吉在嘻嘻哈哈之间胜了一筹，果然像莱农所说，他是使金箍棒的，不服不行啊！

六

这一天，项林和谷秉芳一起在市场上转，边走边小声商议着什么。

若是没有紧邻的东林堡比着，其实西林堡市场也算有了些规模，每天早晨那一阵，交易额也有几十万元。如果真能知足者常乐，项林额头下的两个大眉疙瘩本也可舒展许多了。

一辆摩托车突突驰过来，是乡里的一个干部，从怀里摸出一张绿纸片片，项林接过看了，随手递给谷秉芳，不无讥嘲地冷笑道，你看看，这老兄是豁牙子啃西瓜，道儿多着呢，明着高姿态，底下小动作。那天我一看他进屋，就猜他必是又有沉底炮高吊马等着咱们了。

是一张广告宣传单：

批发蔬菜哪里去　敬请君临西林堡

前方路口往西五公里，即远近闻名的西林堡蔬菜批发市场，时令鲜菜，品种齐全，价格合理，交通方便，手续便捷，并可为客商提供全套餐饮、住宿、娱乐服务，保君客至如归，生意顺达。

这似乎是在给西林堡做广告，可再下面的一行黑体字却奇峰陡耸，江水回旋，可见马奔卧槽，另有所图了：

如君尚有不如意，紧邻还有东林堡！

这是明褒暗贬，意在陪衬，硬往哑巴嘴里塞黄连！谷秉芳心里恨，看项林脸阴得快滴了水，便低声问，乡长，这事……就忍啦？

项林说，不忍了还咋整？怪也只能怪咱们缺高人，没能耐，人家这是一枪打两眼，既打宣传战，又打心理战，故意气咱们呢。

这事，刘成吉不会不知道吧？

项林冷笑说，山大王不点头，那边人谁还长了倭瓜大的胆子？

俩人都不再说话，只是感到憋闷和窝囊，是那种暗中叫人踹了一脚，还不得不龇牙咧嘴对人家赔笑的窝囊。谷秉芳想责怪几句刘成吉什么，又想安慰安慰项林，却一时不知该从哪里开口。责怪深了，似有挑拨之嫌，也显得自己小家子气，毕竟还都是兄弟乡镇之间的同僚嘛。便只好跟在项林身后，在拥杂的人群车队中巡走。

突然，她发现了一个身影，忙捅了捅身边的项林，小声说，乡长，那人就是崔长富。

项林停下来，问，崔长富是谁？

谷秉芳说，就是刘成吉在市场上当众收拾过的那个菜商，我跟你说过的。

项林眼睛一亮，问，你不是说，第二天就再见不着他的面了吗？

东林堡那边待不住，才跑到咱们这边来了吧。

项林摇摇头，未必这么简单。依我看，此人和刘成吉，若没结仇成怨，暗中就另有交易。

谷秉芳将信将疑地说，能吗？

项林低声说，先别管能不能，机不可失，难得他自己送上门。你先回乡里去，我去跟他会会，想法儿跟他拉拉近乎，看能不能从他嘴里套出点啥玩意儿。

谷秉芳悄然离去，项林跟在了崔长富的后面，心里已给自己设想了能跟他套上近乎的身份。那崔长富一路走过，挨车掀棉苫帘看茄子辣椒西红柿，然后小声和菜农嘀咕着，啥价？一块六。你想往黄了要啊？东西都拉到这儿了，二百五才涮自个呢，我昨儿卖的就是这个价。你要送到东林堡，这价我就收了。在这儿不行，不信你就守着。东林堡市场大了，我哪去找你？十八号秤，好记，幺八，要发，我发，你也发。我就这二三百斤菜，还值得送一趟呀？不够磨鞋底钱呢。那这样，你送到东林堡，我一斤再给你加一毛钱的运输费。这事你自个儿知道就拉倒啦，可千万不许往外再给我瞎咧咧。嗯，这还差不多，我这就去，你不在我找谁呀？你就跟掌秤的人说是我姓崔的让你去的。好使啊？嗨，虮子来例假，多大的事，这还值得我诳你一回呀？

都说买卖人是属耗子的，无洞不钻，妈的，拉主道(买卖)竟拉到人家秤杆子底下来了！说不许瞎咧咧，这种事，菜农们还不立时一传十，十传百呀！项林心里骂，又眼见那菜农开始磨车往外走，还一边小声跟其他菜农嘀咕。

项林正琢磨要不要立马采取什么措施时，崔长富突然侧转身，直奔项林而来，瞪着眼睛问，哎，你跟着我干什么？

项林忙收神，赔笑说，想跟崔老板学学本事。

你认识我？

久仰大名。我没少听人提起过崔老板，说买卖能做到大哥你那份儿上，上上下下都能摆平整明白，就算修行到家了。

崔长富笑起来，老弟这倒是句实话。这么说，你也不是本地人了？

项林掏出烟递上去，老家吉林白城子。想来这里倒倒菜，来了好些日子了，只是摸不准门路，想求老兄仙人指路，点拨点拨呢。

两个市场都看了？

看了。西林堡这边的菜确实便宜点，可东林堡进手出手都比这边快。

就看出这一点？

可不，所以才这边一车那边两车的，一直拿不准主意在哪边立脚坐庄呢。

那你还真是个雏儿。这里面的弯弯绕儿，够你琢磨两冬加一夏的了。

崔长富说完抬脚就要走，项林一把拉住他，哎崔大哥，这样好不好，大冷的天，小弟请大哥赏脸，去喝两盅。咱酒桌上慢慢聊，大哥多少指教指教。

崔长富说，我还有事，改日吧。

项林扯住他的袖子不放，说，我知道崔大哥忙，不定哪天才能再遇上。大哥今儿就少挣几个，等日后小弟真要有点出息，给大哥补上也行啊。

崔长富见他黏皮糖似的缠得实在，只好说，好，今儿就让老弟破费，我也算又交了一个朋友，你找地方吧。

项林心中暗喜，为自己的这一番表演，也为即将揭开的深一层次面纱后面的"干货"，竟颇有了一种智斗小炉匠般的兴奋与得意……

七

酒桌上的角逐，项林和崔长富显得都很豪爽。进饭店时，老板急迎过来，张口刚叫了一声项……项林便急忙使眼色制止住他别再往下说，说我今天请来的可是真正大老板，我狗屁都不算，马上安排个地方，我和崔老板整几杯。开饭店的都是何等精明的人，立刻就看明白了，再不敢跟乡长当面献殷勤。项林叫把最好的酒拿上来，老板送进五粮液。崔长富竟大手一摆，说这叫花大头钱买名堂，还拿不准是不是真货，是爷们儿就喝高度的，落肚过瘾，满身通泰。烧刀子不能没有吧？老板再送进一瓶，还问一瓶够不够？崔长富说先喝着，不够再说。项林抓过酒瓶看了看，上面标明60度，心里暗叫不好，情知今儿是自投罗网在劫难逃啦。接着点菜，项林把菜谱推到崔长富跟前去，说我也不知大哥啥口味儿，别让大哥再笑话我虚虚泡泡地玩嘴耍花腔。那崔长富也不看菜谱，说切一盘五香肘子肉，两叠干豆腐卷大葱，只要正宗农家酱，再来一盆酸菜炖肉粉，多给我下点儿血肠。中了，就这些。项林说，大哥这是寒碜我呢，你怕小弟掏不起钱啊？咱大小也算个买卖人，总得吉庆有余。就又点了清蒸鱼、香酥鸡什么的，还特意叮嘱来一盘油闷辣椒。崔长富问，你能吃辣的？这可不像咱东北老客。项林顺嘴胡诌，说我祖上是从南方跑关东过来的，我可能是遗传，随根。其实，项林要这道菜是藏了心眼，以他这些年当乡镇长陪客人喝酒的经验，若是遇到难以脱逃的酒官司，最好的办法就是在酒没下肚前先硬着头皮嚼下几口辣东西，把满身的汗毛孔辣得张奓开，随后再喝酒，酒随汗走，大汗淋漓，下面不管是多大的阵仗，都好对付了。

酒就这样喝起来，一边喝一边南朝北国地扯。项林的吉林白城子也不完全是信口开河，他有个叔叔在那边，读书的时候，假期里没少到那里跟叔伯弟兄们砸冰

捕鱼提枪打兔，前些年机关里闹腾经商做买卖，他还求本家弟兄们帮助收购发运过粮食。项林把这些往事都当作亲身经历，添枝加叶地一白话，那崔长富果然深信不疑。项林很快发现，如果抛开在东林堡市场上要秤杆子那个事，崔长富其实是很粗豪很实在的一个人，他说眼下他在牡丹江那边管批发，这边有朋友负责收购运输，他这次来，就是专为送两个朋友，帮他们铺摊打场，顺便看看蔬菜行情。崔长富趁着酒兴还讲了许多菜商之间又合手又斗心眼的故事，俩人醉眼迷迷，敞开喝，放开聊，很有点相见恨晚的意思。

这一顿酒直喝过了正晌，两瓶烧刀子没剩下多少。崔长富说东林堡那边还有事，留下了手机号，说有事尽管去找他。项林说等我把这边的客房结账退掉也移到那边去，也好常讨大哥的指教。俩人亲亲热热地分了手。项林趁着酒兴，踉踉跄跄地回了乡政府。谷秉芳见他如此神态，忙起身斟茶，笑说，这回是主将亲自出阵，收获不小吧？

项林舌头难打弯，乱乱地说，大大的……大大的。黑白两道，真真假假，两、两手抓，两手都得硬。

谷秉芳笑，说你就别跟我卖关子啦，捞干的说。

项林说，刘成吉跟崔长富那些人，背后都有钩儿，互相利用，各取所需。比方说，那回整崔长富那个事，就是周瑜打黄盖，一个愿打，一个愿挨，演戏给人们看的，既镇唬了新来的菜贩子，又收买了菜农的心，一石二鸟。崔长富也没白吃亏，这回他另送两个同伙的菜商来，刘成吉就特意安排了两个最好的收购摊位。还有那回收韭菜，崔长富说这种事更是后娘打孩子，常有的事。刘成吉私下里养了一批铁杆保皇派，他们先得了指令，只要市场一说按保护价收购，他们也立马开秤，别的菜贩子想抱团儿罢市，玩勺子去，没门儿！刘成吉跟那些保皇派有言在先，只要好好配合市场管理所，保证不让他们吃亏。再说今儿，崔长富也是刘成吉亲自派来的，说就是先吃点儿亏，也要把菜农们拉过去，拉过去一个是一个，有一个就能带一帮，只要让菜农们认准东林堡，不愁大利不跟在后面……

项林说着说着，酒劲儿上来，眼皮黏得睁不开。办公室里备着床，谷秉芳催他去睡，还替他扯开被子盖好才离去，还叮嘱乡政府里的人谁也不要去惊扰。项林这一觉睡得昏天黑地，直到有人推他，才迷迷糊糊地爬起来。看窗外，已是黑沉沉一片，乡机关里静悄悄的，地心火炉上，大饭盒里正咕嘟着白菜冻豆腐，炉盖上还烤着几个焦黄的黏豆包。

项林问，哟，什么时候了？

谷秉芳说，夜里十点多了。起来吃点东西吧，还没睡够就吃完东西再睡。

项林说，哟，半夜啦？司机还等着吧？叫他一声，送我回家。

谷秉芳说，我给你家大嫂打过电话了，汽车我也打发走了，这么晚，就别回去了。你好歹吃一口，垫补垫补，酒后空腹，不好。我也回屋去休息，有什么吩咐，明早再说。

谷秉芳说完就走了。项林抓湿毛巾擦了擦脸，真觉肚子有些饿了，抓起一个黏豆包就咬，想想白天的事，不由又发起呆来。那个刘成吉，真是办法想尽，让你防不胜防，亏没少吃，还让你说不出什么来，人家确是高手，不服不行啊！再不能总让他牵着鼻子走了，得想办法玩点儿绝的啦……

早晨，在食堂再见面，项林问谷秉芳，你在市里有没有能写文章的朋友？得是高手。

谷秉芳问，想写什么样的文章吧？

项林说，要大块儿的，比如报告文学通讯什么的，巴掌大的豆腐块不行，没意思。

谷秉芳明白了，乡长后半夜睡不着，这是想在宣传攻势上下力量做文章了。便说，我那口子有个老同学，在市文联的《雄关文学》杂志社当编辑部主任，写小说，也写报告文学，在省里也算有些名气的，笔名叫闷雷。

项林笑，闷雷？咋叫了这么个怪名字？

笔名嘛，越怪越容易叫响。你没看眼下走红的作家，鬼子啊，东西啊，笔名怪怪的不少。

以你的面子，还请得动吧？

谷秉芳犹豫地说，我要说声请，他肯定能来，只是……

项林说，你有啥就直说，是不是得有啥条件？谷秉芳说，我下来前，他还请我们两口子喝过送行酒。眼下文联那样的单位，市财政只拨人头费，能按月开工资，已是很不错了。尤其是他们那个刊物，自筹自支，想维持下来都难。主编就给编辑们下任务，每人一年至少得拉进一万元钱的广告。闷雷当着部门头头，比别人还得多些。他听说我到乡里锻炼，让我在这方面帮他找些门路。其实乡长的这个想法我也不是没想过，只是操作起来就要花钱，所以一直没敢张这个口。我把他请来没问题，他也能给咱们写，可能不能发表出去，我可不敢打包票，终审权不在他手里，尤其是这种稿件。

项林说，发不出去咱费劲巴拉地写它干什么？文人圈子里的事我虽不懂，也多少听说些，也算听过猪哼哼。别说他们爬格子的，眼下办事不上油，哪根轴能给你白转？你说得多少钱吧？

谷秉芳说，一篇万字左右的报告文学，封面或封二封三再配上照片，我听他说，开价是一万，凭我的面子，估计七八千能拿下来。

那个《雄关文学》发行多少？

他们自己对外号称一万，现在办文学刊物的有几个不是打肿脸充胖子，硬撑架子吹呗。咱给他对半打折，我估计不会超过五千。

项林说，也太少了点。他能不能在市报、省报上再给发发？

谷秉芳说，把报告文学压缩成通讯特写，也不是不能发，可那样一来，就得另有些别的辅助性动作了。虽说现在上上下下都在喊反对有偿新闻，可这种稿，明的说不要钱，暗地吃吃喝喝，去外地走走玩玩，或者送点土特产，总得跟手里有发稿权的人联络联络感情。

你说吧，这一笔又得多少钱？

总得三五千吧。

项林想了想说，四千，给咱登出来就行。

谷秉芳又犹豫地说，这四千可不同前一笔。前一笔他们编辑部能给出收据，叫赞助款。这一笔可是私下里的小动作，什么手续都不能给出。

项林把手松了攥，攥了松，弄得指关节叭叭直响，好一阵才说，不出就不出，小鸡不撒尿，自有别的道，还没见过憋死的。可咱也得有点儿条件，要干就鸡蛋壳子揩屁股，嘁哩喀喳，要拖个一年半载的，就不值了。

谷秉芳说，这个要求估计不会有问题。咱们不妨把丑话说在前头，不见兔子不撒鹰，不见稿件正式发表不付费，他们杂志正愁米下锅呢，就是把正在厂里印刷的稿子撤下一两篇，也得把咱们的先挤上去。报纸更好办，天天要出报，只要关键人物点了头，挤进个一两篇稿子，更是小菜一碟。

项林说，刊物出来后，你叫他们以编辑部的名义，给市县主要领导一人寄去一份儿，还有县里的各部委办局，各乡镇，最好都能寄去。

谷秉芳点头说，这都容易办到。你定个时间吧，什么时候接待采访，我吃完饭就给他打电话。

项林突然诡秘地笑起来，说，不是写我，是写东林堡，重点是写好刘成吉。你跟闷雷说，请他把十八般本事都使出来，只要宣传到位，西林堡日后对他另有答谢。

谷秉芳这一惊可好比头顶炸声雷，不相信似的望定项林问，乡长，这事……咱花钱买润肤霜增白粉蜜，却给别人往脸上搽，你不是昨天的酒还没醒吧？

项林意味深长地一笑，说这事，先别多问，我就全权拜托你了。记住，你知我知，没有扩散传达的任务。跟你的那位作家朋友也这样叮嘱。我看过一个条幅，一直也没琢磨透是咋个意思，"只管和烟和月写，不知是雪是梅花"。他的任务就是写，放开手脚写，有谁问到他，只说是深入生活，宣传先进就是了。

项林不让问，却不能让谷秉芳不想，可想得脑仁子生疼，也咂摸不出个所以然来。项林这是怎么了？不是接连受挫气糊涂了吧？可看他那神态，却分明是个深思熟虑胸有成竹的样子。千万不要搞得大伯哥背兄弟媳妇，受了累不说，还让人看了笑话呀……

八

自从东林堡的蔬菜大市场搞起来后，电台、报社、电视台的记者没少来，隔三岔五就是一伙，经历多了也就习以为常，宠辱不惊。初时刘成吉还挤时间亲自接待，唯恐招待不周，惹恼了无冕之王，可一旦觉了是负担，他就指派乡党委的宣传委员专门负责接待，嘱咐说，只要是来为东林堡大市场做宣传的，一定要安排好，咱不巴结，但也绝不可怠慢。宣传委员有此指示，接待工作自然格外在心在意。东林堡的知名度与声誉与日俱增，跟各路记者们的摇旗呐喊不无关系。

这一天，宣传委员张际辉找到刘成吉，递过一张名片，说来了一位作家。刘成吉接过名片看了，潇洒遒劲手书体两个字，“闷雷”，显得与众不同。刘成吉说，按理说，作家的笔头子可比记者更高一筹，只是我听说眼下办刊物的，穷得四处乱窜，被嘴损的称作文丐，是不是想借写文章拉赞助啊？张际辉说，我防着这一手呢，可这个作家可比那些记者还显得清高，连食宿都没让咱安排，先住下才找到的我，见面先声明是深入生活抓创作素材，只尽责任和义务，不取任何报酬。刘成吉说，这却难得，人家不提条件，咱们更得热情，先送过两条烟去，写文章的离不开那口累。张际辉说，作家非要见你，说要和你作彻夜长谈。刘成吉说，他不是斯诺，我也不是毛泽东，谈什么？乡里的情况你都熟，给他多介绍介绍，再找几份材料复印给他，必要的话，你再陪他走走转转。张际辉说，作家说你是创建东林堡大市场的第一号功臣，写文学作品跟写通讯报道不一样，作家的笔要跟着感觉走，他要写出独特的“这一个”，不见面绝对不行，找不到感觉。刘成吉突然有了警觉，问，他要宣传我个人啊？那你可要把丑话说在前头，宣传东林堡咱欢迎，若是专来写我刘成吉，还是请驾回府吧。张际辉坚持说，人家也没说一定要写你，只是说想跟你见见面，坚持不见是不是有失礼貌？刘成吉想了想说，那你就安排一桌饭，我去敬他两杯酒，算作表示欢迎，至于他的感觉找到找不到，我可再不管了。

宣传委员便安排刘成吉和作家见了面。闷雷精精壮壮，正是人入中年的好年华，丝毫不见文化人的那种矜持，极健谈，不拘礼节，到了酒桌先抓酒瓶给各位倒酒，喝起来也不讲个斯文，竟比久经酒海肉山的乡镇干部还来得冲猛，讲奇闻逸事，讲各地的风土人情，各种顺口溜俏皮话更是卖瓦盆的一般，一套一套的，什么酒鬼系列，什么病人系列，什么土老帽儿系列，荤荤素素，让人捧腹，全没个采访的样子。

刘成吉见作家不似那些记者们手不离笔，身边也没放什么录音机，两巡酒一过，便渐渐放松警惕，打开了话匣子，顺着闷雷的话头也讲了不少乡间和大市场上的故事，竟把家里的趣事也当作下酒菜，只博一笑。

“×，要说喝高了丢人现眼的事，那可海了去了。刚建大市场那阵，为跟县里的工商税务套近乎，没少请那些头头脑脑。那一次，我喝得五迷三道儿，进了家里院门，竟溜哩歪斜地摸进了驴棚子，黑灯瞎火的只觉槽子里的草料软和，还以为是媳妇铺好的被窝呢，一歪身躺了进去，就呼呼大睡。碍了毛驴子吃草啊，那东西就用长嘴巴拱我，左一下右一下的，把胯裆里的小二哥都拱得支棱起来了，又对着腮帮脖子吐热气。我睡得眯眯瞪瞪的，以为是媳妇想让咱怎么样呢，就说，算了算了，今儿喝多了，就饶了我，拉倒吧，明天再补，中不?”

话没说完，早引得众人笑塌了天，把饭都喷了出来。张际辉叫，乡长，你这事咋从没跟我们说过? 刘成吉笑道，啥光彩事呀，叫我说? 闷雷笑过了，也问，这故事乍听奇巧，细琢磨却明显有细节上的漏洞，你既喝得把毛驴子都当成了媳妇，自己说的这番醉话怎么还记得如此清楚? 刘成吉说，那晚我媳妇只听院门响，不见我进屋，还以为进了贼呢，就披了衣裳出来瞧，人家是在驴槽子里找到的我，那番话是她亲耳听的，过后没少埋汰我，臊得我差点儿钻了耗子洞。闷雷不依不饶地追问，说我仍有所不懂，你堂堂的一乡之长，家里还养毛驴呀? 刘成吉讲，不养咋整? 我念乡中学时是六月鲜，六月鲜懂不? 是一个玉米品种，到了阴历六月就能烀吃啃青了，早熟。我刚到二十就把媳妇娶进门了，老婆和孩子一直是农村户口，家里有责任田呢，不养条毛驴帮她做些田里活，还拿我当毛驴子使啊? 众人又笑，说不是她拿你当毛驴子使，是你把毛驴子当她使。闷雷抓起酒瓶子，说帝王将相，宁有种乎? 就为了这位驴槽子里爬出来的精明乡长，咱们再干一杯!

此后的几天，刘成吉听说这位作家从早到晚地奔忙，和乡里的干部谈，和市场货栈里的经纪人聊，还钻进附近村屯又潮又闷的蔬菜大棚里和菜农一起施肥下菜，不由心发感慨，看来各行各业，要想干出点名堂，都得舍得付出心血! 过去只以为作家必是坐在家里舞文弄墨闭门造车，哪知也须这般辛苦。他嘱咐宣传委员再买上好的茶叶和咖啡送去，聊补心中的一份敬意。

其实闷雷在东林堡的行止进展，也尽在谷秉芳的掌握之中，俩人常有电话联系。闷雷自鸣得意，说刘成吉不接受采访，可我自有办法诱他就范。谷秉芳说，那是那是，这点小沟小坎还难得住你圣手书生了? 闷雷问，刘成吉不肯提供个人照片，是不是刊物封面上就发个东林堡市场的全景照啊? 谷秉芳说，那可绝对不行，他不提供你就偷拍一个，我帮你找个带长焦镜头的照相机。谷秉芳又把这些话说给项林，项林连说好，就是这个意思，你办事，我放心。

九

这天早晨，谷秉芳吃完早饭走出食堂，正见乡里那辆桑塔纳开进了院子。乡里的干部有一半住在县城，天天都是这个时辰上班，本也没什么大惊小怪的。可车门开处，跟在项林后面的还有一位中年女士，细看，不是项林的夫人又是谁？项大嫂在县百货商场当柜台组长，见过面的。谷秉芳忙迎上去，本想说两句寒暄话，可蓦地发现项大嫂的脸色阴沉着，项林虽强作笑脸，却掩饰不住内心的尴尬与无奈。谷秉芳心里沉了沉，还是招呼说，大嫂来啦？

项大嫂点点头，算是答应了，可那心事重重的样子反倒让谷秉芳不知说什么好。旁边还站着乡政府别的人，项林便说，谷书记，你大嫂跟了来，是找你有事。

谷秉芳忙说，好啊，大嫂有吩咐，不胜荣幸，进屋坐吧。可心里却嘀咕，她找我什么事？和乡长天天低头不见抬头见，怎么从没听他提起过？

几人一起往办公室走。进门的时候，谷秉芳掀棉门帘让乡长和嫂夫人先进，项林装作也来掀门帘，手在谷秉芳胳膊上重重碰了一下。谷秉芳便猜知项大嫂此来，定是非比寻常有些来头，需格外小心才是。

项大嫂一直沉着脸，径自跟谷秉芳进了办公室。谷秉芳忙着让座倒水，又问孩子问大人，只是不让大嫂开口。这般磨蹭了一会儿，仍是心里没底，便从抽屉里揪出一块手纸，说大嫂先坐一会儿，这两天我肚子不好，去方便一下。没想大嫂也站起身，说我也去。谷秉芳情知她这是在采取人盯人战术，不肯放她单独行动了。

俩人一起进了卫生间，各寻厕位蹲下，谷秉芳便将手机掏出来，将来电铃声和信息提示音都调为振动，心里叨念，项林若是真有什么在夫人那里掰不开镊子的事，理应想到发个信息，也不知项先生能否心有灵犀？

手机果然很快振动，信息是：你父生病，我借四千。谷秉芳明白了，心里暗笑，这是项林在家对不上账，财务总管不让，跟他出来搞审计了。天下真奇妙，好玩又好笑，真是家家都有八出戏呀！

俩人重回房间。大嫂问，谷书记到乡下来，生活还习惯吧？

谷秉芳说，乡里把一切都安排得妥妥帖帖的，比在家里还舒服呢。

大嫂又问，家里那头还好吧？

谷秉芳暗笑，这是把我往道上引呢。便顺风扯旗，故意叹了一口气，说，就那样吧，说不上好，也说不上不好。

大嫂问，咦，这话是怎么说？

谷秉芳说，要说不好吧，一个月两口子三千来元收入，养着一个不大的孩子，倒也应该吃穿不愁了。说是好吧，家里人真要碰上个天灾病祸的，还真就一时没办法。比如前些天吧，我老爸住院做手术，医院张口就要两万块钱作押金。我爸那个单位效益不好，工资都欠好几个月了，平时就没少往那边接济，家里又刚买了按揭房，哪还有这笔钱？我急得只好临时抱佛脚，求项林大哥帮忙了。

大嫂问，他帮了吗？

谷秉芳说，大哥真是热心人，一甩手就借给了我四千。

大嫂叮问，他真借了你四千啊？

谷秉芳故作吃惊地反问，怎么，这事我大哥没跟你说呀？

大嫂掩饰地笑笑，说，那啥……说是说了，只是他没说是你爸爸住院生病，要不，我们两口子总该去医院看看老人家。

谷秉芳只好继续把谎圆下去，说，我怕大哥和乡里同志知道了，必是要跑市里去看望，就跟谁也没说。乡里这一阵忙，光市场这一摊就整天脚打后脑勺的，一而再再而三地全体总动员。我初来乍到，本来就没做什么工作，怎好意思再惊动各位大驾？所以我跟项大哥也只说手头一时紧，没敢提我老爸生病的事。要不是我爸已经出院了，这话我跟大嫂也不能说。

大嫂笑起来，眉宇间骤然变得明媚灿烂，说你呀，这事还拿什么深沉，谁跟谁呀？要知道是你老爸住院，别说四千，就是四万，咱们也得想法帮着张罗。你大哥在家是饭来张口的主儿，钱财上的事从来不管不问。以后有事，你直接跟我说，一辈子谁没个老，养儿养女图个啥呀？

谷秉芳说，就凭大嫂这几句话，也保佑我们一家子以后都平平安安的。咱们还是书归正传，大哥不是说大嫂找我有事吗？

大嫂脸一红，窘住了，这事……可咋说呢？

谷秉芳说，大嫂外道了不是？拿我还当外人啊？

大嫂想了想说，是这样，我有个娘家侄女，大学眼看快毕业了。我寻思你是市里下来的干部，认识的人多，想请你帮忙，给她找个效益好点儿的单位。

谷秉芳已听出这不过是虚晃一枪莫须有的事，便也玩儿上一把吹牛不上税的把戏，说，就这事，还用得着大嫂亲自出马呀？让大哥跟我说一声不就行了嘛。我把这事记下了。大侄女学的是什么专业？

大嫂越发窘促地说，啥专业我也没记清，我打电话再问吧。你大哥那人，可咋说呢……一提我们娘家的事，他总是爱搭不理的。让他传话，还不如我自个儿跑来一趟呢。

俩人又说笑一阵，大嫂扒窗往外瞅了瞅，说，就是这事，大妹子答应帮忙，我就放心了。正好车在，你跟司机说一声，商场九点钟开门营业，我还得抓紧赶回去上班呢。

俩人到了走廊里，项林急急跑出来，对着夫人怪模怪样地笑，说这回放心啦？大嫂用鼻子哼，说谷书记说话我放心，你说话，那我可得另琢磨琢磨，哼，你自个儿咂摸去吧你。

小汽车开出乡政府。项林转过身，对着谷秉芳嘿嘿笑。谷秉芳说，乡长大人往后在家庭财政上有什么猫腻的事，请早点通报，也免得嫂夫人搞突然袭击，打得我措手不及。项林说，这败家老娘儿们，昨儿一夜闹腾我好苦。她发现家里一张四千元的定期存款单不见了，非逼我交代哪儿去了咋花了。我说借给了你，她还不信，一口咬定我在外面有了相好的，要不就问我是不是在外面嫖了娼，叫公安局抓住交了罚款。反正翻来覆去，胡说八道，就是不往好道上给我想。这不，今儿一大早非要跟我一块坐车到乡里来，要当面鼓对面锣跟你问明白。

谷秉芳忍不住笑，说，家有贤妻，男人在外不做横事。这样好，保证乡长的大后方一辈子风平浪静，家和万事兴。要说毛病，我也得替大嫂直直罗锅。四千块钱在一个平常人家，不算小数，你要用，总该先跟大嫂商量好，不然日子长了，容易伤感情的。

项林苦笑说，我在家可是模范丈夫，工资全交，平日别说四千，就是四百，我也得先看看人家脸色。这回不是特殊嘛！咱求作家写文章，人家要拿钱出去疏通关系，又不肯出发票，你说我不这么整又有啥招法？跟你大嫂照本实说吧，老娘儿们哪掂得出这种事情的分量？一听是咱出钱办席给别人娶媳妇，怕是立马就得炸了营，破马张飞似的闹得满城风雨，且不说面子上好看不好看，兴许把咱们的全盘计划都得搅砸了。

谷秉芳吃惊地说，闹半天，那四千块钱，还是掏的你个人腰包啊？

项林忙使眼色，说你小点儿声行不行？我不掏个人腰包，咋变出四千块钱来？咱又不能犯经济错误。

谷秉芳说，这个大窟窿，可够你填补一阵的了。

项林说，年底不是还有点儿奖金什么的嘛，咱是甘愿当本分丈夫，不然，要想蒙她，啥道儿想不出？这回，有你作掩护，我更不怕她了，慢慢来，慢慢来吧。

谷秉芳说，这事是你我共谋，众人拾柴火焰高，我也承担一半。

项林说，不用，这份功劳，你还是都给了我吧。

十

先是最新的一期《雄关文学》放在了老板台上，让刘成吉看了不免脸红心跳，不是因为文章胡编乱造水分太多或随意拔高玄天舞地一味吹捧，倒是那位能侃能喝的作家的活儿做得实在漂亮。封面鲜亮抢眼，在车水马龙人潮涌动的蔬菜大市场背景下，刘成吉戴着一顶毛烘烘的狗皮帽子，手里拿着一只通红的大西红柿，正跟菜农谈笑，朴实中透着豪气，神采奕奕又不失生活气息，身份与场景都恰到好处。翻开正文，头题位置便是两万来字的报告文学《东林堡蔬菜大市场和一个人的名字》，文章也写得好，不知怎么就让闷雷挖出了那么多连刘成吉自己都已忘却的故事，在写到大市场创业之初的艰辛时，还讲了刘成吉那个让人喷饭的把毛驴当媳妇的趣事。文章里时不时地引经据典，纵论古今，评点中外，笔触深刻而不失活泼，凝重中又透着灵俏。

这是在写我吗？不是我又是谁呢？刘成吉怔怔地望着封面上自己的光辉形

象，心里不得不叹服闷雷确是高人，且不论他妙笔生花的本事，单说空口套白狼，硬是能不动声色地让你放下思想武装，又在你不介意间，“逗”你往外“交代”往事！只是……这文章做得太大了，有失张扬，让那些不明真相的人看了去，还以为咱不定花了多少票子，又请作家又买版面的，在玩儿沽名钓誉的把戏呢。

这般想着，刘成吉便大声喊过宣传委员，劈头就问，早跟你讲过，不许宣传我个人，这算什么？

张际辉说，文章我看过了，与事实基本没大的出入。作家也打过电话来，说文责自负。

刘成吉说，他自负？他负得了吗？这么一整，就好像我刘成吉独贪了天功，乡里的弟兄们谁没为这个市场出力？让我以后还咋跟大家见面嘛。

张际辉说，乡长不妨换个角度想。这篇文章虽说是拿你说事，但受益的还是咱东林堡大市场，不然，咱得花多少钱，才能做来这么大篇幅的广告？

刘成吉说，我宁可花钱做广告，也不占这个便宜。你手上是不是还有这期刊物？都给我锁起来。

张际辉说，一共寄来五本，我手上还有两本，另两本让别人抢去看了。既然公开发行了，咱还管得了啊？

刘成吉说，那是他们的事，反正到了咱们这儿的，一本也不许再往外扩散。你把那两本也赶快收回来，谁也不许再给看了。

《雄关文学》在同一天也摆上了西林堡乡长的案头。项林高兴，哈哈笑说，不错不错，正合吾意。瞧着吧，这回刘成吉可要有追星族了，真要碰上两个傻丫头，那老兄还得费一番心思粉碎围剿呢。谷秉芳给闷雷打去电话，闷雷不无得意地说，拙作极有可能变闷雷为惊雷，一炮打响，市里的《黑土地时报》已告知要全文连载，这个活儿，真是一手抓了票子，一手抓了面子，两手都硬了起来。我要好好谢你呀！

很快，省报上的文章也登出来了，是那篇报告文学的精缩版，还配发了照片。这一下，就好似在东林堡上空爆炸了一颗原子弹，强劲的冲击波由乡而县，由县而市，刘成吉一下成了名人。有人告诉项林，说近些天去东林堡参观学习的人，就好像麻将桌上庄家自摸杠开花，翻了一番又一番，连外省市都有人跑来了，而且来了就一定要刘成吉亲自出面传授经验。项林嘿嘿笑，说这叫名人多累，刘成吉有一壶喝了，等着吧，下面还有好戏呢。

最先感知这场好戏震撼力的是刘成吉。县委组织部的一位好友夜里跑到他家，关切中透着愠恼，责怪他浮躁张扬，怎么就忘了枪打出头鸟，出头的椽子先烂的道理？怎么就没想到上封面，出大名可能带来的负面影响？说这几天，县委县政府的人都在议论这个事，虽然谁都否认不了东林堡为县里的产业化农业起了龙头作用的事实，可也有人提出，推进产业化大农业是县里的总体战略规划，上上下下方方面面都在为此献策献力，刘成吉如此突出自己，把县委县政府的领导作用放在了哪里？甚至有人说，上封面发表这样的文章，没有不动钱财的，刘成吉花公家的钱扬自己的名，其政治品质令人怀疑。刘成吉大叫委屈，说我根本没让谁来写我，又哪花了什么钱？有账不怕查，此事一问杂志社便知。好友讲，此事查又何用？像酒后把毛驴子当媳妇的事，你自个儿不讲，要笔杆子的人又怎么会知道？还有更不好听的话呢。有人说，今年县委班子要换届，刘成吉选在此时搞动作，是司马昭之心，路人皆知。刘成吉这一惊更是非同小可，张着嘴巴好半天说不出话，脑子里混沌一团，一时难理出个头绪。

这一夜，刘成吉大睁了两眼，一宿没睡。官场风云，远比市场险恶。细想想几篇文章发出后的这段日子，县里的领导确实比以前少来东林堡了，就是见面，也只是表面嘻哈敷衍，少了许多实质性的交谈内容。这个跟头摔得如此狠重，让你哭不得，说不得，连声冤枉都喊不出……他将事情的来龙去脉又从头想一想，虽说送了作家烟茶，还请喝过一顿酒，可那也是我们自愿，即使不送，想来闷雷也断没有文章写完弃之不发的道理，那个书生看起来豪爽坦荡，不似卑琐小人。可他们的刊物真就甘做无私奉献吗？这其中是否还有未知的其他背景呢？

这般一想，刘成吉不顾夜深人静，翻出闷雷的名片，就抓起了电话。当然，刘成吉毕竟是刘成吉，他不会莽汉一般出马一条枪，直通通地直逼要害，在按下号键的那一刻，他已想好了试探的借口。

真是不好意思，半夜三更的，惊扰作家了吧？

我是夜猫子，刚睡。难得刘乡长打电话来，惊跑了梦中的毛驴子也是不胜荣幸。闷雷从睡意蒙眬中醒来，很快恢复了爽快与幽默。

刘成吉笑说，毛驴子的故事叫你这么一散播，流毒甚广，都成了糟蹋酒鬼们的典故了。现在我是连上老婆的床都难，人家让我还是跟毛驴子睡去。

闷雷也笑，说我罪该万死，等以后有机会，当面向嫂夫人请罪，千万不要为了这点儿小事伤害夫妻感情，悠悠万事，唯此为大呀。

刘成吉说，太晚了，不敢多打扰，我还是快说正事吧。我有位企业家朋友，看了你写我的那篇文章，对老兄的文笔和学识都大加赞赏，让我引见，也想请老兄劳神用笔，不知老兄能不能赏我这个面子？

闷雷犹豫了，说这事嘛，我得和主编请示。和企业家交朋友是求之不得，开阔眼界嘛。只是……这里面还有些实质性的问题，我个人不好自作主张。

闷雷的迟疑，验证了刘成吉心中的疑惑。他问，是不是还需些费用啊？我的朋友说了，我怎么出，他就怎么出，而且只高不低。至于作家本人，他也心里有数，市场经济嘛，按劳取酬，情理之中。

闷雷说，有刘乡长这句话，我就心里有底了。我随时恭候调遣。

刘成吉问，可到眼下为止，我还不知若是出资，我们东林堡该是个什么价呢？

闷雷说，你们嘛，另当别论。

刘成吉说，可别，我总不能说我一分钱没花，那你还让我怎么一手托两家？

你们嘛……也不是一分钱没花，有人愿给你们出，也就行了嘛。

刘成吉心头不由咯噔一下，问，是谁出的？

闷雷又犹豫了，说这个事……朋友有嘱在先，你最好就别问了。

惊惑的刘成吉故作轻松地哈哈笑起来，说，有人不光给我保了媒，还给我娶了媳妇，眼下我已入了洞房当了新郎官，再保密还有什么意义？总不能让我备了供品，还不知进哪个庙门去烧香磕头吧？

闷雷狠狠心说，这样吧，我只能点到为止，你自己去猜。一、你的同行；二、远在天边，近在眼前。

刘成吉怔了，我们乡里的？

总得隔条马路吧。

刘成吉顿悟，怎么就没想到是他？那老兄在官场比我混得年头多，混成了白尾巴尖的狐狸，在市场上跟我斗不过，才出此邪招损招。此一招是蘸了蜂蜜的辣椒，初入口，甜甜可口，可等你嚼了两口，才知道了其中的厉害呀！

十一

刘成吉心里窝囊，找了个时间，将自己听到和想到的都跟宣传委员张际辉说了。张际辉也很是吃了一惊，恨项林是白脸曹操，出招阴狠，也恨自己脑袋简单，怎么就没想到世上本无免费的午餐。当初，闷雷来乡里采访，先找的是自己，自己只以为这对宣传东林堡有好处，是白捡的便宜，便热情接待，还力促刘成吉和闷雷见面喝酒。要说责任，这事主要在自己。他说，这事怪我，你骂我吧。刘成吉说，算了，往后多加些小心就是了，我心无鬼，也无愧，不怕见太阳，大不了让别人多嚼几天舌头。

可刘成吉越这样说，张际辉心里越是不安。刘成吉对自己不薄，自己高中毕业后，没考上大学，是刘成吉让他来乡里当通讯员，又跑上跑下地将他转为乡干部的正式编制，后来又向县里力举让他当了乡党委宣传委员。士为知己者死，可自己这是做了什么呀？没帮上乡长什么忙，反倒帮别人往乡长身上泼了一盆难洗难刷的污水。平时，乡里的同事们没少私下议论，说刘乡长要人品有人品，要政绩有政绩，迟早要去县城挑大梁的，可这么一来，起码这一届换届，怕是要往旁边靠靠，没戏了。再深想，那项林也太不地道，下了血本地夸你，目的却是不把你夸走，就把你夸倒，让东林堡的领军主帅没了心思做文章，他们的西林堡就可乘虚而上了。张际辉越想越恨，吃不香，睡不安，便要想个办法报复一下项林，也让他尝尝遭人暗算的滋味。思来想去的，脑子一热，真就想出一个主意，这个主意也许更损更不地道，但这叫以其人之道还治其人之身，活该！这个主意不能跟刘成吉说，说了他肯定不同意，日后可能还要承担责任，那就自己天马行空，独往独来好了，即使日后闹出满天风雨山高水低，也好一人蛰伏避开追究，谅他项林手无证据，只好去吃哑巴亏！只是，此计一出，那个谷秉芳总要沾些埋汰，尤其年轻女士，最怕的就是这种绯闻，但谁让你帮着项林为虎作伥呢？她要不是个女的，这个主意还想不出来呢。

张际辉主意拿定，便不管天不顾地地依计而行了。县委机关门厅里有个信箱，靠墙而立，长长的一排，每个乡镇和部委办局各置一屉，县里有什么不太急的文件或宣传材料，便都塞进那里，各部门再定期派人去取。东林堡乡取送文件的差事就是张际辉兼着。那天，张际辉用钥匙打开信屉时，见身边没人，便鬼鬼祟祟地塞进几家信屉一片纸笺。他没挨家都塞，有那么几张就足够了。他也没敢往纪检委和监察局塞，真要查起来，动静可就闹大了。

纸笺上的文字是电脑打印的，只寥寥六行，是打油诗。

有个乡长叫项林，
来个副手玉佳人，
项林本性天蓬帅，
见了嫦娥丢了魂。
丢魂就要有故事，
不信请您去西林。

那些来县委取文件的人，本都是一些普通干部，再加传单是赤裸裸无遮无掩的，顺口溜又上口好记，所以一传十，十传百，立刻风一般传遍了各乡镇。

那几日，项林和谷秉芳只觉人们投过来的眼神都怪怪的，躲躲闪闪含了许多内容。俩人奇怪，掩上门，悄然交流探询，没想，这越发给猜测的人们提供了佐证，话儿传出去，好像西林堡乡的两位领导真是关系暧昧了。

这天，县委主管组织干部的副书记亲自打电话，把谷秉芳找到县里去，先是问了几句她在乡里的工作和生活情况，话头一转，便说县委准备将她另派一个乡去工作，征求她的意见。谷秉芳虽年轻，也是有一些领导工作经验的，自己刚去西林堡几个月，这么突然调动，显然很不正常，又联想到乡里干部近几天的不正常，便问，能不能将县委领导的真实意图告诉我？副书记犹豫了一下，便将传单的事委委婉婉地说了，又说这样调动，也是出于对下来锻炼的年轻干部的爱护。谷秉芳气红了脸，忍着，再问，县委领导是相信那样的传言，还是相信我的党性和人格？副书记说，如果我们真相信那种传言，就不会仅仅是将你的工作调动一下了。谷秉芳说，有领导这话，我就放心了。我的态度是，不动，坚决不动。如果我同意去别的乡，那就等于默认了自己行为的不检点，也默认了某些别有用心的人对项林同志的诽谤。

谷秉芳回到乡里，关上门，委屈得好流了一阵眼泪。项林奇怪县委领导为什么突然将她找去谈话，又奇怪她为什么一回来就关在屋子里不肯见人，便几次敲门想询问和安慰。谷秉芳不开门，只是隔门对他说，项乡长很快会明白的，你也有些心理准备吧，我们遭人暗算了。

项林晚上回到家里，见厨房里冷清清，夫人却捂着大被在床上鼻涕一把泪一把地哭，急上前问是不是病了。没想夫人突然掀被而起，破马张飞似的跳下地，抓起枕头往他身上摔，抓起杯子也是摔，还疯了一样地吼，你这个猪八戒，你这个老骚猪，你去风流吧！姓谷的年轻，姓谷的是嫦娥，你去围她转吧，你去跟她过日子吧，你还回家干什么？项林怔了怔，旋即明白了谷秉芳为什么从县里一回到乡里就有了异常表现。他知道这种时候越是劝，女人越要逞性，也越发相信不定从哪里听来的那些混账话，便干脆采取了以硬治硬，以牙还牙的策略，你吼我也吼，你摔我也摔，你摔枕头我干脆掀床铺，你摔杯子我就摔茶壶，甚至做出要砸电视机的样子。

这一招果然见效，夫人立刻扑上前死死按住他的手，说你先把话给我说明白，再砸再摔随你便！

项林吼，你让我说什么？

夫人说，你为什么这几个月总是夜里往外跑？为什么动不动就夜里不回家？为什么你偷拿了家里的钱，偏去找姓谷的帮你撒谎骗人？说，你说呀！

项林听夫人提出这样的一连串问题，想想还真像是些寻花问柳的蛛丝马迹，如果让局外人听去。不能不让人心里划魂儿，看来夫人听了传言，确是信以为真了。但这种时候，越解释女人越不相信，不如干脆破罐子破摔，且等她冷静时再从容应对，便瞪着眼睛喊，你家爷儿们在外面被人扣了屎盆子，没想回家你还帮着胡搅蛮缠，这个家我还要它干什么！你要信得着我，就好好跟我过日子；你要相信外人的，那好，我现在就走，你休想让我再回来！

夫人死抓住他的手不让走，说，你敢发誓没有那些破烂事吗？

项林说，我要做了半点儿对不起你和家里的事，立时变成王八爬出去，再叫大卡车从我身上轧过去，碾死，碾碎，碾成泥，这你满意了吧？

夫人听了此言，便趴到床上呜呜地放声哭起来。

这一夜，夫妇俩平静下来，却彻夜难眠。夫人问，有人下这样的黑手整你，你知不知道是谁？你真就想当灶坑里的王八，憋气又窝火的就这样忍了？

事情闹到这种地步，项林也不想再遮瞒妻子什么，便将如何与东林堡竞争，自己又如何让谷秉芳请作家宣传刘成吉的事都讲了，连擅动家里存款的事也一并和盘托出。他说，这事，我估计必是刘成吉所为，我料到他迟早会有报复，但万万没想到，一个堂堂国家干部，会使出这种无法无天的卑鄙手段。

夫人说，这叫诬陷，这叫人身攻击，是犯罪，起码也是严重违纪，你去告他！

项林苦笑，说我只是猜测，一无人证，二无物证，怎么告他？刘成吉这个人，狐

狸一条还成了精，他既存心撒了一泡骚尿恶心你，就早把退身之步想好了。慢慢等机会吧，我绝不会轻放过他！

十二

眼观六路耳听八方的刘成吉不可能没听说传单顺口溜的事，他还知道项林回到家里，夫人跟他大哭大闹撒了一场泼。一个小小县城，县直机关和乡镇干部基本都住在县里统一建造的那几幢住宅楼里，一家有事，众人关注，尤其是夫妇间这种你猜我疑的打闹，历来都是热点中的核心。初时，刘成吉还起疑，说项林和谷秉芳如何如何，能吗？虽说项林为市场竞争，急得乱挠墙根子，恨不得请出诸葛亮为他当军师，可这种事，还不至于让他乱了分寸吧？一乡之长真要起了花心，西林堡市场也是莺歌燕舞，年轻漂亮的小姐投怀送抱的自不会少，还用得着去吃窝边草吗？再说那谷秉芳，听说先生是市水利局的副局长，新提拔起来不久，年轻干练，前程无限，她会移情到项林那个土包子身上吗？她不要家庭和政治前途了啊？她敢断然拒绝县委调她去别的乡镇的动议，已足可见出此女子的坚毅、自信和不听邪。再细想，此事恰恰发生在自己与张际辉谈论了对闷雷文章的疑惑之后，刘成吉只觉脑门唰地冒出一层冷汗。娘的，这个张际辉，此事若真是他所为，那可彻底臭了我刘成吉的为人了，司法纪检部门可能暂时无凭无据难以追究，但让人们把怀疑的目光盯向自己，那种内心深处埋藏的轻蔑可比受了什么样的法纪处理，都更难消除影响也更具潜在的祸患啊！

刘成吉把张际辉叫到自己办公室，关门，落锁，冷着脸说，我现在不是乡党委书记，也不是乡长，我只是你大哥。我问你，大哥这些年对你怎么样？

张际辉躲闪着刘成吉如锋如炬的目光，惴惴地说，这辈子除了我爸我妈，也就大哥对我恩重如山了。

刘成吉说，少扯那恩重如山的淡，我不爱听。我只问你一句话，你要真把我当大哥，你就实话实说；你要想跟我扯犊子，那好，从今往后，你走你的阳关道，我走我的独木桥，咱俩井水不犯河水，你也别再跟我套近乎，我嫌丢人！

张际辉说，大哥别说问一句话，就是让我去死，我立马头撞南墙。我知道我做错了事，我也知道大哥要问什么。

刘成吉问，臭项林的那个事，真是你干的？

张际辉点头说，我实在是为大哥咽不下这口窝囊气……

刘成吉虽说早有思想准备，可听张际辉认了账，一股怒火还是直从心底蹿上来，大巴掌抡出去，惊天动地一声脆响，重重地落在张际辉的脸颊上。刘成吉骂，你个混账王八蛋！大哥今天就教训教训你！

张际辉不动，只是用手轻轻抹了一下鼻孔流出的血，说，大哥，你别生气，我一人做事一人当。你派车吧，我马上去县里，是去公安局，还是纪检委，你定，我一定如实把事情说清楚。

刘成吉长叹了一口气，说，你呀，你呀，你把你大哥当小人了，你以为那样我心里就好受啦？这样吧，你抓紧在县里最有档次的饭店安排一桌饭，把项乡长两口子和谷书记都请去，到时我也去当面请罪。这一步先走下，人家不原谅，再说下一步吧。

张际辉为难地说，要是人家不肯赏这个脸，可怎么好？

刘成吉说，你就是头拱地，挨个儿把他们背去，也一定要把他们都请到位。后面的戏，我主唱，你随着就是了。

张际辉恭恭敬敬登门一声请，虽没明说请客因由，但项林和谷秉芳都估摸到可能是什么事了。俩人商量一番，都想知道此番事端的来龙去脉，也都想看看刘成吉还会变化出怎样一种嘴脸，而且，也极可能借此机会抓到反击控告的证据，便答应了。用项林的话说，就是鸿门宴，也要去闯一闯。张际辉还要登门去请项林的夫人，项林说，你要出面她极可能不去，这事交我吧，不管好说歹说我把她拉去就是了。

那一天，项林夫妇和谷秉芳端坐正席，冷若冰霜。刘成吉亲自斟酒布菜，满面诚恐，躬身捧杯说，今天请几位来，只为一件事，请罪。前些天，我刘成吉一时心里不痛快，就走火入魔，闹了一出疯狗咬人的丑剧，伤害了项老兄和谷书记的人格，也伤害了项老兄和大嫂的夫妻感情。为此，我悔青了肠子，愧披了人皮，所以特把几位请来……

张际辉忙起身，打断刘成吉的话，说，那个事，完全是我一人所为，刘乡长事先根本不知道，事后又狠狠批评教训了我，他是替我受罪。

刘成吉喝道，你旁边给我待着去，今天没你说话的地方！

项林冷笑说，你们二位不用唱双簧，还是先把责任说清楚，那个事到底是谁干的？是一人所为，还是俩人共谋？

张际辉抢着说，这事，确跟刘乡长一点关系都没有。我要是说一句假话，判坐十年牢我也绝无怨言。刘乡长要是知道，他也不会把几位请到这儿来。

刘成吉说，是不是共谋，我也难逃罪责。于公，我是他的直接领导，有失察之责；于私，我们情同手足，我为兄长，纵容姑息也是一罪。而且，际辉做出此事，也完全是为了我。所以，这件事，无论是党纪还是国法，追究起来，我都甘愿随张际辉一块接受惩罚。好，我们二人现在就啥也不说了，只喝认罪酒，只要项老兄和大嫂，还有谷书记不点头，我们就一直喝下去。

那是五十多度的五粮液，二两的杯子，刘成吉和张际辉一饮而尽；再斟，又是一饮而尽；等饮下第三杯，张际辉已是满面红紫，身子都开始打晃了。谷秉芳怕再喝下去，喝出人命可就是塌天的祸事了，报纸上没少有这方面的报道，况且那件事事出有因，自己和项林都是始作俑者，人家又是主动认错，便急上前按住刘成吉还要斟酒的手，说刘乡长，我们看出你们是真心知错了，无论同志之间，还是兄弟姐妹，还是以和为贵，到此为止吧。

那张际辉闻此言，扑通一声跌坐在椅上，伏在桌上抱头痛哭，我不是人……我脑袋一热咋就做出了那样的事呀？真是对不起各位啦，还让刘乡长陪我遭这么大的罪……

那是男人发自心底的真切的痛悔，哭得几个人心里都有些酸楚。项林夫人还有些不肯依饶，说，这事闹的，一座县城谁不知呀？我一个半老婆娘，无所谓了，可谷书记年纪轻轻，又是上边派下来锻炼的，往后，还让人咋出门见人？几杯酒，还能盖了一辈子的脸呀？

刘成吉沉吟一下，说出已存在心里的主意：想消除影响，却也不难。后天就是星期天，我请嫂夫人和谷书记豁出点儿时间，也休闲一下，手拉手在公园里亲亲热热走一走，再去商场转转，满天云说散也就散了。还是那句话，小小县城，多大的地方，随便是谁放个屁，满县城都闻得到臭味。只要几位宰相肚里行了船，这也算不得什么了不得的大事。

项林不由心里一动。四两拨千斤，如此简单而见效的办法，怎么又叫他抢先想了去？人比人得死，不能只怪自己这些天只知一味憋气窝火当局者迷吧？

谷秉芳心中也佩服刘成吉的举重若轻，便有意借了话题轻松气氛，笑说，刘乡长，你别刚认了罪就转着弯儿地骂人，我和大嫂去大街上转一转，怎么就成了一人放屁满城臭？

众人便忍俊不禁，哄地笑了，连张际辉都急忙捂住了嘴巴。刘成吉忙做掌嘴状，说该打该打，比喻不当。应该说，是我刘成吉放个屁满城臭，嫂夫人和谷书记打个喷嚏就满城芳香啊。

众人又笑。项林有意矜持着，端起杯说，管他臭与香呢，喝酒喝酒。

十三

羽扇一挥，烟消灰灭。谷秉芳和项林夫人在县城大街上亲如姐妹地一走，那些传言果然很快风一般吹散而去。有人还当面逗项林，说老项行啊，后宫平静，母仪天下，给介绍介绍经验吧。项林初时心里还高兴，也佩服刘成吉的谋划，但很快心里又不平了起来。不管怎么说，事情是刘成吉手下的人闹腾起来的，他指挥我的夫人和西林堡乡党委副书记大庭广众面前本色出演一次，就这么拉倒啦？是不是也太便宜他们啦？起码，他们也把西林堡的三军帅帐折腾得一度乌烟瘴气，损失还是有的，这笔账总还是要算一算。

可还没等项林想出这笔账要怎样算的办法，一天，刘成吉突然亲自驱车，再一次光临西林堡，对项林说，咱们东西两个大市场，总这么你争我斗的不行，且不说让外人看笑话，就这般内耗窝里斗，也自伤精力财力。这些天，我一直在琢磨这件事，总算想出个主意，你看看行不行？乱季蔬菜主要就是那么几个品种，茄子、辣椒、西红柿，还有韭菜、豆角、茼蒿菜，几乎占了销售总额的百分之九十以上。我的想法是把这几个主打品种二一添作五，分开，你们西林堡负责销售一半品种，我们东林堡负责另一半，两个拳手同时出击，各有侧重，不信咱们两个大市场还有争斗。项林听了，心里不由一怔。如果按以前的销售总额计算，东林堡和西林堡大致应在七三开，西林堡有时还要低些，这么一调度，就是二五对折，东林堡明显是吃了大亏的。市场经济，赢利是杠杆，刘成吉这么整，傻啦？他冷冷一笑说，说是好说，可事情办到什么程度，可就难啦。你我定下西林堡只管收购批发辣椒西红柿，可菜农还是往你们那边送，我还能拦着不让你们做生意呀？刘成吉说，这好办，你派上督察员去我们那边，我也可以派个人过来，既定下来，就得按规矩办，谁违规谁受罚。依我看，只要坚持半个月，就不成问题了。项林说，这么一来，你老兄可就眼看着吃亏了。刘成吉说，什么吃亏占便宜的，咱们是为谁干？挣了钱还能揣进自己腰包啊？两个乡同时发展起来，乡民们共同富裕，这是好事嘛。你可能还怀疑我的真心，那我就再说一句深层次的话，上回那件事，怎么说，也是我们那边不地道，如此协商，共同发展，也算小弟表示歉意吧。项林心里高兴，再问一句，你可真想好了？刘成吉点头，想好了，你也再想一想，如果没别的异议，那就马上启动。两乡各派一名分管副乡长，大方向定下来，具体协作细节让他们去商量。

西林堡市场很快热闹起来，销售额明显攀升。市县的新闻记者们闻风而动，又做出不少好文章，说这是强强联合，共同发展的精彩乐章。难免有些抱怨的是东林堡来卖菜的菜农们，说家门口放着现成的大市场，凭空让我们多跑二三十里路，不知精明透顶的刘成吉脑子里的哪根筋扭了，怎么做出了这种胳膊肘往外扭的决定，让人难琢磨呀！可抱怨归抱怨，过了几天，也就没人再提这些话了。

项林和谷秉芳也没少为这事犯嘀咕。谷秉芳说，以刘成吉的精明，他主动有此动议，肯定还另有深层次的考虑。项林说，他说了，有作为对那件诬陷之事的补偿。谷秉芳说，你信吗？项林笑说，不可不信，也不能全信。依我推想，他一定还有更深层次的打算。听说市委组织部很快就要派人下来考核干部了，县委县政府两个班子的领导都要有调整，他老兄是不是一想进一步堵住咱们的嘴，二想争取更多人的选票啊？谷秉芳想了想，摇头说，也未必这么简单，刘成吉想再进一步，这是人之常情，可他还不至于这么急功近利吧？项林说，那你就再留留心，看这老兄到底还要有什么举动。

几天后，市委组织部的人到了县里，单把项林找去谈话，三盘两转，就问到了对刘成吉的看法，又问西林堡为什么不惜出资，做宣传东林堡的事？项林谨慎作答，说我一直很佩服刘成吉，他如果能把东林堡做得更好，或者说，他能到县里担更重的担子，对我们西林堡的发展一定大有好处。又问，听说有人散发了很不利于你的传单，你对这事怎么看？项林坦率地说，这事是东林堡的个别干部所为，跟刘成吉完全无关，但刘成吉严于律己，深刻自省，对那位同志严肃批评，又主动想办法平息了那些传言，这也是很让我感动的地方。再问，刘成吉主动建议，两家大市场既联合又分工，分品种销售，作为直接获得好处的一方，你怎么看这件事情？项林说，刘成吉办事，历来深思熟虑，西林堡得了好处，作为乡长和乡党委书记，我深表感谢，至于他还有什么别的想法，组织上最好去找他本人谈，我不好妄加评议。

又过了一些日子，谷秉芳急匆匆地从市场上跑回来，神情有些古怪，透着兴奋，又透着沮丧，对项林说，知道了，总算知道了。项林起身替她倒了一杯水，说你别急，先润润嗓子再说，知道什么了？谷秉芳说，总算知道刘成吉为什么主张分品种经销，把利润跟咱们平分秋色了。从去年一入冬，他就在东林堡最东边的两个村子搞起了大棚花卉种植实验，还从外地请来两位种植花卉的专家，就住在两个村子里指导，听说挺成功，眼下已经打了花骨朵，准备往沈阳那边销售了。有郁金香、百合、睡莲什么的，这都是常规品种，还有鹤望兰、花烛，一枝能卖上二三十元。花卉眼下在咱们北方可是抢手货，种植和交易的利润都比蔬菜大得多，据说至少在一倍以上。刘成吉在这件事上，是分三步走，一步是去年冬天的小范围实验；成功后今年开春就要大面积耕种，这是第二步；到今年入冬，他就要发动更多的东林堡菜农弃菜改花，东林堡市场也将辟出一半的力量交易花卉，这是第三步。项林听得瞪大了眼睛，问你是听谁说的？谷秉芳说，有两个菜农因为磕磕绊绊的事，在市场上打起来了，我去劝解，有一位是东林堡来的，正在气头上，便把这事骂了出来，说谁稀罕受你们这份臭气，等我们的花卉市场搞起来，就是八抬大轿抬我，老子还不见得来呢。我听他话里有话，就把他请到茶馆里去，好烟好茶，好言安慰，他这才断断续续地把这些话告诉了我。他说刘成吉早有话叮嘱，这是商业机密，谁露出去，就找谁算账，让他一年在东林堡卖不出去菜。菜农说这是看近来两个乡的领导关系不错，一个饼子两家都掰开分了吃，花卉也很快要出棚上市了，才肯把话告诉我，还说这回更不怕了，东林堡不让卖菜，我还有西林堡，大不了多跑几步路。项林听得发呆，好一阵才恨恨地拍腿说，这个老兄，高手下棋看三步，他却看五步。他是家里有了金凤凰，快下蛋了，要抱窝了，才将下蛋的母鸡往别人家窝里分。市场经济嘛，归根结底一句话，无利谁也不起早！谷秉芳说，不管怎么说，刘成吉这一步，对咱西林堡也是个促进。项林点头说，那是那是，咱们一要感谢，二还是要想办法往上追，他想五步，咱们就得想七步，不然总跟在人家后面，拣人家让出来的蛋，总不是致富发展的根本之计呀。

十四

过了谷雨，天气一天天热起来，乡民们开始忙于种大田了。

有消息传来，刘成吉升任副县长，主管农业。那天中午，在食堂吃饭时，项林特意要了一瓶酒，亲自给大家斟上，说为了刘成吉高升，也为了咱们西林堡日后的大发展，干杯！谷秉芳突觉天目顿开，竟不由多看了项林两眼。

刘成吉去县里报到那天，项林带乡里的干部坐车早早赶到路口去送行。远远见东林堡的那辆黑色奥迪开过来，后面还跟着一个长长的摩托车队，足有上百辆。刘成吉坐在小车里不断往后挥手，示意不要再送，可那车队紧追不舍，只是不散。项林见了这一幕，感慨道，一个干部在一块地面上工作几年，能干到这个份儿上，少活几年也值啦！

刘成吉看到西林堡的人，把车停下，钻出车，大步而来。项林笑道，往后，刘老兄就是县里的父母官了，东林堡和西林堡是一奶同胞两兄弟，可得一碗水端平，再来不得有厚有薄啊。

刘成吉却说，龙生九子，各有不同，能负重的叫它驮碑，能下雨的叫它播霖，还是各尽其能、各尽其才的好。来日方长，再作计议吧。

众人一时不解，都没有接话。

刘成吉又握住谷秉芳的手，低声说，好事坏事你都做，你说我是该骂你还是该谢你？

谷秉芳笑说，好事坏事相辅相成，一言两语怎说得清？正如刘副县长所说，来日方长随你怎么想吧。

刘成吉使劲摇了摇谷秉芳的手，回转身去，坚决地拦住了那些还要骑摩托给他送行的菜农们，说，到了国道，就出了东林堡地界，各位千万不要再送。我刘成吉知恩必报，多谢了。

刘成吉乘车远去。西林堡的人也返身上了汽车。项林小声问谷秉芳，刚才刘成吉跟你说的那句话，什么意思？

谷秉芳想了想，说，现在社会上有一句话，"要想臭人，就上新闻；夸比骂好，夸多必倒"，你没听过吗？

项林似很惊诧地说，哦，还有这话？

谷秉芳又说，闷雷写刘成吉的那几篇文章发出后，听说没少有人提出异议。闷雷给我打来电话，说市委组织部考核时，专找过他，详细地问了文章写作前后的经过，问他是不是从刘成吉手里拿过赞助或酬劳，还查过账。闷雷不敢隐讳，以实相告。市委组织部还听说了有人散传单污蔑咱们俩的事，一度怀疑刘成吉的政治品质，在我休假回家时，特意找我谈了话。我按所知道的，也是如实反映。不然，刘成吉差点跌了大跟斗呢。

哦，是嘛？项林应了一声，脸就扭向窗外去了。“是嘛”两字的语调淡淡的，让谷秉芳听得心里怦然一动，听那语气，项林对此似乎并没感到多大的意外，如果真是那样，或将刘成吉吹捧出局远离东林堡，或让刘成吉腹背受敌无暇顾及大市场，他都早有考虑，此一招是两面刃，都足以伤人不轻，出此招数的人袖里乾坤，令人暗怕啊！

小车往西林堡飞奔，车里的人一时没话。大地已是一片如烟如雾的绿色。好一阵，项林才自言自语地说，一朝权在手，便把令来行，刘成吉可能要有大动作了！

原野又起青纱帐的时候，一纸命令下来，调项林去东林堡乡任党委书记兼乡长，听说这个动议是刘成吉提出来的，说要保持东林堡蔬菜批发市场的优势并力求更大发展，非项林难当此任。项林拿着任命书好发了一阵呆，问谷秉芳，你说我这算不算搬起石头，砸了自己的脚？

紧接着，县里开会，重新调整全县的产业化格局。刘成吉在会上讲，全县大棚蔬菜已粗具规模，但要取得更大发展，光在自家门前你争我斗不行，得想办法占领并扩展更广阔的发展空间。县里决定，东林堡除了继续保持乱季蔬菜优势外，还要尽快扩大花卉种植和销售规模，力争在两年内，销售数量和税收总额都要翻上一番。而西林堡则在种植和销售大棚蔬菜的基础上，再增加生猪和肉用牛羊的养殖和销售，要大上快上，争分夺秒要效益。两个拳头都要打出去，打出全县的名气与声望！

会后，谷秉芳和项林一起坐车往回赶。到了路口，俩人下了车。项林说，这回，我得往东去了。

谷秉芳说，别忘了西林堡，往后还请手下留情。

项林说，大目标虽说一致，但涉及各乡利益，却得寸土必争寸金必得，市场经济嘛，光想友情义气也不行。

谷秉芳点头说，很好，也对。我想起一句刚学来的乡间老话，那就吃着谁，向着谁吧。

孙春平

满族。1950 年出生于辽宁省锦州市。1990 年加入中国作家协会。现任辽宁省作协副主席，锦州市文联主席。

1975 年开始文学创作。出版有中短篇小说集《路劫》《男儿情》《逐鹿松竹园》《老天有眼》《怕羞的木头》《公务员内参》，长篇小说《江心无岛》《老师本是老实人》《阡陌风》《县委书记》，报告文学集《这里锌光灿烂》《金的光，银的彩》《一个养路工和他的妻子》

《绿魂》及影视剧本《阿C的口福》《远方有绿灯》《欢乐农家》等。小说集《路劫》获第四届全国少数民族文学创作骏马奖。

泪为谁流

阿 宁

一

杨桂花的才能是六七岁时被发现的，当时她跟哥哥都拿着一块饼子在院里玩耍。哥哥嘴快，饼子眨眼吃了个精光，心细的桂花正一点点地咬着饼子的边缘，哥哥一把抓过来。桂花愣了一下，等她想起跟哥哥抢时，哥哥已经把饼子咬了一大口。桂花一边哭一边追哥哥，哥哥在院里跑了几圈儿，就把饼子全塞到嘴里了。桂花坐在院里大声地哭，她一边哭一边骂，用了天下最恶毒的词，什么断子绝孙哪，不得好死啊，掉到井里淹死，坐到火炉上烧死，吃饭时一口噎死，拉不下屎来憋死，等等。她不知道这些话的意思，只知是从她娘那儿模仿来的。

她们家在村里是孤姓，平时总受欺负，她娘从嫁到这个村，就觉得低人一等。在外面受了气，回到家里难免脾气暴躁。她娘在屋里听她又哭又骂，喂猪时顺手给了她一个耳光。这下可不得了啦，桂花就此一直哭到傍晚。

这时她已不是在哭，是在干号。她脸上早没了泪水，声音却充满了悲恸。她的声带嘶哑了，劈了叉儿的哭声越过院墙传遍左邻右舍，让人听了不舒服。到了傍晚，她两个胳膊无力地下垂着，身子靠在榆树上有气无力地哀号，那样子谁看了谁可怜。再心硬的大人看见这孩子如此的伤心都不能不动容。她爹扛着锄头从地里回来，蹲到她跟前，问她怎么了。桂花用手指着屋里她娘的背影，难过得说不出话来。她爹把她抱起来，对她说：有啥委屈跟爹说说。桂花流出了泪水，她跟爹说着她娘给她的委屈。这时她娘可能也觉得她可怜，从笸箩里拿了块饼子塞给她，算是对她的安抚。桂花仍不罢休，她把饼子扔到地上，继续号哭。她娘说：不就是一块饼子吗，已经给你了，还想怎么着？

她娘一边说，一边儿索性把笸箩端到她跟前，说：给你，都是你的，行了吧？

桂花的眼泪不但没止住，反而越哭越厉害了。她一边哭一边说着她娘这些年给她的委屈。连她娘早就忘到脑后的事，她都一一数落出来。这时她娘已经不再恼怒，而是惊讶地看着她，奇怪这孩子怎么会有这么好的记性和这么好的语言组织能力，能把她懂事以来所受的委屈，分门别类一个不落地摆在大人面前。她娘后来跟她爹说，这孩子将来了不得。

这样的哭法，一生不能太多，因为太耗精力。桂花上初中时又这么哭过一次，那是因为邻桌的男孩把她的语文作业本偷了，等她找到时，作业本被涂了个乱七八糟。她拿着那个作业本，痛痛快快地哭了一次。一哭起来，她才知道哭是这么美好，似乎没有哭泣的人生就是不完整的人生。

她那平时看起来有些迟钝的头脑一进入哭泣状态，就好像被赋予了灵感，一生所有的悲哀、伤心之事，都排着队纷至沓来。她不用费脑子，就在哭泣中把这些事一件件地组织起来。她很有次序地倾泻着，在这倾泻中分门别类编织出一个个主题。许多小主题环环相扣，最后被她汇集成一个宏大的悲伤主题。

班里的同学，被她哭得面面相觑，有人想上前劝解，她不理不睬。她的哭泣震慑了班里的同学，所有劝解在她面前都黯然失色。当她哭泣完后，把所有课本、作业本都装进书包，背起书包径直回了家。

从那以后她不再上学，她觉得她已经不需要识字，识字是为了让日子过得更好，她有了哭泣的本领，隐隐觉得已经足够了。

当村里一般大小的女孩子结婚时，她还没有对象，村里人知道她能哭，没人敢招惹她。家里大人挺着急，她不急，她每天平淡地下地干活，对村里的小伙子从不多看一眼。她干什么都很有主见，不管外界对她有多少刺激，不管生活给她摆下多少难题她都不当回事。她所需要的只是在一定的时间里，有一次酣畅淋漓的痛哭。

她已经学会了不在大庭广众下哭，她懂得了要在深夜，找个没人的地方，或者用被子蒙住头哭。这种压抑的方式她不习惯，觉得不畅快，哭了半天好像还没哭够。但她已经是大人，懂得活着就得控制愿望，绝没有想干什么就干什么的道理。但她也知道，早晚有一天她会控制不住自己尽兴地哭一次。

没想到这一天等了两年。

两年里村里发生了不少事。首先是村里一直看不起她们家的老支书死了，随着他的死，她从小就习惯了的集体劳动被取消，家家户户都承包了土地，生产队长不再管他们。这并没给她带来快乐，他们家在村里势单力孤，分到的地是村里最远、最贫瘠的。村里没人同情他们，既然总得有人分那块地，不分给他们又分给谁呢？

当村里人都被分地这件事吸引时，桂花注意到她身边还有更大的事。在他们前村，有个姓孟的小伙子从部队复员了。桂花从他一回来就注意到了他。这小伙子当兵前瘦瘦的像个麻秆儿，五六年时间已经变成了结结实实的小伙子。他肯定是个挺笨的人，当了六年兵，没有提干，也没有入党。他跟村里人说，他当兵这些年其实只干了一件事，就是给部队喂猪。村里人笑话他，他就尴尬地搓着两只手。桂花觉得，这个笨笨的人正是为她出现的。

秋季的一天，桂花背着挺大一捆麦秸，从地里返回。她个子小，麦秸捆大，远远看去是一座小山样的麦秸捆在移动。孟家的小伙子想跟她说话，不敢，只远远地跟着那捆麦秸走。桂花肯定感觉到了，她走得很慢，想让他过来帮一把，但小伙子还在等待。

走了有一半路程，桂花觉得筋疲力尽，衣服已经被汗水湿透，麦秸上也有了汗味儿。她的两条腿一直在颤抖，腿肚子有一点抽筋，但她仍在坚持。她一直在等待着他的帮助，仿佛有他在后面，疲劳和孤独越发强烈了。

这时对面过来一辆牛车，那车也是拉麦秸的，车帮轻轻挂了她一下，她背上的麦秸捆晃了几下，就矮了下去。小伙子知道她栽倒了，往前赶了几步，看见桂花正跪在地上，两只手扶着地想站起来，却怎么也站不起来。

小伙子看见的是个艰辛的女人，就在他要往起搀她时，桂花索性坐在了地上。她坐在那里号啕大哭，姓孟的小伙子早已听村里人说这是个能哭的女人，他搓着两只手站在那里，不知道该先安慰她，还是该先把她的麦秸捆扶起来。

桂花已经把背上的麦秸捆卸下来了，所有这些年所受的艰辛、感伤，一齐涌上心头。她的哭声很低，随着她的诉说声音渐渐大起来，小伙子往前跨了一步，用手在她脸上碰了一下，算是帮她擦了眼泪。于是她的哭声渐渐低下去。

她不知道哭了多长时间，天已经黑了，路上已经没有行人，她看着暮云四合的天空知道该回家了。她站起来，姓孟的小伙子替她背起了那捆麦秸，一起返回村里。从那以后，村里人常看见两个人一起从地里回家，有时男的走在前面，有时女的走在前面。

他们的恋爱进行了一年，到第二年秋天田野里到处是一堆一堆麦秸时，他们干活已经不分彼此了。小伙子扔下自己家的活儿不管，在桂花家的地里忙。没有人觉得不对，村里的小伙子都是这么过来的。

农历八月十六那天，在地里干活的小伙子给了她一块月饼，她没有吃，到傍晚收工时他们钻进了秫秸垛。桂花把月饼分给他一半，月饼吃完了，小孟看见桂花嘴角挂着一块月饼屑，他伸出食指，帮她把碎屑抹进嘴里。这时桂花用牙咬住他的食指，她没有使劲儿咬，而是一点一点地用着力气，小伙子忍耐着，脸上却是幸福的表情。当桂花松开牙齿时，小伙子上前搂住了她，他咬住了她的嘴唇，她揪住了他一只耳朵。虽然耳朵很疼，他还是毫不犹豫地解开了她的裤子，这件事是在桂花的哭声中结束的，不过这一次的哭声，不是因为悲哀，而是因为幸福。

二

杨桂花结了婚，这个在村里人看来有些呆滞，有些蠢笨的女人，安安静静地过起不太富足的生活。第二年她生了孩子，这个孩子跟别的孩子不太一样，因为他一生下来右手就长了六个指头，他听力不好，只听得见他妈跟他说话，却听不见别人的声音，村里人都知道杨桂花生了个聋子。杨桂花有些难过，不过她很快就欢喜起来，因为村长告诉她，可以再领一个生育指标。也就是说，当每家只有一个孩子时她可以生养两个。在她看来，哪怕再多一个聋子，也比没有强。

村长这话是冬天里说的。说了这话，就再也没有动静。杨桂花让男人去村长家问了几次，村长支支吾吾地说：你等着吧，这事不能一个一个地办，得等乡里通知补证时一块儿办。

杨桂花意识到，这事光靠她男人办不下来。许多看起来挺有希望的事，就因为这么等来等去等黄了。她决定自己去找村长。

她选择了春天的一个下午，去了村长家。这是播种时节，家家户户都在地里忙，村长女人和孩子也下了地，她看见村长女人领着她的大儿子往村外走时还主动说了几句话，大意是种小麦不如种玉米合算，听说乡里有一种玉米新品种，产量相当高。村长女人说：什么也不如种菜好，县城边上几个村种菜，钱挣海了。可惜咱们没有技术。杨桂花说：真是这么回事。她意识到，她不能显得比村长女人懂多了。就说：咱们不会种菜啊，听人家说那比庄稼难侍弄多了。

这时村长十四岁的儿子说了一句话，让杨桂花佩服，他说：光靠在地里刨食，多会儿也不行。村长女人呵斥说：庄稼人不从地里刨食吃什么。杨桂花看村长女人反驳，没敢附和。她笑着目送村长女人下了地，然后拍了拍身上的土换了件干净褂子去了村长家。

村长正在院里站着，瞅着自己的房子盘算什么时候翻盖一下，得花多少钱。这时杨桂花来了，村长没发现她来，她就在院门口站着不出声。等村长回过头来，看见杨桂花倚着院门站着，冲他似笑非笑。杨桂花平时挺邋遢的，现在穿了干净褂子就别有一种意味，村长沉了脸，问：有啥事。

虽然沉了脸，杨桂花却看出村长并不自信，他的严肃有些虚张声势。杨桂花勇敢地说：没事就不能看看你了。说完就往屋里走，村长只好跟着她进到屋里。村长坐在凳子上，杨桂花靠着炕沿站着，有一搭没一搭地跟村长聊。说村长家收拾得干净，说村长女人贤惠，说村长女人嫁了村长真是享福了。

她一边说，一边拿眼睛朝村长扫。在村长眼里杨桂花算不上有姿色，顶多算个不丑。可能因为她平时不太拿自己当女人，现在一闪一闪的眼波在别人看来就像暗示。村长站起来给杨桂花倒了一杯水，他把水放到杨桂花身边，顺便就站下了，问杨桂花日子过得怎么样，她男人好不好。

杨桂花嘻嘻地笑着，说：他好什么，他除了下地干活儿什么也不会。村长说她男人老实、厚道、能劳动。杨桂花说：老实、厚道有什么用，除了傻干活儿，连心疼人都不会。说着眼睛里闪出怨恨。

看她的样子，村长忍不住拿起了她的手。杨桂花的手很胖很短，在村长的大手里握着，觉得热乎乎的。其实杨桂花的手也天天干活儿，很粗糙了。但她毕竟比村长女人年轻了十几岁，村长摸起来觉得非常柔软。村长摸她的手时，杨桂花没有言声，她低着头，听见自己心在怦怦地跳，这不是因为被村长抚摸激动，而是为了那个目的即将实现激动。

两人的手握了一会儿，杨桂花轻轻地挣开了手，村长的手被挣开后，顺势就落在了她屁股上，杨桂花脸盘儿长得一般，屁股却很大、很翘，相当好看，村长的手捏住了那滚圆的一片，心里便有了些激动。

杨桂花眼睛羞怯地下垂着，使村长以为她也在渴望，就在村长想进一步动作时，杨桂花朝窗外看了一眼，村长看她往外看，手便抽了回来，也跟着往外看。接下来的一切，是杨桂花事先没想到的，或者说是她设计之外的，因为她走进来时院门没关，没有关当时是怕惊动村长，村长当时正在院里看房子，一扭头看见了杨桂花，这个效果相当不错。后来她进了屋里，村长也跟着她进了屋，院门就一直那么敞着。现在这敞着的院门就意味着某种风险，村长咳嗽一声，心里犹豫要不要到外面关门，犹豫了一会儿，他还是决定去关上。

走到院里，他看见外面的大街上两条恋爱的狗在一前一后地追逐。母狗停下来，公狗的腿就想往上爬。这是春天的事，动物和人身上都有一种躁动，动物的躁动感染着人。外面的狗事杨桂花在屋里也看见了，村长回到屋里，她便看着村长哧哧地笑，她的这份大方反而使村长胆怯了。村长犹豫了一下，不过看着杨桂花两只鼓鼓的奶子又鼓起了勇气，他把手向杨桂花的怀里伸去，伸的时候还是试试探探的，想着杨桂花如果拒绝，他就缩回手来。可是杨桂花没有拒绝，没有躲闪，那只肥奶就捞在了村长手里，沉甸甸的。

就在村长想进一步动作时，杨桂花突然哭起来。

村长还是小看杨桂花了，在他眼里杨桂花算不上漂亮风骚的，也算不上心眼儿特多的。杨桂花给人的印象是有些怪、有些笨，村长没有认为她有多少心眼儿，事先他也明白杨桂花是为生二胎来的，不过他并没当回事，甚至连她的那份羞怯也没有当回事。他开始拉她手时，也没有想要怎么着她，只是闲着没事顺手占了一下便宜而已，等他摸到她屁股时，心里才有了几分冲动。当时也就是顺便，后来看见了街上两条狗的追逐，他才真正躁动起来。

现在，他身体里的欲望一点一点地明确了，杨桂花却哭了起来。杨桂花的哭在村里是有名的，她不但哭得声音高，还哭得时间长，哭得有花样。万一要是让村里人听见她在他家里哭，村长觉得跟人解释不清。再说她要一直这么哭下去，等村长女人从地里回来就麻烦了，村长有些着急，却不知道怎么劝她，村长看着她只是一个劲儿地说：别哭了，别哭了，都是我不好。说着村长额头冒出了汗，那样子反而显得挺老实的。

杨桂花哭着说：村长，不怨你。都怨我们家死老孟，就是他没能耐，弄了个孩子还是聋子，你说，我们家以后日子可怎么过呀。

村长说：我不是跟你说过，能再办个准生证吗？

杨桂花说：谁知道这准生证哪天能下来呀，万一明天政策变了，我还有什么盼头。

村长说：有我呢你怕什么，明天我就给你去乡里办。后天晚上让你男人来找我拿证吧，记住了，别让别人知道。

杨桂花自然是千恩万谢，把脸上的泪抹干净了，还在村长身上打了一下，说村长身上有土，要替村长掸掸。村长哪还敢再招惹她，他说：你快回去吧，我一会儿还要去地里呢。

事后村长回想，这事挺不上算的，其实没占她什么便宜，却跟占了她便宜似的，给她办了事还心惊肉跳。他挺不高兴地对杨桂花男人说：这个破准生证费了我好大劲儿，光乡里就跑了三趟，还请人家吃了两顿饭。

杨桂花男人说：让你费心了，吃饭花多少钱，我们家出。

村长说：花了一千八，你们家出得起吗？看杨桂花男人愣在那里，村长又说：算了，这钱村里替你们出了。

杨桂花拿到准生证，就想着要尽快把孩子生下来，因为她知道，上面的事是说变就变的。只有孩子抱在怀里才算踏实。本来春耕大忙，她男人天天在地里忙得腰酸背痛，杨桂花却非逼着他干那个事。

她男人说：看你，真是到了春天了，浪得跟街上那些猫狗似的。

这一说，杨桂花又想起了在村长家看见外面两条狗追逐的事，隐隐就觉得村长的手又托起了她的肥奶。当时她是为了办证，现在证办下来了她就觉得自己受了欺负，不由得又哭起来。别人都怕杨桂花哭，只有她男人不怕，在家里杨桂花一哭，往往是她最动人的时候，敞开了哭一场后，她特别温顺，特别体贴人。他看着杨桂花流泪，不说话，就在旁边待着。过了一会儿，杨桂花哭够了才说：你以为我是浪你，我是想把孩子早早生下来。

他说：反正证也拿到手了，你急什么。

杨桂花说：证拿到手就保险了？大栓子家盖房，连宅基地证都拿到手了，乡里一来人房照样没盖成。再说咱们这个孩子，有时候聋有时候不聋，万一要是有人到乡里说他不是聋子，那证不是照样能收回去？

这么一说，她男人也觉得是这么回事，于是在大炕上勤奋起来。杨桂花不光平时爱哭，办那种事的时候也爱哭。她在炕上一边哭一边喊，把他男人弄得十分亢奋。幸亏她的孩子耳朵聋，听不见他们折腾。这么一夜哭了三回，两个人才踏实了。

一个月后，杨桂花肚子有了动静。她在家里特别娇气，动不动就哭着跟她男人使性子。她觉得只要有了这个孩子，她的命运就变了，就有资格跟男人颐指气使。别的女人生一个，她生两个，还不是她的本事。

其实，真正让她改变命运的并不是这件事，而是她的哭泣本领。她们家生活本来就不富裕，现在猛地又多添了一口更紧巴了。新生的这个孩子，她很娇宠，要吃好的，穿好的，比拉扯头一个孩子费钱费工夫。她娘家生活也不好，偶尔她还得偷偷贴补一点，她从小经历过的艰苦生活，现在又经历了一遍，不过她苦惯了，不在乎。她天天就想着，怎么才能让自己的孩子过上好日子。

三

一九八八年的一天，杨桂花抱着五岁的儿子在院里喂鸡。她鸡喂得勤，因为她宝贝儿子的花销就指着鸡屁股呢。她十岁的聋儿子刚刚放学，正在院里两腿夹着扫帚玩骑马，扬得院里都是土。她大声呵斥着。这时村里治保主任推开院门，大声说：快，老靳的娘死了。

老靳就是村长。村长曾给过她一个二胎指标，在她看来是天大的好人，虽然他曾在她的奶上摸过，可现在对她来说，已经不算什么事了。

杨桂花扔下孩子跑到村长家。村长的娘刚刚从医院里抬回来，尸体还没有入棺，放在大炕上。杨桂花矮胖的身体往前一拱，就把村长和村长的老婆从尸体旁拱开了，她的两只胳膊搭在尸体上，接着整个脸和上半身都贴在村长老娘的胸脯上。她放声大哭，俨然比老太太的儿子和儿媳还要悲痛，她的这个做法其实有些莽撞，好在村长也不计较。

自从要了准生证后，村长跟杨桂花关系有些疏远，他总觉得杨桂花利用了他。虽然杨桂花想跟他套近乎，他却有些躲。

杨桂花跟村长接近不上，转而接近村长的老娘。她三天两头往村长老娘那儿跑，把老太太哄得挺高兴。正因为老娘喜欢杨桂花，村长才改变了态度，杨桂花知道这一点，从心里感激这个老太太，她的悲痛是真诚的，老太太的死还使她有种不安全感，怕失去了以前的依靠。

和杨桂花一样，村长家在村里也是孤姓，原来也受气，不过人家有本事跟乡里套上关系，终于当上了村长，一当上村长就再也不受气了。

村长家人口少，这些年还得罪了村里一些人。村长担心这个丧事办得不够隆重，让别人看笑话。有人给他出主意，让他从村里雇些人帮着哭丧，村长觉得这是个好主意。一说要人帮忙，首先就想到了杨桂花，杨桂花的哭在村里是有名的，再说他以前毕竟帮过她的忙，现在给她机会还一个人情，也是顺理成章的事。

他找到杨桂花，杨桂花一口答应。为了让杨桂花哭丧有个名分，村长决定把杨桂花认作自己的干妹妹。这一来，杨桂花就成了老太太的干女儿，哭起来有理有据。杨桂花更高兴了，如果她成了村长的干妹妹，村里还有谁敢跟她过不去呢？这是求之不得的好事。

虽说已经认了干妹妹，村长还要向她表示感谢。这年头，有人自己的娘死了都不愿意哭，何况是哭干娘。村长说：我们一家该怎么谢你呢。

杨桂花说：这还用谢吗，我看你娘，本来就跟我娘一样。现在咱们又认了干亲，这是我应尽的本分。村长从来没拿这个干亲当回事，觉得那不过是给杨桂花哭丧找一个名分，哭完也就算了。他从兜里拿出五十块钱，五十块钱那时是个不小的数目，他说：这点儿钱你拿着给孩子买点儿吃的吧。

杨桂花看他拿出钱，脸色就变了，她说：村长你什么意思，你要真拿我当妹妹，就别提钱的事。要不是我干娘下世，别人就是拿五百块来我还不见得哭呢。你以为我能拿五十块钱当个事吗？

村长尴尬地说：我当舅舅的，也该给外甥花个钱不是。

杨桂花说：这是给你外甥花钱的时候吗？你这不是要给我孩子花钱，你这是小看我呢。

村长看她这么说，只好把钱收了起来，心里却真拿杨桂花当亲戚了。

杨桂花虽然是个女人，心却很大。五十块钱在她心里真不是个事。她明白人情比钱有用，关系比钱珍贵，能跟村长结了亲才是长久之计。再说她已经好长时间没放开嗓子哭了，表面上是帮别人忙，其实是成全了自己。她真想放开嗓子，敞敞亮亮地哭一回。

到了出殡那天，杨桂花事先喝了一大碗粥，把嗓子养滋润。她身穿孝衣，头戴孝帽，跟在村长和村长老婆身后，村里人诧异地看着她，不知道她怎么成了村长家的人。她迎着目光一点儿也不怯懦，前面的村长给了她自信，村长愿意认她当妹妹，她就是村长的妹妹。村长是哥哥，躺在棺材里的老太太自然就是老娘。村长把瓦盆往地上一摔，最先听到的就是她撕心裂肺的哭声。她的哭声把人们惊呆了，没人见过这种哭法，那不是哭，是在往外掏心掏肺，好像把一生的绝望都端了出来。

因为惊讶，别人的哭声比她慢了半拍，但人们很快明白过来，没有别的选择，只能像杨桂花这样哭，他们的悲痛能次于村长，但不能次于杨桂花，他们自知赶不上杨桂花的水平，就要格外努力，在这场哭的竞赛中，不知不觉形成了个个奋勇、人人争先的局面。杨桂花把丧事的气氛带了起来。

榜样的力量是无穷的，一个杨桂花，能顶十个直系亲属。后来人们回忆，村里没有一家能把丧事办得这么气氛浓烈。村长的悲痛简直就成了老槐庄人的悲痛。干部在村里多么有威信，多么有人缘，那就在丧事上见。

杨桂花在村长家这一场哭，连她自己也是空前绝后的，哭过后，她在炕上躺了

两天，她头晕、气短、心慌，丧事几乎耗尽了她的精力。她不想站起来了，想随老太太而去。她从小吃了很多苦，受了很多气。男人外出打工，她一个人拉扯大两个孩子，那年麦收男人病了，她一个人收、拉、打、扬，都没像现在这么疲劳。但这力气卖得值，村长两口子来家里看她，给她拿来一瓶罐头、二斤红糖。她把红糖吃了，罐头就摆在柜子上，谁来都能看得见。

她没有想到，这件事竟成了她命运的转折。

村长家的丧事就是广告，村里人终于领教了杨桂花哭的本领。杨桂花从小就以能哭闻名，现在人们才知道她的哭有用处。人丁少的人家想把丧事办浓烈，自然就想到了杨桂花。

杨桂花也不是那么好请的，人人都是她的干姐妹，她这个干姐妹还值什么？在这方面她有良好的直觉，她只给村长当干妹妹。再说她也不能总这么哭，这个哭法多伤身子，只有她自己明白。

杨桂花越难请，就越有人想请她。能请她出来哭的丧事，在村里自然就有了分量。丧事水平的高低，杨桂花成了一个标准，如果杨桂花参加了，人家就觉得丧事办得不错。杨桂花没有参加，就说明这户人家在村里地位一般。

有的人家在村里没有势力又想请杨桂花，怎么办？那就得动钱。一开始，人们给她钱是变相的，五斤猪肉，两盒点心，几盒阿诗玛烟，加上一堆套近乎的话。话说完了，把东西留下，杨桂花就算答应了。

有时送东西的人难为情，杨桂花收东西却大方。她参加丧礼要耗费精力耗费感情，耽误自家农活，别人当然不该白用她。她是村里最早懂得市场经济的人，给东西少了她就不愿意。她把东西塞回人家怀里，说自己身子不舒服，直到人家把东西增添到她满意为止。村里虽然有人骂她，可总有人需要她。

最早从送东西变成送钱的，是邻村一户姓王的人家，人称王大户。王家在村里也是孤姓，独生子，老娘从他三岁就守了寡，一个人把他拉扯大，中间吃了多少苦，受了多少累，他记得清清楚楚。好在他大了以后挺争气，从到农贸市场拿鸡蛋换粮票开始起家，到办粮食加工厂，开熏鸡店，很挣了几个钱。人一有了钱，就要挣脸面，他要给老娘把丧事办出水平，上好的棺木，几十米长的灵棚，县城里请的厨子，三个吹鼓手班子，该花的钱他敞开了花，挣了钱，这时候不花什么时候花？

丧事场面是够热闹的，可是，场面再热闹，哭的人少了也不行。哭不出气氛来，这丧事怎么能说办好了？村里人替他发愁，替他惋惜，他不发愁，挣了钱的人还有什么发愁的，世上什么东西买不来呢？他做了十几年生意，最懂得的就是这个道理了。

他打听到了杨桂花，也打听到了杨桂花不是白请的，得拿东西。人家说杨桂花也不比从前了，几斤猪肉、两盒点心打发不了她，恐怕得多买东西。他说：费那麻烦干什么，干脆给钱不就得了。拿二百块钱，行不行？在场的人都被震住了，有人心里嫉妒杨桂花，这钱也太好挣了，有人在地里刨一年也不见得能挣二百块，杨桂花算是逮着了。可人家王大户不那么想，王大户是见过世面的，知道不花钱不行，光靠钱也不行。他做了这些年生意，最大的体会是，关键时刻钱也得到，情也得到，缺一样不可。

他要亲自去请杨桂花，为自己老娘他肯屈这个就。他坐着新买来的桑塔纳去了杨桂花家，车一停到门口村里孩子们就围住了，胆大的孩子用手摸车，司机一摁喇叭都逃开了。站在远处的是孩子们的家长，三三两两地凑在一起说闲话，眼睛却在往杨桂花家这边瞟。

披麻戴孝的王大户一进杨桂花家，就跪在了地上，行的是孝子礼。杨桂花把他扶起来，眼睛已经湿润了。她知道王大户的大名，就是他不出这二百块钱，她也肯参加这个丧礼，何况王大户还拿了钱，行了礼。人家看得起她，她还拿什么架子。虽说哭丧这行业说起来不体面，可她没忘了村长儿子那年说的那句话：光靠在地里刨食，多会儿也不行。

第二天一大早，她坐着王大户的车去了。因为对王大户有好感，就生发出对死去的老太太的好感，她哭得尽心尽力。邻村的人早听说了杨桂花的大名，他们第一次亲耳聆听了杨桂花的哭声，总的印象是，王大户这二百块钱花得值，杨桂花就是杨桂花，她那能哭的名声不是白来的。

王大户对杨桂花非常满意，丧事结束后，把杨桂花送到车上，又送了好多礼品，嘴里还一再感谢着，给足了杨桂花面子。

只有杨桂花对这场哭不满意，她还记得村长老娘死时，她是怎么哭的。她很想照着那个水平再哭一场，可惜现在气力比不了从前，再说她跟王大户的老娘连面都没见过，再怎么调动感情，也到不了那个份儿上。只有她自己知道，她还没有达到最高水平。她就像一个艺术家，给自己定了很高的标准。要是达不到这个标准，就不能原谅自己。

不过她的声名还是随着这次哭丧传出去了。王大户的知名度高，丧事办得有影响，她的名声也跟着传遍了全县。这个能哭的女人引起了很多人的兴趣，电台、电视台记者来采访她，小报记者来采访她，录了影、照了相，还写了篇报道《一腔痛哭寄人生》，这事让县领导知道后，急忙给报社领导打电话，制止这类报道发出来。本县农民大多数是靠劳动致富的，杨桂花不能算他们的代表，对她这个哭丧的做法，县里不干涉但也不提倡。报社只好把稿子撤了下来。

稿子虽然没发出来，经过这么一番折腾，事儿也嚷嚷得远近都知道了，杨桂花的名声反而更大了。

既然王大户能请她哭，李大户、赵大户、韩大户就也能请她哭。大户们家里免不了有事，谁没有老人？谁的老人不死？杨桂花的哭丧业务一场接一场，有时一天赶上两三户人家办丧事，都想请杨桂花。杨桂花怎么办？她总不能分出两三个杨桂花来，只能谁给的钱多答应谁。这一来她的价格也一路看涨，从二百元一场涨到三四百元一场，一个月下来，能挣好几千块。

她家买了彩电，二十五英寸的，当时一万多块。村里人深受震动，蜂拥着跑到她家，把家里堵得水泄不通。杨桂花的脸色不太好看，她明天还要出去哭丧，家里这么乱她根本没法休息，睡不好嗓子就不好，她交代不了雇主。

她问：几点了？人们不理她，只是盯着屏幕看。后来她趴到小儿子耳边，让小儿子说不看了，我们要睡觉。小儿子愿意家里人多，不听她的话，气得杨桂花掐了小儿子一把，她儿子一哭，人们才觉出她不高兴，三三两两地从她家出来。出来后人们有些恨她，脾气大的人说：不就是个电视吗？有什么了不起的，瞧她那个德行。

脾气好的人说：村长家也是二十五英寸的，牌子比这儿的好，人儿真。

就是，以后咱们去村长家看，不去她家。

过几天她家又买了冰箱，这是村长家也没有的，人们都想看看新鲜，三三两两地去了她家，这一次都不待长了，看一眼就走，杨桂花那天兴致很好，打开冰箱门跟人家介绍性能，这个是冷冻的，那个是冷藏的。在冰箱里放进一塑料盒水，一会儿就冻成了冰棍儿。一人一根儿，人们都说激牙。

杨桂花拿冰棍儿的时候人们看见了，她的冰箱里放的都是鸡呀肉的，塞得满满的，下面还有好些罐头，最下面一层是胡萝卜、土豆，拿塑料袋套着，村里人装着没有看见，笑着跟她告辞。

从她家出来，人们都不说话，觉得心里憋得慌。回到自己家忍不住跟家里人说：杨桂花家的胡萝卜不在窖里放着，放到冰箱里，电钱比胡萝卜还贵呢。

家里人说：人家有钱，有能耐你也到外面哭去。人家天天拿别人的娘当娘，拿别人的爹当爹，别人的爹娘死了，比自己爹娘死了还伤心，你行吗？这么一说，他们又觉得还是自己高贵，心理平衡了。

杨桂花好像成心要刺激人们，过了不长时间她又要盖新房，她现在住的三间大瓦房是前几年刚盖的，听说这回又要盖六间前出廊后抱厦的房子，里面要安自来水，土暖气。村里人替她算了算，没九万块钱拿不下来。

她跟村长是干亲，村长不一定批给别人宅基地，却把最好的地皮批给了她。人人都不平，到了动工时，一些人故意不去她家帮忙。不过村子这么大，这个不帮那个帮，特别是村长都去了，自己不去帮不是傻吗？最后杨桂花家还是挺红火的。

杨桂花也不亏待大家，除了吃饭喝酒，每人一份礼品。她知道自己得罪了人，想把人缘儿挽回来。人们掂着手里的礼品，觉出现在的杨桂花再不是以前的杨桂花了。不管他们是不是愿意，杨桂花凭着自己的哭泣本领在社会上站住了脚，日子只能越来越好，不会越来越差。

回到家把礼品交给老婆，一看老婆喜出望外的样子，心里又不舒服起来。看自己的老婆，觉得哪儿也不顺眼，怎么人家的老婆就能挣钱，自己的老婆就这么没出息？人家的老婆能送别人礼，自己的老婆就这么爱小？心里一生气，就把礼品夺过来摔到地上，老婆孩子立刻哭闹起来。

不管他们在家怎么闹气，杨桂花房子是盖起来了。差不多是村里最好的房子。接着村长家也盖了房，是二层小楼，外面贴着红瓷砖，里面贴着壁纸，比杨桂花的房子还高级。

杨桂花觉得这小楼晃眼，怎么看怎么不舒服。当初自己怎么不也盖成楼呢，多花不了几个钱啊，一念之间把事儿办错了。

她男人说：咱们要把村长也压住，人家更恨咱们了。

杨桂花觉得憋得慌，她对村里人说：过几年等孩子大点儿，我们也打算盖一栋楼，还是楼好住。

她一转身，人们就朝地上啐唾沫：干脆，把这村都盖成他们家算了。有人骂道：我×她姥姥的，什么世道，哭丧的人也成了事儿了。

村里人能接受别人发财，却接受不了杨桂花发财。比如村长承包了村里的砖窑，五年不交承包费，自己家买了摩托又买拖拉机，人们都不说什么，人家有权嘛。还有村里的李木匠，先是外出给城里人打家具，挣了不少钱，拿挣来的钱垫本，开了家木器厂，产品供不应求，现在连夏利都坐上了，人们也不说什么，人家有技术嘛。

村里的二麻子，领着人在外面包工，几个工程下来，现在买了楼房，人家的姨父是市经委主任，上边有人嘛。

村里的小凤儿，在省城干了五年坐台小姐，现在也存二十几万，人家那是开朝天银行挣来的，让人日了嘛。

谁发财人们都能接受，就是不能接受杨桂花发财，她凭什么？就凭她会哭两声？这年头真是有病，哭一场就挣四五百，城里的小姐让人打一炮才挣一百，她比卖那个还强呢。

于是有人说，你知道人家就光哭？哭完了干什么，让你知道吗？

关于杨桂花的风言风语就这么传了出来，杨桂花长得其貌不扬，岁数也不年轻了，没人相信哪个人能看上她，可人们还是愿意这么传，而且越传越邪乎，越传越像真的。

有一天，杨桂花的男人老孟在村里溜达，一辆摩托车开过来在他腿上撞了一下，当时周围没有别的人，挺宽的路不走，摩托车就朝老孟身上走。老孟一条腿骨折，躺倒在地上起不来。开摩托车的是村里一个姓赵的小伙子，他们家跟杨桂花一直不对付。人们都议论，这一撞恐怕是有意的。

杨桂花也知道这一撞有名堂，她把村长找了来，说要查一查幕后指使的人。这怎么查？村长的意思是，也别查幕后指使了，让小伙子家多出点儿钱。杨桂花开始不干，后来想了想也只好这样。最后村里调解，杨桂花家所有的医疗费、误工费（包括杨桂花和子女们的误工费)都由小伙子家出,再把摩托车赔给杨桂花家。

杨桂花那些日子不出去哭丧了,谁请也不去,说是要在家里照顾男人。她把来请的人答应给多少钱都写在一个小本子上,都算成误工费。她男人在炕上躺了三个半月,误工费算了三万多,把姓赵的一家脸都算绿了。等他们把家里的摩托车推给杨桂花家时,家里已经家徒四壁,要什么没什么了。

姓赵的小伙子来送钱和摩托车那天,杨桂花在家里等着他们。她看见那个小伙子的父亲浑身颤抖,脸上一副卑下的神情,嘴里一个劲儿说好话。那个小伙子灰着脸,低着头,不敢看她。

杨桂花坐在太师椅上,跷着二郎腿,居高临下地问他:那么宽的路你不走,为啥非要往人身上骑呢。

小伙子说:我眼气大伯大婶日子过得好,心里憋了一口气,不过,我也不是有意的,不知道咋的,就骑到大伯身上了。我对不起大伯。

杨桂花问:现在还眼气不了?

小伙子说:大伯大婶是劳动致富,我不该眼气。现在不眼气了。

杨桂花说:我真想不到,还有眼气我们的。我挣那两个钱容易吗?我天天给人家哭丧,自己的娘活得好好的,我天天在外面哭娘,就这么挣了两个破钱,还有人眼气?

小伙子的父亲瞪了小伙子一眼,小伙子急忙说:我错了,我对不起大婶。

杨桂花一看对方服了软,把小伙子家拿来的三万块钱留了两万,摩托车也让他们推回去了,她说:我也不在乎这一万两万的,只要真心知道错就行了,以后要自己想办法致富,要走正道。

这是小伙子家没想到的,小伙子的父亲感动得差点儿给杨桂花跪下,说杨桂花是刀子嘴,菩萨心,是全村心眼儿最好的人,是他们一家的大恩人。小伙子拉着杨桂花,一口一个大婶地叫着,给她赔不是,说得杨桂花眼泪都快下来了。

事后孩子们埋怨杨桂花,为什么少要了一万多。他的大儿子说:应该把他那个摩托车要过来,我骑着玩儿。

杨桂花说:你们懂什么,冤家宜解不宜结,让他心服口服,比要那几个钱强。

这事虽说以杨桂花的全面胜利结束,村里人还是很兴奋,许多人拍着小伙子的肩膀说:你是咱们村好样的。

小伙子苦笑着说:都是你们害的。

不管人们怎么嫉妒,杨桂花的业务还是越来越好。男人骨折了以后,来请她的人更多了。因为人们知道,现在的杨桂花更难请了。

她男人养伤时积蓄下的市场能量,一旦放开,堵也堵不住。

现在生活条件好了,农村也有了富裕病,高血压、心脏病、脑溢血,四十来岁的人，本来还好好的，中午喝一场酒，酒桌旁边一栽，拉倒了。死得都是有点儿名声的人，丧事都要请杨桂花，她越忙，名声越大，名声越大，她越忙。这就是品牌效应。

近处的哭完了，再哭远处的，杨桂花哭泣的半径越来越大。现在人们家里办丧事，都以请到杨桂花为荣。人家也不光要她哭，要的就是她的名声。只要她到了，哭上几声，这个丧事的规格就上去了。这就好像电视里播的遗体告别仪式，什么人出席了，那就是个规格。

谁也没有注意到，杨桂花哭泣的质量在下降。对这件事在意的，只有杨桂花自己，她对这下降无可奈何。首先是她岁数大了，身体大不如从前，因为长年在外面参加丧事，她早已不干农活，腰粗了，体胖了，下巴上的肥肉往下嘟噜着，多走几步就觉得身子发沉，胸口发憋，两只肥奶一掀一掀地直喘粗气，额上、脖子上也沁出许多细密的汗珠。每次哭完，都得有人给她往旁边放一把椅子，让她把那磨盘似的屁股放在上面，坐在那里喘息，擦汗。

哭泣是个力气活儿，也是个感情活儿。杨桂花力气差了，感情也比以前粗糙。长年累月的哭泣，已经磨钝了她的情感。她看见躺在棺材里的死人，再也调动不起过去的伤感。以前哭泣时，哪怕她跟死人没感情，也能回想起自己生活中的种种不幸，别人看她哭得伤心，却不知道她哭的不是死人，而是自己。

现在她生活好了，家里富了，男人拿她当摇钱树似的捧着，亲戚拿她当财神爷似的敬着，孩子们看见她不高兴，就伏在她肩膀上撒着娇地问长问短，她哪里还有伤心事，她的日子太幸福，眼睛里已经没有眼泪了。

可她不能不哭，她就是吃这个饭的，没有眼泪也得哭，没有悲伤也得悲伤。过去她到谁家参加丧事，一进门就哭，眼泪自然就出来了。现在她去哭以前，都要了解死去的人一生做过什么事，遭过什么难。比如死去的老太太拉扯了六个孩子，她就哭：六个孩子都成了人呀，你这一辈子不容易呀。死去的人三十年前丢过一个鸡蛋，找了一天才找到。她就哭：一个鸡蛋你都舍不得丢呀，你是勤俭了一辈子呀，日子刚刚过好了，你怎么就撒手走了呀。

开始哭时她没有眼泪，她用手掩着眼睛，这叫干哭，哭着哭着，伤感出现了，眼泪出来了，她才算找到了感觉。她小心地保护着那点儿感觉，把它慢慢放大，尽量让更多的眼泪流出来，让伤心的话儿越说越多。她已经不是在哭泣，而是在表演，她在用技巧代替悲伤，在用编织的故事代替回忆。

每次哭完，她都要回想给村长老娘的那场痛哭。跟那场哭比，现在的哭简直不叫哭，她已经完了，哭得一天不如一天。照这个哭法，总有哭不出来的一天。到那时她赖以为生的东西将是什么呢？这大概就是她最后的伤感了。

哪怕她自己都看不起自己的哭泣，她的名声还是越来越大，请她哭丧的人，还是越来越多。家里办丧事的想请她，还是越来越难，价码还是越来越高，这就是市场，市场就是这么培育起来的。

杨桂花真累了，真想歇歇了。可她歇不下来：她越是想歇，人家越是请她；她越是想歇，人家越以为她在拿价，价格越是一路看涨。

家里人也不愿让她歇，既然钱这么好挣，为什么不挣呢？难道钱还怕多吗？你不挣人家的钱，人家还以为你看不起人家，钱可以不挣，但人得罪不起，还是哭去吧。没人知道她的难处，没人知道她差不多已经哭尽了。方方面面的人都在逼她，不哭不行，不哭好日子就没有了，不哭人缘儿就完了。干什么都有个热乎劲儿，你不趁着热乎时使劲儿哭，将来没人请你，你想哭也哭不上了。

那就哭吧，杨桂花进入了一个怪圈儿：她越是不想哭，哭得越多；哭得越多，质量越是下降。有时她坐在那里，只是蜻蜓点水似的抹两下眼泪，唱歌似的叙述几句死者的事迹，一场丧事就算下来了。

她对哭泣质量的下降，也麻木不在乎了。要是有人当面说她哭得不好，她就生气，就骂人家。她的厉害是有名的，没人愿意得罪她，骂了几次街，谁也不敢当着她的面说她哭得不好，人们都在背地里说，她根本不值那么多钱。背地里说她听不见，这就不算什么了。

她觉得生活太好了，人生太美了，她真心拥护改革开放，没有改革开放，她算什么？她是村里最穷的人，一个孤姓，男人又窝囊，村里谁都敢欺负她。她没权、没势，连个像回事的亲戚也没有，村长认她当干亲，她都兴奋得一夜睡不着。她也没有家传的技术，没有垫本的资金，除了会哭她什么也不会。她连做梦也没想到能活成这样。她说，这个社会真是好啊，报纸上说，党的政策一百年不变。她说：一千年不变才好呢。

政策没变，杨桂花变了，她变成了一个小富婆。她的脸养得白白嫩嫩的，一摁好像能出水；她的屁股走起路来一扭一扭的，大腿粗，小腿细，远远看去像个锥子。她说话声音细了，带上了尾音儿，笑的时候掩着嘴，笑容一闪而逝。她跟人不高兴了也不再跳着脚骂街，而是等你把得罪她的事忘了后，她才把麻烦找上门来。

渐渐她在村里有了分量，人们以前是嫉妒她，现在开始畏惧她、敬着她，有了不好办的事，找村干部不管事，找她一试，想不到就办成了。村干部可以不买乡领导的账，不见得不买她的账。走到哪儿，都有人拍她、捧她。她的感觉越来越好，只是哭得越来越差。

四

杨桂花的日子再好也不是十全十美，她也有本难念的经，那就是两个孩子，准确地说是儿媳妇。小儿子还在县里念书，听说已经搞了对象，看来不用她操心。最让她操心的是大儿子六指。

六指因为聋，媳妇不好找，说了几个，人家虽然能看上杨桂花，却看不上六指，弄得杨桂花挺灰心。这时邻村一个长得不错的女孩，主动接近六指，接着又主动托了媒人，仅这一条，就能看出这女孩挺有心计的。杨桂花当时想不到这一层，她看着这个如花似玉的女孩儿心里直乐，觉得能娶上这么个儿媳妇，也不枉天天给人家哭丧了。

结婚时，杨桂花把原来盖的三间大瓦房重新装修了一遍，给他们做了新房。村里年轻人都羡慕六指，六指媳妇却不满足，她觉得应该把那六间前出廊后抱厦的房子给他们做新房，最不济也应该给他们再盖一处。

杨桂花也曾想过再给他们盖一处，后来又改了主意。一是她觉得这个儿媳太乖巧，她想观察观察，不想把日子给他们弄得一步到位了；二是将来她想再盖一栋三层小楼，和两个儿子住在一块儿，现在早早给老大盖了，就把既定计划打乱了。她说：就让他们住那三间房，我结婚的时候，住的房子还不如这呢。

儿媳妇心里不满，却没有把不满表现出来，整天在杨桂花面前微笑着，俯首低眉的。杨桂花每次到外面哭，她都帮着杨桂花把该带的东西带上，什么保温杯、胖大海、擦脸巾、护肤霜，装一提包。杨桂花上车，她小心地扶着车门，杨桂花坐好后，再把那个包放进杨桂花怀里。人们觉得，杨桂花有福气，娶了个懂事的儿媳妇。

杨桂花开始对这个媳妇也是戒备的，婆婆跟儿媳是天生的敌人，再可心的儿媳，只要一过了门婆婆的眼睛也是挑剔的，总觉得应该再好一点儿。

处得时间一长，她就不戒备了。因为儿媳妇处处顺着她，看她的眼色行事，有心里话也跟她说。就连两口子的房事，儿媳妇也听她的。婆婆说这种事伤男人的身子，儿媳妇就绝不肯跟六指多做，一个礼拜只能做一回。六指气得跟媳妇打架，杨桂花知道了，把儿子骂了一通，却由此知道儿媳妇是真心听她的话。

杨桂花开始喜欢这个儿媳妇，现在她到外面哭丧，也愿意带着她。最初儿媳妇跟着只是照顾她，并不参加哭丧。后来有的主家见两个人都来了，就主动给她们付两份儿钱，儿媳妇就不能不参加哭丧了，这个过程非常自然，杨桂花没有觉出不对劲儿。再说她岁数大了，体力不行了，也愿意旁边有个人帮腔。有时儿媳哭得伤心，她也跟着伤心起来，表面上是她带着儿媳妇哭，实际上是儿媳妇带着她哭。两个人心照不宣，别人却看不出来。

哭完后回到家，杨桂花不免要点拨儿媳妇几句，什么地方该用劲儿，什么地方该偷偷懒，儿媳都认真地听，她是个聪明人，一点就透。再说这哭也没什么大不了的技术，跟着杨桂花跑了几次，她就全明白了。这时两个人再在一块儿哭，人们就听出了高低，杨桂花的嗓子、气力比不了年轻人，她对悲伤的领悟力也比不了上过高中的儿媳妇，以前她哭得好，是因为她生活中有太多的苦痛，现在苦痛没有了，哭的感觉就找不到了。说到底她是凭着自己的苦难经历哭，年轻人是凭着文化底子哭，压根儿就不在一个档次上。

开始，儿媳妇还不敢迈过她去。也有人请她参加丧事，她说自己不是干这个的，跟着婆婆出去是为了照顾婆婆，人家就很惋惜地走了。杨桂花冷眼看了几次，对儿媳妇放了心，反而生出不忍。赶上一天有两三家来叫，杨桂花分不出身，就主动对儿媳妇说，人家叫你，你就去吧。婆媳兵分两路，各跟着一辆车走了。等她们回来时，儿媳妇已经有了新名字，叫小桂花。

杨桂花没意识到这一天意味着什么，儿媳妇意识到了，不然她就不会对婆婆越发恭敬。她小心地回避着人们对她和婆婆的比较，在家里只做安分守己的媳妇。

慢慢地，来请杨桂花的少了，请儿媳妇的多了。有时表面上是来请杨桂花，实际上是来请儿媳妇。杨桂花不是没头脑的人，她还能看不出这个？她说，我这两天身子不舒服，让她跟你们去吧。请的人表现得很惋惜，儿媳妇也表现得不情愿，可该走的还是走了，该留下的还是留下了，杨桂花望着儿媳的背影，意识到自己老了，争不过这些年轻人。

她并不在乎儿媳妇挤了她的生意，能让孩子蹚出条发财的路子，也是好事。看着自己的儿子她心里明白，虽然她看着他们娇贵，其实他们都是没什么出息的。特别是大儿子，不光聋，心里也不灵醒，是个靠爹娘的主儿。自己早晚有死的一天，死了以后，他们靠什么活呢？她愿意儿媳妇比她强，虽然心里也有些伤感，却不想挡孩子的道儿。

问题是儿媳妇的成功，刺激了村里的年轻人。以前她们都羡慕杨桂花挣钱，却从来没有想到，自己也可以去哭。她们觉得哭丧是杨桂花的专利，现在杨桂花的儿媳妇哭成了小桂花，她们就觉得也可以试一试。

这时再有外村的人打听杨桂花，她们就拦住搭讪几句。她们说：都这时候了你才去请人家，请不到。杨桂花忙着呢，大后天都订出去了。

看对方迟疑，她们又说：我知道有个人，哭得比杨桂花也不次，你怎么不去请她，好些人都争着请她呢。

来的人一听，停住脚步问是什么人。

她们说：这人是我表姐（或者说是表妹），你要是愿意请她，我领着你去，让她在价格上再优惠点儿。杨桂花三百，她二百。

二百也不是小数目，来的人有些犹豫，她们说：她要是哭得不如杨桂花，就不收你的钱。行了吧？

三说两说，杨桂花在家里还不知道呢，生意就让别人截走了。

把这个新冒出来的人带去后，发现哭得也不错，虽然没有杨桂花名气大，但比杨桂花实惠，因为她不光参加哭丧，哭完后还帮着干杂活，干得多，要的钱少。雇主很满意。

雇主问她姓什么，她说姓于，问叫于什么？她说叫于素珍。雇主说：于素珍这个名不好，我给你改个名，你们村有杨桂花、小桂花，干脆你就叫于桂花吧。在场的人听了都说好，这名字响亮。连着出去哭了几次，于桂花的名字就叫开了。

短短一年时间，大槐树庄出了好些桂花，刘桂花、韩桂花、白桂花、黑桂花、俏桂花、丑桂花。大槐树庄成了远近闻名的哭村，人们还给它起了个好听的名字，叫桂花村。

杨桂花这时已经没多少人请她，就像她的发迹来得突然一样，她的衰落也突然，让她没有丝毫心理准备。人们好像已经忘了她，偶尔说起来，也说的是她的过去，她对哭丧事业的带头作用。她给村里创出了哭丧的牌子，效益却流到了别人家。她觉得不公平、不甘心。有一次，她看到村里嗓子好点儿的女人都被请到外面，只留下她自己，她气得哭起来。

她已经好长时间不哭了，早就忘了悲伤是怎么回事，现在她悲从中来，她心里也明白，长江后浪推前浪，小辈人早晚要超过自己，可这事来得太快了，人们对她也太无情。她的好日子刚刚开始，她们就要把她甩了，也太没良心了。

她一边哭，一边骂，骂的人没点名，细心的能听出来骂的是儿媳妇。村里人传说，儿媳妇跟她闹翻了，她想阻止儿媳妇抢她的生意，一向低眉顺眼的儿媳妇，这回露出了真相，她醒悟过来已经晚了，实际上现在就是她的儿媳妇不出去哭，请她的人也没几个了。

杨桂花不甘心这么败下去，她用一个掏耳勺天天掏耳朵，掏出的耳屎一点儿不扔，都存起来。她听老辈人说过，人要是吃了耳屎，嗓子就坏了，要是吃得多了，能吃成哑巴。

她觉得自己耳朵里耳屎太少，天天掏也掏不出多少来。有一次儿媳正在屋里吃饭，她过去揪住儿媳的耳朵，拿着掏耳勺就掏。儿媳妇不愿意，说：娘，我不掏，我还吃饭呢。

她说：你看看你这里面，攒了多少啊。我给你掏掏。掏出来了耳音好，出去哭的时候，能听得真切。

儿媳妇只好支着脖子，让她掏。

她用手捧着掏出来的耳屎，让儿媳妇看，然后把耳屎小心地放在一张纸上，她看着儿媳妇心里直笑。她好像看见儿媳妇成了哑巴，心里说：我让你哭，我让你哭，这回我看你还能不能哭得出来。

第二天，她把攒了好几天的耳屎都给儿媳妇放进了粥碗里。她亲自端着碗送到儿媳妇手上，态度亲切，语重心长。她说：你天天这么在外面跑，可不能不注意身子骨啊。你现在年轻，累了苦了觉不出什么，到老了病就找上来了。喝碗粥吧，粥是养人的。

她的态度把儿媳妇感动了，说：娘，你就别为我们操心了。你这么大岁数，好好在家里享清福，只要有我，咱们家的日子肯定错不了。

她心里说，你还想让我在家里享清福？这回我要让你尝尝享清福的滋味。她鼓励儿媳妇喝粥，说：喝吧，喝吧。咱们家现在就靠你呢，你得保养好了。

儿媳妇就是不端那碗粥，儿媳妇不端，杨桂花就不走。她一直坐在旁边看着儿媳妇。一边跟她说话，一边鼓励她：喝吧，喝吧。喝了娘再给你盛。

儿媳妇说：娘，你这么疼我，将来我跟六指一定好好孝顺您。再怎么说，咱们也是一家人啊。咱们再攒点儿钱，将来我给娘盖一栋小楼，把您住的房间像城里那样装修一遍，装修成宾馆里那样。晚上就让你的孙子跟着你睡，再给你们屋里买一台大电视，你们俩想怎么看，就怎么看。

一句话说得杨桂花流了泪，她想：我这是怎么了？这不是鬼迷心窍了吗？儿媳妇再不好，也是自己家的人啊，我怎么能把她毁了。我毁了她，将来我死了以后，我的儿子、孙子靠谁去。我就是不心疼媳妇，也不能不心疼我的孙子啊。

想到这儿她就生怕儿媳妇喝了那碗粥，偏偏这时候儿媳妇把粥端了起来，她立刻走上前去，对儿媳妇说：粥凉了，我给你换一碗去。

儿媳妇说：不凉，不凉。刚盛了怎么会凉。

杨桂花硬把粥碗从儿媳妇手里夺回来，说：可不能吃凉的，咱们家里你是第一重要，全指着你呢。说着她走到外面，把一碗粥全倒在了猪食盆里。又给儿媳妇盛了一碗没有耳屎的粥。

晚上她想起这件事就心惊肉跳，想自己当时要不是明白过来，真让儿媳妇喝了那碗粥，可怎么办？儿子是个聋子，媳妇是个哑巴，这一家人的日子怎么过。她想，人就是一念之间。如果不是及时明白过来，事儿就真做下了。

她怎么可以害自己的亲人。杨桂花你真是糊涂了，不就是那么几个钱吗？媳妇挣了跟自己挣又有什么区别，你真是该死，真是鬼迷了心窍。

杨桂花在被窝里反思着自己，却又觉得，这么下去不行。她当然不能害自己的儿媳妇，可也不能老这么被村里人晾着。她必须想出办法来，保证在哭丧业上有自己的地位。

这时她想起了一个人，就是村长。村长是她的恩人，当初是他给了她一个生育指标，虽然他也摸了一下她的肥奶，毕竟她多了一个儿子，跟得到的相比，受到的损失简直就不算损失了。

后来她哭丧有了名，也是因为村长用了她。村长老娘死的时候，她杨桂花痛哭了一场，现在想起来都觉得过瘾，把身上每一个汗毛眼儿都哭开了。以后村长常来家里看她，免不了还想摸摸她的肥奶，她都半拒绝半顺从，她觉得村长对她不错，她就也应该对得起村长。毕竟她的两个奶长得好，谁不想摸呢？

现在她想让村长再摸一下她的肥奶，她知道，只要村长摸了她，就准能想出办法来。

她一进村长家，就拿软拳头捶村长，说村长不关心她。一边捶一边朝村长飞着眼神。村长已经快六十了，早就没有了好色之心，即使村长仍然好色，也轮不上杨桂花。他说:我怎么不关心你了,你是远近闻名的杨桂花,人人都敬着呢。

杨桂花说:我都让人家挤对得吃不上饭了。

村长知道她为什么来,劝她说:你都这么大岁数了,也该歇歇,让年轻人干,自己省点儿心有什么不好。

杨桂花白了他一眼,说:你岁数比我还大呢,怎么不让年轻人干。你把村长的位置让给年轻人呀。

村长说:我跟乡里说了好几回,早就想把村长让给年轻人,乡里不同意。不信你问乡里去。

杨桂花说:我没你那么觉悟高。再说我也不是为自己,是为她们年轻人好,年轻轻的应该走正路,天天出去哭丧,不是耽误她们前途吗?

村长说:人家愿意耽误前途,咱也不能管人家。再说小桂花就是你的儿媳妇,你自己不管,找村里有什么用。

村长把杨桂花顶了回来。看到村长一点儿没有摸她的意思,杨桂花知道没戏。她想,村长不管还有乡长呢,我就不信这事儿没人管了。她以前见过乡长一面,乡长对她挺热情,她想起了阎王好见,小鬼儿难缠的道理。如果乡长说了话,村长还不管,我就坐在村长家里给他哭丧。

一进乡政府大院儿,乡干部们都出来迎接,弄得她感觉挺好。她在乡里算个名人,人们问她有什么事,她说我要找乡长。乡干部们领着她去了乡长办公室。

她大大方方地跟乡长握了手,在沙发上坐下,对乡长说:乡长啊,我来跟你反映个事儿,咱们大槐树庄这么下去不行了,你们领导得管一管。

乡长说:怎么不行了,这不是挺好吗?

杨桂花说:你没听人家把我们庄名都改了,叫桂花村了。

乡长说:好啊,这是你的功绩。全村人都跟着你致富,你还不高兴?

杨桂花说:好好一个村子都出去号丧,这叫什么致富,我那时是穷得没办法,才走了这么一条路,现在年轻人都干这个,我就想不通。咱们还提倡不提倡劳动致富了,还要不要社会主义精神文明了。她说得还挺有高度,把乡长也问住了。

乡长不忙着回答她,听她发了一通牢骚,对她说:这事我们研究研究再说好不好?不管怎么说,这哭丧是你先开的头,过去我们没有管你,现在也不好管人家。

杨桂花说:怎么不好管。要我看,这事应该由村里管起来,一家分几个指标,不能一哄而上都出去哭。这么都往外跑,价也上不去。我那时哭一场三四百块,现在她们五十块钱就往外跑,这成什么了。

乡长说:一家分几个指标?分上指标的没人愿意请怎么办?另外,有的人家愿意出去哭,有的人家还不愿意出去哭呢,那指标又怎么分?

这一说杨桂花没词儿了。乡长说:好,县里还有个电话会议,我就不跟你多聊了。

杨桂花觉得话还没说完，不想走，要求再找别的领导聊聊，乡长使了个眼色，乡干部们又是哄又是劝，愣是把她打发走了。

过几天杨桂花再去乡里就没人让座、倒水了，干部们都有些躲她。问乡长，他们说乡长在县里开会；问别的领导，说别的领导也不在。她看出来乡干部们不欢迎她就回来了，自己在家里生闷气。这些年她还没受过谁的白眼，现在她觉得悲从中来，眼睛里一个劲儿地发酸。可是她没有哭，她习惯了一哭就有人给她拿钱，没人给她钱，她能忍就忍着，不然哭给谁看呢。

实际上，乡领导不但不想制止村里的年轻女人出去哭丧，还想鼓励。因为县委新一届领导上任后，提出要在农村抓特色产业，搞专业村建设，全县十三个乡镇，大部分乡镇都有专业村，如纺织专业村，养牛专业村，农机配件专业村，围绕着这些专业村，出现了好几个专业市场，一个专业村富一村人，一个市场能带动几村人致富。

他们乡到现在还没有像回事的专业村，领导压力很大，他们考虑，大槐树庄的哭丧能不能也算个专业村？哭丧这事做大了，能不能也算特色产业？很多人听了摇头，这算什么特色产业，都说不出口。

一位乡领导说：换个名儿不就说出口了，咱们叫殡葬改革专业村，或者叫特殊服务专业村。乡长笑着摇头：不行不行，特殊服务那是指的小姐，人家还以为这个村专门提供小姐呢。叫殡葬改革专业村也不好听，不吉利，再说杨桂花说得也不错，咱们还得抓社会主义精神文明，天天领着人哭丧算怎么回事。

可是这个乡实在没有特色产业，上面又要求得很紧，乡领导们琢磨了一晚上，最后决定：不管上面承认不承认这是特色产业，咱们也先按特色产业抓着，这事虽然说起来不上口，但关键在引导，引导好了，完全可以搞出名堂。

乡长把大槐树庄的村长、副村长们叫到乡里，开了一天会，给他们提出了一个目标，就是哭丧业务不能放任自流，一要规范，二要发展，要往更高层次上引导。另外杨桂花的作用，也要发挥好，最起码不能让她到处乱说，到处闹事。

村干部回到村里，按乡领导的意思，找到杨桂花和她的儿媳妇，跟她们商量怎么落实领导意图。杨桂花说不出什么，无非是发一通牢骚，说现在全村人都出去哭丧，这叫什么事。我们村难道离开哭丧就致不了富了？这哭丧的事原本是我打下来的江山，我打江山坐不了江山，心里也没怨言，可耽误的是她们的前程。她们年轻轻的应该务正业。有那么多致富的路，她们自己闯啊，跟我老婆子抢饭碗有什么意思。

她说完，村干部问她的儿媳妇还有什么。儿媳妇看了看杨桂花，说：我娘刚才说得也对，咱们村外出哭丧的事，也该管一管了。

这话让杨桂花有些意外，她的话本来是对着儿媳妇的，想不到儿媳妇还附和她，但儿媳妇话锋一转，又说：再不管，不光影响咱们村的名誉，也影响咱们村的经济。因为哭丧也不是什么技术，你能哭，别人也能哭，咱们村能哭，别的村也能哭，谁也没规定咱们村是专门哭丧的村，更没规定哪个人是专门哭丧的人，如果周围各个村的女人都哭起来，咱们村真挣不上几个钱，只能看着人家发财。

儿媳妇这话说得不软不硬，既反驳了杨桂花的不满，又把这事提高到了保证全村人致富的高度。不光杨桂花没话反驳，村干部也觉得有道理。

副村长说：也是，周围各村要都出去哭，咱们村真挣不上什么钱了。

村长说：人家想出去哭，咱们也不能堵人家的嘴呀。

杨桂花白了村长一眼，对儿媳妇说：你要是有什么主意，就说出来，用不着在这儿绕圈子。事儿是这么个事儿，谁都看出来了，你就说怎么办吧。

村长也把目光转向杨桂花的儿媳妇，问：你有什么办法？

儿媳妇看了看村干部又看了看杨桂花，说：既然领导让我说，我就在我娘的基础上再补充几句。

这个高帽子戴得杨桂花挺舒服，她说：别让我着急，快点儿说。

儿媳妇说：咱们最好趁着周围各村的哭丧还没发展起来，先把本村的丧葬业做大做强。具体办法是，把过去单个出去哭丧的人组织起来，成立丧事服务队，统一定价，统一管理，由单纯的哭丧，变成配套服务。成立鼓乐队，唢呐队，完全承包丧事，从哭丧到火化，从掩埋到丧宴以及丧葬用具，一条龙服务，在此基础上组建一个公司，由村长任董事长，我娘任总顾问，我任总经理，把丧葬事业做活做大。

如果发展得好，再成立集团公司，进一步发展有关产业，比如丧葬要用棺材、骨灰盒，可以成立木制厂；丧葬要用食品，可以成立食品厂。围绕着丧葬可以发展的项目很多，简直举不胜举。我娘不是说年轻人不能光哭丧吗？以后咱们有哭的，有做买卖的，有办工厂的，全面发展。

儿媳妇的宏伟蓝图把杨桂花说激动了，到底是年轻人，脑子就是活，眼界就是宽，自己以前的哭法，只能富一家，人家这个哭法，才是真正的致富之路，这条路走出来，不但能富一村，还能富一方呢。

以前她到外面哭，听人家说这个是什么什么公司的总经理，那个是什么什么公司的董事长，心里暗生羡慕，也盼着将来能当个总经理，家里如果办丧事，也能请别人帮着哭一把。

现在村里成立公司，她觉得是天大的好事。自己虽不是总经理，儿媳妇是，儿媳妇是自己家的，公司就也算是自己家的。再说自己是公司总顾问，也算一个总，这事挺划得来。她说：这个主意不错，咱们就这么定了，赶快干起来吧。

她一没意见，村里就没有什么阻力了。公司很快成立起来，起了个响亮的名字，叫新风俗公司。业务范围也扩大了，从原来只承办丧事，发展到红白喜事、开业庆典都办。人们富了，有的是想省事的人，家里办丧事花一笔钱，什么心也不用操，到时候该埋的埋了，该娶的娶了，省下精力可以想别的挣钱法子，于是唢呐队、丧葬队忙得脚不沾地。

从公司成立第一天起，杨桂花就天天到公司上班。儿媳妇自己没有单独的办公室，却给她单设了一间，杨桂花挺满意，觉得自己总顾问比总经理地位还高，但她是个给人忙活丧事出身的，在办公室坐不住，坐一会儿就想动，看见鼓乐队要出去吹奏，她就帮着人家装车，挺大的箱子，她一个人就扛到车上去了。人们都说，你看这老太太，身体真是好。人逢喜事精神爽，儿媳妇成了总经理，她高兴得坐也坐不住了。

看见丧葬队承包了别人家的丧事，她也想跟着出去哭一场，不哭她觉得嗓子眼儿痒痒。她已经好长时间不出去哭了，十分留恋过去的哭丧生活。总觉得成立了新风俗公司，应该有她哭丧的机会了，要不然成立这个公司，对她又有什么意义呢。

想哭她又不好意思直接说，绕着弯儿对领头的人说：你们道儿熟吧？要是不熟我领着你们去。领头的说：我们熟着呢，以前去过好几次了。她说：还是我跟你们去吧，怎么我也比你们熟。说完就跳到了车上。

一上了车，她就成了总指挥，这真是以前没有的好感觉。以前出去哭丧她都是一个人，最多也就是指挥一下她的儿媳妇，现在她有了当领导的感觉。有用没用，她都要给别人下指示，总觉得自己是总顾问，别人就应该听她的。人家不听她的，她就跟人家发火，慢慢别人都有些讨厌她。

她看出下面人不欢迎她，心里挺不痛快，发过火后也想以后不干了，可到时候看见活儿就忍不住要干，听见哭丧嗓子眼儿就痒痒，总想跟着掺和。下面人找总经理，说：你婆婆再这么瞎掺和，我们就不干了。没她我们干得挺好，一有她，我们说得都不对，就是她对，谁都得听她的。我们又不是挣她的钱，凭什么听她的。

儿媳妇只好把她叫回办公室，说：你是总顾问，怎么能干这种粗活呢？以前咱们没有公司，你出去哭丧，现在你是公司领导，怎么还能给他们哭丧？这不是把你的地位弄低了吗？

她跟儿媳妇发脾气，说：我这个总顾问总不能干坐着吧。合着你们让我当总顾问，是拿我当玩意儿摆着玩儿的。

儿媳妇说：你是领导，领导就是干坐着。你看人家乡长、县长，哪个不是在办公室里干坐着，哪有跟着别人装车卸车、出去号丧的。

她一想，儿媳妇说得也有道理。儿媳妇又说：你当总顾问，是给我们出谋划策的。看我们干的有什么不对了，你就跟我说，不要跟下面说。我有什么想法，也跟你汇报，下面的事你就别管了。

从那以后，儿媳妇差不多每个礼拜跟她商量一次工作，她给儿媳妇出了好些主意，儿媳妇笑眯眯地听着，过后并不按她说的办。她也不傻，这么提了两个月，就不再提了。只是天天在办公室里冷眼看儿媳妇怎么联系业务，怎么跟客户谈判，想着怎么找儿媳妇一个岔子，把她拱下台。

偏偏儿媳妇不但不出岔儿，业务还越来越好。随着公司发展，儿媳妇建了新的办公楼，这一回儿媳妇有了自己的总经理室，比总顾问室大一倍，里面摆了一圈儿沙发，杨桂花心里明白，儿媳妇这是站稳脚跟了，要踩着她的脑袋了。不过人家是总经理，她也说不出什么。后来，两个副总经理的办公室也比她大，她就发了脾气，她说：要不是我，能有这个公司吗？乡里那时候支持咱们村成立公司，也是冲着我杨桂花，你们算老几，凭什么比我的办公室还大。

儿媳妇看她闹得厉害，只好把她的办公室也调换了。调换了以后，她却再也不肯到公司里去，只是天天在家里生闷气。

五

其实，真正让她生气的不是公司里的事，而是家里。她的两个儿子，都有些不务正业。小儿子高中毕业后没有考上大学，回到村里，现在年岁已经不小了，却还没有对象，搞一个对象处不了半年，就吹了。有时候同时跟好几个女孩子来往，最后却一个也成不了。杨桂花说他是狗熊掰棒子，掰一个扔一个。

大儿子六指也不让她省心，新风俗公司业务越做越大，儿媳妇整天不着家，六指就在家里跟一帮人喝酒、打牌。杨桂花说他：你天天这么混吧，你看看村里的男人哪个像你，人家务农的务农，经商的经商，你呢？现在我活着你有吃有喝，看我死了你怎么办。

说的声音低了，六指聋听不见，声音高了六指还冲她发脾气：都是你弄的，让我媳妇在外面办公司，这会儿她当上总经理了，把我扔在家里打光棍，我不找人打牌干什么。闲得厉害了，我还要包二奶呢。

这一说提醒了杨桂花，她看着儿媳妇在外面风风火火隐隐地有些不安，这个儿媳妇太聪明了，这么发展下去，事业越做越大，钱越挣越多，早晚有出事的一天。自己这个总顾问被冷落了没关系，儿子被冷落了才是大事。

当了总经理的儿媳妇身边整天围着男人，她描眉、画眼儿，嘴唇涂得跟猴屁股似的，从她身边走过，一股香气扑面而来。有时看见乡领导跟儿媳妇打情骂俏，杨桂花心里就咯噔一下。她对六指说：你也老大不小了，别那么整天傻着，留个心眼儿。你媳妇在公司里忙，你有空儿就去帮帮她。儿子点着头，过后又找人打牌去了。

她看儿子不灵醒，只好自己再往公司里跑。现在她去公司，不是为了公司的业务，完全是为了保护儿子。

可不管她怎么操心，儿子不争气，她也没办法。

儿子最后还是被人家甩了。不过这不是因为儿媳妇被人勾引，而是因为儿子出了岔儿。她看住了儿媳妇，却没有看住儿子。

夏季里的一天中午，儿媳妇从外面回到家，看见家里锁着门，她悄悄地用钥匙开了门走到最里面一个屋，推开门，看见六指正跟村里一个俊俏媳妇在床上躺着，两人可能折腾得太累了，也可能太放心(因为她中午从来不回家)，她回来他们竟然没发觉，互相搂抱着睡得十分香甜。等到发现，两个人就傻了。

总经理就是总经理，她不哭、不闹、不打、不骂，把两个人的衣服收了，让他们写检讨书，交代事实经过。她说只要承认错误，以后不再重犯，就原谅他们。

两个人被她的和颜悦色迷惑了，事实交代得非常清楚，检讨得非常深刻，他们说到目前为止，一共发生了六次关系，男的给女的买过一件衣服，女的给男的买了一块手表，他们不图对方什么，是真心喜欢对方。

总经理看着检讨，气得手直发抖。她冷笑着说：你们彼此这么喜欢，成全你们。报纸上说，没有感情的婚姻是不道德的婚姻，离婚吧，离了婚，咱们各走各的阳关道。

六指说：你不是说要原谅我吗？总经理说，要是不原谅，我把你送到公安局去。六指知道上了当，他没有跟杨桂花商量，就在离婚协议书上把字签了。

杨桂花听到这个消息，身上发冷，她知道这事表面上是她儿子被捉了奸，实际是人家把她儿子甩了。这是蓄谋好了的，不争气的儿子上了当。她坐在屋里扇自己耳光，后悔自己这些年光顾着给别人哭丧，没把儿子管教好，更后悔当初为什么不把那碗带耳屎的粥给儿媳妇喝了，她要成了哑巴，现在就没有事了。

杨桂花再有本事，也拦不住总经理离婚。离了婚的总经理，就更不怕这个总顾问了。她在公司里大权独揽，乡领导都得让她三分。虽说村长是董事长，实际上公司的事他一点儿也不知道。总经理跟他汇报什么，他就听什么。

杨桂花现在真正感到了危机，过去她被冷落，总觉得还有儿媳妇，现在儿媳妇离了婚，公司跟她家没关系了。家里三个男子汉，一个比一个不争气，她看不出希望在哪里。

村里人见了她，也不像以前那么敬着了，其实这已经不是一两天的事，自从村里冒出来大大小小的各种桂花后，人们就知道她的好日子完了，但那时她儿子还没有离婚，人们知道她的儿媳妇能干，都等着看她这个儿媳妇能不能跟她儿子过到底。儿媳妇一离婚，人们一块石头落了地，这好像是印证了他们的判断，也满足了他们的期待。他们知道，杨桂花这回是真完了。

一些人看见杨桂花，故意仰着脸过去，意思是眼里再也没有杨桂花这个人了。也有人停下来跟杨桂花搭话，吃了吗？喝了吗？家里好吧？

杨桂花说：好，我吃得饱，睡得香，什么愁事也撂不倒我。儿子离了婚，我再给他找。

村里人说：对，你有钱，再给儿子娶两回媳妇也娶得起。好好盖一栋楼，再给儿子娶个年轻漂亮的。

杨桂花早就跟村里人说要盖一栋楼，现在村里好些人家盖起了楼，她家还没有动静。因为她的实力跟不上了。她知道人家这是在讽刺她，将她的军，嘴里却没法反驳。

最让人生气的是那个姓赵的小伙子，当初他把杨桂花丈夫的腿撞折了，杨桂花大恩大德，少要了他一万块钱误工费，他们一家感恩戴德。在杨桂花面前一直低声下气，现在看杨桂花走了下坡路，见了杨桂花也一副趾高气扬的样子。有一次看见杨桂花，连招呼也不打，杨桂花心想，你不跟我说话，我跟你说，我非寒碜寒碜你不可。没想到那小伙子还没等她开口，噗就是一口痰，正吐在杨桂花面前，吐完以后扬长而去。

杨桂花回到家里哭了，过去哭是表演，是为了往回挣钱。现在哭是伤心，还生怕别人看见。她在人面前强作欢笑，背过人却再也撑不住了。她的眼泪止不住地往下流，觉得不光是儿媳妇，是一个村子的人都抛弃了她。

这么伤心了一段时间她明白过来，光伤心没用，得想办法。摆在她面前有两条路，要么甘心沉沦下去，看着村里人一家一家发起来把自己抛在后面，要么带着儿子再创出一份家业。

自从新风俗公司成立后，村里零散外出哭丧的人都垮了，现在人们家里有了丧事，更愿意享受一条龙服务，把精力腾出来做别的事情，他们对单个出去哭丧的人不感兴趣了。杨桂花不能不肯定儿媳妇的能力，她在丧葬业上竞争不过人家，只能再想别的路子。

她把两个儿子叫到家里，问：你们是甘心这么栽了，还是想站起来？

大儿子六指说：不甘心又有什么办法？咱们比不了人家。自从离婚后，这个儿子越发消沉，整天就是睡觉、打牌，杨桂花知道他完了。她把两眼盯着小儿子，说：你也别天天跟那些大闺女混来混去的了，好好创出自己的一番事业，有的是女人愿意跟着你。要是自己没出息，就是娶上女人也得跑了。

小儿子说：娘，我听你的。我以前也想干，就是你不给我机会，你要是给我机会，我肯定不输给别人。

杨桂花说：好小子，有你这句话，娘就放心了。以后你就跟着娘，咱们再打一番天下。

小儿子说：可是，咱们干什么呢？

六

杨桂花看准了一个行业，就是做挂面。挂面的用量太大了，谁家不吃挂面呢？哪个食堂不用挂面呢？哪个宾馆、饭店没有餐厅呢？杨桂花没有看到，县里已经有了十几家挂面厂，或者说她看到了，却没有在意。她觉得只要是她做了挂面，人们就一定会买。

她把家里原来打算盖楼的钱，盖了厂房，通过乡领导做工作，从信用社贷了十几万元，买了十几台机器。挑了个好日子，放了几挂鞭炮，就算正式投产了。

第一把挂面生产出来，她高兴得眼泪都下来了，她喊儿子煮挂面，煮了挂面让全村人吃。可是来她家吃挂面的人不多，每个人家里都忙，没空来吃这碗挂面。以杨桂花现在的地位，人们也不想给她捧这个场。杨桂花不气馁，她知道人都是势利的，只要她的企业站住了脚，不愁没有围着她转的。

就像她的开业不顺利一样，企业也不顺利。生产了一个礼拜，生产的挂面只卖了一小部分，其余的都堆在仓库里，卖不出去。

杨桂花想了好些办法，降价、增加提成，他儿子带着十几个销售人员天天在外面跑，人家就是不买桂花牌挂面。

杨桂花急得嘴上起了泡。她现在才知道，企业不是那么好搞的。光生产挂面算不了什么，能销售出去才是关键。如果卖不出去，生产得越多越麻烦。她让车间先是生产半天，接着又彻底停了产，车间里的工人都背着挂面往各村跑，挨家挨户地卖挂面。

她本来雇了销售经理，现在她亲自抓销售。看到销售人员白天出去，晚上回来，背的挂面没卖出去多少，她说这些人太笨，挂面是个天天用的东西，哪家不得做饭，有什么难卖的。

销售人员说：你一卖就知道了。

她说：你娘才卖呢。老娘出去是销售，你们看我的。

她亲自背了五十斤挂面，沿着各个村子跑。小儿子劝她说：让别人卖就行了，哪有总经理背着挂面到处跑的。她说：我这叫市场调研。我就不信咱们的挂面卖不出去。

她先是走到邻村，邻村的人听说杨桂花卖挂面，都出来看。当年杨桂花外出哭丧的第一站，就是这里。不少人认识杨桂花，问她干什么来了。她说：我现在不哭丧了，自己办了挂面厂，想尝一尝当老板的滋味。人们恭维她：原来是杨老板来了，生产什么？挂面。把你生产的挂面，送我们一点儿尝尝吧。

杨桂花说：好，送你们一把，吃着好买我们的啊。

大家都答应。

杨桂花出去了半天，背的五十斤挂面就全光了。第二天杨桂花又背了五十斤挂面去邻村，问他们昨天吃得怎么样，要不要买点儿。昨天拿了她挂面的人都躲她，昨天没拿上她挂面的人，来跟她要挂面吃。村里人的逻辑是，你既然送人挂面，就应该全村人都送，有的送有的不送不公平。杨桂花只好把背的挂面又送了人。

一个村子就白白送出了一百斤。

送挂面有人要，卖挂面没人要。邻村人吃了她送的挂面，都说不好吃。有人还在她的挂面里发现了耗子粪、死虫子，说她的挂面吃不得。杨桂花看没人买，只好把背的挂面又送了另外一个村子。

晚上她背着空袋子回来，厂里人故意奉承她：还是老板有办法，别人怎么背出去，怎么背回来，就是老板天天提着空袋子回来。杨桂花听了哭不得笑不得。

旁边的销售经理说，那不是卖出去的，是送出去的。要是白往外送，我也能送出去。

一句话提醒了杨桂花，对！卖不出去，我可以送出去。我送一斤挂面他们好意思要，送一百斤挂面，他们还好意思白要吗？挂面买谁的也得买，我给他们送到了家里，他们当然愿意买我的。再说，库房里堆了那么多挂面，时间一长就有霉味儿，不往外送也得坏。她下了决心，卖不出去就送。

她说：你们不要以为送就容易，送也是本事。失败是成功之母，送挂面是卖挂面的娘。从现在开始，你们跟着我往外送挂面。

送给谁呢？杨桂花有主意，送给她以前哭过丧的人家。哭过丧就是有业务往来，这就叫关系。杨桂花领着几个小伙子，开着手扶拖拉机，凡是她以前哭过丧的，看见门就往下扔挂面。这么着把库房里的挂面都送了出去，终于又可以生产了。

送出去挂面后，下一步是往回要钱。送挂面容易，要钱难。有人说家里没有钱，当下给不了。有人说，你的挂面我们还没吃呢，你要钱没有，要挂面就再拉回去。还有的人说：你那挂面里面都是耗子粪，这样的挂面白给我们都不愿意要，还想要钱？

最可气的是邻村的王大户，当年他老娘死的时候，杨桂花在他家痛哭了一场，在全县扬了名，让她在哭丧业站住了脚。杨桂花对他一直抱有感激之情，送挂面时特意在他家多留了一些。现在杨桂花去要钱，王大户的老婆说：我们家孩子吃了你的挂面，肚子疼了两天，你还来要钱，我还想让你付医疗费呢。

一句话把杨桂花说得流了泪，她说：我好心好意给你们送挂面，合着我还有罪了。

王大户的老婆说：有罪没罪我说了不算，你说了也不算。反正我们家两个孙子都病了。你说怎么办吧？

这一说杨桂花也有些害怕，她的挂面生产出来后，在库房里放了好长时间，库房里不干净，一个村的耗子都聚到了那里。人进去后，常常看见比猫还大的耗子在里面贼头贼脑地看人。

她说：我的挂面是经过了质量监督的，完全合格，你们不是不想给钱吗？不想给钱就说不给钱，可别这么污蔑人。说着她转过身对围观的人说：你们看看现在成了什么世道，做个生意也这么难。你们说我杨桂花容易吗？今天你要是不给钱，我就不走了，我死在你们门口，这世道人心都坏了，活着还有什么意思啊？

说着她放声大哭。

她知道一哭事儿就大了，事儿闹得越大，对她越有利。再说她这一哭，就不光是哭挂面，所有想起来的伤心事，她都哭。从小到大的不如意事儿，这些年忘得差不多了，现在突然都涌了上来，一件一件地往外抖搂，哭得最伤心的，是她送挂面的这家人，当年王大户的老娘死了，办丧事，她来这儿哭丧时出了多么大的力，想不到这家如今这么对待她。哭着哭着，她大声地喊起了死去的老太太。

村里人一听杨桂花哭，还以为这家又死了人，全村人都往这儿赶，有人还张罗着要来给帮忙凑份子，赶到了一问才知道，不是死了人，是欠了杨桂花的挂面钱。

她这么一哭，王大户家的人受不了。一百斤挂面本来钱就不多，赶紧给了杨桂花。杨桂花拿了钱还不走，非要在人家家里哭够了才走。

这件事很快就传开了。人们都知道杨桂花惹不起，你欠了她的钱，她在你家门口哭丧。只要有点儿脸面的人，家里没死人，谁愿意让杨桂花坐在家门口哭呢。

第二天她再到别人家要钱，特别好要，一见她来了赶紧把钱拿出来，不光痛痛快快地给钱，还对杨桂花说一大堆奉承话，说她是女强人、女企业家，是这一带致富的模范，给村里人蹚出了一条致富新路。总之是想哄得她不能哭出来。

然而，杨桂花却依然发出了一声尖厉的哭声，而且，声音越哭越大，像决堤的洪水。杨桂花心里的泪河此刻确实是泛滥了，人们带着怜悯的目光让她看到了对自己的轻视，捏在手里的脏乎乎的钱，让她感到了一种被人施舍的低贱。她无法控制自己的哭，她甚至感到在无数次哭中，只有这一次才是为自己。

村里人静静地围着她，看着她哭。她已经好长时间不在村里哭丧了，半大孩子只是听大人们说她能哭，没见她真哭过，现在算是开了眼。她的鼻涕眼泪抹得到处都是，一边哭，一边唱，把心里的委屈都唱了出来。

她的哭声是那么委婉，词汇是那么生动。所有的挫折、失败，经过她的叙述都成了言之有物的好词儿。在她的哭声中，人心是难测的，世道是多变的，人生是艰难的，人人都在她的哭声中受到了启迪。

有人想上前拉她，却不忍心。他们不忍心打断她的哭泣，把这么好一篇言之有物的文章拦腰截断，总觉得不应该。又不能让她一直坐在地上哭，只好给她拿来一个凳子，把她搀扶到凳子上。

杨桂花觉得身上发软，她好长时间不哭了，现在这么伤心动肺地哭，不一会儿就觉得身上没了力气。没力气她也得撑着，这么些人都在看着她，她不能败下阵来。做生意她可以败，开厂子她可以败，唯有哭她不能败。

正在哭着，有人跑过来告诉她说，她的老娘不行了，让她赶紧回家。

她老娘今年七十四岁，一直跟着她生活。前几年杨桂花顺的时候，她老娘的身体特别好，现如今见她身处如此窘境，心里拧成了一个大疙瘩天天郁郁寡欢，老人的一口气没上来，就栽到了地上。

杨桂花急忙往家里赶，赶到家里，她老娘还有一口气，看见她以后，拉着她的手张了张嘴，什么话也没有说出来，就合上了眼睛。

杨桂花后悔自己在村里哭。她这么个哭法，最受不了的就是老娘。她这一生，真正心疼她的就是这个老娘了，男人啊，儿女啊，没有一个人比得上老娘对她好。现在老娘死了，她要给老娘好好办一场丧事。

她把新风俗公司所有哭丧的人都包了下来，一切事情都交给新风俗公司办，为了老娘，她肯花大价钱。她要让老娘走得风风光光的。

可是，到了出殡那天，她就是哭不出来。她的哥哥哭，儿子哭，孙子哭，就是她不哭。她跟着老娘的灵柩往前走，后面是她的儿子、孙子，这些孩子们都哭，她不哭。她哭不出来。以前她给别人哭丧时，哭不出来也要哭，她掩着脸干号，现在她不，哭不出来她就不哭，她沉着脸跟着灵柩往前走，脸色非常坦然，非常凝重。

虽然她不哭，哭声也很热烈。新风俗公司二十多个哭丧的女人，都算她的徒子徒孙，现在当然要好好出一把力。她们一齐大哭，把她儿子、孙子的哭声都淹没了。

上面提倡火葬，尸体火化后，杨桂花又把骨灰盒放进棺材里，抬到村外埋了，棺材入土时哀声四起，杨桂花还是没有掉泪，她跟孩子们说：岁数大了这是好事，世上的事就不用操心了。以后我死了，你们谁也不用哭。给我从外面雇一百个哭丧的，热热闹闹地把我打发了。

孩子们都奇怪她怎么一滴泪也不掉。村里人说：她是以前哭得太多，把眼泪流完了。人这一辈子流多少眼泪，是有定数的。

（选自《小说月报·2005年增刊》）

阿 宁

原名崔靖，1959年11月出生，河北故城县人。中国作家协会会员，河北省作家协会主席团委员、理事。已发表作品四百多万字。出版有中短篇小说集《校园里有一对情人》《坚硬的柔软》，长篇小说《天平谣》《爱情病》《城市季节》。作品多次被转载。中篇小说《无根令》获1998—1999年度《中篇小说选刊》优秀中篇小说奖。

燕子东南飞

孙惠芬

两年前的一个夏天，正被一个念头蛊惑，要埋下头来写作一部长篇的时候，我意外地获得一次回歇马山庄的机会。歇马山庄，是我虚构的村庄，原本并不存在，我写出“歇马山庄”四个字，是因为据县志记载，在我家乡那个县，有一座历史上有名的山，叫歇马山，因大唐时期一个叫薛李的将军东征高丽人在这里歇过马而得名。“歇马山庄”来自这座山的名字，可我从不知道，现实的生活中，还真有一个叫歇马村的村庄也来自这座山的名字。当我听说这个消息，毅然放下正要开始的写作，回了一次歇马山庄。

它叫歇马村，可是我还是愿意把它叫作歇马山庄。我是去一个陌生的地方，可是我还是觉得自己是在回家。因为这里的山山水水跟我虚构的小说世界太像了。村部在一个平场上，是几间瓦房，瓦房四周是一片起伏不平的洼地，上边长满了绿莹莹的庄稼，而洼地四周，是一些落雀一样散建的房屋，关键是这房屋屋顶瓦脊的表情，与我小说里歇马山庄房屋瓦脊的表情并无二致，有一种不以物喜不以己悲的安静。当然，最最关键的还不是这些，而是在房屋的远处，有一座座孪生兄弟一样高耸的山峰，而这山峰与山峰的夹缝里，坐落着一个偌大的人工水库。我小说中的一个叫庆珠的女孩，就是掉进水库里淹死的。走在这个水库的堤坝上，我有一种在梦境里的幻觉，好像这里是我的前生来世，是我真正的故乡。

陪我走访的是一个叫桂英的女人，村民组长。她人哪哪儿都是瘦长的，瘦长的脸瘦长的鼻子瘦长的身条，包括笑声，要是什么话逗她笑起来她会笑得没完没了。就这么瘦长的一个人，却长着一个滚圆的屁股，走起路来仿佛一只球在滚动。她没读过我的小说。可是当我说她很像我小说中的某个人物，那只球滚动得愈发厉害，仿佛像了书里的人物就是像了舞台上的模特，举手投足一下子就有了舞台感。

实际上长期在乡间走门串户，乡野真的就是她的舞台，只不过我的到来，让她更像一个演员而已——陪一个陌生人串来串去，注定要格外引人注目。在那个夏天，她领我串了歇马山庄属下好几个自然村的好多人家，在鸡鸭乱飞的院子里，我们出一门进一门。我们漫无目的，却仿佛委以重任，她每到一家，都跟人家说我是作家，是为了写书下来采访的。之所以有耐心跟她走下去，不是因为她的屁股多么好看，那样子也确实好看，我常常萌生上去拍一拍的念头。我是说，一只球在她的屁股上滚动时，另一些球会不经意地从她的嘴里滚出来。那是一些跟每家每户有关的故事。尽管那些故事因为她理解的偏差，从她嘴里滚出来时有些不着边际，比如谁家婆婆要是不给媳妇哄孩子，她会归结为媳妇鼻孔眼儿太大，说这样的女人大多没好命，让你忍不住想笑。但有一个事实是，你笑够了，会不自觉地对那媳妇产生好奇，想看看她的鼻孔眼儿到底有多大。

跟“燕子”老人的相遇，就发生在这样的情况下。

一

实际上桂英压根就没想领我去看什么“燕子”老人。那是我来歇马山庄第三天下午，我们从一个郭姓人家的前门出来，走出屯街，看到后边远远的山坡的另一家时，她突然挡住我，她说：“她家就不稀去吧，太埋汰。”我在乡村长大，再埋汰的人家也见过，我并不在乎。但我没有坚持，之所以没有坚持，是因为我们终归不能把这里的人家统统走遍，有所选择实在正常。可是那天晚上，吃晚饭的时候，她有一搭没一搭说出的一句话让我顿生好奇，她说：“你知道山上那家老太太叫什么名字吗？”

“叫什么？”

“叫燕子。”

“燕子？”一个老人叫燕子，这名字有点怪，于是我问，“为什么？”

“没瘫那会儿，一连好几十年，她天天坐在门口朝东南望，不管冬夏，你要是问她望什么，她就说‘俺望燕子’。她春天望燕子，夏天望燕子，到了秋天冬天还望燕子，村里人就给起了‘燕子’的外号，她家本姓金，可是提到她家，没有提姓的，都说燕子，就连她儿子，村里人也管他叫燕老大。”

一个乡村女人每天都要坐在家门口朝东南望，直至把自己望成了“燕子”，这个情景一下子打动了我，我在想，这里边一定有一个什么秘密，一个属于东南方向的秘密，一个无法言说的秘密。于是我说：“桂英，赶明儿咱上她家看看呗。”

听我这么说，正扭着屁股在院子里撵鸡上圈的桂英立即停下来，转过身，脸上挂了一个巨大的惊叹号，就像警惕你前边有交通肇事的路标，她说：“哈，外号好听，去可去不得，那是一家精神病！”

能把婆媳之间的不和归结到媳妇的鼻孔眼儿上，我自然不能相信桂英的判断，可是无论我怎么要求晚饭后去“燕子”老人家看看，她都坚决不答应。她说：“你信我的，她家真的不能去，精神病不说，那‘燕子’已经瘫到炕上五六年了。”

为了说服我，她还搬出了三黄叔。三黄叔是歇马山庄有名的专能说和事理的老人，我们上午去过他那。她说：“三黄叔已经二十多年没去过她家了，有一年，也就是‘燕子’六十多岁的时候，他在集市上看见她史家沟娘家人，那娘家人打探她的信儿，他回来去跟‘燕子’说，你猜怎么样，她说三黄叔你要没有别的事你就走吧，你说她是不是精神病！”

桂英怎么也没想到，她这么说，不但没有打消我的念头，反而刺激了我，她天天坐在门口朝东南望，她又不愿听到娘家的消息，这究竟是为什么？

但我没有把疑问说出来。我想反正那里离她家不远，等到明天，我会自己去。我已经记住了她家的大致方位，在歇马山庄下河口的后街后边，半山坡那一家。那个晚上，因为脑袋里装着那个老人，我无心跟桂英搭话。自进了她的家门，她一直是喋喋不休，仿佛向我讲述歇马山庄故事是她的权利和义务，当然也是看出我目光里的兴致——在此之前，听她讲每一个故事，我都兴致勃勃，我相信我的目光接住了她传出来的每一个球，比如她说谁家的儿子在城里当保安误伤人坐了大牢，我会立即追问是什么原因误伤了人。很显然，有了“燕子”老人这个“球”，我对任何“球”都不再感兴趣了。于是，受到冷落的桂英第二天早上做了一件让我十分意外的事。

说意外，是因为她没有给我任何暗示。吃早饭时，她一直都在讲上河口的故事，那是她答应这一天要领我去的村庄，在歇马山庄南边。她说那个村有一个叫李木生的男人真可怜，为了来借钱的表弟能在冬天里吃上水库的鱼，用自制的炸药偷着到冰上炸，结果鱼没炸着，两只手一块被炸掉了。她说那表弟之所以借钱，是他刚给儿子买来结婚的电视丢了，想再买一台，可是谁知道，当李木生擎着两条棍子一样的胳膊出院回家，发现家里放着一台崭新的电视，他问这是从哪弄来的，老婆说是十几天前的一个夜里儿子抱回来的，李木生听完，气得当场就昏了过去。这个悲惨的故事确实震撼了我，它不用做任何加工就是一篇有关“亲戚”的好小说，可在当时我已经忘了小说为何物，就像我一早跟桂英从家门出来，完全忘了“燕子”老人一样。我是说，在那段回歇马山庄的日子里，我无法做到身心超然，我几乎被一个又一个沉重的故事命中。然而，就在我忘了“燕子”老人的时候，我发现我们已经拐上了昨天走过的岔道。

当我看到一个熟悉的坡上人家在向我逼近，明白了桂英对我的好意，我真的就去拍了一下滚动在桂英屁股上那个好看的球。

除了孤零零坐落在山坡上，它的外部构造，和歇马山庄大多人家并没有什么不同，草房瓦脊，阔大的院子，门口有个柴草垛，草垛旁边有个马圈，只不过这马圈不像别人家是石砌的，而是树枝夹的。实际上，第一眼看到院子，我还是相当惊奇，它不算干净，但也绝不像桂英描述的那样脏乱，那树枝编织而成的寨子从马圈开始进院子，一溜两排，相当壮观。说壮观，是说树条是双重的，用两根横条叉开，然后树条在两根横条间叉来叉去，叉出巴掌宽的厚度。这寨子编织得精密、细致，足见出主人手艺的精细、过日子的要强。可是桂英对此嗤之以鼻，小声说："假象，都是假象！进屋你就知道了。"

拉开风门，桂英本能地往后退了一下，之后看了看我，瘦长的鼻子紧了紧。就在这时，一股刺鼻的味道扑面而来，不是臭，却比臭要难闻数百倍，仿佛是某些不同臭味的组合，是臭味的千军万马。为了表示诚意，桂英一边晃头，一边英勇献身，一头拱了进去。在看她晃脑袋的瞬间，我真的有些歉意，要不是我，没准她一辈子都不会来这里。为了表示对她的歉意，我只有憋一口气，也跟着拱进去。可是，当跟桂英越过堂屋来到里屋，看到躺在床上的老人，我完全惊呆了：这哪里还是一个活着的人，简直就是一具木乃伊。

直到今天，回想当时跟"燕子"老人意外的相见，还心有余悸。一具干尸一样的人躺在一堆乱糟糟的布单里，布单外边的炕席上，一些没有擦净的污物形成地图一样的板块，板块的一侧，有一堆脏兮兮的衣服，而另一侧，也就是她的枕边，有一只饭碗一双筷子，碗筷边有两块卷曲了叶子的葱头，一些绿头苍蝇拼命似的在那狂飞乱舞。这一切，本已够触目惊心，可是我们刚刚在屋子里站定，那干尸一样的老人突然偏过头，黑窟一样的眼睛里爬出一束光，钩子一样钩过来。她钩住的本是你的眼睛，可是你却觉得心的某个地方被钩住了。她的超过正常人的警醒、敏感，让你觉得突然之间有鬼魂附上了她的身体，使我心口一阵慌跳之后，手梢顿时通电一般，迅速发麻。我紧张，是她看上去已经是垂危之人，或者说干脆就是个死人。我不是没见过垂危之人，而是没见过这么有精神的垂危之人，没有见过还这么有精神就被遗弃了的人。在我看来，她的状态就是被遗弃。也许，她的垂危正因为她的被遗弃，可问题是她都这个样子了，还这么精神。

就在我惊恐得手梢发麻时，我听到一个声音："回家，俺想回家。"

那声音从老人干瘪的嘴里飞出来，和眼睛里飞出的那束光有着巨大的反差，它纤细、孱弱，远不似那束光那样强烈而有力。也许，正因为她已经发不出强烈的声音，才要射出那种钩子样的光，来钩住你。然而正是这纤细、孱弱的声音，让我有种被命中的感觉。我是说，在我这里，这声音和那束光拥有同样的力量。它告诉我，这是老人苍老生命的唯一期盼，在她的屋子没有几个人搅动的日子，她要抓住每一次有人来的机会。

用手驱赶着眼前的苍蝇，我往前凑了凑，并无奈地吸了口臭气，因为我实在憋不住了。尽管我仍然有些害怕，但还是被心底的某种愿望驱使，我想说："那就回一次家嘛，你的家在哪里？"可是还不等我张嘴，桂英就大声嚷道："这就是你家，你还回什么家？"

许是被桂英尖锐的声音吓着了，老人眼里的那束光迅速收缩，很快，就断电般消失了。我看了看桂英,我的意思是,你怎么能这样跟老人说话?

可是桂英对我毫不理会,依然大吵大叫:“你不是就躺在家里吗,还回什么家?纯粹是老疯了,你这个疯燕子。”桂英的语气,仿佛之所以领我来这里,就是为了来发泄,来教训老人,这让我迅速收回了门外曾经萌生的对她的歉意,就像那老人收回那束强有力的光。我不再看她,独自往老人跟前凑了一下,用柔和的声音跟老人说:“你想回娘家是吗?你就是想回一趟娘家是不是?”

可是令人气恼的是,老人再也没反应,她深窟一样的眼底从此干枯的深井似的静止了不动了,那黑漆漆的样子让你怀疑是否还有过刚才的一瞬。这真让我着急。她简直就是桂英的同谋,在充分证明桂英对她判断准确的同时,坚定不移地告诉我“她是个精神病”。

有了这样的证明,桂英并没善罢甘休,从老人家里出来,进一步说道:“一辈子没回过娘家,都瘫了,都不能动了,还想回家,不是精神病是什么?”

一辈子没有回过娘家,老了还想回家,这句话远比“一辈子坐在门口望燕子”更能打动我。我母亲都已经八十八岁了,她的娘家只剩下几个侄子,在离小镇二十里路的山沟里,可是每年过年,都让我大哥开车送她回家。我常常开玩笑讽刺她,“还回家,人家连顿饭都不留你吃,叫什么家!”可是不管我怎么说,她都坚定不移。很显然,那老人所指的家不是她居住的家,而是她的娘家。人生是个圆,她老了,又回到了童年,她想回到童年的家里看看。没准,她一年到头坐在门口望燕子,就是望她的娘家。可是,当我把这个想法说出来,正气愤地扭着屁股走在前边的桂英马上扔出句:“人和人是不一样的,都是妈,这妈和妈也是不一样的,不能拿你妈来比她!”

不知是因为想到母亲有些激动,还是“燕子”老人的样子让人难过,还是桂英的话叫人生气,反正,迈出“燕子”老人家院子时,我能感到我的眼角有潮湿的东西往外涌。并且,因为这涌动,我的嘴里蹦出了要多生硬有多生硬的话。我说:“就是不一样,也有不一样的道理,你不能那样对一个老人,她为什么一辈子不回家?为什么无论冬夏都要坐在门口望?好,就算她精神不正常,可她为什么精神就不正常?”我的反应之迅速,之激烈,不过是因为某种情绪,可是我的话,不但把桂英戳在那里,也把自己戳在那里。我把桂英戳在那里,是语气太生硬了;我把自己戳在那里,是被自己问住了。是啊,她为什么精神不正常?

问出这句话之后,桂英身后的那只球再也不动了,它静静地悬在那,仿佛一个巨大的问号,仿佛在反问,“我哪里知道?”关键是,我从她看我的目光里,看到一个可怕的东西,那就是,在她看来,我也是一个精神不正常的人。

二

在那段走访歇马山庄的日子里，不管是在桂英眼里还是在乡亲们眼里，我都是一个精神不正常的人，我纠缠在“燕子”老人的故事里，纠缠得毫无道理。那一天，我冲桂英说那样生硬的话之后，桂英又领我去了水库下游的洼地，见了老人的儿子燕老大。她自然是为了再次向我证明她话的正确，从而彻底打消我的纠缠。可是我在见了老人儿子之后，依然没有放弃我的愚蠢的好奇。

那是一个看不出实际年龄的男人，个子很矮，目光怯懦，脸上的褶子如同洼地边的沟谷，尤其他的脑门，他的脑门上有三道深深的抬头纹，那纹路里现出的比目光还怯懦的沟痕让人看了心里发紧。见到他时，他正坐在洼地沟谷边放马。桂英是在打听了下河口几个人之后才最后找到他的。桂英一路打听时，村里人向我们投来奇怪的目光，一个在水库下游捞沙子的老者听说我们找燕老大，就从沙滩跋涉出来，眯着一双昏花的老眼把我们——尤其是我，上上下下好一顿看，许久，才朝上边指了指。那样子好像我是罕见的怪物，是外星人。

实际上，当我们朝着老者指的方向，远远地看到那个在一块苞米地的沟谷边放马的男人，桂英就再没动一步。她的意思很明显：要去你自己去吧，我在这等你。我自然是愿意自己去的，在桂英冲“燕子”老人呜呜嗷嗷叫着的时候，我就想要是单独行动该多好，那样我至少可以自己操纵局面。可是临了，她真的放我独行，我却有些紧张。

夏天的田边十分静谧，没有风，没有蝉的鸣叫，蝉全躲在了水库后边的山上，就像风躲在了山后边的树林里。我想，在那个上午的沟谷边，在燕老大那里，我的到来，不是一阵风，我的话语，也不是一只蝉的鸣叫，因为燕老大见到我大惊失色，仿佛我是一个准备偷袭他的敌人。

在向他走近的途中，我心中蓄满了很多问题，比如他母亲是从什么时候开始念叨回家的，比如在他记事之后，她到底回没回过家。再比如史家沟在他家的什么方向，是不是东南，是不是他母亲一年四季坐在门口望的方向。我的所有问题，都是关于他母亲的问题，因为在从他家院子走出来的路上，桂英已经简略向我讲述了他的身世：他是他母亲唯一的儿子，他还有个妹妹嫁到岫岩乡下也死在岫岩乡下，他娶了个本村的老婆，在他们结婚三年之后跟他吵了一架服毒自杀，从此他就再没娶过，撇下一个女孩倒是被他的母亲抚养大了。可是她在十八岁那年到外面盐场干活就再没回来，有的说跟一个黑龙江的盐贩子跑了，有的说就嫁在水库后边的腰子岭，到底怎么回事，不知道。

尽管准备充分，可是当在沟谷边一点点挨近他，那些问题竟然像受惊的麻雀一样，扑棱棱飞走了。我的惊吓自然来自他的惊吓，我不知道究竟有多少年不再有人理睬他，也不知道歇马山庄的人们平时见他是什么样子，反正见我挨近，他眼睛里的惊恐就像一只麻雀看到一只鹰。问题是，是惊恐使他刚才还是怯懦的神情突然消失，而另一种类似警觉、不安的神情在他额上的纹路里横向弥漫。在现实的生活中，在此之前，我还从来没有看到有人对我感到恐惧，我也就从来没有经历过如此尴尬的情景，我只叫了声"大哥"，再就说不出任何话来。

但我并没有扭头离开。我站在草地上，看着对面一动不动的庄稼。我寄希望从它们的叶片上找回一些什么，其实是找不回的，大凡这样的时候，想从尴尬的局面中逃脱出来，反而会愈发尴尬。因为庄稼的叶子就是庄稼的叶子，它随风摇曳时除了把你的思绪弄乱不会有任何作用。然而这一天确实有所不同，看着看着，我似乎真的看到了什么，它不是在叶子上，而是在叶子与叶子之间。在叶子与叶子之间那些幽暗的深不可测的空间里，我看到了"燕子"老人一点点寂灭下去的眼神，这时，当我在叶子与叶子之间看到老人的眼神，我终于说出了一句连我自己都没想到的话，"你为什么不送你妈回娘家?"

后来我知道，这是一个比前边准备好的任何问题都更致命的问题，因为这个问题的锋芒直接指向作为儿子的燕老大。为什么会这样我自己也说不清。也许，一开始从"燕子"老人口中听说她要回家那一刻，我就对她的后人怀有了不满，当听说他是老人身边唯一的后人，自然就迁罪于他。谁知道呢！反正我问出这样的话的直接后果是，我看到了一束可怕的光，它似曾相识，它钩子一样钩住我，可这钩与钩的意味大不一样，曾经的钩是焦急，是渴望，是伤痛，而眼前的钩，是仇恨，是仇视，是深深的敌意。

我本能地后退了两步，并有意夸张脸上的笑，企图让他明白我没有丝毫恶意，但这没有用，我越是笑，他越是眉头紧锁，有一瞬，他甚至忽地站起，随手拿起坐在身下的铁锹。此时此刻，他也许只是想离开这里，可是他的表情和动作配合到一起，不得不让你联想到暴力，我尽管勇敢地坚持了几秒钟，但还是逃也似的离开了他。

顺沟谷返回时我一直没有回头，最初，我本能地觉得他就跟在我的身后，于是我几乎带着小跑，心怦怦直跳，直到后边唰啦唰啦的脚步声越来越小，我才有所减速。当我回到桂英身边，已经是大汗淋漓。

从我慌张的神情，从我额头上的汗水，从我与燕老大相见的时间，桂英已经清楚我的遭遇，事实上这正是她预料之中的，正是有所预料才执意要带我见他。她要让我明白她说的"精神病"千真万确，从而让我放弃对这一家人的纠缠，恢复对她的歉意。说实话，回到桂英身边我确实放松了许多，踏实了许多，我甚至像一个遭到坏人追撵的孩子似的上前挽住她胳膊。可是，当我冷静下来，当我跟桂英一路往回走，我还是否定了桂英对这一老一少"精神病"的判断，"这母子俩我看没有病"。

事后想想，不管我怎么认为，我都该给桂英台阶下才是，毕竟，人家辛辛苦苦地陪我，可是当时，我做不到。我觉得这是一个原则性的问题，把一个没病的人说成有病，这是对人极端的伤害。我是想，如果燕老大有病，他的目光绝不会在我问出那句话之后有那么大的转化，居然由怯懦一转而为凶悍、仇恨。我不敢说一个内心里既储藏怯懦又储藏仇恨的人就是健康的人，但确实那一瞬间给我留下太深的印象，在我的那句话出口之后，我清楚地看到他目光中的思索，看到了某种由思索而带来的情绪的急剧变化。

就像两个人在比赛挖井，你深挖一锹，我比你再深挖一锹。我断定，如果不是我的坚持，桂英绝不会在回来的路上去讲燕老大。就像如果没有我前一天的不高兴，她绝不会带我上“燕子”老人家，如果在“燕子”老人家没有我对她的不满，她绝不会带我来看燕老大一样。后来，在从沟谷边返回村庄的路上，桂英极不情愿地向我打开有关燕老大的冰山一角。

说冰山一角，当然是事后的看法，在当时，桂英那一席话在我这里差不多就是整座冰山，是冰山化成的汪洋大海。我这么说，一点都不过分，它不光是有关燕老大的，也是有关桂英家族的。

那时才知道，桂英为什么非认为金家一老一少精神有病，为什么绝不陪我走近燕老大。事实证明，我第一次回歇马山庄，又是让桂英陪我，又因为桂英的几句话而纠缠在“燕子”老人的故事里，可以说是巧合之中的巧合。这个巧合，是我的幸运，也是“燕子”老人的幸运，至于是不是燕老大的幸运，我不敢说。但可以肯定的是桂英的不幸！因为这巧合的结果，是我一头就扎到她和她们家族密封多年的伤口里，让她再次感受疼痛。这样的结果，不管是她，还是我，都无法想到。

冰山里的故事大致是这样的，燕老大曾经是桂英的姐夫，“燕子”老人曾经是桂英姐姐的婆婆，四十年前，桂英姐姐嫁给燕老大，只有十八岁。桂英姐姐是个性情温顺善良听话的女人，她嫁给燕老大是听了母亲的话。她母亲成天念叨燕老大可怜，生下三年死了爹，妈又是个怪人，一辈子守在家门口望燕子，从不跟村人交往，这且不说，儿子很小时，从不让儿子上怀，从不让儿子吃她奶，动不动就把他打得叽哇乱叫。可奇怪的是，妈待他不好，他却护他妈，要是村里谁说他妈坏话，他立即就火了。有一回桂英妈在村口遇到他，对他开玩笑说：“你妈再打你就跑，上俺家来。”他回应道：“狗才会上你家去。”就冲这句话，桂英妈就动了心，说孝顺儿子保准错不了。桂英姐姐十八岁那年，托三黄叔撮合了这门亲事。可是结婚之后，桂英妈才从闺女那里知道，他对他妈一点也不好，这一老一少，简直就是一对冤家，饭桌上从不说话，他妈坐在大门口看燕子时，还慈眉善目的，一看到儿子，眉头立即系了个大疙瘩。他在山上干活，看到一只乱飞的蜻蜓，也能抓过来和它说几句话，可是一回家，一看到妈，脸立刻被绳头抽了一样。这还不说，他在山上喜欢蜻蜓，进了家，燕子在屋檐上坐窝都不行，他会一个个给你捅了。娘儿俩不好，受罪的自然是媳妇，只要两人在一块，桂英姐姐就大气不敢出。长期压抑，自然要回娘家诉说，妈心疼闺女，自然就要去找女婿和亲家，哪知道，婆婆还好，不咸不淡说了几句，那女婿，就像被谁掘了祖坟，冲桂英姐姐大动肝火，说这是胡编，是臭金家，是故意家丑外扬。

桂英的姐姐当然没有胡编，可是她就是不明白燕老大为什么要要两面派，为什么那么怕把他和他妈之间的不好说出去。在她看来，你要是怕说，就好一点，你要是不好，就难免被人说，可是燕老大绝不讲这个理，他根本就不跟她对话。当知道什么力量都不能改变婆家的一切，桂英姐姐回家再也不说了，你问她，她就说挺好的。后来，有了孩子，她居然很少再回家了。当姥姥的想外孙女，托人捎信让她回她也不回。闺女不回，当妈的就只有亲自登门，可是每一次看到妈，桂英姐姐都是以泪洗面，问她她又不说。直到三年后上吊自杀的前一天，家里人才知道真相。桂英姐姐在自杀前带孩子回了一趟娘家，她跟家里人说，燕老大坚决不让老婆带孩子回姥姥家，你可以自己回，但就是不能带孩子。而她的想法是，你不让孩子回，我就不回。我要回，就必须带孩子。谁也不知道她那次带孩子从娘家返回经历了什么，反正第二天早上，她就在自家屋子里上了吊。

娘家人得知消息自然没有轻饶金家人，桂英的两个哥哥把燕老大好一顿打，一边打一边问他对老婆干了什么。桂英娘坐在金家门口把“燕子”老人好一顿骂，一边骂一边拽她的衣领向她要闺女。可气的是那燕老大，任你怎么打，他都什么也不说，你累了倦了打不动了，他居然自己打自己耳光，居然一头往山墙上撞，撞得头破血流再抱住桂英姐姐尸体号啕大哭，好像失去老婆他比谁都痛苦。“燕子”老人也哭昏过好几次，每一次都是好几个人啃脚后跟才啃过来，那样子仿佛她对媳妇的感情超过了亲娘。值得同情的本是死了亲人的桂英一家，可是这一老一少的不可理喻，反而让在场的歇马山庄人生出同情。但同情归同情，从此，人们便把他们看成“精神病”，没人愿意再理睬他们。

桂英的讲述，让我在一阵阵身子发冷的同时，也生出强烈的不安和愧疚。我想起一开始提到这家人时桂英的态度，想起走进金家院子看到编织细密的寨子，一口一个“假的，全是假的”的判断，想起看到“燕子”老人时的大喊大叫，想起远远地看到了燕老大的人影就止步不前的情景，她的姐姐如此悲惨地葬送在这一对母子家里，桂英实在是怎么做都不过分。过分的是我，是我一而再再而三地让她揭开这血淋淋的伤口。在快到歇马山庄村部的时候，我把我的手抚上了那只好看的球，我说：“桂英，对不起。真的对不起。”

三

接下来的日子，我对桂英没有再提这对母子。我跟她走访了上河口，见到了那个炸掉双手的男人和他的老婆。为了安抚桂英，每到一处，我都主动跟人搭话，问这问那，比如见到那个男人我居然问到他没手怎么吃饭，怎么种地，又问他儿子在不在家。如果说前两个问题是这个男人的惨痛之处，那么后一个问题则是他的痛中之痛，毕竟是他的儿子害了父亲。一个被称为作家的人，再愚蠢也不至于愚蠢到如此程度，专门揭人伤疤。可是在那些日子里，我就是这么不可救药，我误以为安抚桂英的最好方法是对对方热情，谁知一热情往往就过了头。我问出那些愚蠢的话，常常被桂英揪住衣襟，可是她越揪，我越愚蠢，弄到后来，几十家走下来，我几乎就成了揭伤疤的老手。桂英说："怪不得能成为作家，专门往狠处挖。"说得我一愣一愣，恨不能像燕老大当年那样打自己耳光。

当然，最让我惭愧的还不是这个，而是在听了桂英的讲述之后，我发现对"燕子"老人的兴趣不但没有削减，反而增强，反而由对一个人的兴趣转为两个人，这让我猝不及防。我发现我对他们有了莫名其妙的牵挂。比如走在上河口的大街上，我常常想起"燕子"老人钩子样的目光的突然寂灭，想起燕老大怯懦目光的突然凶悍。关键是，我的眼前，常常浮现这样的场面，一个小孩一遍遍往母亲的怀里爬，被母亲一遍遍从怀里推出去，于是，我的耳畔就有了哇哇的揪心的哭声。是不是正因为这些场景在我眼前驱之不去，我采访时才问出那些愚蠢的问题，不得而知。我想说的是，这一对母子，伤害了桂英的姐姐，他们让一个母亲面对自己三岁的孩子悬梁自尽，我脑袋里本该装着这个悲惨的女人，可是没有。不但如此，我还常常想，燕老大不让家丑外扬，不让老婆带孩子回姥姥家，这背后一定有着一个巨大的隐衷。一个罪犯杀了人，我不去同情被害者，却要为罪犯寻找犯罪理由，说起来我真的有些无耻。

因为觉得自己无耻，在接下来的日子里，我没再为此事打扰桂英。在一些无所事事的白天和晚上，我一个人在桂英家的房前屋后，在大片庄稼的田边地头，看梨树上刚坐下的果实，看庄稼刚抽出的穗。我之所以无所事事还不离开，就是想寻找时机打探有关"燕子"老人的故事，有关燕老大的故事，我想到村里有老人的人家对他们做深入的了解。也是因为有了这个心思，才故意表现出对大自然的热爱，对乡村一草一木的热爱。然而，有一天，我小心翼翼从桂英家东北边的田垄里穿过去，就要拐到我们去过的三黄叔家了，却听到桂英在后边大声喊我。

像做了什么见不得人的事被当场捉住，我吓得差一点犯了心脏病。我是一直躲着桂英的，我在钻进地垄时没看见任何人，可是桂英居然就穿过一里地长的苞米地撵上了我。我一边平息自己的惊恐，一边迅速拽住一片苞米叶子，佯装对叶子的纹路感兴趣。反正作家都是精神病，容易对任何东西发生兴趣。然而就是这时，我听到了一个我意想不到的消息。

桂英说："作家，俺娘家哥病重，俺得回家。"我不知道这个消息在我耳畔着陆时，我的嘴角有没有闪出笑意，反正桂英逮住我的表情时，长时间说不出话。桂英说不出话，我应该有所反应，要么安慰几句，要么说“那你就回吧，我给你看家”。可是我就像一只迷途的羔羊终于看清道路，兴奋得什么也顾不上说，到后来只有让她一遍又一遍重复“俺要回家”。

不管是城市还是乡村，这世界上每一个结了婚的女人的背后，都有另一个家的存在。所谓女大当嫁，不过是将女人从家里生生剥离出去。桂英的另一个家，在十几里外的另一个村庄，她的父母早就不在了，那里只有她的两个哥哥和几个侄子。可是她急急忙忙慌里慌张的样子，仿佛眼前的家根本不是家，而是她暂时栖身的居所。她出了院门蹿上自行车，一用力飞出屯街，头连回都没回。

如果说我和桂英的相遇，是命运的安排，那么我跟“燕子”老人的相遇，更是一种宿命。我是说，是桂英的突然回家，才使我拥有了坦然行动的机会。

那是一个炎热的午后，我收拾完了桂英家的屋里屋外，觉都没睡，就锁门出来了。桂英的丈夫和儿子都在大东港打工，她走了，家就扔给了我，关键是她走得太匆忙，晌饭做了一半，堂屋里一片混乱，屋子里的炕席上还堆满了从柜子里翻出的衣服，连立柜的柜门都没有关上。好在我是在乡村长大的，对农家的活路并不陌生，比如我知道扫地时用不着把垃圾拿出去，把它们扫到锅底下边的深洞里就行，比如我知道刷锅水不要倒掉，要把它装到屋外的木桶里留着喂猪。我还像模像样地扎上桂英的围裙帮她喂了猪。只是那猪见了我哼哼地叫着直往后退。

也正是在喂猪时，我见到了歇马山庄村长，他担心桂英走了扔下我吃不上饭，过来慰问一下。他是一个四十来岁的中年人，刚来时我们就见过。一直在乡间骑摩托的缘故，他皮肤黑得就像生了铁锈。他突突突来到猪圈边吓得我一身虚汗。我害怕他，不是怕他看到我扎上围裙不像作家，而是怕失去独自行动的自由，因为他满头大汗的样子很像内心里鼓胀着某种不依不饶的热情。

他说：“你，作家，给你换一家住吧。”

“不，不用，我给桂英看家。”

他说：“下晌要不要俺陪你？”

“不，不要，我就是要自己，我已经很熟了。”我一急就说出了自己的心里话。

也许我的语气太坚定，也许他的汗水是天热造成的，跟心底的热情无关，没准他正打怵不知如何陪我才像我一样出了一身虚汗，反正他没有坚持保护我。当他突突突把摩托开走，我身边的鸭子都体谅我似的，呱呱呱叫起来。

为了珍惜这得来不易的自由，我直奔三黄叔家。我再也不用穿苞米地了，大摇大摆走上田边小道。找三黄叔，是蓄谋已久的想法，我断定他会知道更多的有关“燕子”老人的事情，他是歇马山庄民间的良心，他一辈子在这里走门串户，掀开他内心的任何一角都一定是一个浩瀚的世界。几天前去他那里，我尚不知道“燕子”老人是谁，所以关于她家的一切，一点也没有谈起过。

见到三黄叔是在他家院墙外的葱地里，他正在那里给葱培土。三黄叔已经七十多岁了，腰有些佝偻，脸上长满老人斑，可是耳不聋眼不花，记忆力奇好，一看到我就认出来，说："来啦，作家！"

三黄叔被人找惯了，接待了太多外面的人，见到谁都像见家里人一样正常。所以他根本不问我是不是找他，找他干什么，认出是我立即直起身子，搓了搓手，从葱地走出来，把我领到家里去。

没有桂英在场的乡村世界是辽阔的，这是我跟三黄叔单独坐在一起的重要体会。跟他在一起，什么都不必说，你就觉得眼前的村庄和村庄里的人事都在了远处，在了深处。比如你坐下来，目光随他吐出来的烟雾一圈圈升上半空，你觉得那里边有着不尽的思绪，因为他的一对小眼睛一直追逐着烟圈，那烟圈升到半空消失了，他的眼光却穿过风门，去了院子外面的远方，泊在远方某个看不见边界的地方。我是说，和三黄叔在一起，还不等说话，你对歇马山庄这个乡村世界就获得了客观的眼光，就像站在高处往下看，站在前边往后看。这和跟桂英在一起完全不同。桂英喋喋不休的表达，急于发表个人看法的急切，都让你觉得你就在局内，能给你感情带来震动倒是真的，可你往往看不到事物的全貌，如同身在庐山不识庐山真面目。

三黄叔说话是在吐出的三个烟圈全部消失之后。他看着远处，吧嗒了两下乌黑的嘴唇，慢条斯理地说："要说，咱歇马山庄还是出了一些人，满清时，就出过一个画家，叫延续生。他八岁画竹，十三岁进庙里当了和尚，后来每年都到南方画竹子，后来成了名人，还带出十几个徒弟。"

三黄叔说的是歇马山庄的现实，但那是久远的现实，他的意思是，想了解歇马山庄，得从久远的过去说起。可是这一切似乎与我关系不大。

三黄叔接着说："要说，咱歇马山庄不是一个一般的地方，出过读书人，是腰岭村的，叫孙允，是被爹妈撵走的。他爹妈有病，家里揭不开锅，要说根本走不开，可是他爹妈偏撵他走，借谷糠为他蒸一袋饼子，让他到燕京赶考。结果他那边考上状元，他爹妈这边就死了。过后，当儿子的回来给他爹妈修了一座三进三出的坟地，'文革'时给毁掉了。咱歇马山庄，也出过贤良媳妇，是下河口的，结婚两年男人就死了，可是一辈子没改嫁，侍候公婆一直到老，结果公婆都活着，她操心劳神先走了。山庄人为了纪念她，为她立过牌坊，这牌坊就在水库当央，淹在水里三十多年了……嗨，这都是歇马山庄的过去，现在，现在不行了，大学考不出几个，好婆婆，没有，好媳妇，更是打着灯笼找不着。"

三黄叔虽说的是久远的现实，但都是为了与眼下的现实参照和比较，他的意思是，歇马山庄人心不古世风日下，这一点我几天走访，已经深有感触，没一家婆婆不在讲媳妇，没一家媳妇不在骂婆婆。可是我不关心这些，我最关心的是那一对母子。然而，当我真正把"燕子"老人和她的儿子说出来，三黄叔毫无反应。他坐在条凳上，眼睛虚睨着吐出去的烟圈，好一会儿，又转移开来，让它们穿过风门，移到门外遥远的空中。他目光木讷、迟缓的样子，好像我说的人家并不存在。

“就是那个瘫在炕上五六年了的老金家老太，说是没瘫前天天坐在门口望，问她望什么，她就说望燕子。”为了让他想起，我进一步提醒。

三黄叔仍然看着远方，但他长长地嘘了一口气，之后他掐灭手里的烟，掏出一个装烟丝的烟袋，在那里翻过来翻过去，仿佛那一对母子装在他的烟袋里，需要从头翻找。翻了一会儿，他捏住一撮烟丝，缓慢地说：“闺女，俺怎么能不知道，俺就是不爱提！问一问，歇马山庄谁还爱提她！要是说那孙允娘俩是歇马山庄的样板，这户人家，就是咱歇马山庄的败类。”

尽管，我喜欢三黄叔这远距离看现实的角度，喜欢这因远距离而产生的辽阔的效果，但拿村里久远的传统来给“燕子”老人定位，我还是没有想到。尤其他把“燕子”老人说成败类。说心里话，这不是我希望听到的，这至少证明桂英的讲述是正确的，只不过他们用了不一样的词而已。要知道，“败类”远比“精神病”更恶毒。三黄叔用了这样恶毒的词，又完全是站在了历史的高度，完全是客观的心态，这很要命。当然，最关键的是，因为提起了“燕子”老人，三黄叔站起来，离开条凳，走到院子，去呸呸地吐了好几口，仿佛我让三黄叔接近了一堆垃圾。

三黄叔用了“败类”这个词，可是那一天，他并没为这一判断提供什么证明。接下来，他在院子里转着，只跟我讲了一句话，他说：“金易江是个好人，可是好人没长寿。”我能听出，金易江就是“燕子”老人的男人，可是他就抛出这么一句，根本没有再跟我说下去的意思。弄得我心里像塞了麻团，闷乎乎的。

眼看着我的计划落空，心中生出的不是焦急，而是难过。因为不管是三黄叔的目光，还是他的口气，都证明“燕子”老人家的事他知道得太多了。他知道得太多，却不愿意掀开它，哪怕是冰山一角，这让我郁闷，让我不知道是否还要纠缠。问题是，我找不到方向，不知道还该纠缠谁。

那天午后，如果不是在离开三黄叔时碰到三黄叔的老伴，我真的就是一无所获。实际上，当时看到这个慈眉善目的老人端一盆洗好的衣服从门口进来，我并没抱什么希望。这样一个孱弱的女人怎么能不和有威望的男人一个立场?!可是我错了。她见了我，毫无防备地张口就说：“听说昨个你见了燕老大，吓坏了是不是?”她因为没有门牙，说话漏风，把“是不是”说成“席不席”。

我在乡下待过，深知河边发布消息是多么好的场所。那消息一定是捞沙子那个老人发布的，我冲她笑了，我想我的脸上一定露出一种期待。

三黄叔的老伴和三黄叔明显不一样，她并不觉得跟我说“燕子”老人有什么不妥，相反，当我对她表示出兴趣，问她“燕子”老人一些事，她便像一架老朽的机器终于得到利用，哗啦啦地说个没完。她当然先数落了一番三黄叔，说他这些年谁家都去，就是不去“燕子”老人家，根本不对。虽是数落，这数落里却透着赞赏，因为她后边又跟了句，“这一对娘儿俩也是太不像了”。

就从这"太不像了"开始，三黄婶把我拉进堂屋，开始了细致的讲述。她说："算一算，这老'燕子'嫁到咱山庄时俺才十岁，还没嫁过来。可是听老辈人讲，就没看到过那么不讲究的女人，结婚那天能把浑身弄得埋里埋汰，头发也乱糟糟。"看得出来，是否有辽阔的心态跟年龄无关，三黄婶也是近七十岁的人了，可是听她讲话，你会觉得再远的事情就跟发生在眼前一样，因为她讲话时，苍老的眼神紧紧盯着你的眼睛。她说："那年头荒乱，结婚不兴操办，可是也不能太不讲究。要说嘛，她根儿上就不是个讲究的人家，她爹是个土匪，还娶过小婆。一个当土匪的人家能有什么讲究？可咱村就这样风俗，谁不讲究，就没人搭理，她自从进了咱村，就没人搭理。倒是能干，怀孕挺个大肚子，一趟趟上山搂草。可做女人你光能干不行，你得对男人孩子好，对男人好不好都可另说，你怎么也得对孩子好，那是你身上掉下来的肉啊……可她怎么样，不给孩子喂奶，不让孩子上怀，燕老大小那会儿，还从来不敢提上姥姥家，一提，她就打他，就说没有姥姥家，怎么能没有姥姥家？这女人还真就一辈子没回过娘家！你说难道她是石缝里蹦出来的？"

不愿孩子提姥姥家，这个细节在我这里有着金属一样的质地，它让我想起桂英的话，桂英说燕老大也不让她的姐姐带孩子回姥姥家。

当我把这个想法说出来，只听院子里响起瓮声瓮气的声音，是三黄叔的。他是携着嗡嗡的话语声走进堂屋的，他说："那燕老大也是个败类，从小到大，一脚踹不出个响屁，可你要是跟他说，不管怎么样，你妈生了你，又把你拉扯大，你要对她孝，这王八羔子就冲你嗷嗷叫，说，'闭你的嘴不用你管——'你说他是不是个东西！"

这一次，我再也看不到三黄叔与他诉说的现实之间的距离了，不但如此，他的样子，让你觉得要是燕老大在他身边，他会过去揍他。倒是他的老伴理解他的情绪，后边跟了句："也是老天罚他，死了老婆再也没娶上，六十多岁了还得侍候一个屎尿不知的瘫子娘。"

三黄叔没有接话，转身又出了屋子，仿佛他进屋来就是为说这句话。这时，情绪所致，三黄婶向我重复了一遍桂英已向我讲过的往事。二十年前，三黄叔在集市上买猪崽时，遇到一个六十多岁的史家沟男人，那人听说他是歇马山庄的，就问史带弟怎么样了？他当时不知道史带弟是谁，对方说她婆家姓金，他就知道是指"燕子"老人，就说挺好的。对方说，你回去告诉她，她爹死了，是叫小鬼子活埋的，她爹的小婆，还有她嫂子也都死了，家里就剩她哥哥了，让她回趟娘家看看吧。结果他硬着头皮去了金家，把口信捎去，这老东西听完脸色相当难看，不但不领情，还生生把他撵了出来，说他"没事你就走吧"。你三黄叔气得站在门口把她好一顿骂。怎么骂她都不还声。

就像明白桂英为什么对"燕子"老人持那种态度一样，三黄婶这番话，也让我明白了三黄叔为什么不愿提到这一对母子。这时，只听三黄婶补充道："说起来这'燕子'老人怪可怜的，史家沟那个男人告诉你三黄叔，她娘在她结婚头一年就死了，是被她爹娶家来的小婆和她的嫂子合伙气死的，她不回家，兴许就为这个。”

这是那一天我在三黄叔家获得的最有价值的信息。这一对母子到底是精神病还是败类在我这里都不重要，重要的是他们为什么会成为精神病和败类。然而，仔细想想，她的嫂子和他爹的小婆合伙气死了她的妈妈，除了说明她不愿回娘家的合理性，根本说明不了别的什么，比如她为什么不让孩子上怀？为什么仇恨孩子？所以，从三黄叔家出来，我不但没有身心放松，反而更加沉重，因为在此之前，三黄叔是我心中唯一的指望。

四

那天下午，从三黄叔家出来，好长一段时间我都无精打采，我独自在苞米地边漫步，茫然地看着从后边伸过来又伸到后边去的小道儿。桂英就是顺着这条道回了娘家的，可是我上哪去呢，难道也回家吗？我也有两个家，一个，在大连，那是我的三口之家的小家；一个，在歇马山庄东边的青堆子镇，那是已从乡村搬到小镇的娘家。在那个家里，我的母亲健在，结实而安详地生活在三个哥哥中间。所以我一年当中总有一些时候回娘家。尽管一直觉得回歇马山庄就是回家，可这里没有母亲，此时此刻，我真的很想赶紧离开歇马山庄，回家去看母亲。

想回家看母亲，这是一个意外的念头，这个念头生出来，让我一瞬间觉得自己像个孩子，像个高兴出远门可是一出来就想家的孩子。然而，那一天，正是这个念头的生成，促成了另一个事实——我上了一趟“燕子”老人家。

实际上，也是那个下午我无处可去的缘故，我不能马上回家，促使我留下来的事情又无从进展。这有点像山穷水尽疑无路，我在无路可走时不知怎么就想起“燕子”老人：她干尸一样一天天孤独地躺在炕上，她深窟一样的眼窝里却每一天都闪着回家的火花。

在柳暗花明又一村时，我自己并不清楚这是我的柳暗花明，我只是糊里糊涂地走上了那个孤零零的山坡。

因为糊里糊涂，我忘了曾经的害怕，也忘了燕老大目光曾经流露的凶悍。因为第一次来这里只有“燕子”老人自己在家，我一点儿也没把燕老大和这个家联系起来。我走进院子时，燕老大正在灶坑做饭，他因为个子太矮又太瘦，因为脸和身上没有肉全是骨架子，蹲在灶坑的样子很难看，像一堆干柴，似乎触着火就能燃起来。意外的是，燕老大发现我走进院子没有任何反应，目光没有怯懦也没有凶悍，只有被柴火呛得泪汪汪的红。在我微笑着走进屋子时，燕老大简直与昨天判若两人，他站起来，拨弄了一下灶坑里的柴草，给我让出一条足以通到屋里的宽敞的路。

和第一次一样，干尸一样的老人听见有人来，迅速把头扭向门的方向，目光钩子一样钩过来，之后毫不迟疑地跟出句“回家，回家”。因为心里一直装着一个八十八岁还要回家的母亲，在没有桂英在身边的时候，这样纤细的声音不但狠狠地触痛了我，还一下子旋出满腔的泪水。它开始只在我的喉口，但很快，就涌出鼻孔、眼眶。那一刻，我知道，我之所以一进歇马山庄就缠到这个老人身上，都是因为母亲。我看着她，我没有半点害怕，因为当发现我流出眼泪，她深窟一样眼眶的边缘，也有了亮晶晶的东西。并且，并且她的身体开始哆嗦。

显然，她有些激动，她甚至朝我伸出手，一边伸手一边不住地重复着“回家，回家”。我握住她的手，不住地点头，我说：“好的好的，一定让你回家。”

我以为，我答应她，她会安定下来，踏实下来，可是她不但不踏实，反而显得更慌乱。这回，不是身体哆嗦，而是欠起身子，一股臭气立即从她身下释放出来。在臭气的包围中，我凑到她嘴边，我不知道她要跟我说什么，我静静地听着，可是她的身子太弱，她没挺住，又一下子躺了下去。她躺了下去，却并没放弃说什么的欲望，嘴巴一直张着，于是我不顾纷飞的苍蝇，再次向她凑过去。这时，我听到了一个清晰的声音：“俺跟俺儿子回家。”

我明白了，什么都明白了，她一辈子也没带儿子回家，临死之前，想实现这个愿望。这我可有些为难。我不知道，她有这个愿望，她的儿子是否也有这个愿望；要知道，我想帮她回家，绝不是想指望她的儿子，她的儿子要是有这个愿望，不可能等到这一天的。但是，为了安抚住老人，我只有满怀信心地点头，泪流满面地点头，直点到她安然地闭上眼睛。

那一天，在金家的里屋，我的心情非常复杂，我害怕燕老大进来又盼望燕老大进来，我害怕，是怕他一进来，老人就什么也不说了；我盼望，是盼望他母亲的迫切心情被他了解到。然而他却一直没有进来，一直没有。这意味着，他对我或者像我一样的外人来看他的母亲并不反感，甚至有些希望。这让我十分意外，这至少证明他对母亲是有孝心的，不管他愿不愿意送母亲回家。

事实确是如此，当我从里屋出来，他破天荒地冲我笑了笑，说破天荒，是说那样横着三条抬头纹的脸一旦露出笑意，你会觉得满天乌云都散了，你会觉得这世界不会再有任何死角。真的，我就是这种感觉。

接下来的事情更加难以预料，燕老大开口跟我说话了，见我要走，他说：“饭一会儿就好了。”

我说：“不了，我再来。”

我说了不，但我还不想走，我想找机会把他母亲的想法告诉他。这对我是一个巨大的难题，但我誓死都要解决它，在离开老人那一瞬，我就下了这样的决心。于是我在风门边停下来，看他扫地。我在里屋和他母亲说话的工夫，他已经把饭做好了。

我说：“大哥，我觉得你就像我大哥，他也六十多了。”

他眼仁在厚眼皮下转了一下,抬头纹往一起聚,像是在说怎么可能?

我说:“我是我妈的第十个孩子,我妈四十三岁生下我,她今年都八十八了。”

叫他一声大哥,本是无话找话,就像昨天在沟谷边的无话找话,可没想到这一次无话找话,正对准了我的方向,当然也是他给了我机会。我是说,当说到我母亲的年龄,有一句非常重要的话自然而然涌到嘴边:“我妈都八十八了,我大哥每年都送她回一趟娘家。”

这句话很重要,也是发现它重要,我没有控制自己,然而这句话刚刚出口,我就有些后悔,我想起昨天沟谷边的情景。可是,这个昨天还目光凶悍的燕老大,再一次出乎我的意料,他放下扫帚,从堂屋走出来,蹲到那排齐整的寨子边,之后用手划拉着泥地,边划边说:“你妈有家,俺妈没家。昨天,昨天俺就想告诉你,俺妈没有家,不是俺不想送。”

这时我才知道,昨天,我一直觉得后边有人,是真的,他确实在后边撵了一程,他撵我的目的,就是为了告诉我他妈没有家,不是他不孝。

因为排除了昨天的坏印象,我胆子更大了,不但如此,我觉得心里有一种说不清的东西在燃烧。在一堆堆鸡屎边上,我也蹲下来。这时,天色已近了黄昏,天边正有金色的晚霞在燃烧,就像我心里那说不清的东西,我说:“史家沟,史家沟就是她的家。”

他没有吱声,依然在地上划着。

我的心开始狂跳,那种比赛的人就要到达目的地似的激动,我说:“大哥,明天,你赶车,我照顾大妈。”——我叫“燕子”老人大妈,我说,“明天,我们一块送她回娘家。”

这时,只见燕老大蓦地仰起脸,瞪着一双被晚霞烧着了似的眼,里边射出来的却不是霞光,而是似曾相识的凶悍。但奇怪的是,我居然一点也没有害怕,我也仰着脸,把目光对准他,我说:“你知道哪个人都有家的,大妈怎么能没有家?”

“俺,俺从来就没上过她家俺不骗你——”他开始嗓门很大,像吼,可不知是怕吓着我,还是别有原因,声音一路下滑,随着声音的下滑,他深深地低下头,声音于是从空中回到地面,使它听起来不像从嗓子里发出来的,而更像是从地腹深处发出来的,嗡嗡的接近虚无。

五

真正柳暗花明的感觉,是在那个燕老大把头低下去的时刻才找到的,是那时我才知道,他是可以送母亲回家的,只要他知道母亲的家;我也知道了我留下来的真正目的,那就是帮“燕子”老人回一趟家。

帮"燕子"老人回一趟娘家。这是一个激动人心的想法，在此之前，我只想弄清老人为什么想回家，为什么没病时不回家，不但不回，还不想知道家里的事；在此之前，我只想弄清为什么做儿子的和老娘一直不合，为什么不合还不让往外说，为什么做儿子的一辈子不回姥姥家，也不让自己的孩子回姥姥家……实际上，自从生出这个念头，那一些乱麻一样缠绕的问题就失去了魅力，就像天一亮万家灯火就黯然失色一样——那些问题，只不过是闪在原野上的一些夜间的灯火，它们神秘地闪烁，摇动你的心神让你那么想走进去，可是太阳一出来，它们统统退到远处，成了一个巨大的背景。

很显然，在这背景前方，有我美好的前景，一个从结婚就没回过家的老人回到了她离别了六十多年的家乡，见到了她熟悉的街道、房子、人，街道也许改动得不成样子，老房子也许不复存在，她认识的人也许活不下几个，可是山川自然终不会改变。我最感兴趣的前景是，六十多年没回家的老人在回家的那一刻到底是什么样子。

在一个人的背后，或者在一些事物的背后，一定有着一个冥冥之中的存在，比如这个送老人回家的念头在我心里的诞生，这完全是上天对"燕子"老人的恩惠。

第二天一早我早早就爬起来，放了桂英家的鸡鸭，那些鸡鸭见一个陌生人为它们打开圈门，咕咕咕叫着就是不肯出来；我还喂了桂英家的猪，因为头天晚上我忘了喂它，它顾不得我是不是它的主人，听到猪食哗啦啦倒进去，忽地就蹿了起来。谁知在我像家庭主妇一样忙完了该忙的，就要锁门离开院子时，三黄叔来了。

三黄叔的手背在后面，步子迈得很慢，他转到桂英家门口时，轻轻咳了两声，从发现三黄叔的身影，到他走进院子，我一直倚着刚刚锁好的风门站在那，我在迅速地捕捉对策。虽然不知道三黄叔来看我的目的，但依昨天与他见面的态度，他一定不会同意我的想法，他不会让我去为一对儿歇马山庄的败类忙活。我用笑容迎上三黄叔，我想让他觉得我没有任何想法。可是这个聪明绝顶的老人不等你张嘴，就看到了你的心思。他进院后的第一句话就是："你想送老'燕子'回娘家啦？"

"没……不……是……"像前一日在苞米地边被桂英逮着，我语无伦次。

"哄不过俺，凡到过她家的，没哪个不这么想，前年县文化馆的一个先生来，听说老'燕子'天天念叨回家，也这么想。"

我无言以对。

三黄叔在我跟前停下，也像我一样转向院门口，之后蹲下来。也许是他腰佝偻，不能站着说话，也许是乡下人的习惯，为了尊重他，我也跟着蹲下来。三黄叔说："俺夜晚想了，要送就送吧，不管她是不是说疯话，送她回一趟娘家，也算了了一份心事。"

一夜之间，三黄叔就让自己从现实中走了出来，回到了历史的高度，我确实有些意外，我说："我正是这么想的三黄叔，你同意我太高兴了。"

三黄叔并没被我的兴奋感染，依旧慢条斯理地说："俺也不是才有这想法，五年前老'燕子'刚瘫那会儿俺就有，可是，他妈的燕老大那个败类听不懂人话，俺懒得跟他讲话。"

三黄叔的意思是想告诉我，他并不是一个不近人情的人，他很早就被这个念头纠缠过了，只不过讨厌燕老大才没有去做。他接着说："这回，不用找燕老大，俺赶车，你跟着，不用这兔羔子，早先怎么就没想到不用这兔羔子也行。"

我有些感动，三黄叔不愧为歇马山庄明晓事理的长辈，他不但敢于对着我这么一个突发奇想的外来人检讨自己，还敢于将自己推到前沿。可是，我不得不告诉他，"燕子"老人有话，她就是要让儿子拉她回家。

谁知这句话令三黄叔非常激动，他蓦地站起来，速度之快使他趔趄了一下险些摔倒。他先是扫了我一眼，之后又将目光移向远处，那意思非常模糊，既像是不满疯人为什么说疯话，又像不满疯人为什么没对他说疯话，抑或更复杂的什么东西。反正他呼呼地喘着，肺被气炸了一般。为了配合三黄叔，或者说为了弄懂他为什么激动，我也站起来，这时，只听三黄叔说："这老东西还有脸说带儿子回家，她当年都把儿子扔到歇马山上喂狼了知不知道，要不是俺看见，逼她抱回来；要不是俺向金易江保了密，她死都死得个儿了，她还有脸……"

在三黄叔的冰山里，原来还藏着这么龌龊的事件，我一下子呆在那儿，木愣愣地看着三黄叔愤怒的侧影。我难以想象一个从来都以歇马山庄出了状元母亲为骄傲的老人，看到一个女人扔掉自己的孩子是什么感受。能想到的是，他那么看重做母亲的道德，在无道德可言的"燕子"老人老了之后，还能想到送她回家，还能被送她回家的念头纠缠，实在是难能可贵。我不知道说什么话才能让三黄叔平息，只有沉默。

但三黄叔不想沉默，他低声说："她爹是土匪，是叫鬼子活埋了，鬼子坏，可怎没活埋别人偏埋他？都是随了根儿！"

虽然声音很低，可三黄叔的语气，像法庭上给人定罪时敲下的那一锤，很重。接着，他又补充道："想领儿子回家，那你去找吧，俺看够呛，他儿子要是不去，俺可帮不了她。"三黄叔说完，就活动脚步离开院子，步伐虽不急不慢，佝偻着的腰却呈现着一副坚硬的表情。

六

不管我如何惊悚一个女人丢下自己的亲生骨肉，我都没有改变计划。但是，确实，三黄叔的话，让我重新回到昏黑的暗夜，我又看到了远方闪烁的灯火。我是说，那一天，在我一个人往"燕子"老人家走的时候，我又燃起了对"燕子"老人的兴趣，她为什么会如此狠心，难道仅仅是像了她做土匪的爹？叫鬼子埋了，并不证明她的爹就一定心狠。这只是三黄叔的想法，鬼子就是小日本，要知道小日本杀了多少中国的无辜百姓！

可想而知，燕老大不会告诉我，他都不知道他曾被扔过，“燕子”老人更不能告诉我，她已经奄奄一息，说不完整话。因为清楚这一点，在“燕子”老人家门口，我站下来，努力寻找原初的那个念头，让自己回到白天。因为如果不这样，我将鸡飞蛋打——既得不到“燕子”老人的故事，也实现不了送她回家的计划。

可是，当我在金家门口站定，看到正在他家东边的园子忙活的燕老大，我的初衷再一次不知了去向。我的初衷不知去向，不是无法扑灭闪烁在远方的灯火，不是。而是另一种东西，是一股袭将过来的悲怆的潮水。

我不知道我会这样，泪水在看到燕老大黑灰的脸庞时几乎就蒙住了我的眼睛。这后一天和前一天，其实没有什么两样，只不过从三黄叔那里知道了一个被遗弃的情节。可是，这情节不知怎么就有了那么大的力量，让我再看到他时，居然有种说不出的难过。也许，是他在园子里专注于干活的样子显得太孤单，他的两只手长时间地编织着一排树枝，身后是一望无际的山野；也许，他在看到我的那一瞬间灰黑的脸庞显得太愁苦，他额头上的抬头纹又聚拢了深不可测的忧郁；也许，是这一时刻的园子太静了，园子后边的房子太孤寂了，它不能不让你联想到整天活动在这里的主人的过去，比如他从出生就没得到母爱，他一遍遍往母亲怀里爬一遍遍被推出去，他想象别的孩子那样也有姥姥家，可是他一提起姥姥家就要挨打，比如他差一点儿就被扔到山里喂了狼……关键是，因为孤单，他才长时间地和树枝为伴，把它们弄在手里细细地编——那一时刻，我相信了那精致的手艺不过是为了排遣孤独、孤单……

我这么联想，一点儿也没有跟他一起仇恨母亲的意思，我不过是替站在眼前的燕老大抱不平，然而，就是这不平，使我丧失了企图说服他送母亲回家的能力。

和我不同，燕老大倒是不再像前一天那么激动，仿佛是我的难过引渡了他的难过，或者说他冥冥之中把难过抛给了我。他既没有让我进屋，也没有让我进园子。不知是我不愿再听到“燕子”老人“回家，回家”的叫喊声，还是仅仅想表示一下对燕老大的同情，我一脚就迈进了他正忙着的园子。

我在园边的寨子旁坐下来，我静静地看着他，我其实只能看到他的脚，因为我坐着他站着。他光着脚板，脚背的青筋蚯蚓一样蜷缩着，四周爬满了蚂蚁。我说：“你的手艺真好，看这寨子编的。”我无话找话，我的意思是说，我没什么事，随便来看看。

燕老大没有接话，他只是抹了把汗，同时将脚背上的蚂蚁轻轻弹下去。

这个动作，让我突然想起桂英的话，只要上山干活，看到一只蜻蜓也能抓过来和它说几句话。他得不到亲人的感情，自然要把感情转移到昆虫身上。我说：“我真佩服有手艺的人，可是我不行，手笨得要命。”

燕老大还是没有接话，依旧忙活手上的活儿，他把三支条棍插到地里不同的方向，然后在上边它们的交叉处把它们绑到一起。我说：“我打小就稀罕野地里的昆虫，可是我不行，胆小得要命。”

我说——我显得话很多：“我二十三岁才离开乡下，可是庄稼活儿一点也不会干。”

这句话，不过是无话找话的继续，不过为了继续掩饰刚才的难过，可是我居然不知道“我是乡下人”这个事实应该是一个前提，居然不知道有了这样的前提，反而不能掩饰我的难过。因为当听说我是乡下人，他立即停下手里的动作，一丝惊喜的神情顿时洇向额头的褶子，他说：“不会干庄稼活儿？那是命！是命里不让你干！胆儿小也是命，是命里不让你和青蛙长虫在一块儿！”

说到命，我的心本就一抖一抖的，可是刚刚停下，他又接着说：“俺三岁就上歇马山上挖野菜，不愿回家时，俺和长虫一块儿睡觉。”

歇马山，不愿回家，我不知这两个词中的什么地方打中了我，我的眼泪再一次涌了上来。我无法接话。说真的，此时此刻，听一个曾被母亲扔到歇马山上，一辈子没有母爱的男人说命，说在歇马山上和长虫睡觉，除了流泪，我别无选择。

我想，在燕老大多年的生活中，如果还有人会来到他的身边，那么除了前来指责他的，比如三黄叔，就不会有我这样一个人，会来为他的命而流泪。

现在，事情已经过去接近两年了，回想一下当时的情绪，还是有些莫名其妙。我的悲怆，自然是有来由的，可是它不足以使我那么放纵，那么一发不可收拾。这使我相信，每一个人的一生，都会有莫名其妙的悲怆或悲怆得莫名其妙的时候，那情形就像看了一场悲剧电影，它往往借别人的痛苦粉墨登场，抒发的却是自己的感情。它抒发的是自己的感情，却又是一个没有具体指向的感情。我是说，在那个和燕老大第三次会面的日子里，我看上去是为燕老大的命运流泪，实际上是在享受生命的悲剧感，因为那一时刻，我真的觉得身体里有一种通透的舒服。

然而，就像有心栽花花不开，无心插柳柳成荫，正在我因别人的命运享受悲剧感的时候，我迎来了我的好运，没用我一句规劝，燕老大就答应了送母亲回家。

当时的情景是这样的，我的脑袋深深地埋在两膝之间，我不知道我的身体有没有抖动，我听到了我呼吸的抖动，然后我感到了天地在一点点分开，一部分下沉，一部分上升，我的世界越来越辽阔，越来越空洞，蝉声越来越远，风刮树叶的声音越来越接近天籁。在乡野上静坐，这是我常有的感觉，它和悲剧感一样让人享受，然而，就在我如入无人之境似的享受天籁之声时，我听到来自身边的现实的声音：“要不就走吧，送她回一趟。”

这声音因为太现实太粗厉，吓了我一跳，我觉得我是猛地抖了一下，当我从膝间抬起头来，我看到燕老大正盯着我的眼睛：“要不就走吧，送她回家。”

起初，我不明白他在说什么，我看着他，愣怔着，我想，他是在赶我走吗？当我一点点明白他的意思，才终于明白，他其实把我不由分说就坐到园子里哭泣，当成了一种请求。

这让我差一点又笑出来。

七

事实上，享受由燕老大命运带来的悲剧感，只不过是赶往目的地途中的一段弯路，然而这段弯路的可贵之处在于，它极大地缩短了和目的地之间的距离。因为在接下来的时光里，燕老大几乎是变了一个人，他积极地打扫马车，从草垛上拿一些稻草铺上去，之后进到屋里打开黑漆漆的老柜，在那里翻找老人干净一点的衣裳。他在做这一切时，时不时扫我一眼，那少见的温和呵护，仿佛这件事不是为了他的母亲，而是为了我，为了哄我不让我再哭起来。

因为没想到事情会到来得如此之快，我有些手忙脚乱，不知接下来该做什么。在这件事决定之后，我们，尤其是我，最应该做的，就是马上告诉“燕子”老人，告诉她她很快就可回家了。可是奇怪的是，我和燕老大谁也没说，我们居然谁也没有急着进屋。燕老大不说，情有可原，这不是他的想法。我不说，可就情理难容，我曾为此那样地兴奋过，我曾觉得这件事对于“燕子”老人那么重要。然而那一天，明知道屋里的“燕子”老人眼巴巴地钩着窗外，我却长时间不知所措。我慌乱地跟在燕老大身后团团乱转，就像曾经跟屁虫一样跟着桂英挨家乱串。有一个时刻，不得不跟着燕老大进屋，帮他从柜里往外挑衣服的时候，我甚至心跳加速，头皮发紧，仿佛冥冥之中有一件什么可怕的事情就要降临。

后来才知道，那是一种预感，我之所以没说，是某种预感让我不敢面对老人。所以到把三黄婶找来之前，我都一直没有把如此重要的消息告诉“燕子”老人。

找三黄婶来，是我自作主张，那时我想到了我的母亲。在我老家，要是谁家有老人垂危，都要找岁数大的人赶到现场，他们因为步入生命的边缘，对来自那个世界的气息没有丝毫害怕，我的母亲就常被找去，以她面对生死的坦然镇定着在生死面前不能坦然的年轻人。“燕子”老人难说是否垂危，但她已不能自己坐起来，手脚又特别僵硬，身子都瓜瓢一样轻了，拉她起来却相当困难。

和想象不同，三黄婶把送她回家的消息告诉“燕子”老人，她没有任何异常的反应，比如眼光大亮，或者由于过分激动而喘息不畅，或者……没有。她只是缓慢地把钩子一样的目光收回去，之后转了一下陷在深窟里的眼球——那眼球硬僵僵地悬在半空，之后，缓慢地心满意足地闭上了眼睛。

燕老大确实没去过史家沟，所以当他把老人抱到车上，放她躺好，站在那不动了。他点燃一支烟，我还是第一次看他抽烟。他的脖子上和胸脯上挂满了汗珠，那些汗在他和老人身贴身时就飞流直下了，关键是在此之前，他用了不到半小时的时间，就在车上搭起了一个遮光的棚子。我当时忘了他曾说过不认路，以为是为了缓解劳累和紧张——去做自己不情愿做的事，心一定收得很紧。可是他吸了几口烟之后，转过脸，跟三黄婶说："俺不认得史家沟。"燕老大这么说，也许以为三黄婶年龄大，知道得多，让她上车领路。可是这句话刚刚出口，只见躺在车上的"燕子"老人爬起来——她其实根本爬不起来，但她的动作之大之迅猛，给人的感觉绝对是爬了起来。我下意识地退了一步，之后又把头伸向棚子下面，因为这时三黄婶已经用手握住老人的手。当我把头伸到棚子下面，只听她说："俺认得，就走吧，俺认得。"

细弱的声音呈现了怎样顽强的意志，也只有在场的人能够感受到。三黄婶拍了一下我的肩膀，会意地看了看我，那意思好像在说："你是对的闺女，该送她回家。"

不能指望一个爬不起来的人为我们指路，但燕老大还是把马车赶出了家门。因为这时三黄婶说了句话："鼻子下有嘴，道儿上再打听。"

这时，山坡上已经聚来了好些女人，三黄婶在临来的路上已经为此事做了最好的广告。她们汗津津地站在山坡通过来的小道上，目光里有疑问有不解，但更多的还是好奇。她们不明白我一个外来人怎么就掺和到"燕子"老人家的事情里，也不明白我怎么就说服了在她们看来有精神病的燕老大，当然她们最想看的还是这一对冤家母子在一起时是什么样子。马车从山道穿过村子，如同一道风景，我相信，如果不是大家害怕燕老大的倔性，一定会让马车停下来让她们看个够，因为她们几乎是抻着脖子，有的还要跟出老远。一路上被目光包围，不光是我，就连三黄婶也有些不自然，她一路不停地小声嘀咕："瞧瞧瞧瞧，像早年看马戏的！"

三黄婶必须跟着去，这是我的想法，我想也是燕老大的想法。燕老大之所以没说，一定是觉得不用说，三黄婶会理解他的想法，他总不能和一个陌生女人坐在马车上在山道上走。但我又知道，三黄婶留下来，当然不是理解，而是她压根没把燕老大当成正常人，她怎么会把我交给一个精神病！可以肯定地说，在歇马山庄，除我之外，不会有任何人把燕老大当成正常人。可是，就像人们想不到燕老大在我面前表现得有多么正常一样，我、三黄婶、燕老大，包括村里看光景的所有人，谁也没有想到，"燕子"老人会不同意三黄婶跟在车上。

那是马车刚刚离开村子的时候，"燕子"老人拽住我的手。我和三黄婶坐在她的一左一右，她不拽三黄婶却要拽我，吓了我一跳。那时她已经睁开眼，她拽着我的手往她身边拉，我低下头，靠向她，我说："你想上厕所？"她摇头，但她很快又把目光钩向三黄婶，说——她的声音有些颤抖："她不去，俺，俺不叫她去。"

我听懂了，我看看三黄婶。三黄婶也听懂了。三黄婶听懂，突然就火了，大声骂道："你这个不识敬的老混账你还挑人，俺是为你好你还挑人……"

说心里话，我一万个不愿意三黄婶下车，所以一开始我并没为之所动，可是，“燕子”老人拽住我的那只手越来越用力，到后来长指甲掐到我的肉里钻心地疼，也是这时，我才想起前一天她跟我说过的话，她说她要儿子送她回家。不让村里的别人送她，一定是她的某种愿望，它可能没有道理，但愿望就是愿望，不一定非得有什么道理。于是，我喊住燕老大，让他把车停下来。我巧妙地跟三黄婶说：“她一定是觉得您这么大岁数了不让折腾您，那您就下吧，我能行，肯定能行。”

三黄婶并不看我，只盯着“燕子”老人，原本慈祥的脸上满是气愤，这当然是善意的气愤，怕我一旦遇到不测招架不住，她再一次数落道：“俺对她多好她还挑人，不识敬！”

既然尊重了“燕子”老人的要求送她回家，那么就不能让她有一点不如意，所以，此时此刻，我抖了抖精神，我说：“三黄婶你就放心吧，我肯定行。”这句话第二次出口，我仿佛一个马上就要上战场的战士，心底里顿时涌出一股誓死也要冲上去的勇气。因为我确实不知道自己和老人坐在车上会不会害怕。

见我这么坚决，三黄婶只有骂骂咧咧下了车。在她下车的时候，看光景的人终于可以乘虚而入，纷纷围上来，向三黄婶助威道：“一辈子没回个家你还跟着当真？”“她都疯了，你还敬她？越敬越歪歪腚了不是？”

八

在一片唧唧喳喳的咒骂声中，我们的马车驶出了屯街，走出了歇马山庄。

这是一次什么样的旅程，在此之前，我不知道，只是直觉告诉我必须送“燕子”老人回家，只是直觉告诉我这对“燕子”老人无比重要。我倒是默默地期待着能发生一些什么，比如她在看到老家的村庄时欣然地笑了或者无声地哭了，比如她爬起来指给儿子看，说那地场就是你的姥姥家，可是指了一圈也没指到一个真正的地方——六十多年，我相信一切都面目全非。可是纵使给我一万次机会，也不能想到，这次旅程会是这样。我是说，在我觉得送“燕子”老人回家比了解他们的故事更重要的时候，我想不到真就获得了他们故事的全部。

那个上午，我们没走大道，燕老大一出门，就把马车赶向通往歇马山庄东南边的一个沟谷小道。坐在马车上，在沟谷边上的小道上一路朝西北颠簸，我有一种似梦非梦的幻觉。说似梦非梦，并不是说坐马车让我想起童年，不是，是说这样的场景好像在什么时候经历过，它好像就在我的眼皮上边，一眨眼就浮现在眼前。也是在夏天的沟谷边，也是三个人，也是车上躺着一个老人，我守护其中。仔细想来，我从来没有过这样的经历，我已经二十多年没有坐过马车了，我很小时我的大哥就开上了拖拉机，奶奶父亲有病，都是他用拖拉机往小镇医院接送。可是这一切不知怎

么就这么熟悉，历历在目。某一年春天，跟朋友去丹东著名风景区青山湖，曾有过同样的感觉。划船的时候，那湖中鬼怪头发一样的水草，那湖边童话故事一样的红房子，熟悉得就如在刚刚醒来的梦中。我曾经在一篇题为《周末》的小说里写到过这情景，认为都是冥冥之中的约定。经历这种情景的结果是，我暂时地忽视了燕老大的情绪，忽视了“燕子”老人回家的心情，而沉浸在自我的梦幻般的感觉里，而不再把自己当成上战场的战士了。这实在是件好事，可是正因为如此，当“燕子”老人忽地从车上爬起来，拽住我的手喊“走错道了快停车”，吓得我两眼一黑，跟着喊起来“停车快停车”。

这回，“燕子”老人不是做爬状，而是真的爬了起来，那瓜瓢一样的身子在车上坐直，活像一只抖动的蝉翼。她自然是借助了我的力量，可是她怎么就一下子有了借我力量的力量，实在不可思议。最不可思议的是，刚才她还是躺着的，她躺着怎么就知道她的儿子走错了道？她坐起来，就在我的身边，她挥舞着一只干骨棒一样的手，朝已经错过了的另一条小道指着：“是那个道，俺结婚那天，走的是那个道。”之所以用挥舞这个词，是说她胳膊上款款的肉皮像一只飘动的旗帜。

不知道燕老大是否知道她的母亲已经坐了起来，但他喊牲口的声音破咧咧的非常刺耳，像受到了巨大的刺激。车停下来，马因为被扼制了力量扑噜噜打着响鼻，并把车晃得乱颤。为了不让“燕子”老人跌倒，我本能地扶住她，大声说：“大妈你躺下，你快躺下。”

然而，“燕子”老人反而像个战场上的士兵，根本不躺下，她一手拽住我，一手扶着车厢，她哭抽抽地看着长满蒿草的另一条道，重复道：“俺结婚那天，走的就是这个道。”

那是一条小道，好多年没人走过的样子，燕老大端详一会儿，忍不住说：“那道荒了，不能走。”

可是他的母亲倔强地反驳道：“没荒，俺就走那条道。”

看得出燕老大也是赌气，真的就调了头，拐上了荒草萋萋的小道。同样是沟谷边的小道，可是当马车在另一条小道上缓缓前行，我从梦幻中清醒过来。也就是说，“燕子”老人打碎了我的梦，让我一瞬间回到现实中。我回到的现实，是送“燕子”老人回娘家的现实，是瘫了五年已经爬不起来的老人在回娘家的途中奇迹般地爬了起来的现实。我惊诧地看着她，本能地与她保持距离，但手无法挣脱，连体人似的被她牢牢抓在手中。因为长期躺着，她坐起后的面相很可怕，哪哪都向下坠，眼角、嘴角、脖颈，关键那下坠的不是肉，而是款款的皮，就像她胳膊上飘动着的旗帜般的皮，关键是那皮在她的脸上不是飘动，而是死死地贴着骨头，有一种耶稣被固定在十字架上的痛苦感。六十多年前，她是从这条道上嫁过来的，她自从嫁过来，就再也没有回去过，她怎么能不痛苦。

山野静静的，被轧在马车轱辘下的蒿草发出痛苦的折断声，炎日烤着沟谷对面的庄稼，庄稼的叶子释放着身体里的呼吸，我在想，她为什么就再也没有回去过，为什么？

我只是在心里问自己，是那样一张痛苦的脸让我触景生情。可是，燕老大仿佛听到了我的问，仿佛我的问正激发了他的问，在马车行驶在一片沼泽地上，不得不慢下来时，只听燕老大嗓子眼儿里蹿出一句话："你为什么才想起回家？为什么？"

当时我以为，他蹿出这句话，和我一样，是发现他的母亲奇迹般地坐了起来，突然涌出灵感；或者，她倔强地逼他走那条荒道，唤起了他埋藏在心底太深了的仇恨。可是后来，当他跟着又从容地说出一句话，我才知道，根本不是。可以说，这是一次蓄谋已久的审判和控诉，只不过一直没有一个如我一样的第三者旁听而已；我才知道，他主动答应我送老人回家，正是看出这样一个属于他的机会——我的到来，使他的审判和控诉具有了意义。我的毫无道理纠缠在他们母子的故事里，无异于自动撞进了他的枪口。因为他对他的母亲展开血泪控诉时，第一句话就是："今儿个有作家在场你听着。"

这是我第一次听他叫我作家，我从没告诉他我是作家。他说："今儿你把俺当一回儿，你听着。"

九

"燕子"老人与她的儿子不足三尺远，她精气神儿十足地坐在儿子的后边。可是儿子的话她分明是没听见，因为那固定了的痛苦的脸一直冲着前方，除了固定的痛苦毫无表情。好在儿子压根也没想着母亲的表情，儿子自嗓子眼儿蹿出那句话，连头都没回。"燕子"老人没有表情，我想我的表情一定很复杂，因为我当时心里忐忑不安。一方面，我渴望听到燕老大说些什么，这是期盼已久的；另一方面，又担心说重了气坏了他母亲。要知道我一直心存恐惧。

然而，燕老大并不关心我怎么想，就像他并不关心他母亲的表情一样。在抛出那句话大约半小时以后，控诉开始了。在这半小时里，"燕子"老人一直没有停止指路，每到一个岔道口，她都说"上边，上边"，毫不含糊的样子仿佛昨天才从这里经过。燕老大之所以停了半小时才开口，想必是被他母亲惊人的记忆力搞蒙了。然而，正是"燕子"老人惊人的记忆力，才给了她儿子说话最好的契机。

那是马车转上了一块平缓的山道之后，燕老大说："六十多年了，山道你还记得这么清，为甚就不带俺上姥姥家？"

"燕子"老人面无表情地看着前方，并无回答的意思。

燕老大说："你要是待俺好，俺怎么能想上姥姥家？你不稀罕俺，从来不抱俺，害得俺爹也不稀罕俺……俺生下来不如个猪狗，俺这一辈子猪狗不如，你为什么要生俺?”

不知是不想听,还是终于坐累了,“燕子”老人突然松开我的手,一下委下身子躺了下来。但燕老大并没因她躺下来而停止控诉。他说:“俺,俺想上姥姥家,是看见王铁蛋舅舅抱他。俺从小那么想让一个人抱,可是从来就没有人抱俺。要不是王铁蛋拍他舅舅肩膀告诉俺,说他舅舅是从他姥姥家来,俺根本都不知道舅舅是姥姥家的人。可是你可倒好,俺回家冲你要舅舅,你打得俺鼻口渗血,你一边打一边问俺能不能记住,俺不说记住你绝不住手。”

四野静静的,只有车轱辘轧断蒿草的声音。

“从那回开始,俺一见你就害怕,俺天天躲着你,俺在家跟猫狗睡,上山跟长虫睡。有一天,俺舅舅真的来了,他不知听谁说俺在山上,上山去抱俺,他说他是俺舅,可是他抱俺刚进家门,你就拿出了火铲,你那脸难看得像叫铁水浇了,你拿火铲打他,把俺也捎上,生生把俺舅打跑,把俺打哭……有人抱俺,怎么就把你气成那样? 怎么就?! 有多少回俺都想拿刀劈了你你知不知道?”

沟谷边静极了,除了燕老大的声音,除了车轮辗断蒿草的声音,没有任何声息。而燕老大的声音在沟谷边回荡,夹杂着悲切的哭泣。燕老大哭了,这么些年来,我还是第一次听一个男人哭,粗粗的嗓音仿佛在胸腔里撕裂了什么。很快,就有另一个细细的抽泣加入进来,那是我的。

“俺没劈你,还不是俺三岁那年,俺爹死时你哭昏过去,有人把俺放在你身边让俺喊你,你醒过来把俺搂过去亲了一口?! 这辈子你就亲过俺一回,你为什么要亲俺啊——要没有这一回,俺何苦还得跟你六十多年,何苦瘫到炕上还要侍候你!”

“俺在早以为,你对俺不好,旁人会对俺好,可是哪承想旁人知道你对俺不好,他们对俺更不好,他们看俺那眼神就像看癞蛤蟆……俺后来都得了病,一听谁讲你不好,俺就想发火,你打俺骂俺不稀罕俺,俺还护着你,你说俺到底作了什么孽啊俺……”

正说着,车突然慢下来,抬头看,前边又是一个岔道,马在两个岔道间迟疑了,燕老大只顾讲话,忘了指方向。可这时,只听“燕子”老人在车上说:“西边,是西边。”

不知是“燕子”老人的口吻让燕老大听出来她对他的话根本没在意,还是她惊人的记忆实在让人生气,燕老大声音突然提高八度,厉声道:“你闭嘴不用你指,你以为俺真的没去过史家沟吗? 腿长在俺身上……”

我咽了一口泪水,抹了一把眼睛,重新打量燕老大的后背。眼前这个矮个男人真的让我蒙了,他居然去过史家沟? 他去过了却说没去过……

“十三岁那年,俺才从村里人那里知道你是从史家沟嫁过来的,有一天,俺打听着,自个上史家沟找俺舅,可是俺都摸到姥姥家门口了,那家里出来一个女人坚决不让进。俺眼看着俺舅进了屋子,可那女人偏说不认识俺,俺说俺妈姓史,她说老史家根本没俺妈这个人。那天从史家沟回来，俺死的心都有，俺在苞米地里滚了半下晌。要不是你打了俺舅舅，姥姥家人怎么能装着不认识俺！”

听到这，“燕子”老人眼睛睁开一条缝，愣怔一下，好像那话中的某些信息惊扰了她，但很快，她又闭上了，侧到一边去。

“打那开始，俺就不能听谁说上姥姥家，一听脑袋就炸开了，心口窝就刀剐一样疼，不让老婆带孩子上姥姥家，俺明知道不对，可是俺就是受不了，就是受不了哇。俺不是嫉恨孩子，是怕姥姥家的人不理她。不知怎么的，俺就觉得孩子姥姥家的人一听是俺的孩子一定不会理她。好多年了，一条虫子在地上爬，俺都觉得是在上它姥姥家，俺都想方设法堵住它，逼它往回走，坚决不让它受骗。俺把燕儿窝一个个捅掉，就是为了不让小燕子回家受骗。可是俺老婆不是虫子也不是燕子啊，俺生生把她逼死了，俺混啊俺——俺被村里人当成疯子，有罪的是谁还不是你嘛——俺这辈子除了老婆就没人拿俺当人，俺却把老婆逼死了……”

说到这里，燕老大跳下车，一头钻到沟谷边的草丛里，像前一天在院子里那样，将声音变得嘶哑、虚无。我没有下车拉他，不是想让他哭个够，而是我早已经哭成了泪人。

见主人下了车，马自然停下来，呼噜噜打一串响鼻，然后懂事似的，低头啃开了脚下的青草。“燕子”老人侧脸躺着，一动不动，她似乎知道发生了什么，但她没有任何反应，比如不安、难过，没有。相反，她脸上原来固定的痛苦在消失，被一种平静取代。在我和燕老大都痛不欲生的时候，“燕子”老人居然平静下来，那一时刻，我真的有点信了三黄叔的话，信了桂英的话，她是个真正的精神有病的人。

重新上路是在十几分钟之后，那时燕老大仿佛内心所有的东西都被大地吸干了，因为在接下来的道路上，他平静下来，不再说一句话。虽然他起初的语气带有审问，但看得出来他并不期望回答。十三岁那年，从史家沟回来，他在苞米地里打滚哭了半下晌，我在想，是不是从那以后，他就开始拒绝跟人说话，而只与昆虫动物为伍？他拒绝跟人说话，是不是怕受到伤害，就像他不让孩子去姥姥家是怕受到伤害一样？我不知道。

我再一次把目光盯向他的后背，他的后背棱角分明，瘦削的肩胛骨就像鸭子翅膀，硬撅撅地支棱着，使那汗津津的背心抹布一样绺成两绺，显得很可怜。经他讲述，我才知道，实际上，回姥姥家，不过是他对亲人亲情的渴望，渴望是一张白纸，能画最新最美的画图，可是母亲愣是把这张白纸扯成一块块碎片，再也拾掇不起。

十

说心里话，那个上午，听完燕老大的话，悲痛中我已经知足了，这就像不用开庭，就释放了一个无辜的人，就洗刷了一个人的罪恶，这对我很重要，他让我有了一种获救感。获救的本是燕老大，是我的倾听，使燕老大真正做了一次人，做了一次可以抒发自己情感的正常的人。可是不知为什么，那个上午，我觉得真正获救的，是我自己。因为在剩下的时光里，我觉得我和燕老大的距离在拉近，这是交流的结果。交流使我觉得他就像我本家的一个哥哥，我看他一举一动，都觉得那么亲切。

天已近晌午了，日光愈发火爆。我们没有准备午餐，我根本不知道史家沟到底有多远。当然即使知道，也无法做到。我的心里积满了悲痛，并不觉饿，我只担心"燕子"老人饿。实际上，她瘫到炕上已经五六年了，她有一顿没一顿的，一直活到了八十二岁，证明最不怕饿的是她而不是别人。在一条柳林边，"燕子"老人居然再一次拽住我的手，试图爬起来。

为了不让老人累着，我问燕老大："还有多远？"

"早着呢。"燕老大说。

我压住"燕子"老人的手，我说："大妈你再躺一会儿，还早着呢。"

可是，"燕子"老人的指尖剐住我的手心，坚决要爬起来，我不得不扶住她，帮她用力，帮她坐稳坐直。

她坐稳坐直，向柳林对岸的野地看去，她的目光执着、专注，她还抬起手来打了个眼罩。就这么看着看着，突然，她把手指向柳岸对面，大声说："就是这，就是这，快停车。"

那只是一片庄稼地，根本不是村庄，难道曾经的村庄变成了庄稼地？难道村庄变成了庄稼地她还认得出来？

燕老大"哦"的一声喊住马，跳下车，莫名其妙地回过头。然而，就在燕老大回头的一刹那，一件意想不到的事情发生了：一直没动声色的老人突然号哭起来。

她两手扒住车辕板，仰脸冲着河对岸的天；她使劲张着嘴，露出光秃秃的牙床。她的动作我非常熟悉，我奶奶去世的时候，"文革"期间我的大舅跳水库自杀之后，在我们孙家的坟地，在我姥姥家的坟地，我的母亲就是这个样子：前一分钟还好好的，可是一到坟地，扑通一跪，哇的一声，脸立即冲着天，牙床立即变成一种悲伤的符号。只不过印象中的母亲口中还有许多牙齿，只不过当时母亲的下颏没有款款的皮肤在迎风招展。实际上，这是一种只有乡村老人才有的心理仪式，在她认为她该为某种悲伤大哭一场的时候。

不知是慌的还是怎么，我赶紧跳下车，在"燕子"老人身后抱住她的肩，我其实只是摁住她的肩，我一边摁一边说："大妈大妈别这样，你可别哭坏了身子。"

我的劝在"燕子"老人那里毫无作用，她的哭像装在了某个电子设备里，一旦打开，就不再受她的控制。或者说，这是她早已设计好了的程序，谁想半途改变，都是徒劳的。她的哭声不尖，却男人似的宽厚无比，依她干尸一样轻盈的身体，依她蝉翼一样轻盈的肩膀，她怎么也不可能发出那么宽厚的声音，就像山雨之前席卷而来的风，呼隆隆鼓荡荡，就像风过之后咆哮而至的雨，噼啪啪哗啦啦，因为在号啕的哭声中，还夹杂着雨点一样密实的你根本无法听懂的话语——“燕子”老人两片干涩的嘴唇，居然炒豆似的吐着一些话语。而我和燕老大，仿佛两个半路上遇到了风雨的可怜人，只有缩着肩伫立在那，接受风雨的洗礼。我们都面对着柳岸对面的野地，但我相信，不管是我，还是燕老大，我们的眼中，都空无一物，因为从“燕子”老人那里袭劫而来的风雨在掠过我们后，奔向的是空无一物的苍天。

或许，这是“燕子”老人六十多年来第一次面对苍天的号哭，它虽然内容不详，却让你觉得心的某个部位被撕裂开来，刺破开来，因为随之，我看到空无一物的苍天有一缕血红的光晕，它在一闪之后，被打散了的蛋黄似的弥漫了整个天空。

大约十几分钟过去，“燕子”老人终于停下来，她停下来，不是那种缓慢的，循序渐进的，而是戛然而止，有谁按了开关一样。吓得我赶紧又转到她的对面，看着她的脸。她的脸上没有一颗眼泪，即使眼角有点湿润，也是浅浅的，几根可怜的睫毛被扔在道边的枯草似的，泥泞在眼皮上。她停止下来，舌头慢慢伸出来抿了抿，之后发布命令似的说道：“走吧！”

“燕子”老人为什么要在这个地方哭呢？她既然有哭的能力，不是什么精神病，为什么要制造如此重大的冤案？事实上，我早已忘了追究“燕子”老人的身世和故事了，不是我不想在心里赦免她，而是这一路上的突发事件让我应接不暇，我的感情始终陷在身在此山中的狭隘的局部，比如现在，当车再度上路，我再度坐到“燕子”老人旁边，当耳边再度静下来，悄无声息，我觉得我的大脑空荡荡的一片空白。

然而就在这时，就在我大脑一片空白的时候，“燕子”老人突然开始说话了。她说：“俺出嫁那天，天就这么好。”

因为刚刚经风历雨，因为身心还没有从空白中摆脱出来，“燕子”老人的话听起来有些不合时宜，如同听到一个正悲伤的人突然问起晚饭吃什么。我愣愣地看着她，心想你在说什么？

“燕子”老人并没躺下，而是板板正正坐在车上。所谓板板正正，是说她不知在什么时候，已经盘上了她的两条腿，一路上怕她热一直是打开的上衣扣，此时也已经被她扣上。她八十多岁，身体如此虚弱，经历了如此的颠簸，刚才又下过了一场如此声势浩大的“急雨”，她不但没有倒下，却反而愈发的庄重，我不得不一下子回转神来，惊奇地盯着她。

“俺出嫁那天，天就这么好。”她又一次重复着，像自言自语，眼神对着虚空，“可俺命不好，俺命不好。”

说到命，惊奇中的我突然一振，心里想，“你的命到底怎么不好啦？”我本应该安慰说：“你挺好的大妈，你这么长寿。”可是想知道什么的潜意识使我本能地封住了嘴。

“俺命不好，俺爹娶了小婆，俺十三岁就死了妈。”燕子老人接着说，依然是自言自语，“俺妈叫小婆气死了，她和俺嫂子合伙气死的。”

这我知道，三黄婶已经跟我说过。是史家沟的人到集上来说的。

“小婆上俺家那年俺才十岁，俺到什么时候也忘不了，那天俺在房后河边洗抹布，就看东边有个女人披头散发往这边跑，穿着大红的衣裳，身后还跟了一个男人。他们直冲俺家，俺不知道出了什么事，赶紧跑回家，到家才知道，原来是俺爹上人家家赌博，占了人家女人，人家男人不让了。俺爹那时在外面干大事，可威风了，谁知他还赌博，还占人家女人。俺爹占了人家女人，人家不敢打俺爹，打自家女人，女人禁不住打，就往俺家跑，女人跑，男人撵，可是到俺家一听俺嫂说俺爹是土匪，男人又撒腿往回跑，头都没回。”

这事我自然不知道，土匪、小婆这样的字眼，经常从书本和电影上看到，生活中我还从没有接触过。我最想知道的是，她爹不在家，那女人怎么就留了下来，成了她爹的小婆。

不用我问，“燕子”老人唠家常一样，一板一眼地往下讲：“俺嫂子霸道，一进史家门就想当家，就恨俺妈，来了一个野女人，她乐得不行，俺爹没在家，她就主张留给俺爹当小婆。那时天下乱，俺爹成天在外面干大事，根本不回来，俺嫂子就和小婆合伙当了家，低头抬头气俺妈。”

居然还有这样的事，公公不在家，就给公公娶了小婆，真是稀奇。

说到这里，“燕子”老人顿了一下，眨巴了一下眼睛，但她的眼神仍然是凝固的，凝固在虚空中。过了好久，她接着说：“俺十三岁那年，俺妈得了黄病，身上脸上哪里都是黄的，她有病天天盼俺爹回来，眼睛都盼瞎了。那年，俺爹还真的回来了一趟，待了一天又走了。俺妈盼俺爹回来，是想让他撵走小婆，可倒好，他没撵小婆不说，还扔了俺妈的病不管，守小婆待了一夜。他头里走，俺妈后头就死了……俺妈死了，受气的就是俺，十五岁那年，她们就往外撵俺，托人给俺找了婆家，逼俺嫁人。”

说到这里，“燕子”老人又顿了一下，收回了在虚空里凝固的眼神，看了一下马车，好像在寻找什么。可是找了一圈，目光又收回来，接着说：“结婚那天，小婆扔给俺一床红花被面，说：‘这是你妈的，拿着吧，想家了就看看它，别回来了。’俺早就想离开这个家，可是俺不舍得俺哥，俺爹天天在外面，见不着，又占女人，俺不挂他，俺挂俺哥，再说，长到十五岁没离开过家，一下子离了怎么能行，俺又根本不知道嫁的那人是什么样儿，俺就哭红了眼泡上了车。”

“燕子”老人说到这里，我一下子明白，这是她早已安排好的一次讲述，她一再地要求回家，正是为了这次讲述，就像她的儿子答应拉她回家是为了积郁已久的控诉一样。也是在这时，我明白了她为什么一直对儿子的控诉无动于衷。我伸出手，轻轻抚摸着老人的胳膊，这是在此之前我做不到的，交流破除了我的恐惧，如同某一个时刻我觉得她的儿子像本家的哥哥。

然而，老人并不为我的抚摸所动，依然自言自语道："俺抱着被面上了马车，俺从上车就没止住眼泪。俺妈活着时跟俺说过，女人出嫁这天不能哭，一哭就哭坏了命，可是俺止不住。"

马车的速度明显慢下来，燕老大有好久没有挥过鞭子了。我能感到，像我一样，他在用心倾听。"俺哥赶的车，那时他二十多岁，俺哭，他一句安慰话也不会说，不会说就不说，你不能跟着哭！他可倒好，也跟着哭。你说两个人哭，还不哭坏俺的命！才走出家门不到十里地，灾祸就来了。"

说到灾祸二字，"燕子"老人嘴唇哆嗦了一下，吐出长长一口气，并且，身子在慢慢前倾，好像有些坐不住了。我慌忙扶住她，之后恳求说："大妈你太累了你快躺下。"

可是她身子在车辕边歪了一会儿，又坚决地直了起来，看得出她用尽了全身的力气，因为就连下腭上款款的皮肤都绷紧了。她再一次坐直时，接着说："出了家门不到十里地，就是刚才那块有柳的地场，就遇到了两个鬼子。那时天下乱，那时俺爹回回来家都讲鬼子，讲他们坏，不会说人话，可俺一点都不知道他得罪了鬼子。两个鬼子从苞米地里钻出来，二话没说，就把俺拖进去。他们，他们两个人就在苞米地里，占了俺身子……"

不知是为了平息心底的激愤，还是不忍继续往下听，这时，只听燕老大啪啪挥了两鞭子，马立时撅起了屁股，跑了起来。车加了速，"燕子"老人的身子舢板似的前摇后晃，我不得不求燕老大："大哥你慢点儿。"

车再一次慢下来时，"燕子"老人示意要躺下来，她一直是坚持坐着的，可是当说完了那个不幸的灾祸，便不再坚持了，仿佛那个灾祸是道坎儿，躺着是过不去的。她过了那道坎，躺下来，我心口却有东西坐起来，硬硬地顶在那，让我喘不过气。我不敢看老人，两眼瞅着两边的庄稼，想象着当年，她和她哥哥在这个小道上走的情景。这时，"燕子"老人接着说："俺恨死俺哥了，他怎么能眼睁睁看着不管呀，他都二十多岁了，就是拼死了咱也不能这么让人糟蹋呀。可他……他老老实实等着鬼子走了，鬼子一走，他就把俺往车上弄，他不去和鬼子拼，却和俺拼，俺不想活，一遍遍往车下跳，他一遍遍打俺，一边打还一边告诉俺是俺爹作的孽，是俺爹得罪了小鬼子，咱得受。这个王八羔子他怎么就是俺爹的种?!"

"俺道儿上死不成，就寻思等到婆家，等到后半夜。可是俺没想到，俺遇到了一个好男人，他看俺身子那个样，什么都没问，给俺洗，给俺擦鱼粉，直到两个月过去了才和俺合房……"

一切都似了然，"燕子"老人之所以一辈子不回家，是不想看她的哥哥，是觉得自己的遭遇有辱父亲威望。虽无法证明她的父亲到底是个什么样的土匪，但是领了一帮人和鬼子作对是毫无疑问的，要不，不能被看成是做大事的人；要不，她的哥哥不能说是他作的孽。关键是他已被证明是被鬼子活埋的。我正这么想着，"燕子”老人又开始说话。

“好人没好报，俺男人容了俺的命，可他容不得自个儿的命，他是容不得自个儿的命才死的啊……俺活下来，还以为是为了他，可哪知道，俺生孩子那天，俺知道俺八辈子都对不起他……”

我屏住呼吸，把目光从田野收回来，我觉得我的汗毛孔正一阵阵地发紧，因为我觉得有一个可怕的东西正蛇一样从地缝深处钻出来。

“生孩子那天，俺差一点撞了南墙，那一脸抬头纹俺在苞米地里就见过。俺一见那抬头纹，肠子都翻到嗓子眼儿，就像看了长虫皮一样俺直想呕……俺儿，你知道那孩子是谁吗？他是你——你是你妈跟鬼子生的孩子呀——俺儿，你知道俺哥是谁吗？他是你舅，是他不让俺死才有了你呀——”

庄稼不动了，天地不动了，因为马车不动了。

那条蛇终于从地缝里耀武扬威地钻出来了。燕老大甩掉鞭子，嗵的一声跳下车，跪到了地上。他跪到地上，冲着马车，扯着嗓子大声叫道：“妈——”声音震撼着野地，使四周立即变得空旷。

随着燕老大的一声喊，我也喊了一声“大妈……”

我无法了解燕老大当时的感受，我只觉得，在听了燕老大那一声喊之后，我的五脏六腑全被拽出来似的。我捂着胸口，泪水雨滴似的浇着我的脸腮。我两手抓着车板，也像燕老大那样跪着，我觉得我是在替歇马山庄全村人向她下跪，因为那一刻，我想到三黄叔，他是歇马山庄的良心，他说这一对母子是一对败类。可是，就在我跪着的时候，“燕子”老人突然伸出她的手，冲空中钩什么似的，一边钩一边呻吟道：“儿呀，儿呀……”

我不知道她想干什么，直声喊：“大哥大哥快来呀。”

不知是无法面对自己的身世，还是无法接受自己的命运，好久，燕老大才从地上爬起来，他爬起来，扑到车上，拽住“燕子”老人的手，又闷闷地叫了一声：“妈……”

这时，只见“燕子”老人一直干瘪的眼窝，淌出两行混浊的泪水。

我没有替她擦掉泪水，因为这时她有话涌出嘴角，“儿呀……”

“燕子”老人清脆地叫了一声儿，之后说：“妈对不起你啊……妈扔你扔了好几回……妈多想好好抱你一回，多想啊……”

又有两行泪水涌出眼角，但它不是“燕子”老人的，而是燕老大的。泪水在燕老大的眼角流出来，不是缓慢，而是猝不及防，而是迅速落到“燕子”老人的腮上，之后在她的腮上慢慢地流淌。

“燕子”老人拽着燕老大的手，或者，是燕老大拽住了“燕子”老人的手，当时，我已不知道这一对母子到底谁拽了谁，反正两只手是连在了一起。可是没一会儿，只见“燕子”老人的手突然从儿子手里松开，身子剧烈地抽动起来，哪里难受似的，两只手一齐在胸口处抓挠。我来不及擦自己脸上的泪，直声地喊："大妈大妈……"这时，燕老大再一次拽住"燕子"老人的手，一边摇晃一边说："妈啊还有五里地你还没到家你等等啊……"

听到儿子的喊，"燕子"老人一点点平息下来，不再抽动。她睁开眼，看了看儿子，又看了看我，潮湿的眼窝里溢出了晶莹的笑——这是我见她之后从没见过的笑，她用不再灵敏的舌头舔了一下嘴唇，她说："俺是史家沟的败类，俺是你姥爷家的败类，不能回去，俺大老远地看看就知足了，你拉俺走这一趟就知足了。"

说罢，慢慢地闭上了眼睛。

看着安然而去的老人，燕老大呆在那儿，我也呆在那儿。我们很长时间没有反应，好像仅仅是看着老人睡了过去。可是，十几秒钟之后，燕老大明白了什么，猛地转身，朝沟谷边扑去，两手插进草丛里，像他的母亲在柳林边那样，放声地号哭起来。见燕老大哭，我猛然醒悟，伸手去摇晃"燕子"老人。这一刻，我居然没有丝毫恐惧，我抓着她的手，大声喊道："大妈你醒醒……"

"你醒醒……"

"燕子"老人自然是一动没动，但或许我的声音太大了，也或许燕老大的号哭声太粗了，我看到一只燕子从苞米地里扑棱棱飞起来，它先是在我们的周围，在我们的头上盘旋，之后，离开我们向上盘旋，直盘旋到遥不可及的云层里，朝东南方向飞去。

十一

记不得我们在那个距史家沟不到五里地的地方待了多久，也记不住我们在返回村庄的路上走了多久，能记住的是，在马车掉头的时候，燕老大冲着史家沟方向说了一句话，他说"俺妈没忘你啊，俺妈望你望了一辈子"。能记住的是，在路过柳岸对面的苞米地时，燕老大停下车，疯了似的冲到苞米地，手脚并用毁坏了无数棵苞米。

当然，最不能忘的，还是回歇马山庄之后的痛苦。因为不期然了解了这母子的悲惨命运，了解了"燕子"老人一辈子不回娘家的秘密，我特别想在歇马山庄给"燕子"老人搞一个隆重的葬礼，想借此机会，告诉三黄叔，告诉桂英，告诉歇马山庄所有人，"燕子"老人不是歇马山庄的败类，而是一个了不起的女人，她一辈子不回娘家，一辈子窝窝囊囊地活着，是在守护一个巨大的尊严。哪有燕子不归巢！可是我没能办到，因为这涉及到另一个活着的人——燕老大，如果让村里人知道他是小日本的后人，他该如何活下去？这或许正是"燕子"老人不让村庄别人参与的原因所在。

不能向村里人公布我所知道的一切，就只有眼看着“燕子”老人在她家后边的坡地上草草安葬。那天上午，歇马山庄倒是来了很多人，大家来，不过是山庄太寂寞，需要有点什么事儿发生，好看看光景。三黄叔把“燕子”老人说成败类，但他还是出面主持了一下，从村里找来几个没出民工的男人往火化车上抬尸体，找木匠做棺材。看到三黄叔，我想起“燕子”老人死前的那句话——“俺是史家沟的败类”。在她心里，她是史家沟的败类，而在三黄叔那里，她又是歇马山庄的败类，这实在让我难过。当然让我难过的还有桂英，出殡那天她刚从娘家回来，听说“燕子”老人死了就风风火火赶到坟地，她扒拉开人群二话没说就是一通咒骂，什么“你这个老混账可算死了，你死了也还不了俺姐的债——”，什么“到阴间俺姐能撕了你，俺告诉俺姐了，定不能轻饶你这个老东西。还有你儿子”。

也许她的大哥病重让她想起姐姐，但她骂得实在太难听，我担心惹恼了燕老大，关键是她已经惹恼了我，我没好气地喊着：“桂英你这是干什么?”

实际上，最让我难过的，还不是这个，那一天，燕老大倒没怎么样，一直是低着头，三黄叔叫他做什么他就做什么。让我难过的是，在我离开歇马山庄的第二天，我接到桂英从她家里打来的电话，她把电话打到了我的手机上，因为我当时正回我的娘家，在母亲身边。她在电话那头异常兴奋地说：“作家，这回好了，俺咒灵验了，燕老大死了。”

“什么?”我脑袋嗡的一声。

桂英那头嗷嗷叫着：“燕老大死了，在他家屋梁上上吊死了。”

我在这头无言以对。

（选自《小说月报·原创版》2006年第1期）

孙惠芬

女。1961年出生，辽宁庄河人。1986年毕业于辽宁大学中文系。历任庄河县文化馆创作员，文化局副局长，《海燕》杂志编辑，专业作家。辽宁作家协会第六届理事。1982年开始发表作品。1991年加入中国作家协会。著有中篇小说集《孙惠芬的世界》，中短篇小说集《伤痛城市》，中篇小说《还乡》等。短篇小说《小窗絮雨》获1987年辽宁省优秀文艺作品奖，《平常人家》获首届东北文学奖佳作及辽宁省第三届优秀青年作家奖，《台阶》获1997年《小说选刊》奖，《歇马山庄的两个女人》获第三届鲁迅文学奖。

颠倒的时光

鲁 敏

一

如果，你可以像麻雀一样，从苏北这一带的上空飞过，你会惊奇地发现，这里的田野，现在不是绿油油的，不是黄灿灿的，也不是黑黝黝的，而是，嘿嘿，是白乎乎的啦……无边无际的大棚，白茫茫的，这家的结束了，那家的又起了，远远地瞧下去，像延绵跑动着的小野兽，像波浪起伏、银光闪闪的江河流水……但到了我们东坝这里，大地的色调似乎出现了一些犹豫与停滞，黄的、绿的、黑的、灰的，仍然占据着相当的地位，只在一些边边角角处，白色，方有些羞羞答答地，点缀着，不成气候，不得风流，叫人看着简直有些遗憾。

从这年的秋天开始，木丹，便像是麻雀一样的，总在东坝的上空飞着……他看来看去，左思右想，被邻村里那些白茫茫的东西迷惑着，内心犹如沸水翻滚不止……

二

有人说木丹这是开窍了。男子开窍，有二——先呢，是开女人的窍，渴想床第之事。再者呢，是开钱的窍，晓得琢磨赚钱之道。

木丹幼年失怙，母又早亡，从十三岁起，就是一个人在东坝过活，承着众人的照应，种着父母留下的四亩地。除了每年清明到坟上磕几个头，他的全部时间都花在了他的四亩地上。或许正因一个人生活得太久，对温良日子的想头比一般的人要大一点。木丹的第一个窍，开得早些，二十出头便娶了邻村的凤子，天天儿地早早关门上床睡觉，有时想了，白天也拴上门拉下帘子要弄去了……

但对于赚钱之道，他是明显的有些钝了。就像一个娃娃，若是先会走路了，开口必定就迟。总之，别的人，跟他差不多岁数的，前前后后都抬脚走了，到县城去，到省城去，到京城去，总之，不能够再待在东坝，出去，随便做什么……到了年底，再回来时，都是“敢叫天地换日月”的样子，发达了。

木丹呢，这时便混在他们里面，抽着人家丢过来的烟，半仰着头听他们讲外面的见识，眼神望着半空，若无其事地……既不羡也不妒，晚上回来，还是早早儿地关了门按着凤子，忙乎过一大场，倒头便打起呼了。

知道木丹性情的人，晓得他是贪恋东坝这里的水土，不了解的，只当他是懒，是拙，便替他急，要给他寻出路，这样年纪轻轻的，不能光守着几亩田就完事啊。木丹这孩子，就算是成家立业了，东坝的老人们仍是不大放心，他们总还记着木丹父母活着时的样子呢，木丹的事，他们会一直放在心上。

——木丹，你眉眼有些文气的，做个俗和尚好吧？碰上白事了，披上袍子敲个小经儿，有烟有酒有红包，多好。

——木丹，我看你倒是要学样手艺才好，剃头，做豆腐，打井，多好的营生，农忙了丢下，农闲了拾起，替凤子挣点胭脂钱管够。（胭脂？凤子那种好肤色，哪里要用胭脂！说话的人也知道，但劝年轻人进取么，这样说出来才更漂亮似的。）

木丹笑眯眯地，不应也不回，谢了老人家，仍是照常过日子。唉，拿他没办法，白费心思。

三

可这年的秋天，像是被夏雷劈过似的，哪里就通窍了，木丹真的突然开始想钱啦。他开始没日没夜地想，连凤子都顾不上压了，总是扑棱一下子，就变成只杂毛小麻雀，飞到东坝的上空，东看西看，左思右想……

这几天，他甚至已经想得很具体了，都想到了气味。

木丹，不知为何，对气味总特别注意似的。那些从城里回来过年的家伙，一旦说起打工的情形，他们总会避重就轻地提到麦当劳、地铁、水幕电影、购物中心等等，总之都是些特别光鲜有趣的事情，可木丹在一边，稍稍地动动鼻子，总会闻到一些别的……凝固后把衣服僵成硬条条的水泥味，下水道里臭得起了泡泡的泔水味，仓库里铁条与原料桶的塑胶味儿。总之，木丹可以知道，每个人所做的事情，都会像小刀一样，在他们注意不到的地方，刻下细微的印记，并以气味的形式储存在他们的肌肉与皮肤之间，然后，如影随形、不紧不慢地散发出来……即使过了很久，他们换了衣裳，他们回到家乡，木丹总还是可以嗅出来，他们在城里，是工地上的泥水匠，是饭馆里使粗活打下手的，是化工仓库的搬运工……

木丹常常地也会闻闻自己、嗅嗅凤子，到目前为止，他都很满意。他和她，身上都是最纯粹最正宗的东坝味儿，嘿嘿，东坝的味儿，多好呀。受了潮气的柴火，在灶里点着了，那种冲鼻子的呛味儿。满地乱滚的雏鸡，处处大便，不小心踩上了，类似青菜帮子的涩味，跟着脚底板四处移动。用粗盐卤过的瓜条，萎黄了挂在绳子上，被苍蝇蛾子蚊子好奇地叮过，味道反倒浓郁了似的，清新而瘦弱，想到用它配着稀饭，舌下会突然渗出口水。

不过，大棚，想到那白茫茫的大棚，木丹倒有一些忧戚了，他到邻村玩儿的时候，留意过，甚至还进去待过一小会儿……那大棚，被三层的薄膜撑起来，只要天上有点太阳花儿，里面的温度就会高到二十几度，做活的人一进去就得把衣服脱得半光，男女不避。因为高度有限，得跪着，或躬着腰，要么干脆爬来爬去……尿素、杀虫剂、发酵的泥土，挣扎着的种子，汗，缺少流通的空气……这些味道混在一起，在高温里搅拌着，往鼻子耳朵眼睛里钻来钻去，每个人的脸都被熏得皱成一团……好像仅仅是这一点，这气味的障碍，让木丹有些拿不定主意，他像麻雀一样，停在半空，不知如何是好了。

四

退了休的伊老师是我们这里顶热心顶有水平的人，听说木丹开了第二窍，要种大棚西瓜，真比他故去的父母都要高兴。

他过来替木丹算账，像在课堂给学生讲课，以无形的空气作黑板，一行又一行写得挺挺括括。

喏……我都替你打听好了。你家的四亩地，太少，要再租上个六亩，凑个整数，手笔大一点。租金么，每亩大约是八百块……到了高峰期，还要雇三两个小工，他们每月的工资，听说外面都是一千块的行情……这些还算是小钱，贵是贵在种子、薄膜、竹架子、电线和照明灯、肥料、杀虫剂，听说，每亩都要三千块左右的成本……伊老师一边说，一边注意地瞧着木丹的神情，怕把他给吓住的样子，不过，后者，眼睛一眨不眨的，只专心望着空中的黑板，像那些上课走神的学生。

伊老师索性不管了，狠下心继续往下讲：最主要的，人是要吃苦的，从大棚第一天张起来，就不能睡囫囵觉，特别是冬春之交，下雪刮风了，得守着棚子，哪里裂开一道口子，哪里掀掉一个角，寒气进去了，就全部完蛋，所有的瓜苗会在一夜之内全都冻得死光光……当然了，苦尽甘来，如果你侍弄得好，大棚会报答你的，清明一过，就让你天天儿地摘瓜、卖瓜，一直卖到中秋节……总之，我替你算过，从最高价钱的头瓜到最贱的脚瓜，每亩都会让你卖出五六千块的样子……这样，木丹，你自己看，多少可以赚一些钱的……他的手在无形的黑板上有力地顿了两笔，像画了个硕大的等于号，用力得把粉笔都写断了。

木丹把头侧过去，眼珠略有点斜，好像他是坐在第一组的学生，而黑板上的字，被伊老师写到第四组那边，他看不清了……

嗳，木丹，看什么呢？伊老师狐疑起来，也回过头看看他身后的虚空。

没什么……只是，我刚才突然想到……我忽略掉西瓜的味道了，那大棚里，到最后，一定满是西瓜的香甜气，从清明一直到中秋……要能在那种香气里待上几个月，也是不错的吧……

这么的，木丹就此决定下来了。

伊老师高兴坏了，以为是他的一番算术起了作用，而且立竿见影呀！话音刚落，不，话音还未落呢，木丹就从善如流了！还有比这更能让人自豪的事吗？在他从木丹家返程的路上，关于木丹要用十亩地种大棚西瓜的消息，像浓郁的香料一样，飘到了东坝的每一个角落，连刚刚生下来的小羊都知道了……初生的羔羊，身上黏一层油亮的液体，两只腿打着晃，喜悦地挣扎着，发出动人心弦的第一声叫唤，温柔得像秋天的最后一丝晚风。

五

进腊月，像人们曾经在邻村看过的那样，木丹的大棚竖起来了，跟突然发胖的女人似的，像模像样，到处粗粗白白，猫着腰走进去，田畦也是齐齐整整的，像是众神仙替他一行行仔细捋出来似的。大家吃惊地张开嘴巴，紧接着又小嘴不停了，问出各样好奇的问题，好像木丹与凤子两个，不仅长了三头六臂，还长了八片嘴唇，十二块舌头。

哦，你们这畦里用的是河里的淤泥呀，怪不得这样黑，这样难闻呢……最好，这样很肥的，木丹你个家伙，看不出脑子还真好使……

咦，地上这些硬硬的是什么，是地热层……通了电会发热？唉我的妈呀，真是高科技，不得了！

那么，地上还铺什么塑胶膜，太浪费了……哦，防虫，对的，虫从土起……

……

是啊，说起来，这还是东坝第一次有这样大规模的大棚呢，这大棚不只是木丹的，是东坝所有人家的。他们作势推推架子，又捅捅薄膜，有人解了衣服，夸张地嚷热，早有半大的孩子从家里翻出块缺角的温度计，举在手上等着红色的水银像该死的蜗牛一样慢慢地往上爬……

有人再回头看看木丹，才发现他是瘦了一些，而凤子，也少了些水灵气——要在往年，腊月头上，正是贴秋膘的时候呢，正是睡女人的时候呢。老人们在心里欢喜地笑笑，觉得瘦下去的木丹，好像突然出息了。

六

而呼啸的北风，说来就来了，那样的大，声音又响，像小兽在屋前屋后呜呜地哭，人人都冻得挂起了清鼻涕，拢着两只袖口贴着墙根慢慢地走——木丹的大棚里却宛若盛暑，他和凤子都热得衣衫不整了，汗水在鼻尖处汇聚起来，固执地支棱着，悬挂很久之后，才慢吞吞地滴下去，滴到淡绿柔弱的瓜蔓上，碎得无影无踪了。

总是在这样的时候，木丹会突然地失声笑出声来，吸一口气，欲言又止的样子。凤子不抬头，只顾着顺藤，把主藤和副藤分开，让前者好好准备开花打朵儿，让后者知趣地趴到地下慢慢萎掉。

木丹弓着腰磨磨蹭蹭地往凤子的方向挪过去。凤子的棉毛衫，不知为何，在腋下破了一个大洞，从一个特定的角度，可以清楚地看到她的内衣——白白的小汗褂子，最鼓处有一点深色的晕，好像也已是湿透了。

他又自顾淡笑了一声，终于还是自说自话了：凤子，你要实在热，再脱一件也没事儿。看我。他一边急急忙忙地扒掉衬衫，赤裸出半身，再接着往下说。反正这大棚隔着三道薄膜呢，外面谁也瞧不见咱们。

凤子也仰头看了看，四周都是白白的一片，依稀能瞧见外面有颗发黄的小太阳似的，风一阵紧过一阵，棚内棚外，这种时节上的落差令人不安……木丹这一说，她是更加的觉得燥热了，浑身窜着火儿，有什么东西给她拳打脚踢一番才好，可是能有什么呢，永远是这些没完没了的瓜蔓儿瓜藤儿，像乱麻这般，又像丝线那般，爱也不是烦也不是。

木丹继续往这里挪，凤子看看他略带羞涩的样子，倒是明白了。木丹这家伙一向这样，虽是两年的夫妻了，要做起那事了，他总会突然间局促起来，像苍蝇一样在四周打着转儿，不敢落脚……他这里一转，凤子终于也明白了，刚才为什么憋得难受，原来跟这“苍蝇”一样，想的是一码事儿呢。

可是，在大棚里，不太好吧……而木丹这时已经在碰她的手了，轻得像苍蝇在搓脚……

得了，就这里吧……的确，是太热了，凤子脱下毛衫，小背心褂子果真是湿透了，她低下头看自己，木丹也在盯着……

他们慢慢地、有节制地躺到地上，木丹替凤子垫上了他的外衣。身子有些放歪了，凤子的脸向一边侧去，快要躲到瓜叶里了，绿的瓜叶遮住她两只亮亮的眼了，却又衬出她汗白的身子了……木丹这下没有耐心了，也没有害羞了，他开始突然袭击，他的脚抵着一小块田畦，伸缩之间，后者很快成了一堆散土儿了……可木丹还在抵着，向下抵了，地上慢慢地倒弄个小坑来……

七

这个晚上，木丹与凤子，真是睡得特别好了。

为了预防风雪，他们在大棚的一侧搭了个供人过夜的小棚，里面有张小床，但因为气味，是啊，因为味道不好，木丹不大愿意睡在这里，而凤子，一个人也是不行的。因此，他们平常总是回家去睡，因此便睡得特别地不安稳，像狗一样，把耳朵贴着地面——他们是恨不能贴着屋檐，这样，一旦有个风吹草动，套上衣服就能直奔大棚了……好在，这大棚是争气的，大半个腊月下来，一次事都没出过。

不过这一天，他们倒决定就留在小棚睡了，从大棚里软绵绵地出来，浑身还冒着热气……他们甚至都不用穿上褂子了，就那样前胸贴后背的，搂着睡下去，多美。

漫漫的夜，就在他们的搂抱之中来了。很久没有这样畅快地睡凤子了，木丹的困倦像影子一样地爬上来，他耷着耳朵，当真就睡着了——反正是睡在大棚边上，不必像平日那样悬着心思了。

而今冬的第一场大雪，就在这个夜里静悄悄地来了。

东坝这里的冬天，总是这样，不下雪的时候，风就刮得像要死人一样，树啊房子啊草垛啊，都给它吹得纷乱不堪……可一旦下起雪来，怪了，风便一下子遁于无形了，只有雪，成了天地唯一的主宰，劈头盖脸地罩下来，一个时辰就叫世间换了颜色……每到下雪的晚上，人们都会睡得特别的深沉，深沉到那种地步，好像整个村子都进入静止与死亡了。

白雪便在无声中一层层地落到木丹的棚子上。开始，像精致的女人在往脸上敷粉，接着，像不精致的女人往脸上涂粉，再着，像精打细算的小漆匠了，再接着，像不要过日子的小漆匠了，拿着桶往下倒白漆了……木丹大棚的薄膜，开始吱吱地绷紧了，架子与架子间的绳子，缓慢地摩擦纠缠。有些性急的雪都开始化了，把薄膜下部用来压脚的沙包泡得软起来，以不可觉察的速度往下塌着。

而我们的木丹与凤子，还半裸着身子，凤子的前胸贴着木丹的后背，抱着，睡得像死去了一样呢。这种落雪之夜，睡眠总是像迷药一样，没人会醒得来的。

八

伊老师是被小便憋醒的。年纪毕竟是大了，总是要小便，在冬天，这简直太麻烦了，哆哆嗦嗦地起来了，端着家伙，站得浑身冰凉，却只挤下可怜的几滴。

这个晚上，一边挤着小便，一边他突然觉得有些不对。外面，怎的这样静呢。

直觉像闪电一样突至，是了，一定是落雪了。再说，他有些惭愧于刚才所谓的直觉了——昨晚，他听了天气预报，似乎也提到，未来几天，有雪雨的，看来，是提前了……

小便挤完了。他重新缩回去，但在身子埋入被窝的那一个小小瞬间，他停住了。

大棚，木丹的大棚！

伊老师像年轻人一样腾地起来了，裹上棉袄，推醒脚头的老伴，又拉开了门闩，跑了出去，一家家地敲门，嘴里只喊一句“木丹的大棚，大棚要塌雪了！”有的人蒙眬而短促地应了，有的却没有声息。

脚下的雪已经很厚了，咯吱咯吱的，平常，伊老师顶爱听这个动静了，可这会儿不行，越听越急，浑身都要冒汗了……

等伊老师高一脚低一脚地跑到木丹的大棚，那连绵的白波浪前已有一些影影绰绰的人影了，个个儿地努力踮着脚，手里拿着各样救急的家伙，纷乱而有序地从棚顶上往下掳雪了。还有人从家里拿着东西陆续地来了，鼻子里闷闷地打个短促的招呼，脚下咯吱咯吱的声音响成一片……险情眼见着也就下去了。这会儿，再听听，伊老师又觉出那咯吱声的好来了。

来帮忙的大多是像他这样年纪的半号老头了，看来，小便都不好吧……再说，年纪轻的那些，又哪里会睡在东坝呢，他们都睡在县城、睡在省城、睡在京城、睡在不知哪里的异乡，不知哪里的床铺上呢……伊老师突然地想到这些，略有些伤感，更加觉得木丹这孩子有些天可怜见似的。咦，木丹人呢？他张着眼睛四处看，眉毛睫毛上都挂了雪水，有些朦胧不清。

这时分，像开玩笑似的，雪倒慢慢地小了，大家靠拢了开始说话，还有人递烟，黑里一亮一亮的。终于有人摸到小棚子里一边骂一边揪出木丹，后者匆忙地裹着件脏兮兮的军绿大衣钻了出来，两只迷迷瞪瞪的眼里略有些惊惶和后怕，看大家天神般地站成一圈，要打自己似的，倒又吸吸鼻子，有些害羞地笑起来。

有来帮忙的女人，钻到棚子里暖和身子，不知看到什么或是说了什么，在里面掐住凤子，女人们尖叫打闹起来，这在深夜里，听上去真有些不合体统，但因是刚刚经了一险，老人们也都宽容了，嘟囔了各自慢慢往家走了。

九

那个风雪之夜过后，不知为何，木丹竟有些心思似的。晚上，他常常会跑到寒天冻地里去，蹲在东坝唯一的那块小塘前。

冬天的夜，空气清冽得叫人透不过气儿。有些未化的雪，藏在背阴的角落，像等着什么约会似的。

凤子找寻过来。为了味道？她问木丹。

她知道木丹的鼻子一向挑剔，自从吃了上次的教训，木丹现在每晚都睡在小棚里。虽有门帘隔着，大棚的味道仍是一阵一阵钻进小棚——肥料在地下沤着，旧瓜叶在上面烂着，热气又分分秒秒地蒸着，唉，不要说他，连她都是有些够了。

木丹动动鼻子，没回答。他有点说不清楚的惆怅。

他想起从前的那二十几个冬天，每年冬天的第一场雪，都是他最快活的时候，好像等了一个漫长的年份，就是为了这场白而浩荡的雪似的。雪盖住柴火堆，盖住高低不平的沟道，盖住羊圈的栅栏，盖住黑乎乎的烟囱，看到那些，木丹总高兴得要手舞足蹈，他会跑到雪地里，打着喷嚏，拼命地吸入雪的味道，天哪，雪没有任何味道！可是他总要无数次地捧起它们，贪婪地往鼻尖处涂抹……

而这次，雪怎么就差点成了祸害了？他觉得他对不住雪，人家是按时分到的，人家是约好到年底就来的，只因他侍弄起大棚瓜了，倒把相交多年的雪给撇到一边了，这算什么，为什么要跟雪对着干呢？

——这些想法，有些乱糟糟的，怪天真的，跟凤子怎么说得清楚呢。

十

到了腊月二十之后，要忙年，这就不是一般的忙了。男人们负责鱼肉鲜货、对联与喜庆，以及答应孩子的旺旺礼包、动画书或衣衫之类，有大有小，都是家中早就计划好的添置，总之，他们总要到县城里去采买花费。女人们则要蒸馒头，做糯米糕，做团子，炸肉丸子，熬花生糖，她们在灶头里忙得团团乱转，整个东坝，成了一口巨大的锅似的，各种五颜六色的味道，在田埂和河道间飘来飘去，连狗都慌乱得顾不上叫唤了，一路小跑，仰着头等着孩子赏赐骨头。

木丹与凤子的大棚，却也到了第一个要紧处：给藤打杈，留着有了花苞的藤，反之，则一刀剪掉。

木丹与凤子，原来也算是喜欢整洁的两个年轻人，这一个多月下来，倒有些邋遢相了，日日弯腰躬背，头发胡乱散着，吃食上也是随便对付，常常是炖了一大锅厚粥来，就着腌辣条分几顿吃掉。

好在瓜苗是有情意的，长得很旺，藤叶密密匝匝，映得连大棚的四壁都泛起了青色，人走在里面，总有种恍惚之感，不知今夕何夕了。

邻村有懂得的大棚老手过来看了，却说叶子太多，要打杈，要剪枝，总之，他一句话说下来，木丹与凤子又忙得半死，葱绿的藤条，是留还是剪，总让他们取舍不定，好不容易长出来的叶子，一片片都是心肝宝贝，剪下每一刀都心疼得很……偶尔直起腰来对视，两人的眼神竟都有些茫然了，这与世隔绝的苦累，这不知尽头的活计，这未卜凶吉的收成……

剪下来的绿枝蔓，还鲜美着呢，摸在手上，有点毛痒痒的刺。木丹把绿油油的废藤卷成一团，送到羊圈。

在冬季，羊是最可怜的，吃不到一口青，能喂它们的都是秋天收割下来的麦秸秆之类的，僵硬焦黄，只在秆子的深处残存着变了味的水汁。要能吃到这大棚里刚剪下来的嫩枝叶，它们真要高兴得撒蹄子吧。

木丹把绿得刺眼的瓜藤挂到羊圈的栅栏上，老羊、小羊呆住了似的，满腹犹疑地伸过头来嗅嗅，再嗅嗅，最终却还是掉开头去，去啃那地上的旧玉米苞皮了——这可真奇怪，可真叫人生气！怎么会这样呢？难不成这羊脑袋里，还挂个口钟，还掐算着时节，知道在冬天，它们就应当啃枯草根?!

木丹百思不解地从羊圈往回走，嘴里怏怏不乐地含了一根瓜藤——羊不吃，他吃。经过小河塘，他又痴痴地站了下来。河塘上有一层薄冰，大约有孩子刚玩过冰漂，冰上扔的全是各种小石子及文蛤壳。河塘边一片萧杀，竹子、桑树条、向日葵桩，全都灰扑扑地站着，有种返璞归真的冷淡似的，全然不理会木丹的惆怅。

唉！唉。唉——

这大棚！

十一

有一日，木丹到镇上去买氮肥，像是什么大发现似的，一回到棚子里，就对着凤子大嚷起来：哎呀，咱们竟差点忘了，快过年了！幸亏我去得巧，那店铺老板都要打烊回家了……你快来，看我给你买了什么？

凤子凑近了一看，是两块香肥皂，一大瓶的海飞丝。哎呀，她哭笑不得，这就算是年货了?!

木丹笑嘻嘻的，情绪好像因为要过年而突然地高昂起来：匆匆忙忙，来不及想了。不过你瞧我们两个，像从洞里爬出来似的……等明天中午太阳好的时候，我们好好烧点水，在棚子里洗把干净澡，浑身香喷喷的，不比什么都强。海——飞——丝——你念念这三个字！

木丹陶醉地吸吸鼻子，像是突然走进一个香味的隧道似的，连日来的疲倦、与外世的隔膜、对大棚瓜的复杂感怀，竟淡下去不少。

木丹的大棚里可以洗澡！

这消息就像是凤子头上的海飞丝香味一样，以最小的分子、最强大的力量传播到空气里去了，混杂在那些烈火烹油的肉香里，人人都为之精神一振。是呀，洗澡，这是东坝人在过年前的最后一件大事，也是一件难事。

说了不怕外乡人见笑，在咱们东坝，没有公共浴室，各家各户里也没有取暖的新式玩意，到了冬天，不管多讲究的小媳妇，或是多派头的村干部，洗澡这件事，总是删繁就简二月花似的，或者，干脆说吧，不仅从简，还从无了，一两个月都不洗，一直到要过年了，因要换新衣裳、换新气象，女人才会挑了有太阳的好天气，烧出几大锅水来，一大家子来轮流洗。而这种洗澡，咳，咳，怎么说呢，没说的，就是挨冻，冻得浑身鸡皮疙瘩，乃至伤风感冒……而身上的脏呢，倒没掉下多少，只不过心里面，觉着很安慰很整齐了，左邻右舍碰上了，会冲着太阳打个响亮的喷嚏，报告这个大事情：今天，我们一家子把澡给洗了。

可是！现在！木丹的大棚，二十几度呢，热烘烘的！没有一丝儿风！热水总也不会凉！可不美死人了嘛！

于是，在春节前的最后几天，木丹的大棚成了整个东坝最热闹最离奇的处所——

似乎整个东坝的老少都倾巢而动了，夹着毛巾，夹着白而新的毛衫，女人还拿着梳子和发带，孩子则抱着小板凳，老人们带着丝瓜条，这玩意儿，下脏最管用的……一开始，有些混乱，这个要进了，那里还没出来，女人半敞着怀，牵着的小孩子拖着鼻涕四处乱跑……

伊老师真是有本事，真是有魄力，他果断地站出来，替大家排次序了——到底是做数学老师的出身，他把全村的人数一统计，男女老少一分类，再除以过年前剩下的日子，不多不少，每天该着几位，男女如何搭配，安排得极为妥当，实在是妙极了。

不过，伊老师竖起一根指头，像强调一个附加题的重点与难点：我有个建议。接着，他放低声音，与打算洗澡的人们交头接耳，大家也都心领神会地点头。

于是，在约定的洗澡时间之前，他们当中有些人，会提前很多时间就到木丹的棚子里来，假装很好奇似的，看木丹与凤子做活，西瓜藤么，又不是第一次看到，他们很快就会上手，便自顾找一个长畦，也给藤分起叉来……木丹与凤子有些吃惊，慢慢地看出大家的用心，便拉扯起来，哪能让大家都吃这个苦呢——

也的确是吃苦呢，不过帮一两个小时的忙，人们都感到腰肢要断了似的，汗要把皮肤腌成咸肉似的，眼睛看藤都发花得要打瞌睡了。木丹与凤子越是拉，大家越是要做。他们是真没有想到，这大棚的活儿，这样吃紧，想他们两个，天天儿地一声不吭埋在里面做，十亩地呢，真是吃了大苦了。

木丹见拉不住,便拿出他最喜欢的香肥皂与海飞丝来,作为大家洗澡时他的招待……嘿嘿,这样,在春节来临之前,我们东坝的上空,所有湿漉漉的脑袋上,全都飘荡着木丹最喜欢的海——飞——丝——啦。

另有些婶子媳妇儿的,见插不上手,或者是怕做不好那瓜藤活计,就从家里找些吃食,点了红花绿纹的白米糕,冻好的肉团子,大捆的青蒜与白菜,连头带尾的红烧鱼,满盆满罐地往木丹的大棚里送,又怕里面温度太高,就搁在棚外的寒地里,红红绿绿的,看得木丹口水都要掉下来了,他蹲在那些吃食前大口地吸气,无限满足,对凤子说:年货不用买了,我看什么都不缺了。

伊老师最会锦上添花,他两只手恭恭敬敬地平举着,替木丹"请"来了五六个威风凛凛的武将门神,挨个儿地贴在大棚的各个入口处。风飒飒的,很难贴,花费了许多时辰才黏牢。他满意地哈着手,对木丹说:这门神会保佑你的,开了春,就开花结果卖大价钱。

果然。

年三十儿,木丹跟凤子在棚子里喝酒吃菜看电视晚会,喝到快要醉了,忽然听到凤子失声地叫起来:看,这里,开出一朵小花了。

那黄而小的花,开在大年夜,羞怯而骄傲,一言不发,却又千言万语,木丹屏气静心地蹲在一边,听了小半夜。

十二

北风呼啸,大地冰冻。万物萧瑟,百种安眠。可木丹大棚的春天来了,特别有模有样地来了。

嫩黄色的花骨朵像痴情的女人似的,这里冒出一朵,那里绽出两粒。又像最纯洁的星星似的,在深绿的藤蔓上,天真无邪地睁着圆圆的眼……西瓜花的这种黄,刚出来,撒娇得很,胆怯地躲躲藏藏,过几天,便慢慢老练起来,骄傲得很,完全瞧不起人间烟火似的……是啊,它们真可以瞧不起人间烟火,没有风吹过,没有雨打过,那般完美无瑕、娇弱可怜,竟是像假的一样了……

而世上的事情,原本就是要这么配的——光有那些绿叶子时,大棚里好像有些平常,可叫这黄色的花儿一缀,空气都换了颜色似的……就好比是,大道上远远地走来一个男人,大家都看不见似的,若他旁边偎着个姣好的女子,便很引人注目了……

木丹喜笑颜开,嘴巴里一阵翻滚,却憋不出像样的词句。

颠倒了，真是完全颠倒了。他最终只好翻来覆去地这样感叹。

正月里，正是走家串户的好辰光，人们穿着新衣，袖着两只手，也会到木丹的棚子里转转。这里繁花似锦、生机热烈的样子也让他们张口结舌了，个个回声般地跟在木丹后面重复：颠倒了，这哪里是冬天呢，完全是阳春三月呀……完全地颠倒了……

人们一起乐观地笑起来，他们好像都长了一双能够拨冗去雾、预见未来的慧眼似的，从花便看到果子，从果子便看到钱了。

不是！跟真正的春天不一样，没有蝴蝶飞飞，没有蜜蜂嗡嗡！一个正在念书的孩子叫起来，他在书上背过春天，背得都烦死了，所以也记得特别清晰了——哪一篇春天的文章不会提到蝴蝶与蜜蜂呢？

是啊，人们个个儿恍然大悟，这花，开是开得好，可现在，没有蜂也没有蛾子，倒如何结出果子来呢？他们转过脸去盯着两个年轻人，他们分明是又瘦了一圈了。

凤子掉过头去不搭理，木丹则略有些迟疑地说：人工授粉……我们到邻村学过，要……人工授粉……

木丹这话声犹在耳呢，转眼间，瓜花们就开得很盛了，像饥渴的嘴，里面毛茸茸的，果柄长而粗，从厚厚的子房里伸出来，这是雌花。而雄花，颜色就更加的鲜艳，花冠大而开放，黄色的蕊上，花粉肥嘟嘟着，拼命地想引起蜜蜂之类的注意——现在，只能是引起木丹与凤子的注意了，还有另外两个短工。因为忙不过来，他们请了两个半大的孩子。

他们四个人，像蜜蜂嗡嗡，像蝴蝶飞飞，要赶在每天的上午，把新开的雄花一朵朵地摘下来，把花瓣外翻，露出雄蕊，然后找到那些张着小嘴的雌花，倒扣过来，在她的柱头上轻轻揉弄，像涂胭脂似的，让黄色的花粉完全地黏上去……一般一朵雄花可以涂两三朵雌花……

真好玩呢。一朵雄花，为什么得配两三朵雌花？木丹一边忙着，一边自言自语似的，却又故意地往凤子那里瞟。

凤子却虎着脸——她很不喜欢“人工授粉”。这四个字，讲出来，总像是粗话似的，而做起来，动作又那样的下流……而且，木丹竟会因此特别得意似的，到了晚上，也像发情了似的，倒扣到她身上，模仿着授粉的动作，揉弄着……

两个帮工到底还是孩子，因是头一次独立打零工赚钱，又是这样好玩的活计，竟十分兴奋了，他们按照木丹的要求，剪了许多小红线，亦步亦趋地跟在后面，凡是授过的雌花，都要系上一条儿作为记号——等到第二天，就要凭了这红线一一查看，如果雌花花柄开始弯曲下垂了，说明是“授上了”，反之，如若她仍然饥渴着向上或向前直伸着，则说明，“没授上”，得替她重新授……

一整个上午，他们是蜜蜂，到了下午，则又成了机器人，一人背着台喷雾器，打

“保果灵”。

“保果灵”是很关键的药，关系到结瓜的质量与数量及稳定性、成活率，一步也少不得。这“保果灵”，闻起来有些腥气，又有些农药气，还有点令人倒胃的甜丝丝……但看上去还不错，四根喷雾器一起劳动起来，白而发亮的水汽在大棚里一层层地弥漫着，叶子与花就全部湿漉漉的，像大雾之后的清晨……如若碰上太阳强烈的天气，简直像是升起了无数道彩虹……彩虹下面，绿的叶，黄的花，红的线，简直真是人间至美之景了。

凤子捅捅木丹：味道！味道怎么样？

木丹木着张脸，喘着气忙着喷洒，想来满鼻子都是“保果灵”的味儿。他一时没有理会，或者是想如何回答。过了好久，打完他的那一畦，他终于说，语气倒也不是特别的伤心：我的鼻子，怕是要坏了，现在，什么都闻不出了……都不知道，第一个瓜结出来，我还能不能闻到它的香甜气……

十三

打了春，赤脚奔。人世间真正的春天终于傲慢地、慢吞吞地到来了，到这个时候，整个东坝也像个正在伸懒腰的人似的，快要睁开眼了。各家各户的事情也开始多了，翻地、晒种、下肥、买崽猪、捉鸡苗……一浪推着一浪，谁都躲不开，虽说春日漫长，他们却少有工夫再到木丹的大棚里瞧稀奇了。

倒是木丹，有时会从大棚里出来，窜到别人家的地里去，他也不怕冷，把鞋袜全脱了，两只脚踩到依然干硬着的泥土里，抡起大锹，用力砸起土块——休养了一个长冬的大地，外表坚实，内心温柔，木丹轻轻地一砸，它们就碎了，袒露出黑黝黝的心肠来，有些还湿漉漉的，像是含着去年的冬雪似的……木丹看得喜欢，又从人家手里抓起大把油菜籽，均匀地抛撒开去，一阵吹面略寒的春风刮过，几道飞起来的弧线之下，红而圆润的油菜籽像是极小的珍珠似的，在泥土上织出花布一样的纹路……别人看木丹这专注而痴情的样子，都发起笑来：木丹，这地，你都弄了十几年，还没弄够？这哪里比得上你的大棚，不见风不打雨的……

是啊，大棚。木丹有些恋恋不舍地，把冻得发白的脚从黑地里拔出来，又回到大棚里去了。在大棚前，他总要停下来站住，深吸一口气，然后，一个猛子，从外面的初春扎到里面的盛夏。

而这个时候的大棚，的确是怠慢不得的，就像女人快要临盆，进入吃紧的时候了。

授过粉之后，藤蔓上开始坐瓜了。蚕豆大了，拳头大了，小孩头那么大了……一天一个样似的。

这期间，肥料是一周一次。木丹下了大本钱，用的是豆饼，豆饼揉碎了烂在地里，有种接近于发酵面团的味道，这让木丹很满意……他时常长久地蹲在藤蔓边，像要打盹似的迷糊过去……凤子忙得头发贴在额上，不满地过来推他，他会突然地一惊，却又露出恍惚而神秘的笑：好了，我的鼻子又好了……这豆饼，香得很……

凤子在忙着担水，这一个月，她觉得她都要把村子里那河塘的水给挑空了……瓜藤们像是无数个吸管似的，吱溜吱溜地拼命往上抽水，是啊，要结那么多那么大的瓜呢，哪能不管它喝个饱的。可是，像父母待孩子似的，又千万不能纵容着，若水浇得过头，它又会烂根，结出来的瓜会“沤”掉，总之，这里面有个“见干见湿”的度，微妙极了，如同男人对女子表白爱意，多一点不行，少一分也不行。

伊老师是没有四时农活的，他光拿退休工资就可以过得蛮体面了。现在，也只是他才有空，每天到木丹的大棚来转转。这时节，是三月三的天气吧，得“春捂”，加上外头还有些春寒，伊老师总爱围着条藏青色的旧围巾，文绉绉地在大棚里东转西转。看到木丹跟凤子露胳膊露腿儿地忙得热火朝天、汗滴泥土，两方都会失笑起来。

伊老师看木丹累得眼睛都大了，就给他说瞎话解闷儿。

木丹，老话说，人定胜天，我还只当是说说，四时轮回，日升月落，人哪里能胜过天？但现在看到你这大棚，却觉得此话有些道理了。何止是大棚西瓜，我看，所有吃的作物或果蔬，都是可以进大棚了，以后，还要分什么四季，若有本事，就用一张最大的塑胶薄膜，把所有的耕地都罩起来，哼，全天下永远四季如春，那还得了，粮食要吃不掉了，要支援给埃塞俄比亚难民了吧……哈哈……伊老师不知翻的是哪年的老皇历，还惦记着非洲兄弟呢。

木丹知道伊老师是在讲玩笑话，却听得脸色凝重起来，不以为然似的，有些欲言又止。

凤子在一旁替他说了，也算是告状：伊老师，他这人，怪得很，当初兴冲冲要种大棚的是他，这会儿，快要忙到头了，他倒又不高兴起来，总哼哼唧唧的，不知哪里不对……

伊老师点点头：这个，我懂的，叫近乡情怯，担心瓜的成色。你不要怪他。

木丹却在一边支支吾吾地反驳着：也不是担心……我只是觉得不对，天儿还这么冷呢，人家都在下种，我这里却在摘西瓜，几百斤上万斤地摘，这个动作，这个场面，我一想起来就怕了，不踏实……

嗯？伊老师瞪起眼睛。你这孩子，脑壳进水了，我都还嫌摘得太迟呢。我昨天看省城新闻，那里的瓜现在是三块五一斤，卖得俏得很呢……你得赶早了，去抢这批头筹才是！

不几天，伊老师替木丹领来个人，他这样介绍的：木丹啊，来，认识一下，乔……

乔经纪人，专门收西瓜、卖西瓜的……

哦，是瓜贩子，可木丹给经纪人的名头弄得一愣，手都不知道握了。幸而那乔经纪人也是庄稼汉出身，是个实在人，挑了门帘就进大棚里看光景。

这几天，瓜开始从小孩头向大人头长了，有些，都长到有猪头那样大了……肥而圆，东倒西歪，慌不择地，着实很有气候了。木丹一言不发，像是有些木讷似的，只跟着乔经纪人后木木地走。凤子着急地瞟瞟他，他这个时候不应该自夸几句吗？

乔经纪人一副老把式的模样，蹲下来，训练有素地拍拍这个，又敲敲那个，表情专业，严肃。连伊老师也给他唬住了，有些紧张地盯着他的嘴。

还不错。到底喂的豆饼，瓜好。但水不够，特别是最后一周，水就是重量，浇上去了，就打秤了。乔经纪人话不多，句句都讲到点子上似的。另外，你们要赶紧夹种点大蒜或葱头……春天来了，地下的虫子都活泛过来，这层薄膜，哪里挡得住……

那么这瓜……到底是女人，凤子按捺不住地接着问了。

一周后，我带买家放个车子来，你家的头道瓜，我全包了。

十四

离清明还有五天，木丹摘下了他的第一只瓜。

他自己去请来伊老师，又让凤子去请了东坝的几个老人。大家一起坐在大棚里，准备吃第一只瓜。

清明时刻的天气，其实也是有些热了，他把大棚掀开一角，放进一点自然风来。摆上几张凳子，把瓜切成长而薄的片片，两手举了请他们几位品尝。

哎呀，好瓜，好瓜。似乎嘴唇刚一碰到瓜汁，像最轻微最漫不经心的一个亲吻似的，他们几个就立刻赞叹起来，那叫好声，跟在戏台下专门替人叫好的托儿一样，充满激情，也充满心机。

木丹就怕这个，怕他们喊得太快，可又能说什么呢，他们是真诚的。

伊老师看出他的意思，埋下头，又仔细地吃了几口：真的，木丹，甜、沙，水分足。嗯，唯一不足的呢，是皮有些厚了……不过没关系，你反正是按重量算钱的，只要口味好就行……

几位老人也重新诚意地吃着，没牙的嘴努力地嚅动着，一边有些抱歉地：唉，木丹，我们是年岁大了，舌苔又厚，对甜的东西，不大有数……但真的，活了六十多年，我还从来没有这么早吃过瓜呢……

吃掉第一个瓜，木丹和凤子开始大规模地摘了，他们在大棚的一角清出个空地来，一层层地码，很快便堆得像个小山丘了。忙了一会儿，木丹忽然想起什么似的。

刚才那老人说过……活了六十多年，他还从来没有这么早吃过瓜呢……也是，东坝有谁这么早吃过西瓜呀，这才清明不到，人们还裹着棉袄呢……

木丹心头一阵突袭的愉快，他找出担筐子，让凤子把瓜直接往筐子里装。

做什么？凤子是猜到他心思了，却不敢相信，当真他要送人？现在可是三四块一斤！他们俩像狗一样在这大棚里爬了三个多月，好不容易才收出这第一批……

给大家尝尝呗。看看凤子的脸色，他又加上一句，你不记得了，下雪那夜，要不是他们……

其实他这话只是说给凤子听的，就是没有那一夜，他还是会送的。大家伙一起尝尝吧。东坝的第一锅大棚西瓜。

东坝好像迎来一个西瓜的民间节日。

先是孩子们，高兴得都跳起脚来，几乎奔走相告，孩子跟老人不一样，对西瓜向来是爱吃不够的，一个冬天下来，嘴里正想着有什么好吃的呢……看孩子这样，女人们也高兴了，拿出毛巾替孩子擦嘴角的口水……看孩子和女人高兴了，男人们也都笑起来。他们还笑这里面的神奇与荒诞——这种时候，吃西瓜，嘿嘿，进嘴了都会冰牙齿吧，老祖宗们哪里会想得到，他们的子孙会有这种不可思议的口福、有违常情的口福……

伊老师听到动静，或者说，闻到空气里疯狂起来的西瓜味儿，几乎是跑出了门，哎呀，这个实心眼的木丹……他想对邻居们说什么，看了看，想了想，终于还是什么都没说……

木丹每到一处，都要跟人"打架"——他要丢下两三个瓜，可男人们不肯，只要一个，并且，是跟另一户合一个。他们拉来扯去，红着脖子直嚷：心意收下了，收下了，主要是给小孩子尝尝……这样大的瓜，半个都嫌多……你当我们这样没出息的……你们那样辛苦的，出了大本钱，哪能给我们这样白吃……

等木丹走了，小孩子早扑上去，女人打开孩子的手，递给男人一片瓜，后者半信半疑、小心翼翼地咬上一口半口，就又让给女人，女人在鼻子跟前闻闻，啧啧地看几眼，就完全地塞到孩子手里……每家半只瓜一只瓜，竟会吃上很久……

就算是这样吧，木丹也足足挑了八九筐才送齐了全村，有些人家人口多的，他又悄悄地折回去，在门外再补上一两个。木丹想起来，他母亲刚去世那阵子，他早上打开门，也常常地会在门槛外发现人家送来的吃食。这样的情形，现在自己反过来做了，怎么竟还有些难为情似的，毕竟这大棚里出来的瓜，也算不上什么顶好的东西吧。而有些情谊，并不是一来一往可以回报得掉的。

送完了全村，他最后才悄悄地绕到父母的坟上，跪着，用拳头就地捶开一个，红红的瓤像血一样地流出来……

吃吧，尝尝吧。东坝最早的西瓜，一辈子里吃得最早的西瓜。他叹口气，跟父母打个招呼。清明，会很忙，我就不来烧纸了……

等到重新回到大棚，木丹还真是有些累了，他躺在地上不再动了，薄膜铺着的地面，热乎乎的，像谁用温柔的手在轻轻地托住他的身子。

凤子在一边闷着生气，木丹是送出去近千把块钱呢。见木丹回来，又不想显得那样小气，便找他说话，并且，她突然想起件事来：咦，木丹，刚才……你自己还没吃瓜吧？我来切一个你尝尝？

木丹不吭声，像是要睡着了。凤子又问他，他才心不在焉地说：吃不吃都一样……我一闻就知道它是什么味儿……再说，我前几天做梦，天天都在吃瓜呢，比谁都吃得早……

可你得当真吃一口才对呀！

不了，真的，一点都不想吃……怎么看着这瓜，我就肚子胀胀的似的……

真是这样的，说了都没有人肯信，木丹就那样固执着，不肯尝一尝他大棚里出来的头一道瓜。这孩子，就是这样，在小事情上怪怪的，没办法。

十五

乔经纪人带了胖胖的收瓜人来，收瓜人开了辆半新的卡车，上面已经装了一半。看样子是一路收过来的。伊老师也跟着来了，他怕木丹在价钱上吃亏。

这收瓜人显然是健谈的，大概是走南闯北的有些见识，讲话很有气势。他对木丹点点头：年轻人，脑子活呀，你们东坝，也是得换换思路了，不能总守着时辰，到点吃饭，到点睡觉，这样不行的……看人家溱西镇，人家安东镇，与时俱进，整个村子都是大棚，不仅是瓜，还有各样的果树，各样的蔬菜，青椒啊西红柿啊莴苣啊萝卜什么的，家家户户发大财……

乔经纪人在一边帮着腔，点头笑。不知为何，木丹却听得有些不耐烦，他径直带了收瓜人到那小山丘前。

乔经纪人突然在后面扯扯他的衣服：咦，就这么一点呀，十亩地呢，你不要留一手，我是跟你说好的，头道瓜我全要……

哦，全在这里了。昨天，给村里人分了一些……

伊老师连忙解释：哎呀，乔经纪人，你不知道，木丹是个实心眼儿的孩子，昨天，他那一下子弄的，总有两三百斤是给大家吃了……您别多心，我亲眼看着的，大家吃个欢喜劲儿、吃个新鲜劲儿呗，您知道，东坝，从前没有长过大棚瓜……

乔经纪人倒不是真的生气，他只是注意地看了木丹一眼，说不上是什么意思。

村里来了几个人一起帮着往车上拾掇瓜。收瓜人则把木丹拉到一边：怎么样？小兄弟，一块九我收了。

木丹没有数，看看伊老师。伊老师其实也是纸上谈兵，却还是壮着胆子回了一句，算是“还价”了：我看电视里，人家城里都要卖三块多呢！

饭店里，卖三块八九的也有呢！收瓜人不恼，手里不紧不慢敲着瓜。可是这一路上，从地里到城里人嘴里，你们知道要经过多少道关口？要交多少税费？还要倒着几手？哪一层不要剥个几毛钱？

伊老师抿起嘴，不敢轻易开口，只得一筹莫展地掉脸看看乔经纪人。

乔经纪人拍拍收瓜人的肩膀，说出他的一套老话：大家让一步，大家让一步，嗳，人家东坝头一个大棚，头一笔生意，把调子起得高一点……你第一家做得好了，以后不全是你的？你看东坝，现在还全都是黑地裸地呢，等全变成大棚了，我保证把业务全带给你。

他又掉过头来对着木丹和伊老师：行情我是有数的。上面的环节太多，我们这些人，其实都是赚个小头……我看，两块钱好了，比刚才收的那家还要高五分，基本是清明瓜最好的价了……另外，木丹，我挺喜欢你这小伙子，我的中介费，你知道的，抽他两分，抽你两分，每斤我能赚四分钱……我要让你一分，只收一分。不过下不为例，你后面的瓜，是一分不能少了。

十六

后面的瓜……后面的瓜……怎么说呢。

清明后面是谷雨，谷雨后面是小满，小满后面是芒种。好像夏天慢慢儿地就快要来了似的。

因为天气开始真正暖和了起来，白天的时候，木丹就把大棚揭出几个角，他的瓜还在一批批地开花结果，仍是那样完美无缺、干干净净、撒娇般的黄……但蜜蜂蝴蝶呀什么的并不往这里飞，它们像是一齐商量好似的，永远只在那无边的天地间纷纷扰扰地飞……因此，木丹的人工授粉还是得做；施肥、顺藤、浇水、打“保果灵”，一样也少不得……

而木丹的瓜，却再也不那么金贵了，像得了头生子的人家，对老二、老三，都有些散漫了；价钱，更像是小孩折的纸飞机似的，斜着往下直冲，从一块五，到一块二，到八毛，现在，只是四毛了。不管是什么样的价钱，每次起瓜，他都会给各家的孩子们送一些过去，好在价格慢慢地贱了，大家也不要再费劲拉扯了。

送完瓜回家的路上，他会被那些蜜蜂蝴蝶什么的弄得原地打转，脑壳都要疼起来，沮丧地失去方向。他索性把扁担放下来，半个屁股坐在地上，看着那些蜜蜂……

嗡嗡嗡，嗡嗡嗡……它们跳着复杂的舞蹈四处乱飞，洋槐花、油菜花、蚕豆花、芝麻花甚至是狗尾巴花，它们都毫不犹豫地扑上去，停下来，伸出尖尖的刺，一边搓着脚……为什么，偏偏就不到他的大棚里去呢……每每想到这个，他都会觉得心里空荡荡的，总也笑不出来。不过，这算是什么事呢，他都没有办法跟谁抱怨，见过谁跟蜜蜂较劲的吗……

也许他得跟他自家晒场上的那些瓜蔓儿较劲。他不知道是谁，其实不会是谁，肯定是凤子，又像往年一样，在晒场边胡乱撒了些瓜子儿。一直没有人去理会，也没人注意。前几天他无意中一张眼，发现那瓜藤竟已是绕得满场走了。不知为何，这让他有些气恼。这个凤子，还怕今年没瓜吃么。

他瞧瞧那些瓜，已经结了几个，大小不一，样子也不好看……可是他看看那瓜，竟有些散神了。

他想起小时候，每到这样的时候，就天天儿地扒着瓜藤，恨不得拿把软尺来量一量西瓜的腰围，看看比上一天大了多少……那瓜，却总是不着急，停住了一样地，慢慢儿地长。木丹总疑心它是营养不够，每次夜里起来小解，他都要站到瓜藤边，举起他的小弟弟，艰难地对准了瓜藤的根部……暮春的夜，略有些寒气，头上总有白白的月光，照得晒场也白白的，像大鱼的肚皮，他一边小便，一边嗅鼻子，就是那么小的一个瓜苗子，他也能闻到它里面香而甜的含蓄味道……就这样，一天天地等呀，用小便浇呀，终于等到瓜上面有了一层淡淡的白霜，四周的叶子开始萎黄了……母亲才会允他摘了。为了更加好吃，母亲会把瓜放到桶里，用长长的井绳吊了放到井里……到了晚上，洗过澡，蚊子出来了，萤火虫出来了，纺织娘出来了，他便与母亲开始，用心地吃他们夏天的第一枚瓜了……这瓜，是接了地气的，是笑过春风的，是受过露水的，是听过惊雷的，吃到嘴里，跟吃到春夏四时的滋味似的……

不知想到哪里去了，木丹惊异地发现，他的眼中忽然噙满了令人羞愧的泪珠……他伤心地拖着脚步，往大棚慢慢地去了。那大棚里，有太多太多的西瓜，来得那样轻易，那样不合时宜，而这，竟让他感到特别难过了。

十七

等外面的瓜也开始大量结果上市了，大棚瓜的存在就显得有些可笑了。价格更没有任何优势，或许还是劣势，别人能卖一角，他只能卖七八分，好在，也不多了，都是脚瓜了。脚瓜——这说法真难听，但大家都这么说，木丹也就这么听了。

乔经纪人看木丹有些失落的样子，便劝导他：大棚瓜都是这样的，只有前几批值钱，到后面，反倒比不过外面的地生瓜……也正常的，凭良心讲，大棚的口味，是怎么也比不过外面的。不仅是瓜，所有那些果物呀菜蔬呀，都一样，再怎么下工夫下肥料，没办法，就是拼不过野地里一天一日按时节长出来……但怎么办呢，现代人越来越馋了呀，越来越急性子了，越来越贪心了，哪里有耐心等那地里慢慢儿地长，哪里肯跟着四时节刻走呢……活该就得花大价钱吃大棚瓜大棚菜呗……你呢，不要为现在的价钱不服气，前面也赚到了是不是……

木丹摇摇头，这位乔经纪人，跟伊老师一样，总以为他是在为价钱闷闷不乐。其实哪里是呢，但到底是因为什么，他自己也理不出个头绪……

等最后一批脚瓜摘尽，大棚里终于彻底萧条起来，像秋天、像冬天，这一切也比世外来得早。那些瓜藤，弃妇一般，面色委顿，僵硬枯黄，随随便便地满地逶迤着。木丹与凤子用耙子把它们拢起来，成捆成捆地拖到河塘边去晒——晒干了，好做柴火。他们今年没有种玉米没有种棉花没有种黄豆，什么都没种，柴火是有些吃紧的。

木丹尽力掩藏起他的某种悲伤……这些瓜藤，曾经那样毛茸茸的，摸在手上，有些刺而痒，曾经开着许多的花，挂了许多的果……可是，难受什么，所有的作物，不都是这样的归宿么，就跟人一样，来于尘，归于土……但为什么呢，木丹竟感到内疚似的，或许因为，因为现在尚是盛夏，这时节，所有别的瓜蔬作物们，还都绿油油的，风华正茂的！而它们，这些大棚的瓜们，却要这样提前死去了，它们前面最好的日子已经叫木丹给糟蹋了给利用完了吧……

没了瓜藤的田畦光秃秃的，有些难看似的，从前人工授粉时所挂的红线条现在东一根西一根，上面黏着泥或水，已是很脏了……薄膜已被凤子完全地掀掉收起了，大棚，现在只剩下些毛竹搭成的空架子，搭头处的绳子挂着，有些松动……外面的风与阳光，完完全全地透进来，照着地上的斑驳与狼藉。他们现在可以不用猫着腰了——木丹却仍是习惯性地佝偻着，不安地到处走，用脚四处踢踢，眼睛都没地方放似的。

十八

伊老师拿着个旧算盘来了，满脸笑嘻嘻的，看样子，关于木丹大棚瓜的收益，他已在家中预先打过大略的草稿，这会儿来，只为了详细地验算给木丹再看一遍。

这算盘真是太旧了，不知有多少时日没人用过了，有半边的珠子都掉得差不多了。伊老师因陋就简，只局促地挤在四条完整的珠杆上算，每到进位到万，他就要竖起一根指头，放在算盘边上，嘴里自顾提醒着：进一位，我们借一根指头作万位……再进一位，我们借第二根指头……

这样借着指头算了一阵子，从一开始的地租、雇工钱到薄膜这些一次性的投入开始，又再一次地核实木丹这几个月来所花费的农药与肥料，他算得十分的精确，连浇水的管子、小木桶之类都不放过。

——木丹啊，成本一定要算足，收入么，四舍五入，有个大概就可以。他停一停，对木丹强调。但当伊老师问起卖瓜具体所得，木丹一时竟有些茫然，连个大概也说不清楚，凤子在一边轻声地笑了起来，她站起身，不知哪里翻出个小本子，得意地一页页翻过：哪一日卖了多少斤，单价是多少，中介费是多少，收入又是多少，记得清清楚楚。

伊老师从算盘上抬起头，用他那只不用被借作万位的手指指木丹：一块馒头搭一块糕，你这糊涂虫，幸好娶的是凤子，要别的婆娘，把你钞票卷走了你都不知道……

其实账是很简单的，但伊老师弄得有些复杂了。他先算出成本总数，再除出每亩的成本；算出收入总数，再除出每亩的收入，然后再把两个商相减。

喏，这个，就是你平均每亩瓜田的净收入。他谨慎地抿起嘴，像是机密般地，不愿直接报出那数字，只小心地把算盘转个方向，往木丹面前缓缓地推过去。

陈旧，却依然黑得发亮的算盘珠子，像千百年前的眼睛一样，默默地盯着木丹。木丹竟看得有些吃力了，他小学只读过两年，这算盘上，散落排列着的那些珠子，到底是多少呢？他这样，便是赚了么，他赚得算多么，他赚得算值么……

伊老师收起算盘，他摸摸胡子，运筹帷幄的样子：这个数目，不算太好，也不能算太坏……所以呢，我看，你明年可以扩大再生产，弄个五十亩，现在都讲究规模化的，那样才能赚得多……而且，我都替你打听过了，现在县里有专门的贷款，无息的，支持大棚户……你要弄得好了，真可以把咱们东坝的家家户户都带动起来，就像我跟你说过的那样，用一块最大的薄膜，让咱们这里，所有人家所有的地都成为大棚，永远四季如春，永远播种，永远收获……伊老师讲得都动感情了，都诗情画意了。

木丹却听得有些散神似的，他怔忡地调开眼去，不置可否，好像又回到他从前那种“不开窍”的样子里去了。

明年到底种不种，到底种多少——伊老师这次没有等到立竿见影的答案。

十九

立秋的这天，照风俗说，要啃秋，也就说，要最后一次好好地多多地吃西瓜，跟夏天郑重地道别。

外面下起了雨,滴滴答答地,像一座永远走不完的钟似的。

凤子在家里转了转,突然笑起来:咦,木丹,我们家没有西瓜了呢。不过,吃不吃也无妨……我们种大棚瓜的,哪里还会稀罕这个……再说你,你今年,好像都不喜欢吃瓜了是吧,从头到尾,都没见你吃过几次……这个啃秋,我们倒真可以免了……

木丹正跷着腿躺在床上,神情寡淡,不知在想些什么,听凤子的口气里有些故作的不屑,看样子,她其实还是想吃了。唉,西瓜,跟夏天的饭似的,真没听说过谁能吃厌了的。

他看看凤子,不紧不慢地摇摇腿:你到晒场看看,说不定,那里会有几个……

凤子一拍手:哎呀,我倒真差点忘掉,春上我撒过一圈种子的……她冒着雨,几乎是跑着出去,不一会儿,果真抱着两个沾满了泥浆的瓜来。这两个瓜,形状长得不算周正,一个可能还熟过了头。

但木丹见了,倒眼睛一亮似的,一骨碌从床上翻下身来,麻利地舀了半盆水来,让凤子托住瓜,他们一起站在檐下,细细地洗净了。然后坐到小板凳上,放在矮几上一刀切开。

确实不算太好,瓜瓤可以说是粉红的,但籽倒是分外的黑,水分也足,矮几上流了一摊。

木丹如获至宝,吃得有些馋相,一边口齿不清地嘟囔:不错,真不错。好像他又回到了小时候,这正是他等了一整年的那头一枚瓜。

2006年8月14日完稿于方圆绿茵小区

鲁 敏

1973年出生,江苏东台人。1991年结业于江苏省邮电学校通信管理专业,同年进入南京邮政局工作,先后从事过营业员、团总支部书记、宣传干事、秘书。2005年调入南京市文联,现为南京作协副主席兼副秘书长。1999年开始小说创作。2007年加入中国作家协会。著有长篇小说《博情书》《方向盘》等,另有《白围脖》《镜中姐妹》《思无邪》《风月剪》《逝者的恩泽》等,多篇小说入选各种年度排行榜及年度选本。中篇小说《颠倒的时光》获《小说选刊》2006—2007年度读者最喜爱小说奖,中篇小说《思无邪》获2007年度茅台杯人民文学奖,与2007年第六届中国青年作家批评家论坛年度青年小说家奖。

生长的月亮

高菊蕊

一

门环击打在老旧的木门上，发出哐啷哐啷的声音。这声音理直气壮敲打着马奖的耳鼓，在宁静的夜里播散到遥远。马奖眯缝着眼睛，看到石膏做的顶棚，抖落下一团团浮尘，这些浮尘飘飘摇摇地降落下来，雪片一样落在凌乱的床上和他有点蓬乱的头发上。

刚坐到被窝里的马奖，听到这样的敲门声，觉得一股寒意从心里猛蹿出来，浑身上下不自在。胳膊上的汗毛也都警惕地挺直了身子，灯光下，像竖起的一杆杆旗帜。马奖好多年都没有听到这样的敲门声，这敲门声很容易让他一脚跌进不愉快的年月里。马奖拉了拉肩头上披挂着的衣服，慢吞吞地扭过头去。雾水一样朦胧的节能灯下，老婆黄素珍睡得正香。她哧啦哧啦的鼾声，风箱一样响亮。黄素珍微咧着唇，一条明亮的口水沿着阔大的嘴角向下蜿蜒，濡湿了一大片枕头。黄素珍睡觉永远都回荡着这样嘹亮的哧啦声，就是天塌地陷也和她没有半点关系。马奖曾在无数个夜里，忍受不了她发出的这种哧啦声，逃到另一个屋子里独自入眠。马奖对黄素珍永远都产生不了过多的激情，那个年月里，他能娶到这样的女人就很不错了，哪里还有权利挑挑拣拣。马奖不情愿地拉上裤子，趿拉着拖鞋去开门。这时他的心莫名其妙地跳了起来，他伸手抚摸着自己的胸膛，对自己说：跳个屁，现在的年月又不是过去的年月了，谁怕谁呀！

马奖的声音里就多了不耐烦，他不高兴地问："谁？"

门外的人说："我。"

马奖明知故问："你是谁？"

门外的人说："有福。"

是他的亲家胡有福。多少年来，胡有福很少上马奖的家门，就是女儿马红和他儿子胡小强订婚结婚这样的大事，他也没有来，都是媒人在中间往来穿梭。马奖知道胡有福是从骨子里瞧不起他马奖一家，要不是当初胡小强先斩后奏，把马红的肚子搞大，胡有福是坚决不同意这门亲事的。

隔着一扇老旧的木门，马奖闻到了胡有福嘴里吐出的烟味。胡有福没有进来，他嘴里吐出的烟味已经先他从门的隙缝里进来了。这烟味在马奖家黑咕隆咚的门洞里自由自在地舒展着身子，散漫地云游着，毫不客气地侵占了每一个角落，和胡有福一样显摆出一副横行霸道的模样。

马奖在喉咙里嘟囔了一声："啥事？"

胡有福说："听说你要当书记了，我来庆贺庆贺。"

接着又说："还没有当书记，架子就先摆出来了。"

胡有福说这话时，口气里就多了不满。

马奖没有拉门洞的电灯。他飞快地猜测着胡有福找他有什么事。他肯定胡有福绝不是来庆贺庆贺的。马奖心里盘算着，手里的门闩就拉了开来。

胡有福侧身进来，看到门口的马奖不动，就不好意思往里走。他站在黑暗的门洞，嘿一声笑了。这故作出来的干笑算是给马奖打了声招呼。马奖感到一股热乎乎的气息带着烟的苦涩味，擦着他的半张脸飞过，痒簌簌地让他难受。

听到胡有福这样的笑，马奖预感到来者不善。他已经感到了胡有福身上不友好的气息。

马奖说："有事吗？"

胡有福猛吸一口烟。马奖看到那点红红的烟头灿亮地闪了一下，又暗淡下去。那点红映着胡有福始终没有舒展的眉头。

胡有福说："也没有啥要紧事，你知道咱村半年都没有党支部书记了，自从我让上面免了职，村里的事都撂了套，为了工作，镇里准备在村里的党员中重新选出一个书记。今天镇里的政工副书记夏雨来了，夏书记走访了好几个党员群众，他们都说你上去最合适。"

马奖还是揣摩不透胡有福的意图，却嗅闻到了胡有福话里酸溜溜的味道。

马奖说："如果党员们选上我，说明他们瞧得起我，我会好好干，绝不贪污村里一分钱。"

马奖最后一句话正中胡有福的要害。胡有福正是贪污了村里的钱才让上面免了职。胡有福贪污了村里十几万，刚开始上面说是"贪污"，最后变成"挪用"。村里人在背后议论，这十几万元，胡有福没有全部贪污，是和上面人私分了，有人在上面给他活动哩。镇里免去胡有福的"书记"，也算是给盟桥村群众一个交代。马奖知道自己这句话说重了，黑暗中他听到胡有福的喘息声，一声比一声厉害，胡有福又极力控制着自己的喘息，就控制出一串接一串咔咔的咳嗽。

胡有福说："马奖，现在村里的干部难当呀，比当孙子还难当，特别是这破书记，上面看不顺眼了，动不动就免职，免职比脱裤子还容易。村里的党支部书记不比村主任，村主任是村民大家选的，上面没有权利免职。你没有当过书记觉得新鲜，等你当了就有你好受的。你在风陵渡收芦笋一天好几百元的进项，当这个破书记干啥哩？现在退出还来得及。”

马奖终于看到了胡有福隐藏的狐狸尾巴。

马奖说：“我还年轻，比你小好几岁哩，选上了我，我就给大家服务服务也没啥。我女儿马红出嫁了，儿子马良上了高中，家里的钱赚多少是个够，人常说，穷没根，富没梢嘛。”

胡有福没有了话，只有嘴上的烟头在黑暗中明灭闪耀。

许久，胡有福说：“我求你了，还是别当这个书记，我当了好多年书记，最后落个让上面免职的下场。马奖，你还是退出来吧，不是我胡有福爱当这破书记，是我丢不起这人。我当了十几年的书记，现在啥也没有落下，这么多年我才感到，我们这些村干部就和露水一样，风一吹啥也没了，不像人家机关里的国家干部，有级别、有职务、有退休金，只要上去了，就很难下来。听我的话，你还是退出来吧，看在咱们多年亲家的分儿上，我求你了，干上一年半载，我自动退下来，这样也给我个台阶下，比起这个免职的下场好多了。”

胡有福一字一句说得很诚恳。马奖从来没有见过这么诚恳的胡有福，在这诚恳的胡有福面前，马奖心想：原来胡有福是想让自己不要当这个书记，他来当，说的比唱的还好听。这么多年马奖对村“干部”始终有一种期望，自从看到大哥挂在盟桥上的那一刻，他就期望当一个村干部，凌驾在全村人之上，让全村人都看得起自己，看得起他们马家，让全村人都知道他们马家再也不是四处碰壁的马家。这么多年来他和睦邻里，谁家有了困难他马奖总是第一个先到，最后一个走。他老实本分，他夹着尾巴做人，从不在人前张扬显摆。他知道要当干部就要入党。胡有福站在入党的大门口，轻易不让任何人入党，能入党的都是他的亲戚和胡氏家族里的人。为了入党，马奖不惜把女儿马红嫁给了胡有福的儿子，胡有福这才把“入党”当成一份礼金给了他。这一切都是为了当一位村干部。现在天赐良机，他马奖怎么会轻易放手呢？

马奖站在胡有福面前，他看不清胡有福的面孔，不知道胡有福是怎样一副可怜相。

胡有福见马奖不说话，以为他心动了，就接着说：“亲家，你放弃，我会给你补偿的，你说个数，不管多少我都答应你。”

马奖听了，像挨了一耳光，脸火辣辣地烧。在胡有福的眼里，他马奖成什么人了？

马奖气呼呼地说：“胡有福，我不稀罕你的钱，我要你的钱做啥？”胡有福说：“我真不明白，你不要钱，那你要啥？”

马奖说：“我要人格！”

黑暗中，胡有福沉默了。人格，这两个字狠狠地敲打着他，让他许久喘不过气来。他在心里反复玩味着这两个字，玩味出一股苦涩涩的味道。

马奖是下午才知道自己将要当盟桥村书记这个消息的。那时，他还在河西的风陵渡收芦笋。河西风陵渡的芦笋要比河东芦笋质量好，白嫩笔直，个个都和大姑娘的手指似的，拉到芦笋厂能卖上好价钱。整个下午，马奖忙着收芦笋，手机也顾不上接。他奇怪，这个下午的手机咋就和患了癫疯病一样在裤带上颤抖个不停。他想一定是黄素珍，黄素珍在家里除了打麻将，屁大的事都要向他请示汇报。

风陵渡和盟桥村只有一河之隔，却隔出了两个不同的天地，手机是长途加漫游，他不止一次地警告黄素珍少来电话，来一个电话三个烧饼就没有了，黄素珍还是照来不误。

他不耐烦地从腰间的皮套里掏出手机，手机却老实了。上面显示着二哥家的电话号码，整整10个未接来电，它们一丝不苟地排列着，和二哥那张苍黑的老脸一样威严。马奖悔不该没有接电话。二哥很少打电话，他曾经看到二哥打电话时那副怯生生的样子，就像是在触摸老虎的屁股。马奖预感到二哥一定有急事找他，也许又是侄子马幻想出事了。马幻想高中毕业后，在县城里开网吧、搞公司，进拘留所公安局就和走自家的菜园门一样随便。

马奖的心顿时抽成一团，他最怕马幻想出事，马幻想每次出事，二哥准找他。他的一位同学在公安局当副局长，只要马幻想出事，他就得硬着头皮找这位同学。马幻想偷了电缆、马幻想在迪厅和人打了架、马幻想用车故意撞了人……他的脸在这位同学面前已经和一片破烂的抹布一样一文不值了。他把电话给二哥拨打过去，二哥的声音越过黄河，迫不及待地传了过来。二哥的声音出乎意料地流露出抑制不住的高兴。

二哥说："小……小五呀，今天公……公社来人了，在走访呢，听说村里又要选……选书记了，好多人都说你行，小……小五，你还是赶快回来吧。"

马奖在家里排行老五，弟兄五个数他最小，家里人都叫他小五。二哥一急就结巴。二哥小时，同学都喜欢和他开玩笑。一看到二哥，同学就说："给我们学声鸭子叫。"二哥脖子一梗，不高兴地说："我才不学鸭……鸭……鸭……鸭子叫。"同学们听了哈哈大笑。长大后，没有人和二哥开这个玩笑了，二哥还是结巴。从二哥结结巴巴的话里，马奖终于知道二哥说的是咋回事。二哥和盟桥村许多人一样，还是习惯把"镇"称作"公社"，看来习惯了的东西很难一下子改过来。马奖一字不漏地把二哥的话收拾到了耳朵里，二哥的话就如同注入他心里的强针剂，他的心猛跳起来。他有点不相信自己的耳朵，莫非是二哥听错了？不可能。二哥和他一样都是胆小怕事又谨慎小心的人，二哥不可能给他谎报情报。马奖明白这个消息对他和这个家庭的重要，就草草地收了摊，把手里的计算器和钱夹子一把塞进人造革皮包，开着他的大卡车趺趺撞撞回到村里。

二

长久的沉默，胡有福嘴上的烟头一闪一闪。一团团烟雾在马奖周围游动，这些烟丝如同一根根丝线，紧箍着马奖的喉咙。马奖从喉咙里响亮地咳了一声，企图打破这沉默。要在平时，胡有福也许屁股一拍早走了。这时，胡有福却不走，他的脚生了根一样，一动不动地站在马奖面前。马奖看不到胡有福的眼睛，他知道这双眼睛在黑暗中是如何地紧盯着他，几乎要把他吞没。在胡有福心里，他说服马奖几乎是预料之中的事，想不到马奖却一口拒绝，他拒绝的口气没有半点回旋的余地。他不明白马奖这小子的头皮啥时候竟长硬了？

胡有福的口气就软了下来。他说："马奖，看在咱们儿女亲家的分儿上，我求你了，别当这个书记，你就是不为我着想，也该为你的女儿和你的外孙子着想呀。"

马奖说："我是不会答应你的，书记是党员选的，他们选谁，就是谁，我现在又不是书记，你这样求我干啥？"

胡有福说："你现在不是书记，他们要选你当书记，你当不当？我是求你别当这个书记，你怎么还不明白？"

马奖有点恼了，他说："我咋不当？你当得，我咋就当不得？这书记又不是谁的先人挣下的。我如果当上书记也和你当上书记一样，马红和外孙子照样跟着风光。"

马奖告诫自己，不管胡有福有着怎样理直气壮的理由，他已经拿定主意不松口。黑暗中，他紧捏着两只手，捏出了两把的汗水。他觉得自己好像沿着一根绳索，不断地向前攀援着，他紧紧地攥着这绳索，始终不敢有丝毫的懈怠，他知道只要自己稍一放松，就前功尽弃。

马奖咬着牙，果断地说："有福，我啥都能放弃，就是这当书记的事不能放弃，我也求你啦，看在咱们儿女亲家的分儿上，你就别再逼我，逼也是白搭。你回去吧，天不早了，我明天还要去风陵渡收芦笋哩。"

胡有福一时没了话。

许久，他说："马奖，我是看得起你，才和你结亲家，你别忘了你的党是咋入的。你以为你就能当书记？咱们走着瞧吧。"

胡有福说着头也不回地转身离去，咚咚的脚步声很响亮地敲打着坚硬的巷道。

透明的夜色里，马奖看到胡有福的身影很快隐没在巷子深处。他望着胡有福隐没的背影，心里对胡有福泛起一层淡薄的同情。

这天傍晚，马奖的车刚进村，隔着不甚清晰的车玻璃，他一眼看到了二哥。二哥站在村口的盟桥上等他，手里端着廉价的黑纸烟。瘦瘦的一个人影，纸人似的，好像一股风过来，就会把二哥刮走。车灯刺白的光线里，二哥披着侄子马幻想的一件旧夹克，领子翻卷着，宽大的衣服在他肩膀上飘飘荡荡。车灯熄灭的一瞬间，二哥扔掉了手里的半截烟，从桥上一摇一摆小跑过来，肩头的夹克在五月的夜风里忽闪忽闪地舞动，张扬着二哥心里说不出的喜悦。

马奖知道二哥有话要说，就把车停在路边。二哥跑过来拉过马奖汗津津的手，马奖感到二哥的手在不安地抖动。二哥拉着他磕磕绊绊地走到了麦地中间一棵野生的榆树下，这才站住了脚。周围宁静的夜色让二哥的情绪渐渐地平息下来。

二哥说："小五呀，你要当咱盟桥村的书记了，村里……好多……好多人都这样说呢。"

马奖看不到二哥脸上一丝一毫的表情，他分明感到二哥在笑，二哥脸上的横竖皱纹都在笑，二哥激动不安的样子像个孩子。

马奖深深地吸了一口夜气。清凉的夜气里，飘浮着甜丝丝的麦香。这时节正是麦子扬花的季节，马奖看不到麦穗上米粒大小的花。那些黄灿灿的花，马奖看不到，却闻得到。甜丝丝的麦香黏附在他的衣服上、手指上，浸透了他整个身心。从天而降的喜讯，让马奖觉得周围的麦田在飞速地旋转，快乐地起舞。

二哥说："小五，你一定要当……当这个书记，这对咱家来说是改换门……门庭的大事，我知道有些人是不会让你顺顺利利当这个书记，关键时候你一定要给咱顶……顶住。"

马奖当时还不知道二哥说的"有些人"是谁，就糊里糊涂地应了，现在马奖终于明白二哥对他的警告不是多余。

这天晚上，马奖整夜都没有合眼，他像偷吃了兴奋剂，在家里转来转去，最后竟转到了村边的盟桥上。盟桥四周一片寂静。麦子的花香顺着干枯的河槽流过来，夹带着深夜潮湿的气息扑打在他的脸上，他的脖子上，他裸露的每一寸皮肤上。遥远处传来布谷鸟的叫声，一声叠着一声，两只布谷鸟在不同的地方，彼此呼唤着，一高一低，一个嘹亮，一个温婉，在这五月的夜里，传递着它们隐秘的爱情。布谷鸟的叫声，把整个田野支撑得高远温暖。不远的高速公路，在夜里泛着河水一样的亮色。偶尔，有车辆滑过，隐约可以听到车辆和夜气摩擦出的呼呼声。隔着一大片麦田，高速路上的车辆，恍若夜晚河水上快速驰过的船只。

盟桥，和许多大地上的桥一样，附带着必不可少的传说。传说很久以前，一个叫孟明的大将军，带领秦兵东渡黄河，来讨伐晋国。当他们踏上晋国这片土地后，孟明决然烧掉他们渡河的战船，斩断秦军的退路。孟明对他的士兵盟誓，不败晋国绝不回到秦国。在孟明焚舟盟誓的地方，后来建了一座石桥，这座石桥就是盟桥。

今天的盟桥已经不是当年的盟桥。今天的盟桥结实气派，散发出挥却不去的水泥味。这桥是胡有福当书记期间唯一的政绩，也正由于这座桥，才引发出了胡有福的免职事件。

马奖清楚地记得两年前的秋天，雨水淅淅沥沥下个不停，下塌了一堵堵黄土墙、一座座泥瓦屋，村里到处都是湿漉漉的。从屋子里散发出来的霉味，整天在鼻腔里荡漾，人好像也发霉了。一天深夜，这座谁也不知道什么时候建造的石桥，也突然坍塌了。轰隆隆的声音，把盟桥村人从梦里惊醒。他们打着雨伞不约而同来到桥边。石桥没有了，黑乎乎的夜里，河槽里翻卷的雨水，挟裹着寒意，懵懵懂懂涌向不远的黄河。没有了石桥，村人们就像断了一条腿，很少出门。为了修桥，胡有福只好向上面有关部门伸手要钱。他辛辛苦苦跑了大半年，村里账上终于有了拨下来的 30 万。再半年后，一座新修的水泥桥也大功告成。村里人该给胡有福树碑立传才对。村里人没有给他树碑立传，上面却给了他免除职务的处分。村里人说，一座水泥桥怎么也用不了 30 万，就要求上面查账，查来查去，果然有了十几万元的空缺。县纪检委就把胡有福叫了去，几天后，胡有福贪污的十几万，变戏法似的成了“挪用”。胡有福不仅“挪用”了修桥款，还“挪用”农业税减免款、高速路占地赔偿款、村里的土地承包款……能“挪用”的他都“挪用”了。镇党委最后不得不给了他一个免除职务的处分。胡有福对这个处分，始终不甘心，时隔几个月后的今天，他好像很快忘记了免职的事，还要继续担任他的书记。

一股深夜的凉意沿着光滑的桥面流过来，在马奖周围盘旋。马奖站在栏杆前，一个巨大的问号从心里冒出来。在盟桥村的党员里，无论从年龄还是从能力上说，这书记的人选怎么也落不到他马奖头上。如果真的是他马奖，这背后一定隐藏着一个他所不知道的秘密。这是一个什么样的秘密？马奖无法知道。他唯一能做到的就是紧紧把握住这个机会。

马奖站在桥边，整个身子恍若陷进一个巨大的黑洞中，耳朵里只有呼呼的风声，他听到了风在如林的剑戟里鸣叫，风在剑戟闪光的刀片上游走，风如同一片抹布反复地拭擦着刀片上的血腥和即将到来的血腥。他听到了那个叫孟明的将军遥远的盟誓声，那声音坚硬如铁，让河畔焚烧战船的烟火炙烤得干燥沙哑，他听不清他吐出的一个个字连贯成的语言，他只听到那一个个字组合起来的旋律，这旋律在盟桥村上空年年月月地回荡着。在这座盟桥上，马奖只要站在桥边，这干燥沙哑的声音就会从他的心底漂浮出来，在他的耳边回荡，这旋律让他浑身上下热乎乎的，这是一个斩断自己后路的男人，给自己设计了唯一一条出路。这条路只能前进，不能后退。马奖明白自己现在也和这位将军一样，别无他路，不管前面等待自己的是沟是坎，只能硬着头皮向前走了。

马奖回到家已是黎明。

黎明的光线里，一个人影蹲在他门前的石头上吸烟，猛一看去，这人像只耷拉着翅膀的大鸟。“小五。”那人喊他，原来是二哥。二哥脚下是一大堆烟蒂，看来二哥在石头上已经蹲了很久。

二哥从石头上跳下来，搓着双手，问："小五，胡有福昨晚找你了？我听到了他……他在喊你门哩。"

二哥家和马奖家只有一墙之隔，谁家有个响动都逃不过彼此的耳朵。马奖就把胡有福找他的事，一五一十对二哥说了。二哥眼睛盯着马奖，一动不动地听。马奖看到二哥光秃秃的头顶在黎明的光线里闪着清冷的光泽，那是陶瓷一样的光泽。二哥头顶的四周是几根稀疏的花发，头发湿湿的落满了露水，紧贴着头皮。六十出头的二哥，看上去完全是个纯粹的老头。马奖心里倏然淌过一丝人生的苍凉。

二哥听完，拍打着马奖的肩膀说："好兄弟，咱就要这样，顶……顶住，千万不能让步！"

二哥话音刚落，只听到身后"哼哈"一声。原来是马奖的老婆黄素珍。黄素珍手里端着一个天蓝色塑料尿盆，里面的热尿还袅袅地冒着腥臊的味道，一双肿胀的眼睛猪尿泡似的眯缝着。

黄素珍说："二哥，你不要扶狗上墙，马奖人老实，他不是当书记的料。"

马奖知道自己的女人和所有盟桥村的女人一样，头发长，见识短，她根本没有意识到"书记"对他们马家的重要。

他说："我的事不用你多嘴，你给我回去！"

黄素珍没有回去，嗓门却亮了许多。

黄素珍说："马奖，你根本不是人家胡有福的对手，你弄不过人家胡有福。人家上面有人，有关系，和人家相比，你凭啥当这个书记？你也不撒泡尿照照，看看自己是不是当书记的料？说是党员选，还不是他们上面定？现在这年头哪个坟地没有鬼？"

马奖不想听到黄素珍没完没了的唠叨，他不耐烦地呵斥一声："滚！"

在马奖的呵斥声里，黄素珍这才住了声。她看到马奖真恼了。黄素珍不高兴地噘着嘴，走过去把手里的尿盆啪地摔在厕所墙上，塑料尿盆飞出去老远，一股腥臊的气味很快让风刮过来，弥漫在马奖和二哥之间。

黄素珍说："马奖，你是瞎子往井里跳呀！"

说着耸动着肩膀吸吸溜溜地哭。

二哥说："小五，你的事，就是我们马家的事，谁也休想阻……阻拦！"

二哥说完，脚一跺，不满地瞥了黄素珍一眼，梗着脖子，背起双手，转身向家里走去。

胡有福从马奖家回来，躺在床上始终没有起来，老婆喊了他几次，他都挥挥手把老婆打发走了。他胸前好像挤压着一块坚硬的石头，挤压得他气憋难受，没有一丝喘息的隙缝。他无力地伸出手，从床头的抽屉摸出了一盒火柴，点着烟挂在嘴上。从昨天晚上到现在,他不知道抽了多少烟,划去了多少根火柴,嘴里苦涩涩的,连吐出的唾沫都是黄的。他把自己陷进一团团烟雾里,透过烟雾,他看到火柴上一行红色字体:大富豪酒家。胡有福昨天去了大富豪酒家,在那里他专门请常全有吃炖野兔。他习惯在这里请人吃饭消费,每次吃完饭,大富豪酒家都要赠送食客小礼品,这火柴就是他们的赠品。他不稀罕这一盒火柴,他稀罕的是那里的炖野兔。炖野兔是大富豪酒家的牌子菜,他知道常全有最喜欢吃炖野兔,说野兔肉是百分之百的无污染绿色食品。就是在这五月天里,野兔带着草腥味的季节,他也喜欢吃。常全有喜欢吃,他就投其所好,每年过年都要亲自下到黄河滩里,用电网网上百只野兔送给他。昨天他们吃完炖野兔,和往常一样去了二楼的休闲厅按摩。常全有喜欢让一个江西来的半老女人按摩,那女人开得起玩笑,就是再大的玩笑,女人也不会脸红。常全有在镇里待了十几年,没有当上书记时,他也和普通干部一样整天骑着摩托车风里来雨里去,落下了关节疼的毛病。江西女人给常全有按摩膝盖时,常全有逗女人说:“上点,再上点。”女人一双瘦俏俏的手,在他腿上拿捏着,搓揉着,那瘦俏俏的手移动到膝盖上面就死活不动了。

女人笑着说:“我们老板说了,上面是禁区。”

常全有说:“是禁区,又不是雷区,你怕啥?”

胡有福也让一个女人按摩着,他躺在那里,听了常全有的话笑得浑身颤抖。他附和着说:“禁区就不能打破吗?”

胡有福请常全有吃饭,不为别的,是想打听盟桥村选书记的事。趁常全有高兴,他就侧过身子,给常全有递过一根烟,问:“常书记,你让人到村里暗访了?”

常全有接过烟,说:“是,是想摸摸底,看村里谁当书记合适。盟桥村没有书记就无法开展工作,没有书记咋行?我只不过是走走过程,有些过程还是要走的,现在群众告状,动不动就告到国务院,这就要求我们每一步都要按政策来。这次你们村选书记,我们党委还是按照群众推荐、党员选举、党委决定的办法。我知道你的心思,你就是想上,也要做好党员的工作,书记是党员选的嘛。”

胡有福看常全有一本正经的样子,心里骂声:狗日的,给我也来这一套骗人的把戏,哄鬼去。

胡有福就从牙缝里“嗤”的一声笑了。他说:“选?还不是党委最后决定的?党委是谁?还不是你常书记?”

常全有把烟放在茶几上,闭上了眼睛,全身心地享受着江西女人的按摩。他说:“事情要一步一步走,党员选的如果不是你,我也不能任命你,现在从上到下,都在喊叫民主,我不能违规操作。镇里的政工书记夏雨到盟桥村走访了一次,盟桥村好多人提到了马奖,看来是马奖呼声高,马奖是个什么人?以前咋就没有听说过?”

胡有福就给常全有介绍马奖。党员们这次能提到马奖也完全出乎胡有福的意料,马奖看上去胆小怕事,唯唯诺诺,他怎么能当村里的书记呢?他怀疑这一切是村主任刘海红在背后操作,刘海红一定有刘海红的目的。

常全有说:"马奖如果不愿意当这个书记,我们党委就考虑任命了,到那时候我们首先考虑的还是你。"

有了常全有这句话,胡有福提起的心终于放了下来。他想:自己这么多年没少在常全有身上下功夫,常全有买他屁股下的那辆奥迪车,他就白给了 3 万,更别提他买房子搬家给孩子结婚的事情了。在这次盟桥村定书记的事情上,他相信常全有一定会倾向他的。再说,他前不久的免职,有一半的原因都是为他常全有免的,他给常全有把许多见不得人的事情兜着,常全有心里明镜似的,不能不承他的这个人情吧。

做马奖的工作,胡有福原来是有百分之百的把握。没想到马奖根本就没有把他放到眼里,他求了半天,马奖都不松口,下一步何去何从?看来只有另想法子,逼马奖说出那句他早就应该说出的话,无论如何也不能败了。

胡有福原本就看不起马奖,从内心瞧不起马奖。马奖的女儿马红和儿子胡小强好上后,他最初不同意,后来马红怀了孕,他就不得不同意了。他始终怀疑马红先斩后奏的做法,是马奖出的主意,生米做成了熟饭,他也只好睁一只眼,闭一只眼。马奖没有要他一分钱的彩礼,唯一的条件就是要求入党。在他当党支部书记的那几年,他严格把守入党的大门,不让任何一个危险分子走进来。因为每走进一个人,对他日后的位子都造成一份威胁。马奖不同,马奖看起来老实谨慎,不是村里那种能踢能咬的人,对这样的人胡有福很放心。后来他就让马奖入了党,把马奖列入了自己人的范围。想不到马奖今天却在他的手掌心翻了个身,他后悔当初的判断失误。

电话铃响了,是谢建国。

谢建国说,胡书记,你有用得着我的地方尽管说,我知道咱们村要选书记了。

谢建国的话提醒了他。胡有福决定召集几个拥护他的人开会,商量下一步该怎么办。家里有儿媳妇马红在,马红知道他开会一定会通报给她父亲。胡有福把会议的地点选择在村东一个废弃不用的破砖瓦窑里。窑门口有一堵单薄的砖墙,正好能遮挡住窑外人的视线。

吃了晚饭,胡有福通知那几个人去砖瓦窑开会。去砖瓦窑时要通过村里的坟场。暮色里一个个坟茔披挂着葱绿的野草,两个新坟上的花圈,经过几场雨水的冲刷,已经洗去了当初的鲜艳,一如死者留在生者心里的记忆,渐渐暗淡,又渐渐消失。花圈在暮色里发出呼啦啦的响声。花圈的声音,生发出坟地里该有的凄凉和恐怖,胡有福心里飞蹿着阵阵阴风,不由得加快了脚步。

废弃的砖瓦窑周围弥漫着一股浓重的土腥味。胡有福小心地踩着门口的荒草,一只野兔从荒草里蹿出来,擦着他的脚面跑过,接着他听到里面发出一阵噗踏踏的响声,双腿哆嗦了一下。他从口袋里摸出蜡烛和打火机,按着打火机,点燃蜡烛，执着摇曳不定的蜡烛一步步往里面走。窑里渐渐空阔起来，抬头可以看到高远的天空上几粒星星，刚才噗踏踏的响声原来是几只休栖在窑壁上的夜鸟作弄出来的，受了惊吓的夜鸟，扇动着翅膀在窑顶上空仓皇地盘桓。

窑壁上的土经过了无数次大火的煅烧，变成了坚硬的粉红色。胡有福把蜡烛放在窑壁的一个土坎上，抬头打量着周围的窑地。这是一个废弃不用的罐罐窑，它的形状颇似一个大瓦罐。几年前从山东那边过来的人，带来了他们的烧窑技术，也带来了他们独特的砖窑建筑方式，把一个个罐子似的窑，改造成了一排排的窑，成为他们说的“轮窑”。建筑方式上的改进在砖窑史上是一次不小的革命，这些落后的罐罐窑转眼间就让轮窑淘汰掉了。

胡有福背着手走在宁静的窑里，从头顶那一片圆圆的蓝天里坠落下一粒清凉的东西，落在脖子后面，他用手摸去，是夜露。接着，一阵嘎嘎的声音，让他惊出了一身的冷汗，他突然后悔来到这个鬼地方。在他不知所措时，听到谢建国亮着嗓子在窑门口喊他“胡书记”。

胡有福不是党支部书记了，还有几个人在死心塌地地拥护他，拥护他的得力干将主要是谢建国。谢建国三十来岁，这几年开砖瓦窑发达了。谢建国聪明能干，已经给他递交了三次入党申请书，胡有福心想，再不让这小子入党，就会得罪这小子，有些人他还是得罪不起的。胡有福早就看到了谢建国的目标不是入党，是盟桥村的党支部书记。谢建国之所以拥戴他，除了他是谢建国的入党介绍人，更重要的是他不服气马奖，无论从哪方面来说，谢建国都认为自己比马奖强。

谢建国高高大大的个头走进来，后面的人也都陆续赶到。这些拥护胡有福的人，有的是他们胡家人，有的是在外面做生意的人。他们认为只有胡有福上才能给村里带来更多的利益。胡有福会跟上面要钱，如果没有胡有福要的 30 万元，那座倒塌的盟桥还在倒塌着，村里没有见识的人永远也不知道“给”和“予”的关系，只有先“给”了上面的人，上面的人才能“予”你，这是一个放之四海皆准的真理。不懂得这些社会规则，盟桥村的断桥今天还是断桥。至于胡有福“挪用”的农业税减免款、高速路占地赔偿款等，也都很自然，当干部图的啥？不就是为了花几个方便钱吗？他们同情胡有福，自然也拥护胡有福。再说，胡有福当权，会给他们带来不少的好处。村委会有二千多亩土地，胡有福把大部分土地都低价承包给了他们胡家人。谢建国的砖窑吃土，每年就少给村里交几万元，不过，谢建国也没有忘记他。

他们听胡有福说完村里的情况，有人说，干脆找人卸掉马奖一条胳膊，教训教训他。有人说，给他点厉害瞧瞧。谢建国说：“我们是应该治治马奖那小子，那小子看来是不知道天有多高，地有多厚。我想好了一个对付马奖的好办法，他马奖不同意退，我们就逼他退，这逼的办法虽然有点损，不管你们同意不同意也只好这样了。”

摇曳不定的烛光下，谢建国黑着脸，烛光在他宽大的脸上流动着晕黄的光泽，流动着一个男人的冷酷与无情。

谢建国的话简直说到胡有福的心里去了。看来"逼"是对付马奖的唯一办法，怎么个"逼"法？他没有问谢建国，他怕谢建国一旦说出来，自己心就软了，会阻止谢建国那样做。一瞬间，他把一把看不到的刀交到了谢建国手里，任凭着谢建国去对付马奖。晃动的烛光下，他望着谢建国半明半暗的脸，没有点头，也没有摇头。

三

早晨，马奖还在睡梦中就听到老婆黄素珍的哭声。黄素珍每天天不亮去门口的厕所倒尿盆，马奖不明白黄素珍怎么就哭了，难道是遇上了色狼不成？马奖很快否定了自己的猜想，黄素珍早就成了名副其实的豆腐渣，老得捏不出半点水来，谁会看上她？黄素珍真真切切哭得凄惨，哭声旗帜一样在盟桥村上空飘扬。

马奖不能不起床，他胡乱地披上衣服，趿拉着鞋溜下床。刚一走出门洞，他就看到黄素珍披散着头发坐在地上，闭着眼睛哭得正伤心。还不停地用手拍打着屁股下的黄土路，脸上的泪水和鼻涕肆无忌惮地流淌。马奖看到黄素珍胸前的衣服严严实实地扣着，看不出遭人侵犯过的痕迹，是什么让她这样伤心？马奖站在门口一脸疑惑。

二嫂在一边劝慰着黄素珍，一边提溜着黄素珍的一条胳膊，黄素珍屁股像垂着大铁砣，顽强地坐在地上，二嫂怎么提也提不起来。二哥铁青着脸，眼光在他家门口两边来来回回地巡视，看看这边，又看看那边，看看那边，又看看这边。马奖顺着二哥的眼光看去，只见门口这边靠着一个花圈，那边也靠着一个花圈。花圈显然是从坟头上刚拔下来的，下面芦苇秆上的土还是潮湿的。花圈上面的纸花耷拉成一团，让风雨揉搓成擦屁股纸一般的颜色，它们带着坟场的晦气，不动声色地站在马奖家门口。

马奖看到这两个花圈，顿时手脚冰凉。没有比这更损人的了，这比有人骑在他脖子上撒尿还让他没有面子，这不是打他的脸吗？面前的两个破花圈，在早晨的微风里簌簌抖动，散发出死亡的气息。马奖终于明白这是谁放的了，是胡有福。一定是胡有福。只有胡有福。他也明白胡有福这样做的目的，不就是想逼他放弃村里的书记吗？他明白了胡有福的良苦用心后，就哈哈哈地笑了，笑出了一脸的泪水。

他笑着对老婆说："起来，不就是两个破花圈吗？两个破花圈就把你吓成软蛋了，真是胆小鬼，起来起来，回家去。"

黄素珍的哭声戛然而止。她仰着一张蜡黄的脸，一动不动地看着马奖。黄素珍一条胳膊撑着地，在二嫂的帮助下艰难地站了起来，她眼里的泪水也来不及擦，张大了嘴，呆呆地看着自己的男人，她以为马奖一瞬间气疯了。

马奖对二哥笑笑说："咱爹和娘早不在人世了，谁还给咱爹娘送花圈？这人也真是糊涂。"

二哥背着手，梗着脖子大声说："我们不为蒸馒头，也为争口气。马奖，你该怎么还怎么，我们是吃五谷杂粮长大的，不是谁吓唬大的。"

二哥话音刚落，马奖就看到自己的女儿马红来了。马红紫红色的运动衣敞开着，正在奶孩子的两个乳房，饱满富有弹性，随着马红的脚步无遮无拦地上下跳跃，在早晨的巷道里成了一道迷人的风景，吸引着门口看热闹的人。村里的光棍牛二也来了，他站在人群边，一双眼睛紧瞅着马红的乳房，闪亮的口水沿着嘴角挂在下巴上滴答。有人说："牛二，你是不是想吃奶子了？"话音刚落惹得人们一阵哄笑。马红边骂边跑过来，她不满地瞥了父母一眼，然后，走过去一手提一个破花圈向盟桥方向跑去。

黄素珍看到女儿马红，立即明白了门口两个花圈的来由。她一改往日反对马奖当书记的态度，很快和马奖站到了同一条战线上，她扯开了嗓子，想骂几声缺德的，出出心里的晦气，就让马奖拉回了家。马奖表面上坚强，心里却感到让人打了耳光，他对胡有福淡薄的同情心，让这两个花圈搞得荡然无存，取而代之的是一种深深的憎恨和愤懑。

胡有福的电话来了。马奖想不到是胡有福的电话。胡有福从来没有给他打过电话。

胡有福说："马奖，你家里发生的事我都听说了，马红正在家里哭哩，她和胡小强闹矛盾，句句话都落到我身上，说是我给你家门口放了那两个东西，我用我的人格担保，我胡有福不是背后给人使刀子的人。再说，我们还是亲戚，我怎么会干那种下三烂的事？现在事情既然已经发生了，你一定要想开呀。"

马奖说："不就是两个破花圈嘛！我有啥想不开的？就是马红她妈想不开，女人嘛。"说完就挂了手机。

黄素珍趴在床上呜呜地哭，身子一抽一抽，在凌乱的床上蜷曲成一团。马奖怜恤地伸出手，抚摸着老婆高耸的屁股，他一次一次地抚摸着，黄素珍的哭声就在他这样一次一次的抚摸中渐渐地平息下来。

二嫂也过来了。她安慰黄素珍说："小五的事，是咱们家的大事，咱们要全力以赴支持小五上，谁给咱们使坏，村里人心里都明镜似的，他不让咱上，咱就上给他看看，人在这世上争的就是一口气。"黄素珍在二嫂的劝说服下终于从床上爬了起来，摇摇晃晃地下了地，走到庭院的南墙根下，懒懒地捏着成熟的金银花。捏一朵，眼里扑闪出一颗泪水，捏一朵，眼里扑闪出一颗泪水，手里的金银花捏了一大把，眼睛里的泪水也扑闪完了。她拿着金银花一声不吭去了厨房，不一会儿，切菜刀在案板上响起了均匀的切剁声。

夜晚，马奖又一次来到了盟桥上。站在盟桥上，马奖听到四周的麦田涌动着水一样的波涛声，马奖看不到这些一起一伏的波涛，他完全能够想象得到这些波涛起伏的姿态。夜晚的麦田黑黝黝的，黑黝黝的一片接着一片。这大片的麦田，曾经一度是他们马家的呵，是他的爷爷一手置办的。马奖每次看到这些大片的麦田，都为爷爷感到骄傲，为他们家的过去骄傲。听父亲说，爷爷从小和他的父亲逃荒要饭来到盟桥村，他们在村里没有根基，饱受村人的冷眼和鄙弃。在盟桥村里至今还流传着一句顺口溜：盟桥村四头翘，中间有个老爷庙，胡半村，刘八家，剩下马家没娘家。过去的盟桥村中间低，四周高，中间有一座老爷庙。现在的盟桥村已经是平展展的了，那座老爷庙早在“文革”时让胡有福的造反派砸了，里面的老爷也扔进了黄河。过去胡家在盟桥村占一半的人家，刘家当年只有八户人家，只有他们马家是外来户。现在胡家仍旧占一半的人家，刘家不再是八户，已经繁衍了几十户人家，而他们马家仍旧是势单力弱。那时也许由于这句顺口溜，爷爷才发奋治家。爷爷年轻时，经年赶着一辆大马车去很远的北山拉炭。后来马奖才知道北山离盟桥村有六七百里路程，这样遥远艰难的路程，爷爷却走了一趟又一趟，走过了春夏秋冬，走过了一年又一年，爷爷的青年和壮年就是这样失落在去北山的路途中。那年月里，炭在这一带可是个金贵的东西，爷爷拉回来的炭不卖，只换，一斤炭换一斤麦子。换回来的麦子他还是不卖，又把换来的麦子拉到了北山那个很远的地方，一斤麦子在那里能换好几十斤的炭。爷爷就这样日积月累，凭着他的小聪明渐渐拥有了大片的土地，让盟桥村人对他们马家刮目相看。想不到1948年春天，爷爷置办下的土地一夜之间让政府没收了。爷爷怎么也想不通，后来的一天晚上，爷爷就把自己吊在这盟桥下，眼睁睁地看着他用血汗挣来的大片土地，不甘情愿地去了另一个世界。二十年后，他在大学读书的大哥突然让学校遣返回村，大哥也在盟桥下面走了爷爷相同的路。马奖那时只有十岁，他那时望着大哥快要鼓出来的眼睛有点害怕。二哥不怕，二哥从容不迫地解下大哥脖子上细细的麻绳。二哥双手解大哥脖子上的麻绳时，额头上浸出了汗水。二哥边解边不停地埋怨大哥是个让人瞧不起的软骨头，软骨头的人，就不应该活在这个世界上。二哥把大哥解下来后，背着大哥从容不迫地走回家。大哥失去了一只皮鞋的脚，在二哥背后一下一下地晃荡着，踢打着二哥细瘦的腿。那时，他看着大哥那只没有穿鞋的脚，不明白他们家怎么就和别人家不一样？

他问二哥：“二哥，爷爷和大哥为啥都要上吊？”

二哥喘着气说：“他们不愿意上吊，是有人想让他们上吊。”

他又问：“谁想让他们上吊？”

二哥有点不耐烦了。他喘着气说：“村里的干部呗！”

也就从这时起，马奖觉得村里的干部实在了不起，他们想让谁上吊谁就上吊，他发誓将来也要当一个了不起的干部。

后来，马红和胡小强谈了恋爱，他在心里无条件地同意。当胡有福托媒人来说时，他毫不犹豫答应了下来。胡有福是书记，是一把手，他把女儿马红嫁给了村里一把手的儿子，自己就无疑翻了半个身。他没有要胡家一分钱聘礼，他给胡有福提出的唯一一个条件就是要求入党。一年后，胡有福果然兑现了承诺，他成了一名党员。

马奖站在盟桥上时，看到一个人向自己走来。看不到这个人的眉目，从那走路的姿态看，是村主任刘海红。刘海红这几年和胡有福搭班子干工作，两个人始终尿不到一个壶里。胡有福对村里的工作一把拿，把村主任刘海红撇到一边，刘海红有满肚子意见。胡有福的免职，也全是刘海红在背后辛辛苦苦操作的结果。

刘海红走过来，说："马奖，一个人在这看风景呐？"

马奖想：自己如果当了书记，将来就和刘海红搭班子了，自己可不能像胡有福那样霸道，刘海红是全村人选的村主任，这几年有胡有福挡着，始终施展不开手脚，他对工作路数也熟悉，不妨先听他的。马奖说："刘主任，你也看风景呐？"

马奖把"刘主任"三个字咬得很重。刘海红呵呵地笑着，从怀里掏出一根烟，夜色把那根纸烟漂洗得雪白雪白的。马奖接过纸烟，刘海红又啪嗒按亮了打火机，火苗在风里呼呼地扭曲着身子，马奖忙用手捂着，凑了过去，他看到刘海红一张年轻自信的面孔。

刘海红也给自己点了一根烟，两个人就站在盟桥上吞吐烟雾。

刘海红说："老马，今天的事我已经知道了，别理睬他们，他刚让上面免了职务时，还到处扬言说，要炸了我的房子，要让人把我绑架到黄河滩日蹋了，我才不怕他们。你今天表现不错，有些事该忍还是要忍。"

马奖笑笑，从心里感谢刘海红对自己的关心。

刘海红又说："这些年，村里的事情你也看到了，学校还是我们上学时的破烂学校，所有的教室都成了危房。路，还是坑坑洼洼的路，村里每年的土地承包款，全由他一个人支配，其他干部一月 80 块钱的工资也见不到，一心想着拉关系，就是这桥是他唯一的政绩了。"

马奖嘴里迎合着刘海红，心想如果自己上去了，绝不能和胡有福一样，村委会组织法上明确规定，村里一切决定都必须经过村民代表会议和村民会议通过，不能干让人戳脊梁骨的事，可自己能上去吗？

镇政府当天就知道了马奖家门口放花圈的事，常全有在电话里批评胡有福说："真想不到，你是多年党龄的老党员了，不同意人家上，总不能给人家门口放那个死人的东西，这样做对你有啥好处？你怎么越来越不成熟了？"胡有福万分委屈地说，不是他干的。他发誓说，谁干的谁是王八。常全有在电话那头嘿嘿地笑。他说："算了，明天你们村党员开会选书记，我打算让夏雨过去，你的工作做得怎么样了？"

胡有福没有立即回答。许久，他说："常书记你放心，这个党员会议一定会开得很成功。"说完,却后悔,自己已经不是村里的一把手了,口气却是一把手的口气,真是习性难改。他想:马奖的工作做不下来,别的办法也用尽了,看来只能用钱做党员的工作,钱说话往往比人说话威力大。

面对一桌子的好饭菜,马奖举了举手里的筷子又放了下来。儿子马良平时在学校里难得吃上这样一顿好饭菜,捏着筷子没心没肺吃得正香。他边吃边说:"爸,听说你要当书记了,你当了书记后,先给咱们家里买台电脑,这样我们盟桥村就和整个世界联了网,看国际上缺啥,我们就种啥,我们卖不出的东西,通过电脑也能销售出去了。"

马奖看着单纯的儿子,不知道怎么对他说出自己的心事。

从下午开始,马奖就准备晚上召开他们马家的家庭会议。他不仅把上高中的儿子马良叫了回来,还把城里二哥的儿子马幻想叫了回来。明天就要召开党员会议了,他对自己能否选上还没有半点把握。村里人都知道他马奖要当书记,如果选举不上,这人就丢大了。听说胡有福正在到处活动,准备给党员发钱,他更是坐卧不安。在马奖看来这是一场无声的战役,战役的最后胜利不仅仅取决于平时各自的人品德行,还取决于关键时刻各自的战略战术。面对胡有福,马奖决定也摆开自己的战场。正想着,二哥的声音从墙那边飞了过来,让他赶快过去,看来二哥比他还着急。

马奖和老婆儿子吃了饭,来到二哥家。

二哥端坐在客厅的沙发上,一声不吭地吸烟。马幻想正在看电视,看到马奖一家人过来了,就把电视关了,一脸严肃地看着马奖,喊声:"小五叔。"

马良第一次参加这样的家庭会议,稚气未脱的脸上呈现出少有的激动。他环顾周围,看到家人一个个都一本正经,就诧异地瞪大了眼睛。

马幻想说:"小五叔,我听说胡有福已经开始行动了,他准备给党员一人发500块钱,这可不是一个小数目。党员也是人,也有认钱不认人的党员,我们总不能按兵不动吧。"

马奖听了只是把眼光落在二哥的身上。

二哥还是一声不吭地吸烟。手里的烟卷和他苍黑的手指是同一种颜色,苦涩的烟雾弥漫在整个客厅。

马幻想又说:"我看咱们该脱鞋也脱鞋,该脱袜子也脱袜子,他们发钱,咱们也发钱。他500,咱也500,宁扔钱,不扔人。"

马奖吃惊地说:"发钱?那不是贿选吗?贿选是犯法的,犯法的事咱不干。"

马幻想说:"小五叔,咱们怕犯法,人家就不怕犯法?"

马良说:"我们怎么不告他贿选?上面知道了他贿选,就是他选上了,这书记他也当不成。"

马奖说："不行，一个村抬头不见低头见。告他？他不狗急跳墙才怪呢。他敢在咱们家门口放花圈，还有啥缺德事干不出来的？咱们可不能把事情做绝了。"

二哥把手里的黑烟狠狠地按灭在桌子角，从喉咙里哼了一声，就哼出些许的威严。大家都住了声，眼光齐刷刷地落在马家最大的当家人身上。

二哥说："这是我们马家的一件大事，我们面对的是一位上有关系的老手，对我们来说，对手太强大，我们不能小看了对方。明天党员会议上他当选的可能性很大，如果选不上，我看他的路就走到了头。我们马家，在村里没有势力，也没有根基，这几十年来，我们能在盟桥村平静地生存下来，我们靠的是什么？是我们的老实本分。从我们的爷爷开始就是这样。现在不管人家怎样在村里折腾，我们不能折腾，谁也不能折腾。就是人家指着咱们的鼻子骂，咱们也不能还口。"

马良笑着对二伯说："二伯，这一招，在战术上是不是叫作以不变应万变呀！"

二哥的办法，立即遭到了马幻想的反对。

他说："爸，你这套早就不灵了，现在是经济社会，人的思想观念早就发生了变化。钱都能使鬼推磨，何况那些看起来并不富裕的党员？人家发500块钱，他们拿了人家的钱，不手软才怪呢！"

马奖说："我们不能发钱，我们可以阻止他们发钱。"

二哥的小眼睛灿然闪亮了一下。

他大声说："对呀，我们可以阻止他们，阻止他们犯法呀。"

马幻想说："这办法好，交给我办好了。"

马幻想说着，转身向门外走，边走边打电话，马良在后面也踏踏地追了过去。

马奖听到门口的小车声，很快消失在无边的黑夜里。

这天晚上，马幻想从县城里拉来了一大卡车的人，他们把守在每一个巷口，不让任何人走动。

胡有福事先对村里的党员进行了分类。有一部分是在工作中他得罪过的，这部分人，由他亲自出面一家一家做工作，每人发500块钱。有一部分人是他介绍入的党，他利用手里的权力给过他们各种各样的好处，这部分人由谢建国代替他发钱，能不能发到每个党员的手里，就看谢建国的良心了。

这天他从银行回来就没有回家，黑洞洞的巷道里，没有路灯，他低一脚浅一脚走着，对自己当选没有多少把握。党员里面虽然大多数都是胡氏家族里的人，他们投不投自己的票很难说。譬如胡启轩。胡启轩当过兵，性格耿直，敢说敢做。他和胡启轩的矛盾冲突，来自一次党员会议。会议上胡启轩给他提意见，说，村里的巷道一下雨就不是路，别说车不能走，连人也不能走。学校的几间瓦房下雨时，到处漏雨，老师只好给学生放假，当干部应该给村里办点正经事，不办事，还不如不当这个干部。胡有福没好气地说："那你就把我这个家当了。"从此，这老头见他不爱搭理,他也不爱搭理这老头。

可胡启轩老了,患上了哮喘的毛病,一年四季拳头都堵在嘴上咔咔地咳嗽,他这种不间断的咳嗽,把家里的光景咳得越来越穷。

胡启轩的两个孩子都结了婚,日子过得紧巴,对胡启轩也就少了该有的孝顺。胡启轩理应让镇里的民政照顾,胡有福当书记这些年,却从来没有让镇里的民政照顾过他。胡有福来到胡启轩的家。一面坡的东厢房里,只有胡启轩一人。胡启轩靠在床头的被子上看电视,黑白电视里呼呼啦啦响着,几个模糊不清的人影在里面晃荡。

胡有福把脸上的笑调整到最佳状态,喊声:"老哥。"

胡启轩就从喉咙里哼了一声。

胡有福把准备好的500块钱放在桌子最显眼的地方。他说:"老哥,我以前如果得罪了你,你大人不计小的过,就原谅我吧,今天我是来给你赔罪的。"

胡有福说着给胡启轩跪了下来。在他无法抵达实现的目标时,他只能下跪。下跪,有时是解决问题的最好办法。在省里他向领导要钱,领导不同意,他就下跪,他一下跪,就感动了省里的领导。古人说,男儿膝下有黄金,胡有福觉得一点不假。他给胡启轩下跪,他的膝下不是黄金,是权力。权力也是黄金。

胡启轩依旧靠在被子上。他说:"你没有得罪我,你啥时得罪我了?"

胡启轩说完,咔咔地咳嗽着,用拳头堵住嘴。

朦胧的灯光下,胡启轩看到桌子上那几张红彤彤的人民币。他伸了伸胳膊,想把这钱扫到胡有福的脸上,又觉得胳膊沉重得抬不起来。在这些钱面前,胡启轩无力推辞,这些钱足够他买半年的药了。他转念又想:这钱是他胡有福的吗?不是,这钱是我的,是我农业税减免的钱,是我修路占地赔偿的钱……是我的,也是大家的。胡启轩为自己找到了接受这些钱的充分理由。

胡有福看到胡启轩眼睛里游弋的那份犹豫,就笑了。在这个世界上哪个人不爱钱?不爱父母可以,不爱兄弟姐妹可以,不爱师长亲朋可以,但绝对没有人不爱钱。

胡有福趁机说:"老哥,明天党员开会,选举村支部书记,希望你老哥能投我一票,我如果继续当了书记,老哥,你别管,村里的路我修,学校我也建,当初,我真应该听你的,现在我真是后悔了,如果我给大伙把这些事办了,我这辈子也就心甘了。"

胡启轩笑着说:"知道了。"

胡启轩嘴上说着,心里却骂:龟孙子!

胡有福一颗心放了下来,接着,他又去另一家。刚出门,就听到巷道里一阵隆隆的车声,刺目的车灯从巷头投射过来,铺满了整条巷道,整条巷道都是白花花的。胡有福走在这白花花的灯光里,像扑腾扑腾走在水里,他想村里一定出了啥事。

谢建国电话过来了。

谢建国说："不好了，马幻想从城里叫了人，他们在巷道里围追堵截，不让我们串门发钱，我看，咱们也从城里叫人，那些人认钱不认人。"

胡有福知道谢建国说的"人"，是城里的小混混们。

他咬咬牙，说："行！"

谢建国又说："雇城里人，一个人一晚上恐怕不少于100，人家专门是吃这碗饭的。"

胡有福说："只好这样了。"

家庭会议后，马奖没有走，他留下来和二哥下棋。马奖根本就没有心思下棋，没走两步就一败涂地。二哥的心事好像完全沉浸在这些棋子里，二哥光秃秃的头俯在桌面的棋盘上，一手撑着下巴，一手敲打着棋子，屋子里尽是木头棋子相互敲打的当当声。

马奖听到咚咚的脚步在巷道里忽来忽去，村里的狗叫声一声紧似一声。狗叫声，在夜里一波一波地震荡着，震荡得整个村庄都在抖动，马奖觉得一颗心挂在胸前直晃悠。二哥好像什么事也没有发生，手里的棋子仍旧不动声色地敲打着，声音均匀绵长。

在不动声色的二哥面前，马奖不由得脸红了。在二哥面前，他看到了自己的稚嫩。啥叫沉着应战？二哥这样就是沉着应战。在这场无声的战役中，慌张应对，往往会乱了阵脚。马奖这样想着，手里的棋子再次落到棋盘上时，就从容了许多。

很晚的时候，胡启轩咔咔地咳嗽着进来了，带来了一股深夜的凉意。他上气不接下气地说："不要让人阻挡他们发钱，让他们发吧，我们该选谁，还选谁，笔捏在我们手里，你们怕啥？他发的又不是他的钱，还不是大伙的钱，发得越多越好哩！"

马奖看到拄着拐杖的胡启轩，匆忙起身让座。胡启轩是盟桥村的老党员，在村里威望很高。他虽然和胡有福是一个胡姓家族，对胡有福的做派却很不满意。胡启轩的话，让马奖摸不着头脑，人老了，就那么爱钱吗？以前的胡启轩可不是这样的。胡启轩的话，马奖又不能不听。

二哥手里的棋子停止了敲打，他端着一张老脸望着胡启轩，眨巴着眼睛，似有所悟。二哥拍打着光亮的额头说："好，好。我这就给幻想打电话，让他立马撤人。"

这一夜，盟桥村的狗叫疯了。

黎明时分，狗叫声才稀稀落落停歇下来。停歇下来的狗，一个个喉咙沙哑，叫唤不出一丝半点的声音。黎明时分的盟桥村静悄悄的，狗累了，人也累了。胡有福站在清冷的家门口，在他眼里盟桥村好像经过了一夜的狂风暴雨。狂风暴雨过后，盟桥村在疲惫中显现出一派安谧。东方黎明的光线落在胡有福苍黄的脸上，他伸手抚摸着一夜之间好像长长了的胡须，抚摸着空荡荡的口袋，感到希望就和东方微薄的晨曦一样,给他注入了新的自信。胡有福不知道昨天晚上哪里出了问题。马幻想的人前半夜还阻止他们发钱,后半夜怎么就没有了动静?难道马奖心甘情愿放弃了?

四

党员开会前夕,胡有福想到了一个人,牛二。牛二有牛二的作用,人常说,烂布头也有塞窟窿的地方,牛二就是盟桥村的烂布头。胡有福来到了牛二家。牛二的家门是两扇东倒西歪的老木门,木门上的裂缝有一指宽,上面的油漆早就脱落成了灰白色。家里西厢房也只剩下了少半边,那半边是前年秋天连阴雨时节倒塌的,断椽破瓦还露在外面,白灰粉刷的墙上残留着一条条蜗牛爬过的痕迹,这些痕迹长短不一,弯弯曲曲,延伸到半墙上,每个痕迹的终点,都是蜗牛用它们枯竭的生命画上的最后一个句号。胡有福走到半边屋前,屋子里的锅灶被褥粮食囤一览无余。牛二正撅着屁股在灶火前烧饭,一条腿跪在地上,头发蓬乱,灰不邋遢的西服还是去年村里给他救济的。烟火熏出牛二一串咔咔的咳嗽。一只不大的杂种京巴狗,披散着同样灰不邋遢的毛发,蹲在一团毛茸茸的苜蓿根上,眼巴巴地等着饭吃,干瘪的肚皮贴成了一张皮,见到胡有福耷拉着眼皮懒得叫唤一声。

胡有福冲着烟雾腾腾的半边房喊:“牛二呀。”

胡有福的声音里多少有点亲切。

牛二在灶火前抬起一双红肿的眼睛。看到胡有福脸上立即涌出一层讨好的笑,他想起了什么,这笑又很快收敛得点滴不留。牛二脸上的瞬间变化,让胡有福一览无余,心想这狗东西见他没用了,也牛了起来,真是狗眼看人低。

牛二蹲在灶火前烧火,灶膛里的棉花棵子发出噼噼啪啪的声音,他把快烧尽的棉花棵子往灶膛里推了一把。一团灰尘随着火焰吞吐了出来,纷纷扬扬地上升,又纷纷扬扬地降落,牛二头上很快多了一层草木灰。

胡有福抬眼环视着这半边屋,知道这牛二就是让镇里扶一百次的贫也扶不起来。牛二的媳妇凤子和牛二离婚后,牛二的日子就一落千丈,整个人就靠在死人坡上了,再也打不起精神过日子。去年春节,村里还专门给牛二补助了500元,是他胡有福一手办的,听说牛二没过两天就打麻将逛小姐折腾得分文没有。

牛二家几年前是村里最早有电视机、冰箱和VCD的人家。媳妇凤子干爽利落,刚结婚就去了外面打工。过年回来,衣服鲜艳穿金戴银,头发焦黄焦黄的,做成了玉米穗一样的颜色,又花哨,又好看,人从巷子里走过,整条巷子都流动着香喷喷的气息。凤子俨然是半个城里人了。村里女人羡慕凤子,都喜欢往凤子的跟前凑。问她,在外面打啥工?凤子说,开公司呐。女人们说,这公司她凤子能开得,咱们怎么就开不得？就缠着凤子也带她们出去。凤子拗不过这些姑娘媳妇的纠缠，就带着她们到外面的世界开公司去了。这公司的生意果然看好，不几年，村里的楼房一座座冒了出来，雨后的蘑菇一样。村里后来慢慢才知道，凤子带出去的女人们，她们开的公司是皮肉公司。牛二受不了村里人的议论，一气之下和凤子离了婚。后来，整个镇子都传开了，都知道盟桥村的女人在外开公司。镇里召开各村干部会议，他们见了胡有福不叫他书记，他们嘻嘻哈哈地叫他公司经理。说，还是人家盟桥村经济搞得活，开的公司好，这公司不生男，不生女，不给国家添麻烦，不污染，不上税，自己的设备自己带。说得胡有福脸上火辣辣地烧，心里不是味道。后来他就渐渐接受了这个让他脸红的称呼。

早晨的太阳透过屋子上的一个窟窿，落在牛二的桐木锅盖上，太阳油汪汪的影子，像个新炸的油饼，晃来晃去。牛二后来很后悔和媳妇凤子离婚，他不止一次地说，萝卜拔了，窟窿还在，我咋就那么傻呀。他就去外面找凤子，这时的凤子已经是今非昔比，她真正开起了公司，成了一个房地产公司的老板，摇身一变成了著名的农民企业家，游走在商界和政界的门槛里，已经是知名人士了。牛二费了好大的劲，才在南方一个城市找到了凤子的公司，谁想到牛二连门也进不了，看门的保安把牛二看成了地痞流氓，他还没有走近，保安就像赶一只癞皮狗一样赶他，牛二从此对凤子也死了心。胡有福看到牛二的早饭很简单，玉米面糊糊盛到碗里，上面夹一筷子炒菠菜，就哄了肚皮。

牛二蹲在墙根的太阳下，墙根的几丛金银花开得正艳，黄灿灿的金银花来不及采摘又耷拉了。牛二手里端着一把长柄不锈钢勺子，他喂自己吃一口，喂小狗吃一口，小狗一口，他一口，勺子在他和小狗的牙齿间碰撞出清脆的声音，牛二脸上呈现出父亲般的慈祥。

胡有福一手插在腰上，一手扶着黄土墙，看这牛二和小狗和平共处的样子，就笑。他想，自己将来老了，也养一只这样的狗，不过，他养就养一只纯种的京巴狗。

胡有福说："牛二呀，你这样一个人可不是办法，还是把这半边房子收拾收拾，娶个女人过日子吧。"

牛二抬起眼皮说："你是站着说话不腰疼，收拾房子又不是靠嘴收拾的。"

胡有福说："不就是半边房子吗？你没有能力收拾，叔帮你。"

牛二端着玉米菜汤的手僵在半空，小狗专注地看着牛二，不知道牛二哪根神经出了错，跳跃着发出一串锐亮的"汪汪"声。

牛二说："你总不是平白无故地帮我吧？说，有啥交换条件？"

胡有福说："有啥交换条件？你把叔看成什么人了？可惜叔让上面免了职，叔这次还能当上书记的话，给你盖房子还不是小菜一碟？"

牛二明白了是怎么回事了，脸上的笑就源源不断地涌了出来。

牛二说："胡书记，只要你上去不忘了我就行，我知道我该咋做。"

夏雨在广播里一遍遍喊着党员开会。夏雨的声音被破旧的扩音器毫不客气地撕成了一条一缕,落在盟桥村人的耳朵里就成了破破碎碎的了。其实不用夏雨在喇叭里喊叫,整个盟桥村人都知道这天党员开会选书记,这天是盟桥村人等待了很久的日子。

马奖吃了饭,正在门口洗他的大卡车,水管里的水砰砰啪啪地落在车厢和车头上。对今天的党员选举,马奖心里仍旧是悬悬的,他唯恐自己选不上,党员为什么要选自己呢?如果他选上了,就把这辆卡车出手,一心一意干好工作,正像儿子马良说的,买一台电脑,学会上网,看网上缺什么,他们就种什么。听说附近一个村庄种植红提葡萄,一亩地收入一万多元,盟桥村也该有自己的产业,有了产业,就会把那些在外面开公司的女人都吸引回来,让她们有个正当的事情做。他虽然没有当过书记,他相信只要自己认真办事,就一定会当好这个书记。听到广播声,马奖扔掉手里的水管,快步走回家,换了一身干净的衣服。黄素珍看他慎重的样子,一张老脸橡皮筋一般故意拉长许多。

她说:"不就是要开党员会吗?咋把自己打扮得和驸马一样?"

黄素珍说着伸手拽了拽他衣服的后襟。

马奖知道老婆还是不大同意他当这个书记。说"书记"又不是个赚钱的营生,就是赚钱的营生,他马奖也不会赚。马奖不明白和自己同床共枕了二十年的老婆,怎么就不理解自己的心思。他当书记难道是为了赚钱?他不满地挖了黄素珍一眼,摸摸刮得又光又青的下巴,心里涌动着一线崭新的希望。

马奖出了门,远远看到村委会门口围着好些人,有胡有福的人,有二哥,也有不少来看热闹的人。他们围拢在一起,亲切地谈论着家长里短,谈论着今年麦子的收成,好像和这个会议没有多大的关系。夏雨看到村委会门口这些人,意识到了什么,就转身来到会议室后面的一棵大树下,给镇里的派出所崔所长打电话,让他立即派两名干警过来,一刻也不能耽搁。

牛二喝醉了酒,摇摇晃晃地走了过来,通红着眼睛,头发蓬乱,他趿拉着一双没有脚后跟的球鞋,球鞋已经分辨不出当初的颜色。牛二把瘦小的屁股放在村委会门口一块不规则的石头上,撩开眼皮龇牙咧嘴地看着走过来的马奖。

牛二说:"马奖,听说你想当村里的书记?你当书记和胡有福差远了,人家胡有福能给村里要来钱,你能吗?"

牛二说:"马奖,你也不看看你家老地主坟上有没有那个风脉,趁早滚回去吧。"

牛二说:"马奖,你能当书记,我孙子也能当书记哩。"

……

牛二说着就在树下的石头上放倒身子,一条腿搭在另一条腿上,脚上挂着破球鞋,破球鞋有节奏地拍打着老茧堆积的脚后跟,一副准备打持久战的模样。

马奖知道牛二今天是故意找茬闹事，就绕过牛二，不搭理他。马奖强忍着心里的火，来到了会议室，若无其事地和会议室里的几个人谈笑着。在别人看来，牛二好像不是骂他，是在骂别人，马奖好像不是他，是另一个马奖。马奖知道如果自己一旦接了牛二的话，一场冲突势必发生，这个会议就不可能安安宁宁地开下去。

在牛二一声接一声的骂声里，一辆白色小车无声地滑了过来。牛二撩开了半个眼皮，看到从车里走出一个穿着白色西服戴着白边眼镜的人，再看，是马奖二哥的儿子马幻想。从车里出来的还有两个人，他们过早地穿上了短袖衣，光裸的胳膊上纹着青黑色的图案，一个光头，一个板寸，一左一右，跟在马幻想身边。马幻想和人们打声招呼，就微笑着走到牛二面前。马幻想细高的个头，来到牛二面前时，牛二不说话了。牛二早就听说马幻想是个惹不起的人物，在城里有自己的一帮势力，接着他看到马幻想身边的那两个人，心里倏然一惊，两个人一看就是城里惹不起的混混，他牛二咋就忘了和马奖有着密切关系的马幻想呢?

牛二垂下了眼皮，老鼠见了猫似的，刚才的嚣张气焰转眼间无影无踪，他战战兢兢从石头上爬起来，准备溜走。

马幻想俯下身子，在牛二的耳朵边嘀咕了一句什么。牛二的酒好像一下子醒了，他趿拉着球鞋飞也似的离去。

马奖隔着一扇门把外面的情况看得清清楚楚。这时他对马幻想突然有一种说不出的感激，他对马幻想的看法在这一瞬间改变了，毕竟血浓于水呵。

胡有福今天不同寻常，他穿着笔挺的灰色衣服，戴着变色黑墨镜，头发上好像是抹了摩丝之类的化妆品，脚下皮鞋锃亮，嘴里挂着一支烟，最后走了进来。在他身后跟着谢建国。

谢建国胳膊下夹着一个黑亮的真皮文件夹。

党员会议开始后，镇派出所派来的两个干警也赶到了，他们一左一右，站在会议室门口，给这个不大的党员会议增添了别样的紧张气氛。

夏雨坐在会议室的最前面，他按照党员花名册上的名字开始一一点名。盟桥村共48个党员，到会的38人，其余的大多数不在家，在外面打工开饭店去了。夏雨看到一片头颅多半已成白发，一股暮秋气息笼罩着整个会场。作为镇里的政工副书记，夏雨明白不仅仅是一个盟桥村，整个舜王镇所有的村庄几乎都是这样。

夏雨还没有来得及讲话，胡有福就站了起来，他彬彬有礼地说："夏书记，您能否耽搁一下，我想先给咱们盟桥村的党员交代几个问题，希望您同意我的请求。"

胡有福说着就径直走到主席台上，后面跟着谢建国。他示意身边的谢建国打开文件夹，文件夹的拉链在寂静的会议室里发出均匀的哧啦声。胡有福的样子好像不是免职的书记，倒像是一个公司的经理或者是一个腰缠万贯的包工头，他不是来开党员会议，是来和商家谈判的。

他说："今天我给在座的全体党员汇报一下我近几年来的工作，几年来，我一直在寻找机会给大家汇报一下，总是不巧，今天总算有了机会。"

胡有福说着，从黑皮文件夹里捻出一叠白条，然后走下主席台来，让党员们看。

他问："你们知道这是啥？"

没有一个人说话。

胡有福说："大家一定还记得前年秋天的那场大雨，盟桥一夜之间桥塌路陷，村里人出门要绕过盟桥，走别的路，很不方便。我找工程师大致估算了一下，要重新修一座像样的桥，需要几十万，咱们盟桥村是一个穷村，集体经济薄弱，村里永远都不可能有几十万元，除非天上会掉下馅饼来。要修桥，咱们唯一的办法就是伸手向上面要。我写了一份申请报告，就去找上面的领导。上面的钱不要白不要，这是国家的钱，我们为啥不要？县长明确在会议上说，要，比赚来得快。钱在上面，我们就像摘苹果，要跳一跳，不跳，苹果永远都不会自动掉下来。这些白条就是我请人吃饭送礼的开销，大家如果不相信的话，可以一个一个调查去。这些条子不能入账，上面查得紧，我不敢连累上面的领导，只好自个认了，我让镇里免职，实在是有苦说不出，冤枉呀。"

胡有福的一番表白后，是长久的沉默。许久，一个声音低问道："修桥，就是你当书记分内的事，我现在要问的是，我们的农业税减免款呢？我们的高速路占地赔偿款呢？我们的土地承包款呢？上面一直在宣传村务公开，你公开了吗？你为什么不给我们公开？"

提问的不是别人，是胡启轩。他想不到是胡启轩。他昨天晚上拿了他的钱，嘴上还答应选他呢，今天咋就变了卦？

胡启轩咔咔地咳着，说："你别用眼睛瞪我，你的500块钱我准备捐献给村里盖学校哩。我拿了你的钱，一晚上都合不上眼，你以为你的钱就能买到我手里的选票吗？"

胡有福想不到这该死的胡启轩会改变主意，还提出一大串的问题。农业税减免返还款和高速路占地赔偿款，这些钱他在地税局领导身上花了一部分，在镇里领导身上花了一部分，落到他手里就没有多少了。农业税减免返还是地税局的事，哪个村要得紧，他们就给哪个村，哪个村不要就不给了。他请地税局领导吃饭桑拿按摩，在大富豪酒家的桑拿部消费。他还记得那一个个隐秘的夜里，他的欲望和冲动荒草一样滋生着。为讨回这份属于盟桥村的农业税减免返还款，他们吃完饭要上楼，胡有福以为他们和镇里的常书记一样想按摩，没想到他们按摩完，还要上楼，楼上原来还有娱乐的地方。在这里胡有福才算真正开了眼界，知道了世界的丰富多彩。他们一走进娱乐大厅，从幽暗的角落里钻出来一个个腰里挂着牌子的小女子，她们向他们笑着，年轻的肉体充满了赤裸裸的诱惑。地税局领导很快如鱼得水点着他们喜欢的小女子，不知滑向了哪一个角落。只有胡有福呆呆地站在那里，半截木头一样。

胡有福早就听说过城里有这些地方，还从来没有开过眼界。他想，他们盟桥村那些外出的女人就是在这么幽暗的地方开公司吗？她们也和这些小女子一样讨好每一个男人吗？在这些小女子的笑声里，他有点手足无措了，他的手紧紧地捂着胸前的口袋，口袋里的钱，是村里人交的承包地款，地税局领导消费的就是这些钱。在这些钱面前，胡有福突然觉得自己的鼻腔里荡漾的是浓烈的土腥味和汗臭味。日他妈的，他们吃了这钱，按摩了这钱，他们还要日蹋了这钱，这些钱来得容易吗？光线是隐秘的，隐秘的光线里，他看到一个光裸的女子向他走来，胡有福更紧地捂着他的口袋，他知道这些小女子和他们盟桥村在外开公司的女人一样，看到的只是钱，不是他这个又老又丑的糟老头子。他坐在沙发上，小女子对着他笑。这个比自己儿媳妇马红还要小的女子，脸膛光艳，身姿窈窕，身上散发着香味，是三月桃花一样的香味。他闭着眼睛，努力抵挡着这香味，抵挡着小女子好听的笑。可他还是抵挡不了，小女人牵着他的手，他就由不了自己，木偶一样，跟着小女人来到了一个隐秘的房间。一来到房间，他更觉得自己不是自己了，心里的防线轰然倒塌。小女子调皮地跳到了他的腿上，一双手很不老实地伸进衣领下，在他胸前游走，那小小的手就像羽毛，柔柔地抚摸着他，在这样的抚摸里，他觉得心里的野草在疯狂地生长，这野草很快淹没了他的羞耻。一种久已沉睡的东西在这小手的抚摸下，开始苏醒，开始蠢蠢欲动。他终于不管不顾地抛弃掉了一切，他第一次品尝到了一种生命极致的快乐，品尝到了这个小女子的好处来。有了第一次，就有了第二次，有了第二次，就有了第三次……直到地税局把农业税减免返还款拨到了镇里的账上，他才不再去。拨到镇里账上的钱，还是拿不到。那时，常全有说他想买车，胡有福知道常全有是看上了这些钱，就毫不犹豫给常全有留了3万。他知道这些关系的维护是必要的，就像维护一条水渠的畅通，就像投资做一桩生意。通过这件事，他终于知道如何和外面的人打交道了，这是一条隐秘的通道，只能靠自己的摸索才能抵达。胡有福就是凭借着这种办法，要来了修桥的30万。后来，村主任刘海红开始告他的状，要求查账。先是镇里农经站审账，说是审账，其实是镇里帮他把账目走平，镇里农经站审过后，账就平展展的没有了任何问题。刘海红不服，又告到了纪检委。纪检委一审就审出了问题。镇里怕拔出萝卜带出了泥，不得不免去了他党支部书记的职务，才算平息了审账风波。

这时他面对胡启轩的提问竟一时语塞，不知道如何回答。这是一个他回答不了的问题。党员们的目光纷纷落在他的脸上，他感受到这些目光的沉重，这些目光如同一根根棍子，硬邦邦敲打过来，让他无从招架。他脸上的汗出来了，脊背也觉得潮湿湿的，他很快想出了应对的理由。

他说："农业税减免返还款和高速路占地赔偿款，我全部垫付到村里的电费里去了，土地承包款也都用到办公经费里了，至于村务公开，不是我不愿意公开，是没有时间公开，我作为一个村里的支部书记，难道把这部分钱贪污了不成？”

胡有福愤愤地说着，原本想清洗自己，却落了个说不清的下场。

夏雨大声说：“胡有福，你下去吧，我们今天是开党员会，不是听你汇报的，现在党员会议正式开始。”

胡有福听到夏雨强硬的口气，觉得夏雨有点过分。他突然产生了一种墙倒众人推的不良感觉。

就在胡有福给党员们汇报他的工作时，牛二让马幻想叫到了自己家里。牛二怯怯地在沙发边搭了半个屁股，不敢抬头看马幻想。在村委会门口时，马幻想轻声问他：“你知道啥叫黑摸吗？你再这样故意捣乱，小心老子黑摸了你。”牛二害怕了，趿拉着鞋飞快地跑回家去。他知道“黑摸”就是无声无息地在这个世界上消失。春节时，镇里信用联社王主任就让人黑摸了。王主任每天早晨有锻炼的习惯，希望自己能够长生不老，可那天早晨锻炼时，遇到了一辆没有牌照的黑车，从黑车上下来几个人，他们人人手里握着铁棍，在信用联社主任的身上一阵乱打，三两下就把王主任黑摸了，谁也不知道是谁黑摸了他。有人说是他得罪了人，给人贷款吃回扣吃得太多，直到现在这个案子还在那里悬着。

马幻想把一张百元钞票放在牛二面前的茶几上。

马幻想说：“说，是谁指使你干的？”

牛二低头不说。心里想着胡有福给他许愿盖房的事，和盖房比起来，这一百元算个啥。

马幻想又从屁股后面的裤兜里摸出一张百元钞票，放在牛二面前的茶几上。

马幻想说：“说，是谁指使你的？”

牛二想：胡有福给他盖房不知要花多少钱哩，起码在 3000 块钱以上吧。牛二眼皮抬也不抬。

在一边看电视的板寸头咬着牙，说：“不说？我看你是皮紧了。”

牛二这才知道自己矜持不得。

他战战兢兢地说：“他说过，他给我盖房子哩，我总不能住半边房子过日子吧？”

马幻想无声地笑了，他说：“他当了书记给你盖，他没有当书记也给你盖吗？”

牛二明白胡有福在利用他。

马幻想说：“好了，以前的事我不再追究，以后，有啥事你就尽管说，咱们兄弟我不会让你吃亏的。”

牛二点着头吐出一大串“是是是……”

党员会议上，给每个党员都发了一张小纸片，这小纸片上盖着村党支部鲜红的公章。夏雨说：“一张选票只能填写一个人，这个人就是书记人选，按票数多少决定。这次只选书记，不再重新选举支部成员，原来的两个支部成员不变。”

会议室的最前面，放一张桌子，一个人一个人轮流填写，填完，把选票放进一只饼干盒糊成的投票箱里。

会议室里没有一点声息。

马奖坐在会议室最后一排，心仍旧那么悬着。他好像回到了若干年前的教室，在进行着不知道结果的考试。隔着玻璃，马奖看到会议室外面晃动的一个个人影，看到人们伸着脖子从玻璃窗往里面瞧，他看到了二哥，二哥紧贴着玻璃窗在看他，光秃秃的头葫芦一样浮在那里，他看到了二哥担忧期待的眼神。两个年轻干警不停地呵斥着人们走远点，不要影响开会，人们还是不断地围拢过来，迫不及待地想知道结果。轮到马奖填写选票时，马奖想自己如果和胡有福差一票呢？有时只有一票之差，就会出现不同的结果。他低下头，用左手捂着纸片，在上面果断地写了两个字“马奖”，然后，对折起来，迅速地塞到投票箱里。

虽然只有38个党员，也和正式选举一样，选出了检票人、计票人、唱票人。在一块小小的黑板上，马奖看到他和胡有福两个人名下的“正”字在一笔一画地组成，两个人的赞成票不差上下，马奖的心揪在一起，他看到胡有福同样是一副担忧的表情，腮帮子的筋一鼓一鼓的。38个人，他们两个无论是谁的赞成票，只要超过19张就有希望了。奇怪的是他和胡有福的赞成票总是一上一下，一下一上，拉不开多大的距离，他想落选的一定是自己了。当马奖的赞成票超过三个“正”字时，他看到胡有福默默地走出了会议室，接着，谢建国也出去了。当马奖的赞成票组成了四个“正”字时，马奖在心里长长地舒了一口气。马奖感到了自己的心在突突地跳，他用两条胳膊紧紧地环抱在胸前，压迫着这种心跳，唯恐这种心跳声让人们听到，他脸上极力装出一副平静淡然的神态。

夏雨根据票数的多少，请示了党委，当机立断宣布马奖当选为盟桥村的党支部书记。夏雨的话音刚落，就响起一阵噼噼啪啪的鞭炮声，这鞭炮声把夏雨的声音炸得四分五裂，盟桥村的天空下只有鞭炮声和鞭炮腾起的一团团青烟。

马奖踏着这样的鞭炮声走回家。鞭炮的碎屑蝴蝶一样纷纷扬扬，马奖看到笑容满面的黄素珍头发上细碎的炮屑，一瞬间恍若回到了他们俩结婚的那一天，心里漾着快乐，嘴里傻呵呵地笑着。黄素珍用胳膊肘戳了一下他的腰，说：“这么多人给你放炮呢，你该去镇里买点糖果香烟才对。”

马奖这才骑着摩托车匆忙离开。在去舜王镇的路上，马奖的眼里始终觉得鞭炮的碎屑在眼前飞舞，它们红红的影子不时弥漫了他的视线。摩托车来到盟桥上，手机不安地震动起来，是马幻想。马幻想说，他已经用马奖的名义在镇里的小雪饭店订了酒席，请盟桥村全村人都去那里吃饭，不要买糖果烟酒了，一切费用由他一个人承担，不让小五叔掏一分钱，小五叔的高兴事，也是我们马家的高兴事。

马奖接完电话，心里的喜悦一瞬间化作源源不断的泪水，眼泪不间断地涌出来，他捂着脸蹲在桥边，让自己痛痛快快地放声大哭。

渐渐泛黄的麦子在盟桥周围涌动着，浓郁的麦香随着马奖一抽一噎的哭泣，也大口大口地灌进他的嘴里，吞咽进他的肚子里。一只布谷鸟在不远处鸣叫着，嘹亮的声音，一声接着一声。

五

听说马奖请客，盟桥村人倾巢出动，连当初反对马奖当书记的人也都去了。喧闹的村庄一下子宁静了下来。

就在村里人去镇里的小雪饭店吃饭时，胡有福又一次来到了村东的废窑，这次是谢建国约他来的。胡有福走出家门，一双腿抽了筋似的，他不明白那些党员为啥还是不选他。他给了他们钱，他们也不选他。当他听到夏雨在广播里宣布村里的支部班子时，他无力地躺在床上，像一只任人宰割的闷猪。在会议室里他看到马奖后来不断上升的选票时，就预料到了这种结果，为避免自己的尴尬，他只好过早地离开了会议室。太阳下蒸腾出的野草气息几乎让他窒息，来到窑地，他快步走了进去。他看到谢建国戴着眼镜，靠在煅烧过的红土上，一张脸憋得通红。

谢建国说："我还是不服气，怎么让马奖那小子上去了？"

胡有福咬着嘴唇，一句话也不说。

他不明白那些党员怎么了。他们收下了他的钱，一个个都说要选他，到时候却没有几个人填他的票，人心难测呵。

谢建国说："难道就这样让他顺顺利利当上这个书记？"

胡有福问："那你要怎么样？"

谢建国说："我想替你出出这口恶气。"

胡有福说："算了，那次放花圈的事，村里人都说是我放的，我走在人前都抬不起头。"

谢建国说："是我让外地的两个民工干的，我给他们一人100元。"

胡有福说："算了，我这辈子不当这狗屁书记了。"

谢建国说："你给党员的钱就那么白白扔了？你还是心软，咋就这样让他顺顺利利地上去？我是为你打抱不平，我想再给他点厉害。"

胡有福看着谢建国，心想：你是为我不平吗？你是为你不平呀。

窑里就只有他们两个人，听着零零星星的鞭炮声，胡有福心里沮丧到了极点，他一手扶着窑壁慢慢地蹲了下去。

他有气无力地说："你想怎么就怎么去，我也管不上了。"

吃完饭，马奖来到了二哥家。他们终于取得了这场战役的胜利，把红旗插到了最后的山头。他看到家里人人脸上都是笑，唯独二哥没有笑，二哥在哭。二哥站在爷爷和父母大哥的牌位前，恭恭敬敬插上了三炷香，然后，默默地念叨着。马奖看到两行泪水，沿着二哥又黑又瘦的脸颊，无声地流淌下来。

二哥回过头对马奖说："小五呀，你当了这个书……书记，可不能和胡有福一样让人家提溜了裤子，给咱们马家丢人。"

马幻想好像喝多了酒，脸上红彤彤的。他也附和着父亲说："小五叔，我们全力以赴支持你当这个书记，就是想让你给咱们马家争口气，我们并不想借你手里的权力，沾村里一星半点的便宜，那些便宜沾不得。"

马奖短暂的快乐让二哥和马幻想的话，稀释得干干净净，他知道自己该怎么做。

送马幻想去县城时，马幻想却一脸神秘地把马奖拉到门口不远的一株榆树下。他低声说："小五叔，我刚听人说，今天晚上可能有人要和你过不去，他们还是不服气，你一定要高度警惕，对付不了就给我打电话。"

马奖笑了。他拍打着马幻想的肩膀说："我看你是喝多了，说胡话吧，有人不服气，要对我下毒手不成？"

马幻想说："我是听牛二说的，也许他在胡说，你注意就是了。"马奖想起党员开会前牛二骂他时的德行，就不高兴地说："牛二的鬼话还能相信？"

马幻想笑笑，转身上了车。

马奖看着马幻想的车走远了，心想：这马幻想一定是喝多了。

晚上，胡有福来到镇政府。常全有在办公室里等他。胡有福一屁股坐在常全有的皮沙发上，通讯员小格过来，用一次性纸杯子给他倒水。以前他来，小格总是笑笑地先问他："胡书记，是碧螺春，还是铁观音？"他总说声："随便。"小格就给他冲杯他喜欢喝的铁观音，嘴里却说："世界上哪里有叫随便的茶？"在胡有福看来，不管是什么样的茶叶在他嘴里都是同一个味道。这次，小格马马虎虎给他倒了杯白开水就走了。

镇政府里很静。五月里的微风在院里的两株苍老的松树上发出粗重的喘息，一声接着一声。

胡有福有一肚子的问题要问，但问什么，他不知道从哪里说起，他有太多的心里话要问常全有。

他想问，你这党委为啥不给我做工作？为啥不任命？作为一个镇的党委书记你完全能够让我官复原职，你可以左右夏雨，让夏雨在选票上做手脚，你忘记了我对你的好处？在县里的换届选举中，为了把上面任命的县长选上去，你常全有不是一个个人事先做工作吗？你说，我们要和县里高度保持一致，千万不敢出了差错，这差错出不得。代表们填完选票，你常全有一个个对照，把事先定的人选上，把不该选的选下来，这样的选举会就开成功了，这次，你怎么不能那样做?

胡有福一句话也说不出来，他只是哧溜哧溜地喝水。喝完，掂起茶几边的水壶又给自己倒一杯，茶几上湿了一大片。他动作粗鲁，带着满肚子的怨气和对常全有的不满。

常全有终于开口了。他说："胡经理。"常全有刚说出"胡经理"就扑哧笑了，他是故意这样说，想逗胡有福乐一下，缓解两人之间的紧张气息，没想到胡有福还是拉长着脸，他也不得不严肃起来。常全有继续说："我们也是从保护老干部的角度出发，采取选举这个手段，如果你选上了，免去的职务也就无形中恢复了，我原以为你没有问题，当了这么多年的支部书记，一定维护了好多的党员，谁想到你的赞成票连半数都没有过。我听了夏雨的汇报，心里真是替你惋惜啊。"

胡有福说："我当了十几年的书记，没有功劳还有苦劳啊，咋就落了个让人免职的下场? 常书记你说说，我胡有福冤不冤呀?"

胡有福说着呜呜地哭了。他用两只手掌轮流抹擦着眼泪，这眼泪好像憋屈得太久，终于找到了突破口，哗哗不断地流淌下来。

通讯员小格过来，手里捏着手机，手机里没完没了地奏着优美的曲子。常全有接过手机，对着手机里的人说："好。好的。我马上过去。"然后，合上手机。他对胡有福说："别想不开，给自己找不自在。现在从上而下都在喊叫着民主选举，这选举村里都实行好几届了，我总不能违背这个政策。好了，县里正等着我开会哩。"

常全有说着，就收拾桌子上的文件，一副赶胡有福走的阵势。

胡有福默默地离开了常全有的办公室，常全有在后面对他说了一句什么，他也没有听清。他心里除了失望，还是失望。走到镇政府门口，他突然觉得下面胀得难受，就无所顾忌地叉开腿，扯开了裤带，对着门口白底黑字的镇政府招牌哗啦啦地撒起了尿。尿水急不可待在木头牌子上拍打出一串噗噗噗的响声，这肆无忌惮的声音，在宁静的街道上流淌开去。这时，胡有福只感到一股腥臭的味道，势不可挡地冲进鼻腔，他别过脸去，只见常全有的奥迪车从门洞里徐徐地开了过来，明亮的车灯下，胡有福还是那么叉开腿，哗哗地撒着尿，他一动不动地站着，犹如一尊男人的雕像。奥迪车擦着胡有福的身边驰过时，卷起的尘土飞掠过他，他的眼睛和嘴巴里都是尘土。胡有福望着远去的奥迪车，突然有一种遭人欺凌的感觉，心里的不平顿时化成了源源不断的愤怒，不可遏止地喷涌出来。

他边尿，边对着木头牌子破口大骂："我日你妈的，你这没有良心的，你的良心让狼狗吃了吗? 我日你妈的，我的钱就这么白白扔了吗? 我日你妈的。"胡有福骂着骂着又哭了，他哭得很伤心，手抖嗦着，怎么也系不住裤带的扣子。通讯员小格听到哭声从里面走了过来，手里捏着手电筒一照，原来是满脸泪水的胡有福。

小格说："胡书记，你还没有回家? 你在骂谁哩? 走，我送你回家去。"

胡有福没好气地说："我不是书记了，我孙子才是书记哩，别再叫我书记。"

小格看到胡有福蛮横不讲理的样子，捏着手电筒，又悄悄走掉了。胡有福向盟桥村走去时，觉得两条腿软塌塌的，他满脑子都是对常全有的憎恨。走在无人的田间路上，麦香在他周围荡漾着，丝丝缕缕地在他脚下缠绕着，让他怎么也迈不开脚步，他终于一动不动地站住了。他听到田里的麦子在微风中碰撞出金属一样的声音，整个麦田是透明的，他奇怪这种透明，猛一抬头，看到西边天空上的一弯月亮。这弯月亮隐透出的寒冷和残缺，让他恍然感到属于自己的辉煌已经一去不复返了。他一动不动地望着这弯月亮，心想自己这辈子也值了，他毕竟还有过辉煌，就像头顶的月亮也有过它满月的那一天。月圆月缺，也许是自然界里不可抗拒的规律，世间万物不可能永远完满，完满的时候，也就隐示着不完满。胡有福这样想着，心里的痛楚，渐渐遗落在这弯月亮下的小路上了。

这天晚上刘海红约了马奖出来，他们坐在盟桥的栏杆下。刘海红迫切地谈起村里下一步修路和盖教学楼的事，谈着这些资金的来源，谈着谈着，忘记了时间。马奖只听到刘海红说，咱们上来干工作，可不能让镇里人给咱们叫公司经理，我们要甩掉公司经理的破帽子，把在外开"公司"的姑娘媳妇都叫回来，用新的产业吸引她们……刘海红靠在栏杆上顾自地说着，后面的话马奖一个字也没有收拾到耳朵里。马奖觉得他这个"官"来得太轻易，轻易得让他怀疑它的真实。他始终感到在这一切的背后，隐藏着一个秘密。他不知道这个秘密，刘海红一定知道。

马奖终于鼓足勇气问刘海红："刘主任，党员们为啥选我当这个书记？总有个原因吧？"

刘海红爽朗地笑了。他说："我也就不瞒你了，胡有福的确是个能人，十多年来，他折腾来折腾去，富了自己，穷了集体，我们村是再也折腾不起了。这次选书记，党员们改变了以往的选举标准，主张选一个能守家的党员当这个书记，这个人即使没有多大的本事创业，只要守好业也行，这个人必须老实可靠，大家就想到了你。"

马奖听了，终于明白他当选的真正原因了，这个原因让他心里一阵难过。他们也太小看他马奖了，难道他马奖就是一个窝囊废？难道他马奖只会守业，没有本事创业吗？没本事创业，我年年在风陵渡收芦笋，不是大把大把往回赚钱吗？他们怎么就能料定他没有多大的本事？一种让人鄙视的愤怒在他心里迅速地蔓延开去。他马奖也是一个堂堂正正顶天立地的男人啊，他就要创业给他们看看。看来一个人对另一个人的了解，永远都停留在浅表的层次上，一个人内心的幽远深邃，另一个人永远触摸不到。马奖想说什么，终于什么也没有说，他只是轻轻地合上眼睛。这时，他仿佛听到一阵遥远的声音沿着桥面轰隆隆向他滚来，这声音好像是那个叫孟明的将军对着千军万马盟誓的声音，又好像是刀枪剑戟切割着风的声音。当他睁开眼睛后，蓦然看到西边的天空上，多了一弯月亮。这是一弯崭新的月牙儿，那么细细的一缕，刚淬火的镰刀一样，折射出锋利的光泽，好像随时准备收割遍地的麦子。这是一弯上弦月呵，上弦月是生长的月亮，人说，初三生，初四长，初五出来明晃晃，它是在悄无声息地生长着。一瞬间，马奖觉得这弯生长的月亮，涨满了他的胸膛。

黎明，马奖听到屋子前面响起一阵咚咚的脚步声，这咚咚的脚步把他的黎明觉践踏得一片凌乱。接着，他闻到了一股浓重的烟味，这烟味不断地从窗户和门的隙缝侵袭进来。黄素珍说声不好，就翻身下床。她拉开屋门，惊叫一声："马奖，不好了，快起来看看，哪个挨千刀的，把咱们家的大门点着了。"

马奖走出屋子，果真看到不甚明了的光线里，他家老旧的木门在呼呼燃烧，熊熊的火焰，炙烤着露水浓重的黎明。黄素珍这次学聪明了，她没有哭，只是跑到水管前给桶里放水。马奖提上两桶水哗啦、哗啦地泼到老旧的木门上，木门发出噗嗞嗞的声音，蒸腾起一团团热气和青烟。火，终于熄灭了。两扇老旧的木门在黎明的光线中，看上去已经是面目全非，门环上残留着一团黑乎乎的东西，是一件沾着汽油的破衣服，上面的塑料纽扣扭结成一团，散发出焦煳的味道。马奖站在热气逼人的大门前，想起马幻想昨天下午临走时对他的叮咛，后悔没有把牛二透露的消息当回事。

二哥和二嫂也过来了。二哥说："小五，人家还是不服气你上去，不服气也白搭，他也折腾不到哪里去了，你就忍了这口气，赶快换两扇大铁门吧。"

天刚亮，马奖去了镇里，用大卡车拉回来两扇火红色的大铁门，让人安装好。牛二来了。牛二仰头看了看崭新的大铁门，就知道是怎么回事。他低声责备马奖说："那木门让人烧了吧？昨天我给马幻想说，他们要对你下手呢，马幻想一定告诉了你，你怎么没有当回事？"

马奖问牛二："你怎么知道？"

牛二坦然地说："是谢建国砖窑上的两个民工在镇里买汽油时说的。"

马奖想一定是胡有福指使谢建国干的，胡有福还是不服气呵。牛二拿着一片抹布，把大铁门上上下下擦了个干净。

他说："马书记，今年镇里民政上的低保补助，到时候你可别忘了我呀。"

马奖说："这不是我一个人说了算的事，要和村干部研究。你还年轻，别老想着政府的低保补助，该干点正经事了。"

牛二趴在地上，擦着大铁门的最下面，半截屁股白晃晃地露在外面。他喘着气说："投资我没有钱，你说我能干啥？"

马奖看到牛二费力讨好他的样子，不知道牛二咋这么快就倒戈了？

马奖家让人烧掉大门的消息，很快风一样刮遍全村。村里人有事没事就绕到马奖家门口，说一些不咸不淡的安慰话。这天，马奖希望看到女儿马红来看望他们，给他带来胡有福的消息。女儿马红始终不见人影。一天夜里，他接到女儿马红的电话，马红说她和胡小强已经搬到县城里了，公公在城里买了一套商品房，他们决定在县城火车站附近搞一个水果批发店，房子已经租好了。马奖听到马红的声音里有一种抑制不住的激动，马红说到最后，声音一点点低了下去。她说："爸，你当书记，可不能把自己当傻了呀。"

马奖明白女儿说的"傻"。他轻轻合上电话，一句话也没有说。马奖只觉得一种叫作"失望"的东西，在心里迅速地蔓延开来，很快将他淹没在无可奈何的沉默里。

秋天的一个早晨，马奖和刘海红去县城找分管文教的常副县长要钱，筹备明年盖教学楼的资金。教学楼的资金他们已经筹备了一部分，其中有党员们每人捐献的500块钱，这是胡有福当初给他们贿选的钱。剩余的部分他们只能希望县里援助，或者让工程队先垫付了。分管文教的常副县长不是别人，正是舜王镇的党委书记常全有。这天早晨，他们下了汽车，走到车站边的公园前，看到一个老头穿着运动衣，头顶戴着鸭舌帽，手里牵着一只纯种的白色京巴狗。马奖一眼认出这人就是胡有福。胡有福看起来完全像个城里的老头了，悠闲地度着他过早到来的晚年生活。

刘海红拉了拉马奖的胳膊，催他快走。

一阵秋风卷着枯黄的树叶贴着街道扑来，马奖回过头去，看到胡有福和他的京巴狗很快消失在一片纷乱的落叶里，没有了半点影子。

（选自《黄河》2007年第2期）

高菊蕊

女，山西省永济市人。现供职于山西省永济市文联。1986年开始文学创作，发表小说、散文一百余万字。著有散文集《听涛集》，中篇小说《眼镜的故事》《冬天里的炉火》《药香》《一条通向天堂的路》等。被评为2000—2006年《山西文学》杰出作家，多次获省级文学奖。

温暖的平原

徯 晗

题记：在阴冷潮湿的地方，我们需要温暖与光亮，在这光亮到达的地方，让我们彼此依偎着，取暖。

一

在人们的眼里，秀玉是个命硬的女人。她一生中有过两双父母，却没有一个兄弟姐妹，嫁了三个丈夫，更没有一个落下一子半女。她十个月时，生父母双亡，十岁时，养父母双亡。就是这样，人们也还没有想到那个“克”字。直到她嫁过三个丈夫后，就再也没有一个男人敢娶她。

秀玉就成了人们眼中一个没有六亲的孤人。

孤人是个什么概念，只有做过孤人的人，才有那样深切的感受。那是一种对沉默的了然于心，对话语的不知所措，对亲情的无限期待，对黑夜的漫长想象，对身体的无声呐喊。那是时常失控的某种身与心、灵与肉的崩溃。

对这样的感受，年轻的寡妇秀玉最切肤。在她还活得青葱水嫩时，她就已感到了身体的末日，那摆动的身体就是一副活着的白皮棺材，那棺材在人世间行走，游移，散发着肉的芳香，肉的光泽，却将她的心、她的渴望、她的欲望都囚在那副活着的棺材里。

不是人们要把她变成一具活棺材。说实话，那年头，是男人，都想上秀玉的床。况且，也不是没有胆大的男人在她的床上摸爬滚打过，但最终，没有一个男人敢真的将自己的命运与她绑在一起。

那些在平原上耕作惯了的男人们相信女人克夫，相信道士的赶尸还魂，相信雨后飘荡在平原上的磷火就是鬼魂，就像相信把谷子撒在田畴里，秧苗就会从泥土里长出来一样。对他们而言,这些都是毋庸置疑的,是天经地义的某种存在。

二

秀玉本是地主家的千金,生就的一身好皮肉。无论怎么在农村里遭作践,那一身皮肉就是比一般女人水嫩——这是在娘胎里就养足了的。

秀玉的亲父死于新政府成立后的肃反。

秀玉本姓刘,原名金枝,是当地有名的大地主刘文和的孙女。大地主刘文和有三个儿子,大儿子举家跟着旧政府的军队去了台湾,二儿子出生时难产,落下了脑瘫,身边真正能理事的,只有小儿子刘定坤。

秀玉便是小地主刘定坤的女儿。

那一年,新政府没收了刘家的田产,刘文和也在肃反中被处决。小地主刘定坤不服,企图与人民政府对抗,竟穿着一身孝衣在人民政府前号丧:"你们谋了财还不行,还要害命! 简直比土匪还黑呀!"如此反动言论一出,刘定坤即被以反革命罪执行枪决。刘家父子一死,曾经显赫一时的刘家就算是彻底完蛋了。刘家除了那个因患脑瘫瘫在床上的儿子,就只剩下孤寡老少三代女人。

秀玉的生母梅兰本来出身低微,是两岁那年跟随父母从湖南安乡躲洪荒要饭到湖北的,被刘家用十块银圆、二升大米买来给脑瘫儿子当童养媳的。谁知这女孩儿从小生得聪明伶俐,活泼可爱,跟着刘家三小子从私塾先生那里学得了一口好诗文,不仅倒背如流,还出口成章,深得地主刘文和的喜爱。加上她从小和小儿子刘定坤青梅竹马,两小无猜,刘文和实在不忍将梅兰许给瘫在床上的二儿子,便改了主意,将一手养大的女孩儿配给了小儿子刘定坤。

刘定坤与梅兰婚后生下一女,刘文和对孙女宠爱有加,取名金枝。原本是金枝玉叶的命,只可惜她生不逢时,出生后不到一年,刘家的宝贝孙女金枝很快就成了一棵贱草。

看着出生才十个月的幼女,看着吓得一病不起的婆婆,看着瘫在床上的刘家二公子,被人称作"地主婆娘"的梅兰终于失去了活下去的勇气。为了让女儿活在这世上少遭些罪,梅兰在女儿的包袱里放了十块银圆,找来了墨和纸,流着泪写下了女儿金枝的生辰八字。天黑尽时,人们都进入了梦乡,梅兰踏着黑,把十个月的女儿抱出了门。梅兰想到了村里卖豆腐的叶三夫妇。她知道,叶三夫妇婚后一直没有生养,多年来靠卖豆腐为生,成分只定了个中农。如果女儿能被叶家收养,就是她的福气了。

梅兰是半夜把女儿抱到叶三家门口的。梅兰知道,叶三夫妇每天半夜都要起来磨豆腐,如果他们开门到磨坊,就一定会发现放在门边的女儿。是夜,梅兰躲在黑暗处，一直看到叶三的老婆举着一盏灯出来，弯下腰去，又站直了，拍拍胸口，唤来了叶三。两人将孩子抱进了屋。梅兰见叶三夫妇久未出来，就知道女儿已经在这户人家落下了根。

这一夜，叶三家的豆腐坊静了一整夜。梅兰用手巾堵住口鼻，躲在叶三家的磨坊后，全身痉挛地哑哭了一场。天未亮，梅兰就投了长江。天亮时，人们在江边的沙滩上发现了一双女人的绣花鞋，一套婴儿的小衣衫，就知道是谁家的女人投了江。梅兰的死，立即促发了老地主婆的死，随后是得了脑瘫的刘家二公子，纷纷跟着赴了黄泉。

不久，人们看出叶三家收养的女孩儿，分明就是地主家的小姐金枝。大家虽然心知肚明，但因为叶三家的坚称女儿是从很远的娘家捡来的，便没有谁去真正说破。从此，金枝被改名为秀玉，随养父姓叶。叶三夫妇当晚就取下了女儿手腕上的金镯，连同那十块银圆和梅兰的字一起，悄悄藏起来。本来，秀玉可以从此安然无恙地在叶家长大，度过至少是平静的一生。然而，一九六〇年发生在全国的那场自然灾害，使秀玉的命运再一次发生了改变。

那场大饥荒给今天还活着的很多人留下了不灭的印象。那时，秀玉已经十岁多了。近十年中，秀玉一直在养父母身边幸福地生活着，成长着，她和同龄的小朋友一起唱斗地主的儿歌，养父母对她百般疼爱，她从来就没有怀疑过自己的出生。如果不是养父母过分疼爱，秀玉兴许还能拥有他们中的某一个，不至于沦为孤儿。

一九五九年冬天，很多人都开始饿肚子了，人们喝着稀汤寡水的菜粥，一脸菜色地到处找吃的，连河滩上柳树洞里的毒蘑菇都被挖了出来，队里有家人就是吃了这种毒蘑菇，全家都被毒死了。

摸了半生黄豆的叶三夫妇，突然发现自己已经好久都没有摸过黄澄澄的豆粒了。他们的磨坊已停磨大半年。那口煮豆浆的大铁锅也早被生产队收缴，弄去公社大炼钢铁了。叶三想起自己攒下的一坛上好的黄豆，那是前年妹夫家拿来换种子的，成立人民公社后，妹婿就忘了来取豆种。不久前，饿不过的妹夫重新来问起，叶三一狠心竟没拿出来，而是悄悄将它埋在了地底下。

三

揭不开锅的日子终于不可阻挡地到来了。

地里的野韭菜已被人挖光，生产队的红薯还没长出来，就被人偷吃光了藤子，最后连根也找不到了。原本富庶的江汉平原，居然让它的子民们找不出一颗余粮。没有粮食，人们只能靠着河里捞上来的鱼虾鳖蚌艰难度日。可是，再多的鱼虾也经不起饥饿的人们的疯狂捕捞，河里很快也空了。生长在鱼米之乡的人们，从来也没有像眼下这样，觉得粮食的亲切，粮食的可人。他们思念粮食、渴望粮食。有的人嘴里甚至喊出了："粮啊，娘！快让我吃一口吧！"

那些他们原本司空见惯的稻谷，此刻只能在每个饥饿之人的梦里飘香。那黄灿灿的谷子长在他们的梦里，金晃晃的麦子在他们急促的呼吸里摇曳，梦醒后，才发现昔日那盈手的稻粮已不知去向。

有一天，队里有家人的孩子在喝一碗野笫米菜汤时，突然大叫了一声："娘，我碗里有蛔虫！"做娘的立即用手捂住了孩子的嘴。邻居家的还是听到了这声喊叫，立即奔了过来。邻居一看孩子的碗，就明白了。邻居不屑地说："这长虫你也敢挖给孩子吃？"孩子的娘脸红了，嗫嚅着说："这东西，又叫地龙，也能……吃的，有什么办法？不是饿，谁会吃这个？"邻居哼了一声，不屑地走了。可是，没几天，邻居家就饿死了人。那孩子的娘再出门偷挖蚯蚓时，发现邻居也在地里偷挖那东西，见到自己在看他，立即羞愧地低下了头。那孩子的娘叹了一口，悄悄地转身走了。只是那孩子再没有在自己的汤碗里发现过像蛔虫似的东西，那孩子不知道，是娘将它们剁碎了。孩子有滋有味地喝着比别的野菜鲜多了的笫米菜汤，居然没怎么觉得肚饿。

地底下的那坛黄豆，成了叶三和女人最大的牵挂与安慰。终于有一天，叶三熬不住了，他把女人叫到了磨坊。

叶三说："孩子已快熬不住了，得让她吃一点了。"

女人点点头，心里知道丈夫指的是什么，女人说："那就每天抓一小把出来，泡上，磨了，再煮给孩子喝。"

叶三点点头，女人和他想的是一样的。于是，夫妇俩决定：每天从地底下偷抓一把黄豆出来，半夜里悄悄地磨成鲜豆浆，煮给女儿秀玉喝。

第一把黄豆被泡涨后，叶三和女人关紧了磨坊，在一个半夜里，小心地将它们塞进了磨孔里。昏暗的油灯下，雪白的浆汁从石磨里流淌出来，奶汁一般，那样亲切、柔滑、细嫩。叶三的女人熟练地把它们倒进干净的纱布里，浆汁和豆渣被分离出来。女人望了望磨坊里空了的灶台，重又想起那口一次可以煮两担豆浆的大锅。女人叹口气，从灶台下找出一口陶罐，把陶罐洗了又洗，将浆汁小心地倒进罐里。叶三已从灶台上取下两块土砖，在灶前架起一堆柴，点着了火。

夫妇俩把陶罐架在柴火上煮起来。豆浆的香味很快就冒了出来，竟是那种从未有过的清香，那香味越来越浓，渐渐地弥漫在小小的磨坊里。叶三夫妇使劲地抽着鼻子，醉心地嗅着。女人的脸上泛起了兴奋的红润，柴火燃烧着，叶三的一双眼睛里也像是点着了火。

"真香啊，这豆浆！打了几十年的豆腐，我可从没闻过这么香的豆浆。你觉不觉得这陶罐煮的豆浆就是香？"女人忍不住欣喜地问男人。

"陶罐不管煮什么，都是要比铁锅香的。"叶三点点头，同意妻子的说法。

盖子被沸腾的热气掀了起来，叶三把陶罐取下，将香喷喷的热豆浆倒进一只白色的洋瓷碗里。然后又把滤出的豆渣倒进陶罐，加上水，放在柴火上继续煮起来。

随后，叶三女人便像一条灵敏的蛇一样，溜出了磨坊。

秀玉还未被母亲从熟睡中唤醒，就被悄悄地抱进了磨坊里。

“秀玉，你看这是什么？”叶三女人兴奋地摇晃着怀里的女儿。

热豆浆的浓香终于使秀玉睁开了惺忪的双眼。她使劲地抽一下鼻子，突然叫道：

“豆浆？娘，哪里来的豆浆！”

“嘘——这是你爹用偷攒的豆子给你磨的。”叶三女人压低了声音对女儿道。她看看丈夫，再看看女儿，脸上洋溢着幸福。

“喝吧，用陶罐煮的豆浆，格外香！”叶三把豆浆端在手里，放在唇边小心地吹了一口，递到女儿唇边。

豆浆还烫着，秀玉喝了一小口，烫得直伸舌头。

“香吗？”

“香！”

“好喝吗？”

“好喝，就是烫！”

“烫，那就慢点喝。”

“爹，你也喝一口！”秀玉仰起脸看着叶三。

“这是给你喝的，我和你娘有豆渣吃。”叶三摸了一把女儿的脸，用嘴噜了噜柴火上的陶罐。罐里的豆渣已在往外冒热气了，空中弥漫着一阵阵诱人的豆渣香。

“娘，你也喝一口！”秀玉又把碗推给母亲。叶三女人看看碗里的豆浆，又看看女儿，摇摇头，一脸欣慰地说：“那是给你喝的，你还要长身体，娘和你爹已经不用长身体了。”

“那我就等你们一起吃。”懂事的秀玉嚅动着嘴，吞了一口口水。

一家人幸福地笑了。豆渣煮好了，一家人围坐在一起，香甜地吃起来。

灾难就是在这时发生的。他们不知道，那一夜，饿了许久的人们忽然闻到了新鲜豆浆的浓香。即使是在半夜，这香味也固执地飘进了人们的梦里，人们在饥饿中醒来，坐在床头，使劲地抽着鼻子，确定无疑地认为那就是新鲜豆浆的香味。在豆浆的香味钻进人们的鼻子里时，人们脑子里第一个想到的人就是卖豆腐的叶三。人们闻着豆浆的气息而来，很快就将叶三一家堵在了磨坊里。那时，秀玉正喝着香甜的热豆浆。叶三夫妇也吧嗒着嘴，响亮地嚼着一碗热豆渣。

人们冲进来时，秀玉吓得打掉了手中的碗，雪白的豆浆淌了一地，清香四溢，立即激起了人们的愤怒。

“好啊，狗日的叶三，你们躲在磨坊里吃独食！你们还算社员吗？老子们的粮食都交公了，身子也饿肿了，凭什么你们却在这里大吃大喝？”

“搜他狗日的!”

“对,搜他狗日的!”

人们热血喷涌,暴凸着血红的眼睛。看到眼前正在饱尝美食的一家人,力量又重新回到这些饥饿的身体上,他们响亮的骂声立即冲破了磨坊里的温馨。

更多的人朝磨坊里拥来。愤怒的人们很快就从磨坊的石板底下找出了那坛黄豆,在找出黄豆的同时,他们也找到了十块银圆和一只婴儿的金手镯,当然还有地主婆娘梅兰用毛笔写下的女儿的生辰八字。

人们再一次愤怒了:“好啊,狗日的叶三还有地主家的黄白货!你们不仅窝藏公粮,还窝藏地主的狗崽子!”

骂声一出,人们即开始疯抢黄豆,一坛黄豆顿时被抢掠一空。其中一个女人当即解下了自己的裤带,麻利地将裤管扎住,然后抓起叶三家舀豆浆的木瓢,迅速将一瓢黄豆舀进了自己的裤裆里。几粒黄豆从女人未扎的那只裤管里滚出来,十岁的秀玉惊恐地看见那几粒黄豆上沾着鲜红的血……

队长是在人们的疯抢中赶来的,和队长一起赶来的还有两位武装民兵。人们在疯抢黄豆的同时,还没有忘记哄抢那几块白花花的银圆和黄灿灿的金手镯。

叶三的女人在人们的疯抢中死死地抓住了女儿的金镯子,嘴里疯狂地骂着:“王八蛋!你们谁敢抢我女儿的金手镯,老娘今天就和你们拼了!这可是她死去的亲娘留给她的遗物,你们谁敢动,老娘就一斧子劈了你们!”

人们这才发现叶三女人不知什么时候已举起一把生锈的铁斧头。

疯抢的手停了。两位民兵夺下了叶三女人手中的铁斧子,骂道:“妈的,你家的铁斧为什么没交出来炼钢?”

有人立即大叫:“别说铁,他家还有银洋呢!”

“是啊!还有金货!”

队长冷着声音说:“把抢的东西都交出来!队里按人头统一分配。”

两位民兵朝人群举起了枪。

一阵沉默。之后,黄豆被从人的口袋里、衣袖里、裤衩里掏出来,随后是几块银圆。一个女人突然发出了哀伤的哭声,人们看到她蹲了下去。头发披散开来,她哭着从裤管里掏出了一把黄豆,有几粒带着红色的血迹,随后又掏出了一把,仍有几粒带着血。

那女人更大声地哭着。但女人的哭声并没有影响大家的心情,人们双眼发亮,眼巴巴地望着队长。队长在众人的注视下,找来了叶三家称豆腐皮的小平秤。

黄豆被按人头分净了,叶三夫妇也分了三两。

分完黄豆,队长让民兵拿走那十块银圆和小金镯子。这时,叶三女人跪下了:

“队长,金镯子你们不能拿走啊,那是秀玉的亲娘留给她的遗物!你们拿走了,叫我死了怎么对亡人交代啊!我求你把它留给孩子吧!”说完将头猛地磕在地上的青石板上，叶三女人的额头立即冒出几粒鲜红的血珠。

队长犹豫了一会儿，留下了那个金手镯。队长说："这个就留给你们，银圆全部充公！天亮就由民兵交给公社人武部！"

不久，炒豆子的香味弥漫开来。叶三和女人抱着吓坏了的秀玉，坐在被洗劫一空的磨坊里。一家三口默默地注视着分给他们的那三两干黄豆。

炒豆子的香味飘进了磨坊，落进叶三一家的沉默里。

叶三想，他们不会磨豆浆，他们只会炒豆子。

叶三想，那些豆子炒了多可惜！如果磨成鲜豆浆，可以多活一节命呢。

四

叶三夫妇是在黄豆被分一个月后先后饿死的。是叶三的女人先肿起来的，看着叶三女人肿起来的身体，人们终于绝望了。

其实，人们明里暗里知道叶三女儿秀玉的来历，但人们从来就没有想过要去说破它。现在，真相自己站出来了，也没有谁真正有兴趣去关心打豆腐的叶三夫妇，是否窝藏了地主的狗崽子。他们关心的是叶三家的磨坊。他们希望还能从叶三家的磨坊里发现黄豆的奇迹。他们寻找各种理由造访叶三家的磨坊，有的人甚至当着叶三一家的面在磨坊里翻找，一遍遍地将磨坊里的石板撬开了寻找，他们的额头上流着虚弱的汗，每撬几下，都要停下来喘上一会儿。他们甚至掀开了那口腹中空空的大土灶，企图从陈旧的灶灰里发现黄豆的奇迹。

叶三夫妇对此已视而不见，他们干脆再也不进磨坊。在人们把目光转向他们的磨坊的时刻，他们却把自己的目光投向了更加荒芜的田野。

后来，他们干脆连家也摒弃了。叶三和女人带着秀玉在远处的田野里翻寻着，夜晚就在河滩上的哨棚里过夜。这些哨棚散布在干涸的河滩上，每隔几十米就有一间。哨棚是给每年夏天参加防汛的人住的，现在却成了他们的栖身之所。

有几次，他们真的翻到了一些细小的土豆、红薯的块根，还有一些新长出的野菜的嫩苗和宿年的茅根。他们把它们悄悄地藏在怀里，或者干脆在哨棚里生上一把火，就地用洋瓷碗煮着吃了。照例，他们自己是舍不得吃的，那些干的都捞给了秀玉，他们只喝一点加了盐的汤。

那三两黄豆他们始终没能吃掉——他们再也找不到进自家磨坊的机会。他们的磨坊乃至家都已经被人守住了。叶三把黄豆紧紧地藏在自己的胸口。他想，总有一天，我要把它们磨成雪白的豆浆，喂给自己的女儿喝。

人们在把叶三家和叶三家的磨坊翻了个底朝天之后，终于对叶三家失去了兴趣。终于有一天，人们在河滩上发现了面色蜡黄的叶三和全身浮肿的叶三的女人。

叶三女人的肿，彻底地熄灭了人们对叶家所抱有的最后一线希望。

再不会有黄豆的奇迹了。

希望熄灭的同时，人们的愧疚和良知反而苏醒了。有人开始劝叶三带女人和孩子回家。

“叶三，回家吧！你女人已经肿成这样了，就是死也要死在自己家里呀！”

“叶三家的，回家吧，可别做了孤魂野鬼。”

他们重新回到了狼藉不堪的家。磨坊彻底清静下来。清静下来的磨坊已经不成样子，可他们的石磨却完好无损。

回家的当晚，叶三就把胸前的黄豆泡上了，他一定要把它们磨成豆浆。

依然是在半夜，叶三走进了自家的磨坊。叶三清楚自己这是最后一回磨豆浆了，于是磨得格外仔细。

雪白的豆浆终于磨出来了，叶三像过去一样，磨浆、过滤、出渣，每一道程序都认真仔细地完成了，直到雪白的豆浆被装进那只陶罐里。后面的程序就省略了，叶三知道，只要一点上火，把陶罐一坐上去，香味，那要命的香味就会飘出去。只要这香味一飘出去，立刻就会有人冲进来将他一家撕碎。

叶三叫来了女人，女人的脸在油灯下泛着青光，女人的身体因浮肿显得有些笨拙，女人进来时右脸不小心在门框上碰了一下，脸上立即出现了一道紫色的凹坑。叶三知道，那凹坑得好半天才能平回去。

叶三从陶罐里倒出一小碗生豆浆递给女人。叶三说，你喝一点，死了也不用做个饿死鬼。

女人摇摇头，说，还是留给秀玉吧。我们迟早都要死，何必浪费呢？

叶三说，这罐里还有大半罐呢，还有豆渣，够女儿吃一阵了。

女人说，豆渣可以多放一阵，把它先给霉上，我们死了，女儿还可以吃上几天霉豆渣，兴许她就能接上新麦了。

叶三点点头，说，那就霉上吧，再过一个月新麦就能出来了。

女人说，这些生豆浆女儿可以喝好几天呢，现在天凉，不容易坏。

叶三说，就是馊了，它也还是粮食，是粮就饿不死人。

女人说，不会中毒吧？要不，还是煮一煮？

叶三说，你要想让女儿活下来，就想也别想这事儿。

女人点点头，不说话了。

两天后，叶三死了。人们再没有发现黄豆的奇迹。人们看到的奇迹是：没有任何浮肿迹象的叶三，死在了肿得晶莹透亮的女人前面。

临死前，叶三坐在自家的门前，望着灰色的天，吐了小半盆黄水，就歪在一把木椅上，像是睡着了。女人过来推他时，发现他已死了。

队里几个还有点力气的男人帮着叶三女人把叶三埋了。这些活着的人，只要还能搬得动死者的身体，只要他愿意，邻居家死了人，照例是要搭一把手的。何况偷藏了一坛黄豆的叶三，死在了他们前面，他们心里总觉着对不起叶三。

又两天后，叶三的女人也死了。

死前，叶三女人把秀玉叫到身边，她拿出一个手镯大小的麻线圈，放进女儿的手心。

麻线圈有些沉。

“这个麻线圈是干什么的?”秀玉不解地问母亲。

叶三女人笑了笑，说:“这不是麻线圈，是你的金手镯，是你的亲娘留给你的。娘马上就要去见你的亲娘了，娘对她有交代了。”

秀玉哭了，秀玉说:“娘，你就是我的亲娘。娘，你不能死，秀玉不能没有娘!”

叶三女人再一次笑了。

“这个金手镯前些日子差点被人抢了去！这是娘在河滩上的哨棚里缠的，里面包了一层棉布，外面缠的是麻线，只要你不说，谁也不会发现它是一个金镯子。娘死了，你随便把它放一个地方，心里留心着就是了。谁也发现不了它里面是金的。”叶三女人有些得意地看着女儿笑了。

秀玉点点头，眼泪更汹涌地流出来。恐惧占据了秀玉的心，她已经知道娘就要走了，一个十岁的孩子，就要面临如此重大的生离死别。

“知道你的亲娘是谁么?”叶三女人拿出了梅兰的字。

“收好，这是你亲娘写的。我和叶三养你一场，只希望今后逢年过节时，你能去我们坟上看看就知足了。还有你的亲爹亲娘，你也不要忘了去看他们。”

叶三女人开始讲述秀玉的身世和来历。她讲得那样仔细，那样绘声绘色，就像一个出色的艺术家一样，有的地方甚至融入了自己想象与推理。

叶三女人一直给女儿说着。她讲了女儿的亲爹，讲了女儿的亲娘，讲了女儿的爷爷在世时刘家的辉煌;讲了自己的不育，讲她和叶三对女儿的收养，讲她对女儿的不舍……讲到对女儿的不舍，喉头就哽咽住了，再也没有讲下去。

母女俩紧紧地相拥着，痛彻心扉地哭泣。女儿一遍遍在养母的脸上抚摸着，亲吻着，仿佛要把这心爱的面影刻在一生的记忆里。

养母浮肿的颜面在女儿的泪光里闪动着，破碎着，终于悄然扎进了女儿幼小的怀里。此时，秀玉知道，娘也像爹一样离开自己了。

十岁多的秀玉，就在养母死去的那一刻，突然长大了。

突然长大了的秀玉虽然只有十岁多，但已经开始像一个成年人一样想事情和看世界了。

五

秀玉知道,娘是为了救她自己才饿死的。秀玉知道,爹已经做了饿死鬼,她不能让娘也做饿死鬼。那一刻,她想到了盛在陶罐里的豆浆,豆浆还有大半罐,娘舍不得喝一口,也叮嘱她不能多喝一口。现在,秀玉决定不管那么多了,她要把剩下的这些豆浆都给娘喝。娘喝了豆浆就不会做饿死鬼了。

于是,秀玉在磨坊里燃起了火。她要让娘喝一碗滚烫的又香又甜的热豆浆。

陶罐被坐上了燃烧的柴火上,秀玉小心地扶着陶罐的把柄,蹲在柴火旁煮豆浆。

豆浆的香味渐渐地弥漫开来,慢慢地飘出了屋外,飘进了人们的鼻孔中,那香味越来越浓,垂死的人们睁开了做梦一般的眼睛,每个人都相信自己梦到了新鲜的热豆浆。人们沉醉在梦里,谁也不肯动一动,唯恐一动,这美梦就醒了,他们就喝不到梦里的热豆浆了。

香味还在弥散着,人们抽动着鼻翼,死劲地嗅着,终于有人翻了一下身,发现香味竟然实实在在地存在着,这香味不是从梦里飘来的,它就在他们呼吸着的空气里浮动着。于是,有人从垂死的床榻上坐起来,开始判断香味飘来的方向。他们很快就发现,这香味来自叶三家,来自死去的叶三家的磨坊。

人们开始歪歪倒倒地向叶三家走去,有的已不能走了,可依然艰难地向香味的方向爬着。叶三啊,狗日的叶三,你死了还留着这一手,真是他妈的死也留一手啊!虚弱不堪的人们在心里虚弱地愤慨着。

人们看到了秀玉,看到了死去的叶三的女人。秀玉正端着一碗滚烫的热豆浆,往死去的娘嘴里灌着。雪白的豆浆从叶三女人紧闭的嘴边淌下来,一直淌进她的脖颈里,淌进那被浮肿的身体撑得紧紧的衣衫里。

叶三女人的嘴角被烫起了一个大燎泡,燎泡从她肿得发青的脸上冒出来,燎泡越来越大,像一只被吹开的气球一样膨胀开来,泛出一片晶莹的亮光。

秀玉依然不管不顾地往她娘嘴里灌着滚烫的热豆浆。

看到这一幕,人们不禁惊呆了。

"快住手,你娘已经死了,你还想把豆浆浪费掉吗?"一个吼声传来,秀玉的手抖了抖,但豆浆并没有泼出来。

秀玉将碗平放在地上,她站起来,笑了。她指着人们说:

"谁说我浪费了,我娘是死了,可她喝了豆浆就不会变成饿死鬼了。"

"你娘死了,你还要把她烫成这样,你这是让她做鬼都不得安生啊!"

"是啊,把豆浆省了给活人喝,还可救几条人命啊!"

“秀玉，把豆浆给我喝一点吧，我有力气爬过来，但没力气爬回去了……”

“秀玉，让我喝一点，我就要饿死了……”一个四十多岁的男人向装着豆浆的碗爬过来，男人的手乌黑干瘦，像鸡爪一样往前伸着，眼看就要够着装豆浆的碗。这时，秀玉突然像狼一样尖叫起来。她一把抓过盛豆浆的碗，将碗举向空中。

“你敢！你们谁敢来抢，我就把它砸了！我告诉你们，这是我爹死前用生产队分给我家的那三两黄豆磨的，我爹我娘都没喝一口！我爹饿死了，现在我娘也饿死了，你们谁敢来抢，我叫我爹我娘做鬼掐他的脖子！掐死他！掐死他！”

人们停住不动了。那个爬在地上的男人垂下了鸡爪般的手。

“你们这些黑心的人，你们抢光了我家的黄豆，那不是我爹私藏的公粮，那是我姑爹前年拿来我家换的豆种，是你们害死了我爹，害死了我娘！今天，我就是把这豆浆倒了，也不会给你们喝一口！”

秀玉用手指着他们，像一个年长的泼妇一样怒骂着。

“抢啊，你们来抢啊！你们怎么不抢了？”秀玉突然哈哈哈地笑了。

人们看着这个发疯的孩子，终于绝望地离开了。

看着他们一个个离去的背影，摇摇晃晃的，垂头丧气的，十岁多的秀玉终于发出了悲伤的哭嚎。

秀玉没再给娘喂豆浆，她将剩余的豆浆都喝了，自己动手埋了娘。娘就埋在自家的菜园里，菜园里已没有一棵菜，几锹挖下去，就挖到了叶三的手。秀玉将爹的坟刨开，将娘的尸体和爹的埋在了一起。

被饥饿折磨着的人们，远远地看着喝饱了豆浆的秀玉，像个大人一样，把园子里的土一锹锹地铲了，给养大她的爹娘砌了一个高高的坟。

人们只是远远地看着这情景，谁也没有力气和勇气上去帮一把。

秀玉靠着叶三夫妇留下的那些霉豆渣度过了大半月的饥荒。这年仲春，田野里的麦子终于抽出了饱满的麦穗，金色的麦芒在阳光下闪闪发光，把人们脸上的菜色也映出了光芒。

麦穗眼看着一日日发黄，新麦就要熟了。田里的水稻也荡出了诱人的青绿。人们数着煎熬的日子，守望着田野，祈祷着自己能等到麦收的那一天。

秀玉每天迎着阳光，像大人们一样守望着田埂上的麦穗。

终于有一天，秀玉看见一个大人像贼一样望了望周围，然后抓了一把地里的麦穗，急急地用手搓了一把，就将麦粒塞进了嘴里。秀玉几乎没作任何思考和犹豫，也像那人一样抓了把麦穗，想也没想就塞进了嘴里。

秀玉疯狂地嚼着。

麦芒宛如剑一样，很快就刺进了秀玉的咽喉里。秀玉不知道，大人偷吃麦粒时都用手猛搓了几把；秀玉更不知道，麦芒像长了倒刺，会深深地扎进人的喉咙里。

越往里吞咽，那倒刺扎得越深。秀玉于是死劲地咳起来，她想把麦芒从喉咙里咳出。她不知道，她越咳，麦芒就会越往里刺。她很快就被满嘴的麦芒封住了咽喉。秀玉发疯地用手指去自己的喉咙里抠，喉咙里立即发出一阵巨大的干呕声，几根带血的麦芒被她使劲扯了出来，更多的麦芒却更深地钻进了她的喉咙里。她的喉咙像被一把干草堵住了，吞不下，呕不出，无法呼吸。血水从她的嘴角淌出来，她直直地倒在了田埂上。

那一刻，偷吃麦粒的人已经发现了倒地的秀玉。看到她手里几根带血的麦芒，心中已明白秀玉出了什么事。那人扯着嗓子喊了几声，麦地里立即冒出好几颗头来，他们都用手捂着嘴，狠劲地往里咽着，嘴角淌出一些白色的浆汁。当人们明白秀玉是被麦穗卡了喉后，立即想到了大队的卫生站。于是有人背起秀玉向卫生站狂跑。不少人跟了上去，大家一起跑着，越来越多的人加入了奔跑的队伍。一个人跑累了，另一个人接过秀玉，背在背上，继续跑。土路上很快腾起了一阵黄雾。随着秀玉的到来，卫生站里已挤满了看热闹的人群，每一个人都在传说着秀玉偷吃麦子被麦穗卡了喉咙的新闻。

此时的秀玉，已是奄奄一息。

卫生站的医生用剪刀撬开了秀玉的嘴，将一把医用钳子伸进了她的喉咙，人们看见她的喉咙里堵满了带血的青色麦粒，医生用钳子将带有麦芒的麦粒夹出，再将卡在软肉里的麦芒一根根钳出。围得近些的人们看见，医生桌上那个银色的铝盘里，已堆了几十根带血的麦芒，离得再近些，就可看见麦芒上一颗颗细小的、带血的肉粒。秀玉喉咙里的麦芒终于被拔了出来。秀玉睁开了眼，在医生的描述与人们的议论声中，明白自己是被好人们捡回了一条命。

秀玉哭了。秀玉看见，背她的好人里，就有当初带头抢她家黄豆的人。而几乎每个背她的人，都分吃了她家的黄豆。十岁多的秀玉第一次明白，什么叫活命。人活着，就是为了活一条命。只要命活下来了，一切都可以付出，一切都可以宽宥。

为了死去的亲人，她原谅了那些还活着的人。

六

饥荒过去后，秀玉就开始吃起了百家饭。

吃百家饭的秀玉照样长成了一个人见人爱的美人胚子。人们看见这样的美人，就很容易联想起她的出生。

好在秀玉是个懂事的孩子，不管分配到哪家去吃饭，她都会抢着给人做家务事。自从十五岁那年来了月事后，秀玉就不肯一家家轮着吃了，她要求队长把她安排在五保户陈瞎子家，由队里把她的口粮一起分到陈瞎子家，她负责帮陈瞎子洗衣和煮饭。一个孤一个寡，队里也觉得合理，于是秀玉就住进了陈瞎子家里。而叶三夫妇留给秀玉的房子就被队里用作了队办小学。

一九六六年“文化大革命”开始时，秀玉已近十七岁。

秀玉吃的虽是大队的百家饭，却也勉勉强强完成了初中学业。“文革”一来，学校就开始停课闹革命，秀玉正好回到队里出工。秀玉未满十八岁，队里只同意给她记七分工。记七分工秀玉也很满意，毕竟自己也能像大人一样记工分了，再也不用队里养活，吃队里的闲饭了。“文革”开始后，人们阶级斗争的意识比过去更加强烈了。队里人对秀玉的成分也有了争议。有人认为秀玉是地主家的后代，也应该批斗。更多人则认为，秀玉出生不久就被叶三家收养，名分上早就是叶家的后代。叶三家成分低，秀玉就不应该遭批斗。况且按队里老辈人的说法，斗一个无父无母的孤儿算什么？那是作孽！

于是，有人提出对秀玉的批斗也就不了了之。

尽管如此，秀玉始终牢记着养母临终前的话。逢年过节（春节、清明、七月半），秀玉是必定会去给他们上坟的，不仅给养父母上坟，也给生父母上坟。由于秀玉总是给她的亲爹、地主刘定坤和她的亲娘、地主婆娘梅兰上坟，队里人就不断会有非议。秀玉每上一次坟，人们对秀玉的成分就出现一次争议。

为此，队长不得不找秀玉谈了一次话。队长说：“秀玉，逢年过节的，你就给叶三和他女人上上坟算了。刘家那里，你就不要去了。免得人们有看法。”

秀玉就笑笑，说：“给刘家的人上坟，是我娘死前交代过的。我只记着我娘死前的嘱咐。人们爱说说去吧！”

队长很尴尬，生气地说：“秀玉，你也不小了，得懂点事，我这样说也是为你好！你为什么偏要屎不臭挑起来臭呢？到时候别人要斗你，别说我没护着你！”

秀玉愣了愣，张了张嘴，沉默了。

晚上，秀玉把这事儿说给陈瞎子听，陈瞎子也责怪秀玉不会观场面。陈瞎子说：“你娘要知道你这么死心眼，就不会给你留话了。她饿死自己不就为你活好点？眼下革命这么紧，你还是别去给刘家人上坟了。”

秀玉说：“我娘的话我怎么能不听呢？”

油灯下，陈瞎子转动着她那日益萎缩的眼球，话里有话地说，秀玉，虽然我一辈子看不见，可我知道，人活一天，就得好活一天。人死如灯灭，重要的，还是活着的人哪。

秀玉点点头，想到陈瞎子看不见，嘴里又“嗯”了一声。

这夜，秀玉拿出了那个麻线缠的金手镯，又找出自己的亲娘留下的字，悄悄地哭了一场。心里说，娘，原谅我以后不能去给亲爹亲娘上坟。

两年后，秀玉嫁了人，男人是同一个大队的大勇。

秀玉坚持要在自己“家里”出嫁，于是，由队长做主，队里出钱，在叶三家的老房子里热热闹闹地摆了两天酒。队里的人都来了。那气势，简直比得上过去有钱人家的流水席。

秀玉出嫁，队里没有出嫁的女孩子都来参选“十姊妹”，队里选了九个最出众的女孩来陪秀玉。在江汉平原农村，举办婚礼最热闹的仪式要数“陪十姊妹”。

陪十姊妹的时间在新娘子出嫁的前夜，一般两三个小时。

给秀玉陪十姊妹的仪式是最热闹的，因秀玉属公家嫁女，全队老小都参加了她的婚礼。

一般被请来陪十姊妹的女孩，每人都要给新娘子送一份礼物，礼物可轻可重，二两红糖、四个鸡蛋、一块手绢、一双绣花的鞋垫或者几块钱，只要能表达心意就行。被选中的女孩子，除了新娘的闺中密友和至亲外，往往是村里最能歌善舞、聪明伶俐的姑娘。仪式开始后，十姊妹一起围坐在宴席上（这是整个喜宴中档次最高、最丰盛的一桌），轮流唱歌，谁唱得不好就要被罚酒。除了唱歌，也可以出谜、猜谜、跳舞、唱戏、吹笛子唢呐……总之，就是一场不拘一格的才艺表演。这种表演的乐趣就在于整个过程中几乎没有冷场的时候，因为每个女孩都得轮流表演。一旦有谁接不上来，就得被罚酒，而每次罚酒，恰恰是陪十姊妹的高潮，围观的男女老幼，一起起哄，一起吆喝，一起鼓倒掌，人群蠢动着，拥挤着，叫喊着，往往连整酒席的大厨这时也会憋不住，提着勺子出来，隔着里三层外三层的人头，颠起脚，张开嘴来观看。大厨的油勺子在人头中开路，引来一片欢笑声和叫骂声。

每个未婚的女孩，都希望自己能被新娘子家选去“陪十姊妹”。只有这种时候，女孩们才可以极尽所能地展现自己的特长与天分，而无须害羞。女孩们这时不仅可以提前感受将来做新娘子时的幸福，更可以借此机会为自己相亲——看热闹的人群里，说不定就有自己喜欢的小伙。

秀玉的“十姊妹”陪了整整一夜。闹腾到半夜时，欢庆的叫喊声惊动了全大队，连新郎家“陪十兄弟”（一种与陪十姊妹相对应的仪式，气氛要淡得多，不过是未婚的小伙子们陪着新郎喝喝酒、聊聊天而已）的小伙子们也赶来了。他们举着新郎家迎亲的点子家业（响器、铜锣、唢呐和鼓槌），敲敲打打地赶到了秀玉陪十姊妹的现场，把婚礼的气氛推向了真正的高潮。

天亮时分，人们终于闹腾完毕，看热闹的人们还没有散去，秀玉就扑到了叶三夫妇的坟头，一声“爹、娘，女儿这一生欠你们啊——”，便将人们的眼睛喊红了。别人嫁女，做爹娘的，是喜在嘴上，哭在脸上，疼在心上。只有叶三两口子，已是黄土埋枯骨，把喜、哭和疼都留给了身后的未亡人。人们重又想起了那饥饿的日子，那一生都不愿再遭及的苦难，想起那也在苦难中死去的亲人，禁不住悲声一片。

秀玉在叶三夫妇的坟前伤心欲绝地哭了一场。乡人们的情绪也跟着经历了一次大起大伏。秀玉哭累了，才在人们的劝慰和拉拽下进了屋，洗脸、梳头、换上结婚的红嫁衣。

午后，迎亲的队伍来了。两匹高头大马，一匹金色，一匹枣红，腰缠大红花，雄赳赳气昂昂地拉着两部新板车，老远就噼里啪啦地响起了脆鞭炮。点子家业响成一片，那边迎亲的鞭炮还没停，这边接亲的鞭炮已响起。

这天，喜庆的鞭炮断断续续响了一下午。傍晚时分，羞红了脸的秀玉揣着一颗蹦跳的心，被队长亲手抱上了迎亲的新马车。前面的马车拉新娘，后面的马车拉嫁妆，两床新缎被，一床红，一床绿，红的是龙凤，绿的是鸳鸯。马车披红挂绿，新娘粉面含春，鞭炮此起彼伏，人们欢声笑语，行军一般，跟在新娘的马车后，浩浩荡荡地赶往秀玉的男人家。

热闹的场面很快转移到了新郎大勇家。人们闹完，散去，已是鸡叫头遍时分。这一夜，搂着如花似玉的新娘，一脸憨相的大勇别提有多兴奋。谁知，这样热闹的一场婚礼，在人们的记忆里还没有淡去，秀玉就成了一个丧夫的新寡。

七

秀玉的男人大勇死于一九六九年夏天。

秀玉初嫁时，满十九，虚二十。男人长得憨头憨脑，比她大三岁，大高个，身体壮得像头牛，一顿能吃三海碗饭。江汉平原有句俗语：闷头鸡，啄白米。大勇就是这样一只闷头鸡。一天除了吃九海碗饭，下地出工外，剩下的事就是找秀玉干那事。秀玉那时年轻，父母死得早，没人告诉她房事上该怎样提醒男人节制。再说，男人喜欢，她也喜欢。人年轻，身体好，劲头也足，两人在床上就有使不完的劲。

秀玉虽是地主遗孤，可男人家是贫下中农，而且是队里的大姓。农闲时队里喜欢开批斗会，但没有人敢斗争秀玉。秀玉心里感激自己的男人，关起房门来就对男人更加细致周到。然而好日子才几个月，男人在大堤上防汛时，一不小心就滑了下去，本来会游泳的人居然淹死了。都说会游泳的人被淹死，多半是腿脚抽筋，腿脚抽筋的男人又多半是半夜里做多了那种事。

男人死后，秀玉十分难过。有一次婆婆在厕所里叫住她，看着她平平的肚子叹了口气，然后就犹犹豫豫地问她，从前夫妻间的那种事。秀玉红着脸说了实话。有时候一天一两次，有时候两三次。谁知婆婆突然抓起她的头发，将头往墙头上撞，震得土墙上的黄泥落了一地，撞了一通，婆婆走时还狠狠地骂了一句："我儿子是让你这骚货害死的！"

秀玉从地上爬起，已知道婆婆发怒的原因是什么。此时，她心里也十分后悔，但更多的是委屈。丈夫死了，这世上还有谁比她更心痛更难过？还会有谁真正疼她爱她？想起自己不幸的一生，她忍不住靠在厕所墙上痛哭了一场。

从此，婆婆常在她耳边含沙射影、指桑骂槐地骂她。有时是骂一只母鸡，有时是骂一只母狗，但秀玉知道，婆婆骂的既不是鸡也不是狗，而是她秀玉。

那时的秀玉还没有染上寡妇所特有的痞劲和泼劲，对婆婆的刻毒总是忍气吞声。她每天像牛一样地干活，可就是这样，她在婆家还是待不下去。秀玉私下恳求队长，让她搬回五保户陈瞎子家，也好顺便照顾年纪越来越大的陈瞎子。队长同意了。于是，秀玉就搬进了陈瞎子家。

陈瞎子快六十了，眼睛看不见，年轻时曾生过一个孩子，不小心把孩子掉进开水里烫死了，男人一气之下就把她休了。陈瞎子从此一个人过，年纪大后，就让队里养起来。陈瞎子虽然看不见，心里却十分明白，对秀玉的身世与处境比明眼人还净板。陈瞎子说，秀玉，你得再做一世人，不然，你老了就会像我一样成为孤老，成为队里的五保户。秀玉笑笑，说，我眼睛看得见，不怕。陈瞎子说，你这不就是骂我眼瞎么？我眼瞎心不瞎！你要不再做一世人，要不了多久，你的日子里就会长出刺来。不信你瞧吧！陈瞎子仰头看着天，两个凸起的眼球隐藏在早已萎缩干皱的眼皮下，在凹陷的眼眶里来回滚动。秀玉就笑着说，都说瞎子会算命，你这是算出来的吧？

可是，这话不久就应验了。

秀玉先是从心里感到了那日子里的刺，然后是从身体里。那刺坚硬、锋利，明明白白地扎进了她的日子里。

首先是是非。自离开婆家，秀玉的日子里就有了是非，这是非越长越多，像篱笆一样将她围了起来。队里不管是男人还是女人，心里都对她放不下。男人贼一样惦记她，女人防她像防贼。

那时，生产队里集体出工，男女混在一起劳动。只要她和哪个男人多说一句话，立马就会招来人们怪异的目光，随即这个男人就会被自己的女人唤走。这样的场景有过几次后，秀玉就感到了某种屈辱。而不知何时从婆家出来的传言，更是增添了她身上的某种暧昧色彩。这色彩让男人们想入非非，令女人们如鲠在喉。男人不敢和她说话，女人拒绝和她说话，秀玉在不知不觉中成了一个无人理睬的孤人。

陈瞎子说，这样下去，口水也会把你淹死。

秀玉想，是啊，与其被口水淹死，还不如让口水干掉！

其实，秀玉已动了改嫁的心思。那种一个人在漫漫长夜里，和自己的身体搏斗的滋味，远比流言蜚语难以忍受！秀玉决定把自己嫁出去。自知成分不好，又是寡妇，秀玉对自己第二任丈夫的定位是：不傻不残，其他不咎。

秀玉给自己找的媒人是生产队长。队长听她提出的条件，一下咧嘴笑了。队长说，秀玉，你看我怎么样？我不傻也不残，符合你的条件吧？秀玉说，可是你有老婆，我要找的是单身汉。队长说，秀玉你别傻了，我要真给你找，就给你找个好人，否则太对不起你这一身皮肉。队长说着顺手摸了一把秀玉的屁股。秀玉说，乱摸什么？你少给我耍流氓！队长就笑了，队长说，我就是当着全队人的面摸你，别人也只当我和你开玩笑，你又不是大姑娘了。

秀玉想想，沉默了。对未婚女孩动动手，可能会犯众怒。可她现在已不是女孩子了，结过婚的女人，就像穿过的旧鞋，被男人随便抓摸几下，谁也不会当个事。这样一想，秀玉就更坚定了要再嫁人的愿望。秀玉说，我是孤儿，组织就是我的父母。我找你是把你当组织看，你别给我打什么歪心思。我条件不高，你看着给我找一个就行了。队长便严肃起来。队长说，秀玉，我一定帮你找个好人家。

不久，队长果真帮秀玉找了个男人，男人是个木匠，手艺人。邻大队的，经常走村串户，帮人打家具。秀玉结婚时，婆家就是请他上门做的家具。那人秀玉见过，模样长得挺周正，肩宽腿长，笑眉笑眼，特别爱说笑话，吃饭时爱喝两杯小酒。木工上绝对是一把好手。秀玉记得他的样子，年龄比秀玉大不了多少，吃饭时老爱盯着秀玉看，尽拿她和男人开玩笑。秀玉那时还未过门，听到木匠那些刻薄话，脸红得不敢抬头。害得她那顿饭也没吃饱。

秀玉说，那个木匠啊？他不是有女人吗？

队长说，女人生孩子难产，死了。

秀玉心里打了个咯噔，但很快就平静了。她想，这样也好，对方是死了老婆的，也不会嫌我是个寡妇。

秀玉就这样嫁了第二个男人。

实际上，第二个男人和秀玉结婚后，日子过得并不比第一个男人差。这个叫郑光荣的男人读过高中，说话风趣幽默，颇有些水平，经常逗得秀玉开怀大笑。男人平日里在队里挣工分，农闲时就出门挣零花钱。秀玉的日子里就像掺了蜜，重又甜了起来。秀玉想，这婚结得真不冤，莫不是死去的父母在暗中保佑自己？

八

秀玉的第二个男人光荣是被车撞死的。

光荣是秀玉一生中最怀念的男人。光荣的死，也是秀玉一生中最揪心的痛。

光荣出车祸那天，是为秀玉到镇上买葡萄。秀玉嫁给光荣的头一个月，就坐下了。光荣是过来人，书读得多，懂。除了新婚头几天，光荣行事频繁些，之后就有了克制，问清了女人来月事的日子，心中就有了底。光荣算准了日子，到了中段那关键几日，身体就使上了劲。光荣不像秀玉的第一个男人大勇那般粗鲁蛮干，急不可耐而又贪得无厌。光荣有章有法，有情有义，不急不躁，不温不火，倒是把秀玉弄得性急了，拉住男人的身子猛喘，一副火烧火燎的样子，光荣知道火候已到，一把托起女人的屁股，将一对绣着戏水鸳鸯的枕头垫在了女人的屁股下。女人要得紧，光荣也痛快，一枪下去就让女人坐了怀。

一个月后，秀玉就有了反应，什么都吃不下，就想吃酸的。光荣知道女人有了喜，喜在脸上，忧在心里，生怕这个看了就让疼的女人，再遭头一个女人那样的凶险和噩运。

知道自己这么快就怀了孕，秀玉心中却只有欣喜，对自己这个知冷知热的男人就更加崇拜和爱恋。怀孕后的秀玉，男人百般疼爱着，什么活儿都不让她干，好吃的让给她，好听的说给她，那语气里的疼爱，柔得足可以让她的心化掉。有时候，秀玉欣喜得偷偷流泪，不相信上天会把这么好的男人赐给自己。

可男人实实在在地在她身边转着，一会儿问冷，一会儿问饿。男人如此深情，秀玉就禁不住像小孩儿一样冲男人撒娇，有时候故意吊住男人的脖子不放。秀玉怀孕后，虽然胃口不好，可随着体内激素水平的升高，身子却变得格外敏感，对男人光荣就更加缠。光荣拗不过秀玉，就嘲笑秀玉："瞧你，上嘴吃不下，下嘴倒这么馋！"秀玉也不管，愣是缠着。光荣就唬她："小心肚子里的宝宝造反！"

说到肚子里的宝宝，秀玉马上老实下来。

秀玉赌气说，早知道为宝宝要受这么多苦，还不如不怀上！

光荣便哄着她，以后的日子还长着呢，等你生下宝宝，想要多少都给你！

秀玉说，要多了还不是又要变宝宝！

光荣听了哈哈大笑，说，那你就给我生一打宝宝，生一串小木匠！

秀玉也笑了。秀玉说，我才不呢，生完宝宝后我就去带环。

光荣被车压死时，手里还提着两斤青葡萄。葡萄一半碎了，另一半还好着，只是青葡萄变成了红葡萄。光荣的血流了小半坡。

人们都奇怪，在那汽车都难得看到的年月，会骑自行车的光荣怎么会给车压死。肇事的车是县供销公司的一辆大解放，到小镇供销社送货，车下堤坡时，刚好撞上迎面而来的光荣。光荣正推着一辆崭新的永久牌自行车上堤坡，车笼头上挂着给女人买的两斤青葡萄。这辆自行车是光荣买给秀玉的结婚礼物，也是队里唯一的一辆永久牌。

人们看着那辆崭新的、被汽车碾成了麻花的永久牌自行车，几乎每个人嘴里都发出了一声"可惜"的感叹。看到这一幕的人们说，光荣如果不是去抢自行车笼头前的葡萄，兴许是可以逃得开冲下来的汽车的。据人们估算，光荣完全可以在三秒钟内甩掉自行车，跳到车轮以外。人们说，光荣抢葡萄的时间起码用了五秒。

和光荣一起生活的时间只有三个月。可这三个月，已够秀玉疼上三年，想上三十年。

光荣死时，是一九七〇年八月。与秀玉第一个男人大勇的死，隔了只一年。

七个月后，守寡的秀玉生下了第二个男人光荣的遗腹子。秀玉给儿子取名郑小木。秀玉记得光荣把肚子里的宝宝叫得最多的就是小木匠。秀玉想，那就给儿子取名小木吧。

秀玉坐月子是光荣的爹伺候的。光荣的娘也是在那场大饥饿中饿死的。光荣的爹一个人把三个儿子带大了，光荣是老大，下面还有两个弟弟。光荣的爹读过几年老书，是个要强的人，他不仅拉扯大了三个儿子，而且还让三个儿子都读了书，学了手艺。光荣读到高中。二儿子光华跟秀玉同龄，赶上“文化大革命”，只读了初中。小儿子光龙虽然也读到了高中，但因为学校复课闹革命后，学习就纯粹是扯淡了，所以肚里也没学到啥东西。

光荣的爹是个明白人，自古以来，万般皆下品，唯有读书高。没听说过还有读书无用论。时下出了读书无用论，只能是怪事。老话说，天下饿不死手艺人。既然读书已无用，要想让儿子们将来过得好，不如让儿子们学一门手艺。

因此，光荣学了木匠，光华学了漆匠，光龙学的是瓦匠。

那年月，有木匠的活就有漆匠的活。农闲时，兄弟俩走村串户，谁家办喜事，娶亲嫁女，少不了请两人上门，好烟好酒好菜待着，兄弟俩一左一右，坐在上席上，别提有多风光。老三虽然还在当学徒，可谁都看得出来，将来有一天，他会比两个哥哥还风光，瓦匠是给人盖房子的，农村里谁家娶亲换辈，还能不盖新房？

谁都佩服光荣的爹有眼光，有福气。

光荣结婚时，第一个女人也是经过了千挑万选的，女人不仅模样俊秀，还会缝纫，郎才女貌，天生一对。光荣的婚也结得排场，自己亲手打的宁波床，老二光华上的漆工，描龙画凤，极尽华丽与精致。老三则请来了自己的师傅，看位置，选地基，亲测亲量，替光荣另盖了两间新房。

光荣结婚后和女人单过。新房子里面摆着新买的蝴蝶牌的缝纫机，上面盖着漂亮的镂空绣花布帘，谁经过光荣家门前，都忍不住多看一眼。

光荣结婚后，光荣的爹就松了第一口气，把心事都放在了老二老三身上。

谁知，光荣成婚后，郑家的惨事就一桩接一桩。光荣的头一个女人，生孩子时死了。难产，大人没保住，小孩也没救住。接下来是娶第二个女人秀玉，秀玉肚子也争气，头一个月就怀上了郑家的种，儿子却命薄，连自己的种长成了什么样的芽都没见着，就死了。

人们私下都说，是光荣待秀玉太好，头一个女人看不过去，吃醋了，带走了光荣。光荣是到那边跟自己的妻儿团聚去了。

现在，秀玉倒是平平安安地生下了郑家的孙子，只可惜孩子一出生就没了爹。光荣的爹心疼孙子，也就心疼秀玉，对秀玉伺候得格外周到。秀玉产后下不了床，公公在床前左右伺候，心里总觉得别扭。秀玉是生头胎，经验也不足，有些事又不好问公公。娘家没亲人，男人又死了，一想到男人光荣，秀玉的眼里就有了雾。光荣的爹看在眼里，知道秀玉心里想什么，只能安慰：

“娃儿，你想开点，月子里不能伤心的，月母子一哭，奶就没了。”

听到哭会没奶的话，秀玉只好把自己的泪逼回去。秀玉的奶水充盈，儿子一落下来，公公就炖了老母鸡给她吃。公公的厨艺好，心细，老母鸡弄得干净，炖得恰到好处，汤汁又白又浓，秀玉一口气就吃了大半只，汤也喝得干干净净。肉和汤一下肚，不到半小时，秀玉就感到奶子刺痛，乳头发痒，一阵一阵地，忍不住用手去捏揉，奶就来了。

奶一来，秀玉又欣喜又好奇，忍不住冲公公喊道："爹，我有奶了！"喊完，才发现这样喊公公有些不妥。

光荣的爹倒是喜坏了，忙跑进儿媳房里。

"奶来了就好了，你赶紧给毛毛喂呀！"

秀玉这才抱起了皱巴巴的儿子，试了半天，才将自己的奶头塞进儿子的小嘴里，谁知那小嘴一叼上就吸开了，那种奇特的感觉，立即让秀玉的心悸动起来，一种潮湿的、温热的感觉逐渐覆盖了她的全身。她突然觉得，她和怀里这团肉，已经有了一种永世无法分割的联系。

光荣的爹在一旁呆愣着，看着儿媳撩出一只雪白的奶，笨拙地往孙子嘴里塞着，心里的感觉十分复杂，他想起了死去的儿子，心揪一下，痛！儿子福浅啊！光荣的爹心里叹息着，走出了儿媳的房。

秀玉的奶一来，就有些疯狂，堵也堵不住。身上淌了一身，被子也流湿了。两个奶子胀得圆嘟嘟的，像两只大海碗扣在胸前。秀玉从来没有想到，自己的两只奶会变成这样大、圆。以前，光荣总说自己的奶大，好看，如果光荣还活着，看到她的奶变成现在这个样，还不知要怎样吃惊！

秀玉的奶胀得难受，儿子又吃不了多少，只好靠在床头往外挤。挤着挤着，秀玉就来了眼泪，想起公公说的，泪来了，奶就会回去，立即又憋了回去。为了孩子，她连哭都不能。

秀玉内心里憋得慌，强撑着下了床。下身一阵热流，秀玉顿觉有些头晕，立即扶住了墙，晕眩之中，她看到了男人光荣，秀玉情不自禁地扑到了光荣怀里。

秀玉醒过来时，已躺在床上，下身又出现撕裂般的疼。

公公在房外忙碌着，听得见来回的脚步声，脚步声有些急促，过了一会儿，传来了接生婆急慌慌的声音。

"你说秀玉下身崩血了？是大出血？"

"秀玉刚才晕倒了，下身都流红了，你赶快帮我去看看。"是公公的声音。

接生婆帮秀玉换了身衣服，看了看秀玉的下身，摇摇头："这不像是崩漏，是体虚，刚生了孩子，得躺着，躺两天就会好的。"

秀玉看看公公，公公脸上是一片惨白，吓的。秀玉心里有些感动，安慰公公："可能是起床急了，没事的，爹。"

光荣的爹出了一口长气，哽咽着说："都怪你娘死得早啊！"说完抹了一把泪，出去了。

接生婆说:“秀玉,你命恁苦呢,娘家没亲人,婆家没娘,这公公伺候儿媳妇,哪是个事呢?”

秀玉没说话,红着眼睛看着小嘴张来张去的儿子。

当晚,接生婆留下了,给秀玉服了云南白药,又帮秀玉熬了益母草喝。第二天,秀玉的头晕好些了。三天后,秀玉终于可以下床走路了,她起身去了一趟厕所,出来时,看见公公正蹲在后院里洗她的血衣。

秀玉急了,冲过去,一把夺过来。

“爹,你这是给我加罪呢!”

“娃儿,我是光荣的爹,光荣不在了,他的娘也不在了,我不洗谁洗呢?”

“我自己洗!”秀玉挤开公公,就蹲到了盆前,手刚一伸进水里,就感到了一阵刺骨的凉。秀玉本能地缩回了手,阳历四月天了,水怎么会如此凉?

“秀玉,你这是作孽,月子里哪能沾冷水!”公公火了,拉起秀玉,“光荣死了,我就是你亲爹!叶三能给你洗,我就能给你洗。老天若是长了眼睛,看见我给你洗这衣服,也不会给你加罪呀——”光荣的爹说到这里,突然蹲在地上号哭起来。

秀玉也哭了,扶住了公公。

“秀玉,苦命的儿,你不让我洗,才是折煞我啊!”光荣的爹悲切地说,“要是老二娶了媳妇,也就不用我这当爹的动手了,老二的媳妇就能帮我照应你了。”

秀玉擦了眼泪,劝公公:“爹,您别急,今年就给老二说媳妇吧,等冬里就把婚完了。”

光荣的爹点点头,沉默了一会儿,说:“秀玉,爹不要你在郑家守寡,守寡的日子不是人过的,爹这两天想过了,你若有看上的人,就嫁了,我的孙子你若想带走,就带走,不想带走,你给我带到两岁断了奶,就留给我。”

秀玉愣了,说:“爹,你说什么呢?我什么时候说我要嫁人了?”

光荣的爹说:“这是爹的想法。爹也是一个人这么过来的,一个人的日子苦,爹懂。这几天,你也看到了,日子有多难。再说,昨晚光荣也给我托过梦了,他也让你自己做主。”

秀玉的心抖动着,想起死去的男人光荣,想起光荣对她的好,对她的爱,对她的疼,她终于忍不住冲进房间,扑倒在床,大放悲声。

此后,公公再给自己洗血衣时,秀玉就装作没看见。半个月后,秀玉下身的恶露少了,她就开始自己洗衣服。冷水刺骨,她就把水烧热了,自己洗。光荣的爹还是每天都来,隔三岔五的,给秀玉炖了猪蹄或者老母鸡送来。两个小叔子也轮流过来给她挑水,劈柴,打扫卫生,帮她抱小孩。

最难的日子过去了。满月后,秀玉就开始自己料理家务。

九

秀玉原以为，日子就这样过下去了，她做梦也没有想到，自己还会再嫁一次人。

秀玉的第三个丈夫是个右派。

右派叫叶楚风，是个画家。画家打成右派前，听说在武汉一所美术学院里当老师，专教西洋油画。画家被打成右派前，才二十几岁，据说思想很反动，给学生教了很多资产阶级的东西，还写了很多反动文章。

叶楚风被打成右派后，被发配到江汉平原的江北农场劳改，劳改期满，就来到了秀玉他们所在的大队参加劳动。一转眼，叶楚风已从一个二十几岁的小伙子变成一个年近不惑的中年人。经历了十几年的劳改生涯，当然只能是孤家寡人。

叶楚风来到秀玉所在的大队时，是一九七二年春天。叶楚风是外来人口，和大队里的知青一样，住在知青点上。

人们发现，这个被称为右派的光杆司令是个怪人。他特别喜欢画画，收工后喜欢在田野上到处走走，口袋里总是揣着一根炭棒，一有空就坐在田埂上画上几笔。

秀玉第一次遇见他，是在河滩上。秀玉背着小木匠崽子郑小木，在河滩上挖芦笋。秀玉背着孩子，弯着腰在河滩上挖芦笋的样子，引起了不远处在河滩上写生的叶楚风的注意。当时，叶楚风正坐在河边的一块石头上画画，画面上是远处的帆船和江水。当叶楚风转身看到河滩上挖芦笋的秀玉母子时，立即挥舞起手中的炭棒画起来。

秀玉十分专注地挖着芦笋，根本没有注意到自己已变成他人笔下的风景。

叶楚风画完后，就走过去把画交给了秀玉，秀玉看着画上的人，再看看叶楚风，觉得莫名其妙。

叶楚风说，对不起，你刚才在拔芦笋，我给你画了张像。你看像吗？

秀玉笑了，她指着画说，还真像，你是谁？你干吗要给我画像？秀玉打量着眼前这个人，这个人说的是普通话，样子长得很洋气，五官清秀，中等个儿，尽管穿着像当地男人一样陈旧，可他一看就像城里人，或者说外乡人。他的衣服扣得好好的，不像当地男人那样，腰上扎根草绳，敞着领口，风灌进来，就缩着脖子。

叶楚风笑着说，我姓叶，是从江北农场分到这里的。你刚才挖芦笋的样子很入画，我就给你画下了。

秀玉说，是吗？我也姓叶。真巧，我们是家门。

叶楚风笑了，说，这画你喜欢吗？喜欢就给你，不喜欢我就带走了。

秀玉咯咯地笑起来。她说，我的像干吗要给你？别人会说闲话的。

叶楚风愣了愣，随即道，那就送给你吧。

你这人真好笑，这本来就是我的像，怎么能叫送？秀玉卷好画，把画放进篮子里。

叶楚风认真地看着秀玉的脸，说，你的脸部轮廓很清晰，是很好的模特。

秀玉问，什么是模特？

叶楚风想了想说，模特就是原形。按你们这里的土话，就叫模子。

秀玉说，我懂了。你是说我可以给你当画画的模子。不过，我不想给你当模子。

叶楚风点点头，说，我知道，我不是想让你给我当模子。

秀玉还想说什么，背上的郑小木吐词不清地叫起来："娘，饿！"

秀玉笑了笑，说，我走了，我儿子饿了。然后就提起篮子里的芦笋离开了河滩。秀玉一边走，一边哄儿子，到了堤坡上，儿子哭起来，秀玉只好放下篮子，坐在堤边喂起奶来。她一边给儿子喂奶，一边又打开那张画看起来。画上的她，看起来很美，神情专注而又温柔，嘴角还带着一丝淡淡的笑，儿子郑小木趴在她背上，手里玩着她的一缕头发，一脸的安宁与幸福。

秀玉想，要是男人光荣在该多好，他看见这幅画该有多高兴。秀玉还想，那个外地人真了不起，他会给人画像。

打那以后，秀玉就留意起叶楚风来，她找人问清楚了叶楚风的来龙去脉，心里就生出了同情。地富反坏右是五类分子，谁都可以把他们揪出来斗一把。她的亲爹因为是地主的儿子，就给处决了。她自己要是不被叶三收养，说不定如今也不在人世了。

她想不明白，一个长得清清秀秀的男人，一肚子知识，还会给人画像，怎么画了几张油画，就给人打成了右派，坐了十几年牢呢？

有一次，秀玉去河滩上放牛，在杨树林子里又碰到了叶楚风。这一次，她主动让叶楚风给她画了一张画。叶楚风画画时很专注，秀玉几次找他搭话头，他都没讲什么，只是盯着秀玉的脸看了又看，然后就埋头作画。秀玉知道对方是有文化的人，可能和她说不到一起。她想起光荣，光荣也算有文化的人，可光荣不会不理她，光荣还给她讲笑话，荤的，讲得又有水平又有趣，不像队里那些人讲的，那么粗俗无聊。

秀玉叹口气，眉头禁不住就皱起来，心里也有了心事。叶楚风看她一眼，继续画。画画完了，与上次的情形完全不同，秀玉看见画上的自己是忧伤的，眼里是有愁绪的，但这样子的秀玉似乎更动人，更让人心动。

秀玉说，你把我画好看了，我没有这么好看。

叶楚风看看秀玉，移开了自己的视线，似乎有些不经意地说，其实，你比画上的样子更好看，因为你脸上有内容，有经历，有故事。我第一次见你，就看出来了。

秀玉说，是吗？你们有文化的人说话就是不一样。

叶楚风笑问，怎么个不一样？

秀玉说，酸。

叶楚风愣了愣，笑了。

秀玉说，不过，我脸上有没有故事我不知道，但我身上是有故事的。秀玉看着对方，对方正凝视着她。她说，你想不想听我的故事？

叶楚风未置可否，但眼神里分明有着期待。秀玉就讲起了自己的过去。讲了自己的出生，讲了死去的养父母，也讲了自己的两次婚姻。

讲到自己的第二个男人光荣，秀玉小声地抽泣起来。她说，光荣是为我死的，他虽然只和我过了三个月，可我好像和他一起过了三十年，我会一直想他，想到我死。

秀玉这是第一次和人诉说自己的心事，也是第一次当着别人的面哭泣。这个男人她只见过两次，对她来说，还是陌生的，可她竟然对他说了那么多一辈子都不可能对别人说的话。也许因为他是一个外乡人，又也许因为，他像她一样，也是个苦命人？

听秀玉的故事，叶楚风始终沉默着。他想，这个女人憋得太久了，太苦了，她需要倾诉，需要倾听。那就让她倾诉，让自己倾听吧。

叶楚风并未有过真正的恋爱经历。年轻时，虽然也有爱慕自己的女学生，他也心仪过一两个，可和女人之间，到底没有展开过一次真枪实战。

老实说，秀玉的美，很吸引他。第一次看见她时，她正背着孩子凝视着远处的江面，脸上透着少女的茫然。接下来，她就弯下腰来挖芦笋。她挖得那么专注，那么投入，孩子在她背上自顾地玩着一缕头发，河滩上的柳树已吐绿，在早春的寒风里摆动，背着孩子的少妇，弯腰走在河滩的旷远里，一下就打动了他那颗苦涩的心。

叶楚风没有安慰秀玉，他也不知该怎样去安慰一个受苦的女人。当秀玉停下抽泣，准备离开时，叶楚风才突然问："你打算就这样一个人带着孩子生活？有没有考虑过再……嫁人？"

秀玉摇摇头："嫁人？没想过。"

叶楚风迟疑了一下，终于道："我是说，如果你愿意再嫁人，我愿意……娶你。"

秀玉瞪大了眼睛。

叶楚风说："我觉得你是一个懂得爱的女人，听你说到你死去的丈夫，我就知道，你是一个懂得爱的女人。一个懂得爱的女人，是值得男人去爱的。"

轮到秀玉沉默了。第一次听到一个男人这样评价自己：懂得爱。

懂得爱，这对从小生长在农村的秀玉而言，是个多么高尚的评价！

秀玉感动了。就是那一刻，她决定和这个被称作右派的男人一起生活。

十

秀玉嫁给了第三个丈夫，右派叶楚风。

与其说秀玉是嫁丈夫，还不如说她是娶丈夫。按江汉平原的规矩，叶楚风是倒插门的女婿，倒插门的女婿应改姓妻子的姓。所幸的是，叶楚风和秀玉一样，也姓叶，不用改姓。改嫁前，秀玉去征求公公的意见。光荣的爹听了，沉默了半晌，把嘴里的烟嘴抽得吧嗒作响。

秀玉见状，知道公公心里不乐意。秀玉说，爹，你要是不同意，我就算了，我一人也能把小木带大。

光荣的爹说，爹不是不同意，只是他头上有顶帽子呢，爹怕你嫁了他，享不了福，反要吃苦。

秀玉说，我也想过了，可我一个结过二道婚的寡妇，拖着一个孩子，好人家又有哪个愿意呢？再说，楚风跟光荣一样，肚里是有知识的人，懂理。

光荣的爹抬头看一眼秀玉，知道她这样说话，已是心定。光荣的爹于是点点头，从嘴里取下了烟嘴，说，你自己定吧，爹没意见，只是，日子万一过不去时，就把小木给爹送回来。

秀玉拉了下公公的手，说，爹，你放心，小木永远是你的孙子。

秀玉和叶楚风结婚，是在一九七二年秋天。两人只在大队里开了结婚介绍信，到公社办了结婚证，就把婚结了，没有举办任何仪式。秀玉是结第三次婚了，叶楚风虽然是头次结婚，可他人在异乡，无亲无故，也不想有任何仪式。

倒是光荣的爹，一定要庆贺一下。他叫了两个儿子，一起来给儿媳庆祝。光华已娶了女人，女人也挺着肚子来了。

光荣的爹说："现在秀玉嫁了，光龙也说了亲。我的任务就快完成了。"光荣的爹从裤腰里摸出十块钱，用红纸包了，递给秀玉，说："你结婚，爹就算是嫁女，这是爹给你的压箱钱。"

秀玉哭着给公公跪下了："爹，以后，你就是我的亲爹了。"想到公公为自己亲手洗过月子里的血衣，秀玉泪如泉涌，头顶住公公的腿，双手抱住了公公的脚。

光荣的爹眼睛也红了，说："我丢了一个儿子，捡回来个女儿，也没什么疼的。孙子以后就跟你们姓叶吧！"

秀玉哭着说："小木永远是你们郑家的孙子，他一辈子都叫郑小木，不可能叫别的名字。"

叶楚风也说："小木永远是光荣的儿子，但我会把他当亲生儿子养大。"

光华光龙兄弟俩没说什么，只对叶楚风说，和我嫂子间，有什么难处了，就吱一声。

叶楚风感激地点点头。心想，这是多么纯朴善良的一家人，此生，自己一定要对秀玉好，对她的儿子好，只有这样，才对得起姓郑的一家人。

晚上，叶楚风搂住秀玉，说："我是个右派，你跟着我，今后少不了受苦。你不会后悔吧？"

秀玉幸福地说："我高兴还来不及呢，怎会后悔？"

房里的喜烛亮着，秀玉有些害羞地看着男人，主动脱下了自己的外衣，露出了里面的小背心。背心是新的，粉色的小洋布。两只饱含乳汁的奶，巨峰一样，将小背心高高地撑起。叶楚风一见，愣住了。他颤抖着手指，轻轻地掀开了秀玉的小背心，两只雪白的奶，白瓷一样露出来，那惊人的饱满，一下把他震住了。叶楚风久久地注视着，呜呜地哭了。他伸出手，小心地捧住了秀玉的乳，抚摸着，亲吻着。血液感受到了欲望的春天，他的欲望终于像冬眠已久的蛇，倏地醒过来，开始了它欣喜的爬行与舞动。

叶楚风叼住了秀玉的一只乳头，奶汁立即淌了出来。叶楚风尝了一口，又尝了一口，忍不住一下吸空了秀玉的一只乳。

秀玉含着泪，抚摸着怀里的男人，任他吸吮着，任他像个孩子一样呜呜地啜泣着，温暖与潮湿在她心里涌动，这个年近四十的男人，这个被剥夺了尊严与爱的权利的可怜人，他是多么的让她怜，让她痛！

等到叶楚风转过来叼住另一只乳时，秀玉才推开了他，小声说："给小木留着！"

叶楚风停下了，恋恋不舍地抚摸着这只饱含乳汁的奶，终于憋不住，还是吸空了它。事后，叶楚风趴在妻子的身边，在喜烛的照耀下，久久地，反复地，无限爱恋地端详着妻子的身体。他抚摸着妻子的乳房，俏皮地趴在妻子的耳边说：以后，晚上的，我吃，白天的，小木吃。

秀玉满怀幸福地搂住了男人的头，心里是从未有过的湿润。

叶楚风疼小木，小木也亲他，总是趴在他的脖子上叫，爹，爹，我还要骑马马！

这样的日子，对于秀玉而言，其实已等同于幸福了。如果她的第三个男人不死，她的奶还会继续喂下去，直到那奶不再泌乳为止。即使奶房不再泌乳了，男人也还会叼下去，让她躺在幸福里喂着，白天是她的儿，夜晚是她的夫。

然而，男人死了。上天总是不肯把幸福长久地给予她，只让她经历一场梦一般，梦醒了，就是现实的残酷。她得用一生的时光去想念，去回味，那短暂的美梦。

男人是被人打死的。她的第三个男人，右派叶楚风，是给人活活打死的。男人被打，只因为他是右派，是刑满释放的劳改犯，是人们不明就里的政治犯。

秀玉自和右派男人结婚后，人们又重新开始议论她的成分，有人说，她和一个右派搞到一起，只能说明她骨子里流的就是地主的血。好在她土生土长的一个苦命人，又有光荣的爹护着，队里倒没有多少人要和她过不去。但对她的男人叶楚风就不一样了。一九七二年冬里，农闲时，公社组织阶级斗争，各大队都要推送被批斗的代表，秀玉的男人叶楚风就被送到公社里去批斗了一次。

那一次，叶楚风被送回来时，只是受了点轻伤，挨了几脚，嘴里被人打出了血。第二次挨批斗是一九七三年春收后。队里本来还忙着，也没人想要搞阶级斗争，可县里忽然传来了发现反动标语的消息。反标的发现，让人们忽然警醒了。反标就写在县一中的校门口，字迹醒目，目的险恶。公安局全体出动：一定要迅速破案！

反标的出现，让县革委会觉得十分丢脸。县革委会主任向全县发表了广播讲话：阶级斗争要年年搞，月月搞。要革命生产两不误。于是，全县号召各公社各大队重新刷革命标语，由各公社分头组织阶级斗争，利用放电影时分、农闲时分或宣传队巡演之机，狠抓狠批地富反坏右分子，千万不要放松警惕，让反动阶级卷土重来！

春收后的这次斗争，因为发生在县城里的反标事件，而显得格外严峻和残酷，叶楚风是全大队五类分子中唯一的右派，又是外乡人，不抓他抓谁？叶楚风此次被揪到公社批斗，遭到了一批狂热分子的毒打，由于会场气氛失控，叶楚风和另外一名有海外背景的反动分子被当场打得昏死过去。会场群情激愤，要叶楚风等人交代罪行，人们发现其中的两个坏分子居然没有反应。

等到人们意识到可能出了问题时，叶楚风已奄奄一息。公社立即通过广播通知叶楚风的妻子叶秀玉，迅速赶到现场。

秀玉在家里听到噩讯，放下正在吃饭的儿子郑小木就往公社赶。秀玉赶到时，叶楚风已经被人送到公社卫生院，此时，叶楚风已经停止了呼吸。男人全身淤紫，头脸肿得像个皮球，清秀的五官已完全变了形。秀玉心疼得死了过去。秀玉抱住男人的头，哭得呼天抢地，悲伤得恨不能和自己的男人一起去。

更大的不幸还在后头。

秀玉拉着男人的尸体往家赶时，得到了另一个更可怕的噩耗：她两岁的儿子郑小木掉进水缸里淹死了。

秀玉离家后，小木匠崽子郑小木吃多了咸菜口渴，就搬了小木凳去水缸里舀水喝，身体失去平衡，掉了进去。得知这个消息，秀玉当即昏死在路旁。

秀玉醒过来时，已被人抬到了家里。望着躺在地上的丈夫和儿子，她再一次昏死过去。

秀玉再次醒来是被光荣的爹掐醒的，她的人中都被掐出血来了。看到光荣的爹，秀玉一翻身就爬起来，跪在光荣的爹面前，拿头在地上猛磕猛撞："爹啊，我对不起你，对不起光荣！你打死我吧，让我跟他们一起去！跟我的小木一起去！我要去找光荣，找小木……"

无论人们怎么拉，秀玉就是不肯起来，只是围着光荣的爹，拿头在地上撞，血从秀玉的额头上涌出来，光荣的爹见此情景，悲痛得昏了过去。

人们按住秀玉，劝道：你爹已受不住了，秀玉，他不会怪你的！替你爹想想，别哭了，啊？

秀玉一次次哭得昏死过去。

人们开始在心里后悔，不该把秀玉的男人叶楚风拉去批斗。不把叶楚风拉去斗，后面的惨事就不会发生。人们想起了秀玉的可怜，命里怎么就搁不住一个男人呢？

在秀玉连续死了三个男人之后，老辈人猛然想起了秀玉的亲爹和亲娘，想起了叶三和叶三的女人。人们突然发现一个秘密：秀玉命相太硬！

十一

秀玉丧夫失子后，突然变了一个人。这年冬天，队里一个男人想占秀玉的便宜，提了半刀腊肉，夜晚摸到秀玉家。

那人进来时，秀玉正在灯下给光荣的爹纳鞋底，那个男人斗过秀玉的男人楚风，秀玉一见，心里的恨就上来了。

秀玉笑着问，这晚来我家干什么？

那人说，干什么？送半刀腊肉来。

秀玉说，我要是让你满手来，空手回呢？

那人说，你不会，反正你家的腊肉也闲着，让我吃一口也无妨。

秀玉低下头，继续纳鞋底，嘴里却道，谁说闲着了？夜夜都有公狗来偷嘴呢，瞧，这不正进来一只嘛。

那人说，秀玉，你不要那么口毒，我是真心想疼你。那人说着就搂住了秀玉。

秀玉不动，让他搂。那人就胆大了，嘴凑上了秀玉的腮，秀玉也不动。那人觉得秀玉同意了，手就探进了秀玉的衣服里，摸起来。待那人正晕时，秀玉突然抽出手中的鞋底，照着其嘴抽下去。

那人嘴角立即出了血，愤愤地骂道，臭婆娘，装什么贞？你家少来野男人吗？

秀玉冷笑道，你是一条什么狗，也想让我翘尾巴？

那人被抽，心里窝着火，又不敢发。万一秀玉一声喊，女人知道后不撕了他？

知道已讨不到便宜，那人留下半刀腊肉，灰溜溜地走了。

秀玉并不是所有男人都拒绝的。她也有她喜欢的，陪她来过夜的男人，有时是张三，也有时是李四。他们有妻有儿，秀玉也不指望还有男人会娶自己。她不拒绝他们，是因为她需要他们，需要他们陪自己度过那漫长的黑夜。儿子郑小木的死，把她的心都锥穿了，在她心上留下了一个无法弥补的大窟窿，这窟窿时时冒着血，只要她一闭上眼睛，心就疼，尤其是半夜里，一个人躺着时，那疼就让她喘不过来。

没有人知道，秀玉有多么害怕黑夜，害怕一个人躺在黑夜里，害怕那喘不过来的疼。

她想她的儿子，想死去的男人们。

其实，秀玉心里也以为自己真的是命相硬，克亲人。她反复回想了自己的一生，来世间虽只有短短的二十五年，却克死了她身边所有的亲人。打她出生，她的亲爷爷、亲爹就给枪毙了，接下来是亲娘的投河，刘家亲人的死，她的养父母、善良的叶三夫妇，也饿死在她面前，然后是她的三个男人，她的儿子……秀玉的夜，很多时候是被泪水浸泡的。那种深刻的孤独，让她在长夜里与自己的意志搏斗着，许多次，她都想放弃，想不活了，想去那边寻找自己众多的亲人们。

是光荣的爹让她下不了这个决心。

光荣的爹说，秀玉，你得好好地活着，活着才有念想。

光荣的爹说，秀玉，我的儿，你得活着给我纳鞋底，我还等你给我纳寿鞋呢，你不能死在爹的前面！

光荣的爹说，人只有死罪，没有活罪。只要你活得随心，想怎样，爹也不会怪你。

秀玉哭了，秀玉说，爹，我想得开，不会走那条路的。秀玉知道公公那句“只要你活得随心，想怎样”的意思。公公是在暗示她，他知道她的所有事，但不怪她。多好的爹啊，她想，来生，她要做他的女儿，甚至做他的妻子，就像此生做他儿子光荣的妻子一样。

有几次，秀玉拿着绳子或农药坐到了死神面前，像谈心一样谈着，谈着谈着，就想起了光荣的爹，想起他对自己的恳求。她就放下了绳子，放下了农药。

秀玉就喜欢上了纳鞋底。她给光荣的爹纳了一双又一双的鞋底，做了一双又一双的鞋。她还给光华做鞋，给光龙做鞋，给光华不满一岁的儿子做鞋。

清油孤灯下，秀玉有时想，这世上，她也还是有亲人的，有牵挂的，郑家的人，就是她的亲人，她的牵挂。

不是秀玉想偷男人。是她害怕一个人面对夜的黑，夜的长，夜的眼泪与凄凉。

十二

秀玉是在大队的厕所里发现那个婴儿的。

那天，秀玉去大队部的代销店里买盐，尿急了就去大队厕所里尿了一泡。秀玉刚蹲下，就听到了婴儿的哭声。

秀玉尿完，就开始寻找哭声的源头，于是，秀玉就发现了那个刚出生的婴儿。婴儿裸露着身体，脐带垂在小腹上，一看就是一个刚出生就被遗弃了的孩子。秀玉

将婴儿抱起，是一个女婴。女婴的脸都冻紫了，哭声也很微弱。这一刻，她突然想起了自己的养父叶三和养母。

秀玉脱下自己的外衣，将女婴包了。她没再买盐，而是买了一包奶粉，把那个女婴抱回了自己的家。

这是一九八四年冬天，秀玉已是一个三十五岁的中年女人。

当秀玉把这个被人遗弃的女婴拾回家时，她的母性突然间苏醒过来。她翻箱倒柜地找出了儿子郑小木的衣服，把孩子包裹得严严实实，然后小心地给孩子喂奶粉。孩子饱了，也暖了，哭声也大了。

秀玉的眼里涌出了泪花。她小声地叫了声心肝，把孩子紧紧地搂在了怀里。隐隐地，她感到自己的乳房开始发胀，一种做母亲的强烈冲动激荡着她，使她的血流像惊涛拍岸一样拍打着她的胸腔。

那一刻，秀玉决定结束自己这十年来浑浑噩噩的生活。

秀玉给孩子起名叫叶荣楚，小名楚楚，分别取光荣和楚风名字中的一个字。抚养楚楚最难的就是没有奶。奶粉贵，孩子天天要吃，秀玉供不起，只好去找人寻了偏方，想让自己下奶。可她吃了下奶的药，也试着让楚楚吸她的奶头，她的奶头还是干干的，硬硬的，就是不下奶。人们劝她，算了，秀玉，你这是穷折腾，孩子又不是从你身上掉下来的肉，你的奶子怎么会下奶呢？

秀玉无可奈何，只得叹息一声，想当初她的奶水有多好啊，喂了儿子还能喂楚风，能养一大一小呢！可现在却一滴也下不来了。她的奶子再也不会出奶了！

奶子不下奶，可楚楚还是喜欢叼，馋的。秀玉没有办法，只好卖了冬粮，去买了一头正在产奶的母羊。

平原上一般不养羊，因为没有那么多的草。平原上到处是肥田，人们也不可能让肥田里长出草来。所以秀玉每天最重要的就是给羊寻草。

此时早已包产到户，各家种着各家的田。秀玉除了在自己的田边地头找找外，能寻草的地方就只有路沟旁。秀玉一个人只分得一亩三分旱田，二亩水田。平常一个人，够种够吃，还能卖点余粮。可现在新添了一个人口，队里已没有余田可分。原先分的田已成定局，不管谁家新添了人口，几年中都不会再重分。

人多了，花费就多，尤其秀玉新添的是要吃奶的娃。奶如果是从自己的奶子里产下的，倒也无妨，可奶是从母羊的奶子里淌出的，还得管羊饱。

田不够种，秀玉就求人家租点田给她。好在这时期，国家正大搞改革开放，村里有本事的人家，心事已不在田里。不想种田的，就把自家的田给租了，自己进城搞副业，做生意，这样，公粮税费、水利任务也一块转给了租田的人。

为养活楚楚，秀玉另找人租了两亩旱田，三亩水田。这样，她除了要带孩子，给羊寻草，一个人还要种三亩三分旱田，五亩水田。

秀玉每天把楚楚背在背上，忙得团团转。那年月没有冰箱，楚楚吃的羊奶得现挤。楚楚一饿，就哭。一哭，秀玉就得去羊奶子下挤奶。挤好奶还得点火煮开，煮开了，再放进凉水里，坐温。这样才能喂给楚楚。往往等秀玉把奶准备好时，楚楚已哭累，睡着了。睡着了的楚楚摇也摇不醒，秀玉心里别提有多难过。后来，秀玉摸出了经验，就把一天的羊奶都提前煮好，装进暖壶里。等楚楚饿了，就从暖壶里倒一点出来，放进凉水里坐着，坐温了，再喂。吃多少，坐多少。

楚楚很快就适应了，慢慢地大了。楚楚一岁时，学会了走路，也开始能吃些干的了。秀玉终于松了一口气。

看着开始牙牙学语的女儿，秀玉的心里多了些欣慰。

一天下来，秀玉忙个不停。不是背着女儿在田里忙，就是抱着女儿在家里忙。一年下来，秀玉老了一截，三十六的人，看上去倒像四十。那原本勾人的腰，撩人的奶，风骚的屁股，都在失去魅力与颜色。

秀玉的风韵渐已不再，也不再有男人半夜里摸进她的屋，摸上她的床。秀玉倒也不在乎，每天忙累了，倒头就睡，渐渐忘了自己的身体，忘了身体里的欲求。

有了楚楚，秀玉的心实了，反没了过去的空虚与浮躁。夜不再长，反是觉短，觉总也睡不够。

好在楚楚渐渐地大了，先是会走，后是能说，再后来，会跑，也会唱了。

楚楚五岁时，学会了数数，一百以内的，还会认几十个汉字。这些，都是秀玉在田间地头教的。母女俩相亲相爱，相依为命。

秀玉渐渐地老了。四十岁的人，满脸都是皱纹，背也有些虾了。光荣的爹看不过，常过来帮帮手。可光荣的爹也老了，六十好几奔七十的人，身子骨也不行了。扶犁扶不动，赶牛赶不走。楚楚就嘲笑:爷爷，你老了，牙关不住风，牛不听你的了！

光荣的爹就笑，你的牙也关不住风，牛也不听你的。

楚楚就得意地说，我的牙还会长出来，可你的牙不会长出来了！我的牙长出来时，牛就会听我的！可牛再也不会听你的了！

光荣的爹笑了，说，牛当然要听你的，你还有一辈子活呢，可爷爷就要死了。

楚楚问，那我妈妈还有几辈子活？

光荣的爹想了想，说，你妈妈呀，她还有半辈子。

楚楚高兴了，她说，我知道了，牛只听我妈妈一半话！

秀玉就笑，对女儿说，等你的牙都长出来了，牛啊，就只听楚楚的话了。

这一年冬里，光荣的爹死了。

光荣的爹死时，差两个月满七十。光荣的爹死得很安详。老人死前，让儿子叫来了秀玉。

秀玉牵着女儿赶来时，老人正憋着最后一口气等她。看到秀玉，老人说，秀玉，我要去找光荣了。

秀玉哭了，说，爹，你不要秀玉了？

老人舒开了眉，说，人都要走这条路的，人活七十古来稀。爹活了七十，知足了。

秀玉擦了一把泪，说，等楚楚大了，秀玉也来找你们。

光荣的爹看着秀玉，说，爹的寿鞋你做好了吗？

秀玉点点头，从怀里摸出一双新鞋。

光荣的爹笑笑，说，给爹穿上。

秀玉给公公穿上鞋，这是她一生中做得最好最结实的一双鞋。几天前，光龙就来报过了，说他们的爹已经吃不下干的了，可能过不了今冬。

光龙说，嫂子，爹说想穿你给他做的寿鞋。

秀玉的眼睛红了红，问，真不行了么？

光龙点点头，一天里还喝不下一碗米汤。

秀玉就开始给公公做鞋。她连夜剪鞋样，糊鞋面，整鞋底。公公鞋码的大小早已了然于心。鞋底整好后，秀玉就开始整日整夜地纳鞋底，鞋底纳得厚，断了五根针。有时，纳着纳着，眼里就起了雾，视线就模糊了，针刺破了手指，钻心的疼。秀玉擦了眼泪，继续纳。

穿上秀玉为自己做的最后一双鞋，光荣的爹十分满意。他最后伸手摸了摸楚楚的头，就闭上了眼睛。

这一年，是一九九〇年。楚楚已上小学了，读一年级。

十三

楚楚上小学后，秀玉的负担更重了。今天要买笔，明天要买本子，学校要交这个费，那个费，秀玉恨不能自己会魔术，变出钱来。

秀玉一个人种了十多亩地，有旱田，也有水田，还有自家的一点自留地。现在，地越来越不香了，种地亏，苦死苦活，一年到头，交了公粮税费，抵了水利任务，剩下的就只够吃，连花销都困难。

村里的年轻人和壮劳力大都出去打工了，留下的大都是老弱病残。余地多得没人种，秀玉想种多少就种多少，既不用给主人交公粮税费，也不用按收成比例给主人提成。如果帮忙完成水利任务，人家还倒找钱给秀玉。

可秀玉还是觉得亏，种得越多，盈余越少。秀玉也闹不明白，地里的产量明明一年比一年高了，为什么还亏得越来越多了？村里变着花样收税，税的种类、名目多得秀玉都搞不清。农药化肥涨得飞快，粮价又上不去，还常买到假药假肥假种子，就算最后丰收了，还是亏得多，剩得少。

秀玉也乏了，不再贪田多。

秀玉也想出去打工，可楚楚还小，要上学，要人照顾。再说，她也不年轻了，力气也不如从前了，她能打什么工呢？向村里出去打工回来的人打听，人家说外面要的都是年轻貌美的，像秀玉这样的，做保姆人家都不要。

秀玉也就死了心，一门心思对付那十几亩田。

好在楚楚聪明，读书好，懂事。每天回家，除了自己做作业，还抢着帮妈妈干活。七八岁的孩子已经知道疼妈妈了。妈妈受的苦，楚楚都看在心里。每天睡觉前，楚楚用一双小手摸着妈妈的脸，用小脸贴着妈妈的大脸，轻轻地蹭着，动作里尽是体贴与关爱。楚楚有时给妈妈捶捶背，有时给妈妈揉揉腰，说，妈妈，你疼不疼，累不累？

秀玉的心就暖了，湿了。秀玉说，妈妈不疼，也不累，只要楚楚好好读书，妈妈就不会疼，不会累。

楚楚发奋读书，年年得第一。家里的墙上贴满了楚楚的奖状，秀玉看着也舒心。楚楚这么乖，这么贴心，秀玉一想就安慰。她庆幸自己当初捡了这个女儿，让她的日子有了想头，有了盼头，有了活头。否则，她不敢想象自己今天还在不在这世上。

人们都说她克亲人，想不到在厕所里冻得青紫、拖着半截脐带，连哭声都弱了的楚楚，来到她身边后，居然如此顺利地活下来，而且连感冒都没得过几回，医院更是进都没进过。这孩子和她有缘。上天已注定，她们要做母女，唇齿相依。

楚楚是她的全部希望，是她活下去的寄托与力量。

楚楚平安地长大了，一九九六年楚楚小学毕业，升上了初中。楚楚以全乡第一名、全县第二名的好成绩考上了县一中。

得到这个消息时，秀玉欣喜得哭了。高兴过后，心里又愁上了，楚楚的学费上哪去凑？

秀玉想到了光荣的两个弟弟光华和光龙，现在，他们都在外面打工。他们的女人也跟他们出去打工了，孩子则留在岳父母家。打光荣的爹死后，秀玉和郑家的关系就慢慢淡了，相顾的地方也少了。为了各自的家，各人的生计，大家都忙，都累。

光华当初学的漆工，现在已不吃香，好在，光华会描龙绣凤，在南方一家印染厂当印花工，这两年已做了师傅，月薪听说有两千多。光龙现在也在外当了包工头，到处接工程，给人盖房子。有时跑海南，有时跑广州，有时在北京，现在又去了上海。反正哪里有工程接，他人就去哪里。光龙做的是小包工头，村里有一大帮人跟着他在外干活。光龙在别人的手下包工程，做的是最底层的那一级，往往层层转包下来，钱已被各层各级、各个中间环节吃掉。如果工程款能顺利拿到，工程上再搞些偷工减料，给工人结完工资，也能赚一些，比一般工人要强许多。

楚楚上县一中，光学费就得好几百。在县城里读书，还得要住校，在学校吃，在学校住，每个月还得几百块。村里人都说，家里只要有一个中学生，就好像粮袋穿了窟窿，要不了多久，就得漏空。村里好多家境好的，都给孩子读垮了，更别说秀玉。

楚楚知道妈妈难，就说，妈，我不想读了，回家帮妈种田吧。

秀玉瞪一眼女儿，瞎说！你还想和妈一样，趴在这地上苦一辈子吗？你读了书，今后上了大学，就可以进城找工作，不用受妈这份苦了！

楚楚红着眼睛说，可我不想让你一个人受这种苦。

秀玉说，你考上大学，工作了，赚钱了，妈就不用种田受苦了。

楚楚咬着嘴唇，点点头，我读，我一定考大学！

秀玉下决心：无论如何也要让楚楚读上县一中。

嫁给光荣后，虽然只做了他三个月的妻子，可她和郑家有感情，郑家人也对她不薄。秀玉厚着脸皮，给光华和光龙写信借钱。

秀玉在信里说了楚楚的情况。

半个月后，光华从南方给秀玉寄来了一千块钱，光龙寄了八百。兄弟俩寄钱来的同时，商量过似的，都给秀玉写了一封信。信里面说，嫂子，我们在外也不易，现在赚钱难，我们的孩子也要读书，在外面要交房租，交这证那证费，手里也没什么钱。光龙的信里还说，现在的工程难做，不仅要自己垫资，完工后，还拿不到款。不是上面的包工头奸猾，卷款逃了，就是老板心黑，不到不得已时不肯给钱。信末，兄弟俩都说这一回是尽力了，以后恐怕就难。

兄弟俩的信都写得很长，光华的写了两页，光龙的写了三页。秀玉看了，心中阵阵隐痛。秀玉是个明白人，知道两兄弟是给她以后的借钱断了路，封了门。

秀玉知道，他们说的也是实话。光华两个孩子，大的儿子正在上大学，小的女儿也在读高中，户口不在南方，听说每年还要交不少的借读费，两口子虽说一个月有两三千块，可人在异乡，样样要花钱，也难。光龙也是两个孩子，女儿在读初三，儿子读初一，兄妹俩都住在外公外婆家。就算家里再有，有孩子读书，就是粮袋上的窟窿，堵都堵不住。

秀玉嗳了一口气，决定从此不再向两兄弟开口。那夜，秀玉又想起死去的光荣，伤心了一场。

十四

楚楚终于进县一中读书了。

楚楚一离家，秀玉的心也挂起来，想。一个人又开始清油孤灯的生活，与过去不同的是，心中多了份牵挂。

为了省钱，楚楚两个月才回一次家。回家看母亲，取生活费。县城离家远，还隔一道长江,过轮渡就要大半个小时,上了岸再乘汽车。图省钱,楚楚总是不过轮渡,而过汽渡。轮渡渡人。汽渡渡车。过轮渡要买船票,过汽渡就可以混过江。到了对岸,再买票,便宜。有一次,有人从汽渡上掉进江里,淹死了。此后,除非坐在车里,汽渡坚决不给上人。

楚楚回家把这事说给秀玉,秀玉听了,吓出一身冷汗。她想起了死去的儿子小木,小木是掉进水缸里淹死的。水缸里都能淹死人,更别说长江。

秀玉警告楚楚:如果你再图省钱坐汽渡,妈就打断你的腿!妈养大你容易吗?万一你有个三长两短,我还活什么?

秀玉嘴里这样说,可从没弹过楚楚一指头。楚楚知道妈妈说得狠,是在乎她的安全。

楚楚答应妈妈:再不冒险坐汽渡。

但楚楚的话,秀玉却上了心。楚楚回校后,秀玉就担心上了,心里不踏实,自己坐车去了一趟县城,到楚楚的学校见到了女儿才放心。

秀玉看完女儿,走两里路到江边,看了一下过汽渡的渡轮,心就悬了起来,不知道楚楚是怎么爬上去的。那一刻,秀玉决定不回家种田了,她要搬到县城来。不是也有人拾垃圾发了财吗?秀玉想,就是在县城里拾垃圾,也要搬到县城里来。搬到县城里,女儿就不用来回跑,不用过那宽得让人眼晕的长江了。

秀玉就是怀着这种心思,转到了县水泥厂。水泥厂的门口贴着一张白纸,白纸的一角被风掀起,远看去,像一道招魂幡,近看,则像讣告。秀玉走近了,仔细一看,原来是招工启事。招工的条件要求很低,不限男女,不限年龄。

秀玉就动心了,不知道自己够不够资格。

秀玉按纸上写的找了去,一问,人家就同意了。原来,水泥厂现在人手奇缺。到处都在搞工程,水泥销量奇大,只要有力气,只要愿意出力气,人人都可以进水泥厂打小工。

秀玉喜极了,庆幸谷种还没撒下田。

秀玉登记了名字,立即回家收拾衣物,弃了田,搬到了县城里。秀玉在女儿的学校附近租了一间房,一个月二十元房租。这房原是别人用来堆放杂物的,便宜。秀玉把它收拾干净了,放了张床,又摆了吃饭的桌椅,还蛮像个家。这样,楚楚每天就可以回家吃住了。

秀玉在水泥厂干的是杂活,又叫杂工。秀玉进厂后,才听说水泥厂粉尘大,进来的人都干不了几年,好多人都得了矽肺。矽肺是个啥病,秀玉也不清楚。秀玉就问同事,啥叫矽肺?

同事说,得了矽肺,肺里都是水泥灰,人就咳不出来了,咳不出来,人就会被痰憋死。

秀玉明白了,原来矽肺是肺里进了水泥灰。秀玉想,难怪一进厂,工头就给每个人发了口罩。秀玉想，自己以后戴上口罩干活就是了。秀玉戴上口罩后，发现吸气都不畅快，闷，真不如不戴痛快。尤其是夏天，那汗一出，口罩就黏在口鼻上，难受死了。

那些背水泥的工人也没有一个愿意戴口罩。于是秀玉也将口罩摘了。

秀玉的主要工作是负责装卸。装货时，工人把一袋袋的水泥从车间里扛出来，秀玉站在货车上接，再把它们一包包码好。卸货时，秀玉则站在车上，把车里的水泥一包包抛到背水泥的工人肩上，动作要快、准。这活看起来比背水泥的工人轻松，可手停的时候短，一袋水泥也不轻，一天干下来，还是比在家种地要累得多。但是，在水泥厂干，工钱多，每个月下来，能摸得着活蹦蹦的票子，手头比种地活泛多了。

有时，楚楚星期天也去水泥厂帮妈妈干活。看着水泥厂上面一片混浊的天空，楚楚心中明白，这活不能久做。她几次劝妈妈不要干了，可秀玉不听。她觉得自己的身体能应付。楚楚马上就要升入高中，她不能不为她先准备好足够的钱。读高中的钱，读大学的钱。

楚楚就叮嘱妈妈，干活时无论如何要戴上口罩。楚楚流着眼泪说，妈妈，得了矽肺可是要命的事！如果让你得病，这书我就不读了，打死我也不读了。

秀玉知道女儿疼她，担心她，心里舒服。再干活时，就听女儿的，真的戴了口罩。

楚楚也算争气，每次考试都是班上前几名。人们都说，在一中读书，学习能保持班上前几名，一只脚就等于跨进了大学的门槛。

然而就在楚楚升上高中时，家里却出事了。出事的不是秀玉，也不是楚楚，而是光荣的弟弟光龙。

一九九九年秋，光龙在长沙的一个工地上出事了。他承包了一家酒楼的工程。工程是和一个湖南包工头合包的，每人各垫一半资。结果工程只做了一半，合伙方就撤资不干了，拿走了第三方给付的所有前期预付款。现在，工程完不成，光龙又垫不出余下的资金，按照合同，工程完不成，第三方就不可能结算后期的工程款。

光龙急得像热锅上的蚰子。手下的工人拿不到工资，不肯再干了。光龙一气之下，带了手下所有的同村人，找到合作人，将人堵了。逼对方要么垫资，要么交出预付款。对方不干，光龙和弟兄们就不放人。最后，对方总算将钱吐出来了。光龙带着兄弟们回工地，打算继续后期的工程。然而就在他们带着钱往工地上赶时，途中却出事了。

一辆没有车牌的车在半路上截住了他们。一伙不明身份的人，手持铁棍和木棒从车上冲下来，将他们一阵猛打。铁棍和木棒就像长了眼睛，专拣要害的地方下，等大家醒过来，才发现没有一个人没受伤，而伤得最重的，就是光龙。光龙的头颅开裂，送到医院后，就醒不过来了。人没死，但成了植物人。

事后，大家都意识到是受了报复，因为他们的人伤了，但钱都在。而伤得最重的，是包工头光龙。输人不输地方。他们知道自己遇到了咬人的地头蛇。

要回来的钱，在医院就用光了。钱没了，人还没治好，大伙就都被赶出了医院。当光龙被同村的人抬回来时，除了眼皮会动一动外，全身都没有任何反应。

秀玉得到消息，赶回村里，见到一动不动死人一样躺在床上的光龙，心里就意识到，光龙的家，从此要毁了。

当时，光龙的一双儿女坐在光龙的床前哭泣，光龙的女人披头散发，目光呆滞。秀玉用手抚住光龙的女人。

光龙的女人就哭了，哀号着说："嫂子，我的命恁苦呢？这日子哪是个活头啊！"

秀玉的眼睛也红了，说："你想想嫂子我，就想得开了，光龙还有条命在，你哥光荣去时，连个整身都没哪！"

光龙的女人说："他这样还不如死了好啊！死了我两泡泪搭了，可他这样子叫我怎么活！两个孩子要读书，要吃饭，我该怎么办？"

秀玉问："打成这样子，没报案？"

"报了。可人家说让回家等着，等案破了，再通知我们。"

"那就请律师告！"

"请了，律师说没有证据很难打赢官司。"

"都把人打成这样了，这还不是证据？"

"那伙人从车上冲下来就打。打了就开车跑了，车子没牌啊！呜——"光龙的女人凄凉地哭起来，"人都说输人不输地方，有什么办法！明明被人打了却找不到证据，这天，黑啊——"

秀玉怔住了，不知该如何劝下去。

"嫂子，早知他这样，当初还不如不救他啊，让他死了，出了人命，那地方上的公安也许还会当回事啊！"

秀玉听到这话，下意识地去看光龙。她看见光龙的眼皮动了动，眼角似乎有泪光。

秀玉突然说，别说了，光龙他能听见你说话。

光龙的女人也愣住了，看着丈夫，住了声。可光龙躺在那里，仍是一动也不动。女人就又哭起来。

"嫂子，怨不得我心狠，光龙我管不了了，我得带着两个孩子离开这个家。"光龙的女人擦了眼泪。

"妈，你带弟弟走吧，我不读书了，回来照看爸。"光龙的女儿芳芳突然冷冷地对母亲说。郑芳正读高三，父亲突然出事，她所受到的打击可想而知。秀玉的心里突然就有了痛。她想起了死去的光荣，想起了死去的儿子，想起了死去的公公。躺在这里的这个昏迷不醒的人，是他们的亲人。他们的体内曾流着一样的血，他们曾对她有爱、有恩。他们对她恩重如山。

秀玉说："孩子，你不能不读书，跟你妈走吧！你爸就交给我了。"

光龙的女人突然给秀玉跪下了，哭着："嫂子，我对不起你了，光龙，我就托给你了，我会一生记得你的恩，你的德！"

秀玉淡淡地说："不用记了，两个孩子是你的，也是光龙的，把他们带好吧！"

那一刻，看着躺在那里的光龙，她的心情突然平定了，好像她只是要去水泥厂多背一袋水泥。

十五

一九九九年腊月里，光龙的女人走了。她带走了正在读中学的儿子。

秀玉把光龙弄到了县城里，弄进了她和女儿楚楚的出租屋。

光龙的女儿郑芳没有跟母亲走。她擅自退了学，告诉秀玉，她准备去南方打工，赚钱替父亲治病。

临走，郑芳也跪在了秀玉的面前："伯娘，我爸就交给你了，我要出去赚钱给我爸治病，给楚楚妹妹读书！伯娘，你等我，我会回来的。"

秀玉搂住郑芳，抱头痛哭。

郑芳随后又跪在了光龙面前，她抚着光龙的脸，把脸贴在父亲的胸口，然后，在父亲的脸上亲了一口，她说，爸，你一定要等我，你一定要醒来！我会让你站起来的！

看到这一幕，秀玉忍不住避开了。她的心受不了。

郑芳要走，秀玉留也留不住。

为了安置光龙，为了不影响女儿楚楚的学习，秀玉在水泥厂附近另租了两间屋。光龙住一间，秀玉和女儿住一间。

光龙的到来，楚楚心中意见很大。楚楚责怪母亲多事，楚楚说，三叔都这个样子了，三娘都不管，你为什么要管，你还嫌你的命不苦吗？

秀玉说，你三娘不管是你三娘的事，我不能不管。你就忘了你爷爷生前是怎么待你的？三叔可是你爷爷的儿子！

楚楚说，妈，我不是不让你管，是你没能力管啊，你又要背水泥，又要照顾三叔，顾得过来吗？除非我不读书了，回来帮你！

秀玉就恼了。秀玉说，我供你读书，就是想你今后不受穷，不要像你三叔这样，遭人欺负！

楚楚沉默了，母亲的个性她是了解的，母亲决定的事，她想改变也改变不了。

秀玉白天要去水泥厂干活，中途还要赶回家来给光龙喂米汁，擦洗身子，换下被屎尿弄脏的裤子。每次给光龙翻身，擦洗，秀玉都不忘给他揉揉身子，自言自语地和他说话。做完这一切，秀玉才又赶回厂里去干活。

秀玉不只是忙了，更累了。楚楚看在眼里，疼在心里。她不方便给三叔洗换，只有力所能及地帮母亲做些家务。有时候，秀玉半夜起来给光龙洗换，楚楚隔着房间都能闻得到屎尿的骚臭味。楚楚气不过，有一次实在忍不住说了母亲一句。她狠狠地对母亲道："没见过你这么没原则的人，你以为你是救世主吗？"

秀玉冷冷地看住女儿："你说什么？你再说一遍！"

楚楚声音小下来，嘟哝道："天下那么多要死的人，你管得过来吗？"

秀玉说："我当然管不过来。可我管一个算一个。我当初如果不……"

秀玉及时吞下了后半句。她是想说我当初如果不把你从厕所里捡回来，你也早就不在这世上了。她没对楚楚讲过她的出生。在江汉平原，人们对抱养的孩子，都约定俗成地不会去揭穿。

楚楚其实并不知道：秀玉不是自己的亲生母亲。

秀玉叹了一声，说，你还小，不懂人活着要知恩图报。她不再理睬女儿的抱怨，自顾自地忙着。

这年清明节，秀玉回村去给亲人们上坟。秀玉不放心光龙，特意上街去给光龙买了一包纸尿裤。秀玉给光龙洗好换好，叮嘱女儿楚楚：中午一定要赶回家，给你三叔喂米汁。秀玉把米汁放在锅里热着，然后才放心地出了门。

每年清明，秀玉去祭坟，都得花上一整天。她的生父母，她的养父母，她的三个男人，她的儿子，还有前几年死去的公公。每个人的坟头都要去走一遭，哭一场。她从一个地方转到另一个地方，从这个坟到那个坟，她的心情起起伏伏，心里装的都是对死人的想念与悲情。每次到儿子小木的坟前，她都哭得最伤心。小木是夭折，不能和祖坟埋在一起。她把小木埋在离光荣的坟头不远的地方，希望他能看护到死去的儿子。还有她的养父母叶三夫妇，也让她哭得揪心。

每次这样的一天下来，秀玉的全身都哭得瘫软了，有几次甚至差点栽倒在亲人的坟头。

这次来祭清明，秀玉哭得更伤心。想到躺在床上醒不过来的光龙，她趴在公公和男人光荣的坟前哭啊，哭得死去活来。

她对公公哭：爹啊，你走了，就忘了你的亲人了吗？你怎么会不管你的儿子光龙，让他就这样躺在床上，不会说不会动了？爹啊，你在那边要保佑你的亲人啊，你要禀告公正的阎王爷，让好人有好报，让恶人遭报应啊……

她对男人光荣哭：光荣啊，我的亲人，我最亲的亲人，你走了这么多年，你把你的秀玉忘了吗？你把你的亲人都忘了吗？光龙是你的亲弟弟啊，你要保佑他听得懂，说得出，站得起啊！光荣，你就这么狠心地抛下了我，让我一辈子疼……

秀玉哭得肝肠寸断，心都揪成了一团。

清明的冷雨，凄凄地落下，白色的纸幡，在坟头到处飘扬。雾眼望去，是一片惨淡的湿白。秀玉断魂一般，跪在亲人们的坟头哭喊。喊天天不应，叫地地不灵。

秀玉终于哭累了，想起还在学校读书的女儿，想起还躺在床上不知世事的光龙。秀玉的喉咙抖了抖，猛抽搐两口，一股凉气直入心间。

秀玉急急地往回赶，赶往县城里那个临时租来的、风雨飘摇的家。

当秀玉坐在车上，穿过浩森无际的江面时，心里顿时涌起一种悲凉，不知道这活着的路该往哪里走。人生是那么难以预测，就像这宽阔无比的江面，看上去平平的，底下却不知充满了多少未知的凶险。

秀玉回想自己的三次婚姻，每一次都以为幸福就在手里了，可一转眼，她就失了个干干净净。真是一个人的命就像三节草，谁也不知道哪节好啊。

秀玉哭了一天，累了，靠在车里睡了。船在江面上抖着，车在船上抖着，秀玉的身体也在车上抖着，沉入了梦乡。车一上岸，秀玉就醒了。秀玉正懵着，突然就看见了女儿，女儿楚楚正举着一把细花伞，在渡口边张望着。显然，女儿是在等她。秀玉下了车，向女儿奔去。

“妈——妈！三叔会哭了！妈，我今天中午给三叔喂米汁，三叔一直在掉眼泪！”楚楚一见秀玉就兴奋地喊起来。

“真的？你三叔会哭了？”秀玉的嗓门都变调了。

“真的，你快回去看！”

秀玉甩开女儿，直往家里跑。

秀玉冲进家门就扑到了光龙的床前，她使劲摇着光龙，喊，光龙啊，你真的会哭了吗？你听到嫂子叫你了吗？

只见光龙的眼皮动了动，两颗泪从光龙的眼角滚出来，秀玉的心跳得快蹦出来了，她颤动着嘴唇，目不转睛地盯着光龙。这时，光龙的眼睛睁开了一条缝，眼珠轻轻地动了一下，就死死地盯住秀玉。秀玉看见，光龙的嘴也在动了，她立即把耳朵凑近光龙的嘴，她听到了蚊声一般大小的一声“嫂子”！

秀玉一屁股坐在地上，放声大哭。嘴里一会儿喊爹，一会儿叫娘，一会儿又叫光荣。秀玉哭喊着，光龙啊，你醒了，你会说话了！天爷啊，你终于开眼了！我今日这一趟没白跑啊，爹，我今日的话你都听见了！光荣，你们都听见了！

秀玉又哭又笑，楚楚看见妈妈的样子，也感动得哭了。

楚楚说，妈，你的善心让天都感动了，三叔他醒了！

秀玉看着光龙，光龙的嘴唇动着，大颗大颗的泪正从他的眼里不断滚落。楚楚拿热毛巾给母亲洗了一把脸，又给三叔擦了擦泪。几分钟后，秀玉平静下来。

秀玉笑着对光龙说，嫂子知道你醒了，你肯定还会站起来的，光龙。

光龙的眼眨了眨，头轻微地动了动。

十六

光龙醒来后，情况很快就有了好转。几天后，他能发出声音了，虽然吐字不清，但能知道意思。光龙还会笑了，两只手也能动了。这让秀玉看到了希望，她开始更搏命地往水泥厂干活——她想攒钱给女儿读书，想送光龙去治疗，让他真的能站起来，会走，会做事。

秀玉相信，光龙一定能站起来。

那天，秀玉又要给光龙擦洗身体，想给他换身干净的衣服。秀玉照例去搬他的身体，想给他脱裤子，可光龙却用手推开了她。秀玉再试，光龙再推。秀玉看光龙，他眼里汪着两坨泪。秀玉不解，看着光龙，问，怎么了？不舒服？

光龙突然呜噜呜噜地哭了，口齿不清地说，嫂子，我……丢人……

秀玉愣了愣，明白了光龙的意思。他是在嫌自己要秀玉洗身换衣丢人。

光龙说，嫂子啊，我想死，你怎么不让我死？光龙的话含混不清，可秀玉听懂了。

秀玉恼了，说，人想死还不容易？眼一闭就死了，难的是活着！

秀玉又缓了缓语气，说，光龙，嫂子这么难都活过来了。当初，你哥死时，嫂子就不想活了，可咱爹对我说，人只有死罪，没有活罪，嫂子才熬到了今天。

光龙说，嫂子，我拖累了你，我来生……再报答你！

秀玉说，光龙，你说的哪里话呢？你死去的哥、侄儿和爹，他们都是我的亲人，也是你的亲人。我们是一家人，光龙。

光龙点点头，眼泪流得更凶了。秀玉懂他的心思，他是觉得亏了她。秀玉给他洗了一把脸，继续给他换衣服。这一次，光龙不再用手推她。

每天，秀玉都抽时间给光龙按摩，帮他活动手脚，只要她的手一闲下来，她就会走进光龙的房间，帮他做这些。有时，楚楚看不过，心疼母亲，也会主动帮光龙做这些事。光龙受伤后，说话慢，吐字不清，一大半意思都只能靠猜，智力出现明显的减退，说话像孩子一样颠三倒四。楚楚心里发愁，不知道这样的日子何时到头。她心里盼着三叔快点好起来。否则她母亲不累死，也会累垮、累病。

也许秀玉的作为让光龙背负了巨大的心理压力，他也在努力和自己的病做斗争。强烈的想要好起来的愿望激励着他，他尽力地配合着嫂子。有时，秀玉不在身边，他也会自己活动自己的手臂。有一天，他躺得实在难受，就试着用两只手撑着翻了一下身，居然成功了。于是，他不断地在床上练着这个翻身的动作，一会儿翻过去，一会儿翻过来。

直到有一天，秀玉从外面回来时，惊喜地发现光龙坐了起来！他靠在床头，对秀玉笑着。秀玉一喜，一急，竟叫了起来。

光龙，天哪，光龙！你好了？

光龙孩子气地笑着说，嫂子，我早就会翻身了，我不告诉你，就是想让你高兴！

秀玉发现，坐起来的光龙吐字也清晰多了，思路也像个正常人了。因为高兴，秀玉眼里冒出了泪花。秀玉说，光龙，嫂子早就盼着这一天了。

“嫂子，我就是腿没力，下不了地，还是要拖累你！”

“只要你能好起来，这点拖累算什么？”

“嫂子你放心，我会好起来的！”

“那就好，你要有信心。”

“嫂子，你老多了。”光龙看着秀玉的脸，忽然这样说。

“是老了，五十出头的人了，还能不老吗？”秀玉不好意思地摸摸自己的脸。

光龙叹息了一声，说：“嫂子，你以前多好看哪！都是我们郑家拖累了你。要是我哥……不死，该多好！”

秀玉欣喜地说：“光龙，你都记起了？你现在说话清楚，你脑子也恢复正常了。要不了多久，你就会好起来的。等嫂子攒够了钱，就送你去医院治。”

光龙说：“过去的事，我都记起了，我还记得你和我哥结婚那天的情景。嫂子，你那时真好看！好多人都说，你像电影里的七仙女一样好看！”

光龙的话勾起了秀玉对过去的回忆，她想起和光荣生活在一起的那些甜蜜的日子，那样的日子多幸福啊，可惜那样的日子太短了！一晃，她就老了。所幸，那样的日子她有过，这一生也算没白过。

十七

秀玉突然收到了光龙的女儿郑芳寄来的第一笔钱。

秀玉清楚地记得，这是二○○○年的夏天，郑芳已出门大半年。大半年中，她一直杳无音信。汇款单是楚楚拿回来的，数额有整五千。汇款单上只有一句话，伯娘，这钱给爸爸治病，给妹妹读书。

秀玉去邮局取了钱，回家又哭了一场。她坐在光龙的床前，把钱数给光龙看，把郑芳出门前的经过都讲给了光龙听。

光龙急着问：“芳芳，她在哪儿？地址，她没有地址吗？”

秀玉这才想起那张取钱的汇款单已交给了邮局。

楚楚说，我看过了，芳姐的汇款单上没写详细地址，只有一个地名。

光龙的眉头就锁紧了。秀玉知道他是牵挂女儿，就安慰他：孩子能寄钱来，肯定好着呢，你就先把病治了吧！

秀玉把光龙送到了医院。医生检查过后，说病人这么快就能醒过来，真是个奇迹。又说，他的腿脚能动，腰椎并没有受伤，持续做理疗，服用一定疗程的中药，今后站起来走路应该是不会有问题的。

秀玉太高兴了，为给光龙做理疗，让他在医院里住下了。

五千块钱让光龙在医院里住了一个多月。一个月后，光龙果真能让人扶着站起来了，但走路还是不行，摇摇晃晃，迈不了几步。医生说受伤的脑组织还没有完全康复，部分脑神经已经萎缩，要想完全恢复是不可能的，但坚持理疗，可以恢复走路和简单的运动能力。

光龙坚持要出院，说医生的方法他都掌握了，回家自己多做做就行了。

秀玉只好将光龙接回家照料。

这时，秀玉开始频繁地出现胸闷、胸痛、气急的感觉，想咳，咳不出来。楚楚注意到了母亲的干咳。楚楚说，妈，你去检查一下，会不会是……得了矽肺？

秀玉说，妈每次都戴了口罩，怎么会得矽肺？妈这是老了，身体差了。

楚楚说，妈，你都五十了，别去背水泥了。现在芳姐挣钱了，我们会好起来的。

秀玉说，那是你芳姐的钱，她的钱要给你三叔治病。

楚楚说，那你找点轻省的事儿干，反正不能再去水泥厂了。

秀玉对自己的身体，心中也有疑惑。但她更相信是自己老了，她都五十一岁了。水泥厂其实早就不想要她干了，是她求着他们，他们才将她留下了。毕竟她在里面已干了四年。

现在，厂里考虑她的年龄和身体，给她安排了一些轻省活：帮忙打扫车间，给包装水泥点点数，在现场记一下出货单。钱没少，但活比以前轻多了。

不干，秀玉舍不得。一个月好几百块呢，一家人都指着这钱。不干，楚楚的学费没着落。不干，一家人就没了住所。不干，一家人的生计就得落空。

楚楚恨不能快点结束高中的学业，快点跨入大学，快点找到工作，好让母亲从辛苦中解脱出来。楚楚唯一能做的，就是好好读书。楚楚升高三后，学习跃进了全年级前五名，按惯例，读全国一流的重点是没问题了。

楚楚的班主任知道她的家庭情况，私底下向校领导反映，学校破例减免了她高三的全部学费，还批准给她每月一百元的生活补贴。班主任怕楚楚的自尊心受不了，没有声张。

楚楚高考前，秀玉的身体情况越来越差，咳嗽困难，吸气吸不上，水泥厂将秀玉劝退了。秀玉是临时工，也没和厂里签什么劳动合同，说来就来，说走就走了。秀玉心知自己这是患了矽肺。可她不敢告诉女儿，不想影响她的高考。

秀玉忍耐着，憋着。

秀玉的难受，光龙都看出来了。光龙已会走了，但失去了劳动能力。光龙想替嫂子减轻点负担，可自己又做不了什么。光龙便对秀玉说，嫂子，你让我回乡下去吧，自己种点田，一个人可以慢慢过。

秀玉笑道，你回去能干什么？种田？你别讲笑话了，那田我都种不动了。再说，现在还有谁愿意种田？

光龙就沉默了。他心里在想女儿，女儿究竟在哪里？女儿自上次寄过五千元回来后，就再也没有消息。她在干什么呢？她不会出什么事吧？光龙担心着，不敢说出来，再说这些，还不把嫂子愁死？

其实秀玉也在担心着郑芳。上次那五千元，秀玉收到后就觉得奇怪。上面没有详细地址，楚楚上网查过，那只是一个大概的地名。郑芳她在外到底在干什么呢？她怎么会音信全无呢？这孩子，她走时不是说过，她一定会回来的么？她分明是牵挂着她爹的，可走了都一年了，却连一封信都没有写回来过。

秀玉心里担心，也不敢说出来。她怕说这些，会影响光龙的心情，影响他的康复。

秀玉托人给也在南方打工的光华打电话，得到的消息是，郑芳从来没跟他们联系过，他们也不知道她在哪里。郑芳的母亲带着儿子在外地打工，也没有女儿的消息。

年前，光华从南方寄了两千块钱给秀玉。也写了信来，信里说，自己没有做到尽哥哥的责任，让光龙拖累了嫂子，这些钱是他的心意，给楚楚读书。光华的信里还提到了大学毕业的儿子，毕业已半年了，至今还没有找到工作。光华在信里说，早知今日，何必当初，家都让他读穷了，自己辛苦打工的钱，都搭在了一双读书的儿女身上，现在大学毕业了却找不到工作。光华说，不是他的儿子一个人找不到工作，很多大学生都找不到工作。光华的女儿也读大学了，一年的花费一万多。光华发愁：还不知道女儿大学毕业后找不找得到工作？

秀玉看完信，心里就有了沉重的心事。楚楚马上高考，高考一完，也要上大学。她还不知去哪里给女儿凑学费！让女儿读大学，是她一生中最大的愿望，是她辛苦付出的最大动力。让女儿读大学，就是不想让她今后像自己一样受苦。可现在，光华供儿子读完了大学却找不到工作，楚楚今后会不会也找不到工作？

秀玉心里强撑着，身体也强撑着，终于撑到楚楚参加完高考。楚楚一考完，秀玉就病倒了。送到医院一检查，已是矽肺Ⅲ期。

是矽肺病导致的肺源性心脏病。

楚楚的心都凉了。她早就怀疑母亲得了矽肺，可母亲每次都以年纪大为由，不同意上医院检查。现在，结果出来了，楚楚真不知该怎么办。

秀玉攒的那点钱，原是准备给楚楚上大学的，秀玉住院后，那点钱在肺病房里转了一圈就用光了。

光龙的女儿郑芳就是在这时候出现的。郑芳回来了，样子已瘦得不成人形。

看到自己的父亲站起来，会走了，会说了，她欣慰地笑了。她伸出一双干瘦的手,从自己的衣袋里摸出了一张卡。一张中国银行的长城卡。她把卡递给楚楚,说,给伯娘治病。

楚楚哭了,她说,芳姐,你怎么了?你怎么成这样了?

光龙看着奄奄一息的女儿,痛哭流涕。

芳啊,都是做爹的害了你啊!

郑芳说,爸,替我照顾伯娘。

郑芳说,楚楚,我答应过伯娘要回来的,我这样子,就不去医院看她了。卡里面有两万块钱,你去取了,给伯娘治病。还有,听姐的话,一定要好好读书,上大学,一定要上大学!

这晚,郑芳死了,她是服毒死的。

当秀玉在病房里得知这一切时,她突然后悔当初没有留住郑芳。她怀疑自己,当初救光龙,是不是做错了?

郑芳死后,骨灰葬在了爷爷的身边。秀玉没有去,她问清了坟的位置。她想,如果她不死,下一个清明,她得多祭一处坟了。她没有哭,把泪憋了回去。

得把泪攒着,去孩子的坟上哭。

秀玉的肺已经烂坏了,像马蜂窝。就这烂肺,还让她活着。是郑芳那两万块钱,让她在鬼门关走了一遭,回来了。

十八

楚楚的大学录取通知书来了,果真是一所全国重点。那是楚楚的第一志愿。

她心里没有任何的欣喜,也没有特别的激动。她想,自己只不过是完成了一件事,人生的某一个目标而已。这个目标曾经是她的追求,但现在不是了。

她把通知书给母亲和三叔看了。秀玉说,楚楚,你终于考上大学了,你终于可以读重点大学了,妈是多么高兴啊!紧接着,秀玉的脸上露出了一丝苦笑。

光龙安慰说,嫂子,别急,办法总会有的。

楚楚说,妈,三叔,学校已经说了,要为我免学费,你们就放心吧!

秀玉欣喜地说,真的吗?大学也要为你免学费?你那大学怎么那么好?

楚楚说,我读的大学是全国重点,国内排前几位呢。

秀玉笑了,说,妈真是太高兴了!妈要活着看你读完大学,看你找到工作!

楚楚笑笑,说,我也想。妈,你一定要好好活着,还有三叔,咱们一家人会过上好日子的。

开学的时间到了,楚楚瞒着秀玉到学校办了一年的休学手续——她要打工给自己赚学费。让母亲真的有一天能看见她上大学、找工作。

楚楚的第一份工作是在一个家政公司做文员，实际是窗口业务员。月薪只有五百，其他靠提成。有一天，一对穿着高档、典雅的夫妻来家政公司找钟点工，随便和楚楚聊了几句。

男的说，我想从你们这里找个钟点工。

楚楚问，先生要什么条件的？

女的说，条件无所谓，只要能搞搞卫生，买买菜做做饭就行。

楚楚正要往下说，男的手机响了。男的取出手机接听，出于尊重，楚楚没再说话，而是做出等对方接完电话的意思。只听那男的在电话里说，今晚不行啊，我X大的同学从美国回来，晚上，我要陪他吃饭。

楚楚的眼睛一亮，不觉张大了耳朵。那人说的X大，正是录取楚楚的大学。

楚楚后来见缝插针地问了一句，你们是X大毕业的？

男的说，是啊，怎么了？

一个念头在楚楚的脑里一转，楚楚说，要不，我去你们家做钟点工吧，你们看行不行？

女的奇怪地问，你不是文员吗？你们公司没其他人了？

楚楚笑着说，什么文员不文员，我们也一样做钟点工。

女的说，那好吧，把你的资料给我看一下。

楚楚就简略地说了自己的情况。男的和女的对视一眼，答应了。

其实，楚楚想去给这家人做钟点工，主要看他们是那所大学毕业的。楚楚赚够了学费，也要去那所大学读书。这就是说，有一天，她将要和他们做校友。而他们在楚楚看来，就是成功者，他们的穿着，他们的气质，他们的仪表，处处都显露着这种成功。既然他们将是校友，她也要像他们一样，获得这种成功。

他们就是她的榜样，是她的目标，是她将来要努力成为的那种人！

楚楚就是这样走进周朝伟和刘晶晶家的。

楚楚在周朝伟和刘晶晶家做了一段后，才知道他们是一对丁克夫妻。他们都在外企工作，周朝伟在一家合资公司做市场部经理，刘晶晶是另一家外资公司的中层管理人员。两个人都忙工作，所以结婚多年了，也没有要孩子。楚楚看得出，周朝伟是想要孩子的，可刘晶晶不愿意——她怕生孩子影响自己的形体。

有时，周朝伟和妻子开玩笑，说，咱们要个孩子吧，让楚楚帮你带。

刘晶晶就笑，说，再等两年，等钱赚够了再生。

周朝伟说，钱是赚不够的，赚得越多，越想赚。

刘晶晶继续推脱，等买了车买了别墅再生，得让孩子一出生就过上好日子，再说，我也还想多做两年靓女，你想你的老婆那么快就变成黄脸婆吗？刘晶晶撒娇地搂住丈夫的腰。

听到他们的对话，楚楚的心中莫名地感到心酸。都是人，人和人的差别是多么的大！

后来，周朝伟夫妇知道了楚楚的一些经历，对她十分同情，特意给她多加了工资。

刘晶晶劝楚楚，等你挣够了学费，就赶紧回校读书吧，可别把前途耽误了。将来毕业了，可以来我们公司做。

周朝伟说，楚楚这样做下去，猴年马月也挣不够上大学的学费。这样吧，让楚楚一边在我们家做，一边到我一个朋友公司去上班。公司是他自己的，灵活。

周朝伟说的朋友，就是上次在电话里请他们打保龄球的老拐。老拐有事求他，安排一个人不是问题。

楚楚十分感激。十个月后，楚楚已挣够了一年的学费。她离开了老拐的公司，决定回去看看生病的母亲。每次打电话回去，母亲都说身体还好，可前几天，楚楚突然接到三叔打来的电话，说母亲的病又加重了，让楚楚赶快回去看看。

此时，学校正是放暑假的时候。像当初的郑芳一样，楚楚也怀揣着一张银行卡回家了，卡里面是她赚来的一万多块学费。

楚楚回到家里，看到秀玉，才发现情况比她想得要坏得多。秀玉因矽肺引发心脏病，曾经几次奔赴死亡线，每次都是光龙的细心照顾，才使她又缓了过来。以前是秀玉照顾光龙，现在反过来变成光龙照顾秀玉了。光龙不仅照顾着秀玉，每天还出门捡些垃圾卖钱，卖的钱就给秀玉抓中药。

楚楚每个月给他们寄回五百块钱，这五百块钱就是他们的生活费。楚楚寄钱的理由是她课余在外当家教挣的。

楚楚回家看到这一对相濡以沫的叔嫂，禁不住泪如泉涌。她忽然明白了，母亲当初收留三叔是对的，他们都是黑夜里的一盏孤灯，彼此照耀着，互相取暖。

楚楚听见母亲在问，光龙，我要死了吧？

三叔答，嫂子，你离那天还远着呢，你得死在我的后头。

秀玉说，你比我小一大截呢，你得死在我的后头。

三叔答，嫂子，我这命可是你捡回来的，要不早死在你前头了。

秀玉说，到了那边，不知道你哥还肯不肯要我？他那边可是有个死鬼婆娘呢。

三叔答，我都四十八了，也快了。

楚楚在黑夜中听着他们的对话，泪流满面。三叔还不满四十八，在城里，四十八岁还是多少男人的盛世华年！

十九

楚楚回家后，将母亲送到了医院。辛苦十个月赚来的学费，就这样没了。秀玉出院后，身体好多了，她又能带着那块烂肺走来走去了。

秀玉出院后，问女儿，楚楚，你哪来的钱给妈看病？

楚楚说，学校给我发的奖学金。

秀玉问，你学校怎么给你发那么多奖学金？

楚楚说，我的论文得了奖，学校给奖的。还有我打工挣的。

秀玉就欣慰地叹了一声，说，妈总算熬到今天了。妈真想熬到你出息的那天。唉，妈这烂肺呀！

光龙在一旁笑道，嫂子，你肺烂心不烂，你的心永远红通通的。

秀玉就笑了，说，死了就不红通通了。

楚楚劝母亲，妈，你不要整天死啊死的，你不想看到我给你赚钱享福了？

秀玉叹一声，说，妈怎会不想呢？秀玉顿一顿，又说，楚楚，妈有话要对你说，再不说，恐怕就没这机会了。

楚楚的眼泪悄悄流下来，她已经知道母亲要对她说什么了。

秀玉说，楚楚，你不是妈亲生的，你是妈从大队的厕所里捡回来的。

楚楚哽着嗓子说，我知道。

秀玉愣住了。秀玉说，你怎么知道的？谁告诉你的？

楚楚说，芳姐回来那次，妈住院时我知道的。

秀玉问，你芳姐告诉你的？

楚楚摇摇头，妈的血型是O型，我的血型是AB型。如果我是妈亲生的，我就不可能是AB型。

秀玉傻了，说，这也能看出来？

楚楚说，妈不也不是外婆亲生的吗？

秀玉哭了，秀玉说，楚楚，妈没告诉你，你不怪妈吧？

楚楚搂住母亲，把下巴抵在母亲的头顶，说，知道跟不知道有什么两样？妈啊，你没生我，可你养了我！你是真正给我生命的人！在这个世上，我只有你这一个妈！

眼泪疯狂地滑过楚楚的脸，形成一道道泪沟，在楚楚的下巴处交汇，又一直渗进了秀玉的发丛里。那发丛已花白，一度见证了主人的青春与美丽，苦难与沧桑。楚楚在母亲的脸上抚摸着，颤抖的指尖传达着对母亲无尽的眷爱与感恩。

二十

给母亲治病，花光了钱，楚楚并没有多少懊悔。只是，开学在即，一年休学的时间已到。她再也无法筹措到上大学的费用。

她已决定放弃上大学的梦想。

这梦想对别人是那么近，对她，却是那么遥远。她想起好心的周朝伟夫妇，他们读完了自己想要读的大学，实现了自己想要实现的梦想。她是多么羡慕他们。他们是善良的，宽厚的，他们曾帮助过她，让她得以有那样十个月的打工经历，让她赚到了给母亲救命的钱，让她的母亲带着两块烂肺在这个世间又多走了一程。

她站在街边的公用电话亭里，给远方的他们打了一个电话。电话是周朝伟接的。

楚楚说，刘姐呢？

周朝伟说，她出差了。

楚楚说，周哥，我想找你聊聊，你愿意吗？她打的其实是周朝伟的手机。

周朝伟说，我听着呢。他又说，你等一下。说完电话就挂断了。楚楚失望地压下了话机。可一瞬间，电话铃又响了，是周朝伟打过来了。

周朝伟说，楚楚，你是有话想对我说吧？

眼泪从楚楚的脸上淌下来。楚楚说，周哥，你愿意听我给你讲个故事吗？

周朝伟说，你说，我听着。

楚楚讲了母亲的故事，讲了母亲的三次婚姻，讲了自己的出身，讲了自己对母亲无以为报的感恩。那边的周朝伟一直在听，有时，楚楚能听见电话那边发出的一种奇怪的哗哗声，仿佛海浪的呼号。

楚楚讲完，心情平静多了，楚楚说，周哥，本来，我们可以成为校友的，现在看来不可能了。楚楚说，我已经决定了，不去读大学了。

周朝伟听完，心灵颤动着，震撼着。其时，他正在外地出差，住在大连海边的一座宾馆里。夜色下的大海，深远广瀚，海风掀起波涛，溅起一层层白浪，白浪翻涌着，奔腾着，哗哗作响，仿佛千万条海豚在怒吼，在搏斗。

周朝伟努力地平定着自己的心绪。问，楚楚，你的家乡在哪里？你的家乡美吗？

楚楚说，美极了，在江汉平原的腹部。这里的土地肥沃，麦浪翻滚。春天，田野里开满了紫色的燕子花，白色的豌豆花，金色的油菜花。这里紧邻长江，有着整个长江里最宽阔的江面。我和我的母亲，还有三叔一起住在县城里，这个县城就叫石城。

周朝伟说，楚楚，你在家中等我，我马上到你的家乡来，你一定要等我！

周朝伟赶到楚楚的家乡时，楚楚正站在江边的渡口等他。金色的烈日将无垠的光芒尽情地泼洒下来，将整个江面照得耀眼、剧烈、炫目。这里的江面是那么的宽阔，浑浊的水面上铺展着一层白色的气泡，那是船舶吐出的浮沫。

远远地，周朝伟就看见了憔悴不堪的楚楚，她的身子是那样单薄、消瘦，脸上写满了少女的忧郁，她一袭白衫，烈日下，江风掀起她的裙袂，卷起她的黑发，仿佛一只飘摇欲飞的纸鸢，一双沉郁的眼睛里，丝毫也没有那种青春少女特有的动人光芒。

那一刻，周朝伟决定带楚楚走，让她过正常的生活：读书、恋爱、工作，让她像自己的亲妹妹一样享受这个年龄应该享受的阳光与自由。

二十一

二〇〇三年九月，楚楚终于上大学了。学费是周朝伟资助的。

楚楚的生活费也由周朝伟按时给付。

周朝伟做这些都没有让妻子刘晶晶知道。不是不想让她知道，而是怕她知道了误会，无事生非。

楚楚就这样开始了自己的大学生涯。楚楚又开始有梦想了，但更多的是负累。母亲还病着，而她又无端地接受了一个无关的人的资助。虽然楚楚和周朝伟间订的口头君子协议是：钱是借的，等楚楚工作后，赚钱了，再还。实际上，周朝伟没打算让她还，楚楚也知道周朝伟不可能让自己还。

每个星期，周朝伟到楚楚的学校来给楚楚送一次生活费。每星期一百块钱，除非有特别需要，绝不多给，也绝不少给。

楚楚也很乐意这种方式。但周朝伟来得多了，楚楚又觉得不妥，就提出让周朝伟每个月给一次，一次四百，让她自己支配。

周朝伟嘴上不说，内心里其实是想来看看楚楚，为她改善一下伙食。他发现楚楚太瘦了，所以每次来看楚楚，他都要把她带到校外的餐厅里吃一顿饭。每顿饭，他都会不断提醒楚楚多吃一点。他不停地说，吃多点，吃多点，你太瘦了。他的表情一本正经，就像一个严厉的父亲。

起初，对这样的安排，楚楚是拒绝的。她似乎看到了一种令她感到害怕的未来。楚楚看得出来，周朝伟帮她，并无所图。可她的内心却在变得越来越丰富，越来越潮湿，越来越柔软。

楚楚发现，自己在爱了，在爱那个好心帮自己的男人。她知道，他有一个优秀的妻子，一个善良的妻子，她曾经像他一样无私地帮助过她。她对他们都心存感激，可她的心不肯听她的，她的感觉也不肯听她的。这是一种多么让她害怕、让她不想要的感觉啊！

楚楚开始记日记。她把自己一生遭遇的种种苦、种种难都写了进去。她写自己的母亲，写母亲的苦难，写她的出生，写她的爱，写她对周朝伟的想念，写她对他妻子的内疚。她无心去抢夺别人的爱情，只想偷偷地爱着自己想爱的人。

这爱让她痛苦，让她饱受折磨。有一天，当周朝伟又一次来看她时，楚楚忍不住伤心地落泪。周朝伟不知道她的生活中又发生了什么，就把自己的手放在她的头上，抚了抚，楚楚再也控制不住自己，扑进他的怀里失声痛哭。

这突然的情形，让周朝伟一时也有些失控。说实话，从他在渤海湾倾听她那苦难的倾诉，他的心就为这个女孩痛着。海潮在他的睡眠外涌动，他度过了整整失眠的一夜。那一夜，他的心一直在祈祷，为一个少女祈祷。

爱情就这样猝不及防地来了。楚楚发现自己怀孕时，肚里的孩子已有近四个月。楚楚的例假一直不规律，瘦，情绪抑郁，加上长期营养不良，她的例假总是有一阵没一阵，有时才隔一个月，有时又隔半年。

楚楚发现怀孕，是在自己实在吃不下东西时。累，犯困，总是吃不下，又总是睡不够。她这才想，自己是不是怀孕了？

怀孕的感觉让她兴奋又恐惧。兴奋的是，这个孩子是她和周朝伟的，是她爱的结晶。恐惧的是，孩子怎么办？她好不容易才上了大学，不能因为这个孩子就毁了。楚楚担惊受怕，叫来了周朝伟。

周朝伟倒是很平静。要一个孩子一直是他的愿望。他带楚楚去医院做了检查，B超显示，孩子已四个月了，要做，只能做引产。周朝伟算了一下日子，孩子出生的日期应在八月底，正好是楚楚放暑假的时候。楚楚瘦，身子不显，他决定让楚楚生下这个孩子。

他为楚楚在校外租了房子，一心等楚楚把孩子生下来。

楚楚本来不想生孩子，可她深爱周朝伟，对他又心存感念。就这样，楚楚一边上学，一边为他孕育着腹中的孩子。这年的八月下旬，楚楚生下了一个女婴。周朝伟给女儿取名叫周丛。

这一年，楚楚在月子里升上了大二。

周朝伟给楚楚母女请了保姆，楚楚就又像平常一样回校读书了。暑假里，她没能回家看母亲，但给母亲和三叔寄了很多钱，反复叮嘱三叔带母亲去医院里看病。楚楚牵挂母亲，又放不下刚出生的女儿。生了这个孩子，她也没想过要嫁给周朝伟。她知道，周朝伟没有勇气提离婚，他们是大学同学，感情一直很好。刘晶晶是爱他的，唯一的缺憾是她不愿意生孩子。现在，她给他们生了一个孩子，她想，如果他们需要，她就给他们。这也算是自己对他们的报答。如果刘晶晶恨她，她也情愿接受。因为是她先伤害了对方。

她把这些想法都写进了自己的日记里。

悲剧就是在这之后发生的。国庆节一放假，楚楚就接到了三叔的电话。三叔说，楚楚，你赶紧回来一趟，你妈不行了，想见你。

楚楚闻讯，立即告知周朝伟。周朝伟说，你先回去，我留下来照看女儿，回来时我开车去接你。

楚楚就一个人上了路。赶回母亲身边时，秀玉只剩下了最后一口气，她在等楚楚。

楚楚扑到母亲的床上，扑进母亲的怀里，母亲的怀抱已经失去了温暖，孱弱不堪。

秀玉从怀里摸出一个麻线圈，颤动着手放进女儿的手心。

秀玉说，这是我亲娘……留给我的……金手镯，一九六○年……差点充公，麻线……是我的养母……缠的，你留着……上大学……

秀玉说完就闭上了眼睛。楚楚还来不及告诉母亲，她也做了母亲，母亲就走了。她的手心里躺着母亲留给她的麻线圈。

麻线圈湿湿的，沉沉的，那是母亲的母亲传给她的亲情。现在，她也做了母亲，她也要把这份沉沉的亲情像火种一样传下去，传给她的女儿。它已不是一个金手镯，它是一段历史，是几代人的故事，几代人的命运。它凝聚了母亲生母的爱，母亲养母的爱，母亲的爱。它是如此沉重，如此真金不怕火炼。它经历了那么多的磨难，历经了艰险与曲折，传到了她的手里。它的外表如此粗糙，可它的里面是真金，是经得起火炼、经得起霜冻的黄金。

楚楚捧着这个麻线圈，就像是捧着养母秀玉那颗黄金般的心。

二十二

楚楚是在回校的路上出的车祸。

她安葬了母亲，安顿好了三叔，就往学校的方向赶。那里还有她的亲人，她的爱。

那个麻线圈被她牢牢地挂在胸前。楚楚死前，手里一直紧紧地握着它。与她一起死去的，还有周朝伟。周朝伟怕楚楚路上出事，非要开车来接她。一路上，楚楚给周朝伟讲了这个麻线圈的故事。讲了解放初的肃反，讲了一九六○年的饥荒，讲了这个麻线圈的来历。这些，母亲秀玉以前曾给她讲过，但她从不知道，母亲的手上至今还保留着这个缠了麻线的金镯子。

楚楚一边哭，一边讲，泣不成声。周朝伟用一只手开车，另一只手始终握着楚楚的手，安抚着、感受着她的悲伤。

车祸发生时，周朝伟的脑子一片空白，他根本来不及闪避那辆疯子似的大货车。

周朝伟的妻子刘晶晶接到交警大队的通知，赶到医院时，周朝伟已经抢救无效死亡。交警说，你丈夫的车上还有一位伤者，伤势很重，已不能说话，请你帮我们确定一下她的身份。

刘晶晶没有想到，她看到的是楚楚。楚楚的口鼻被罩在氧气面罩里，眼神恳切地望着她，冲她艰难地举起一只手，把紧握在手里的麻线圈放进了刘晶晶的手心。然后就闭上了眼睛。刘晶晶看着手里这个粗糙不堪的麻线圈，不明白楚楚究竟要托付她什么，她想等楚楚的亲人赶来后，再把它交还出去。

然而，楚楚的学校反馈给刘晶晶的消息是，楚楚唯一的亲人她的母亲已离世，楚楚就是在奔丧返回的途中出的车祸。

刘晶晶心里对丈夫的死充满了疑惑，不明白那个曾在他们家做过钟点工的女大学生，为什么会在丈夫的车上，会和丈夫一起出事。

疑团的解开，是在几天后。一个女孩子抱着一个不到两个月的女婴走进了她家。女孩子告诉她，女婴是她的丈夫和楚楚的遗孤。随着这个女婴一起到来的，还有楚楚的一包遗物，那里面是楚楚的日记。

刘晶晶怀着悲愤翻开了楚楚的日记。

日记记述的内容与一段逝去的历史有关，与一家三代遗孤的命运有关。

刘晶晶解开了那个麻线圈，里面是一个黄灿灿的金手镯。

刘晶晶宽恕了丈夫，也宽恕了楚楚。她收养了丈夫和情人的遗孤，给孩子改名刘丛。

（选自《芳草》2007 年第 3 期）

徯 晗

女，20 世纪 70 年代出生，湖北人。复旦大学中文系毕业，现居广州。16 岁开始文学创作，1989 年在《天津文学》发表小说处女作《日落》。迄今在《收获》等文学期刊上发表文学作品二百余万字，主要作品有长篇小说《爱是一条温暖的河》《爱在繁华深处》，中篇小说《扒雪》《灵魂无助》《私人经典》等二十余部。

老 五

吕志青

一

传坤听人说，从宗保那里传出了消息：老五快死了，或者正在慢慢死。从下面开始，一点一点地往上死，一层一层地往上死——就像是水潭里的情形：随着雨量的不断增加，随着溪水的不断注入，潭水一点一点地往上漫，一层一层地往上漫。那像水一样的死或者是像死一样的水先是漫过了牛蹄，接着是牛腿、牛膝、牛胯、牛肚子、牛的两肋，再往上就只剩下牛背了。一旦漫过了牛背，老五就死了，死透了，那情形就跟淹死在水里一模一样。至少，兽医小屈就是这么说的。按照小屈的推算，老五已经没有多少日子了。

老五生病之后传坤到山上去过两次。头一次去老五还站着，第二次去老五已经伏在地上了。但不管是站着还是伏着，传坤都看不出有什么不同。可兽医小屈说，老五正在慢慢死。

传坤听小屈这样说，就打算最近到山上去一趟，他怕再晚了就见不着老五了。可就在这时他的老二学柱从外地来了一封信。信里说他最近就要回来一趟，找光元算账，找春香算账。学柱先后已听好几个人说过，他的媳妇春香在家里一直跟他的妹夫光元乱搞。他不知道他的老爹是否知道这回事，如果知道，到时候就不要干预他的事。他已准备好了一把斧头，到时候他要砍了那两个狗男女！

老五是一头老黄牛的名字。这个名字是宗保给取的。宗保最早是生产队里的饲养员。大队改成村、生产队改成组的时候，从前集体的一些耕牛、农具什么的都折价卖给了社员，不，卖给了村民。老五作价六百元，当时，没有谁能单独拿出这么多钱来，于是传坤、家福和贵旺三个人各自掏了二百元，把老五买了下来，算是他们各有三分之一个老五。

一开始是三家轮流喂养，一年当中每家喂养四个月。只是这四个月对他们三家来说是各不相同的。比如在夏秋季节，青饲料就多一些；到了冬天和早春，老五就只好吃干饲料，这就得多费一些工夫。干草要用铡刀铡成一截一截的，以便老五吃起来更舒服。当然，并不是每个人都这么细心。比如贵旺，轮到他来喂老五时，他懒得铡草，也不拌料，只是搂起一团干草往牛栏里一扔，让老五自己去嚼。有时他甚至什么也不扔或者是忘了扔，老五就只好饿着，饿得哞哞叫。有一天，老五饿急了，撞坏了牛栏冲了出去，随后沿着山路一直跑到了宗保那里。

宗保差不多是住在高山尖上。那山海拔将近两千米，从山脚走到山顶差不多要花上半天时间。那牛一路跌跌撞撞爬高下低，在迂回曲折的山路上一个劲地往宗保那里跑，它跑得那么专心，连路边的草也懒得啃一口，水也不喝，就像是气疯了一样。他们太不把它当人了。当然，说这句话的实际上是宗保。

贵旺觉得宗保的这句话有毛病，牛就是牛，怎么好当成人呢？可宗保觉得他这话一点毛病也没有。牛虽说是牛，却也是人。你不把它当人，它也不把你当人。

宗保与老五的三个主人的矛盾就是这么来的。他觉得他们不把老五当人，因此他也就不把他们当人——不把他们当成是老五的主人。简单地说他把老五扣下了。他在那幢破破烂烂的土屋里腾出一间房来让老五在那里住下了。而老五也在那里住得非常安心，根本就不管它现在究竟应该属于谁或谁是它的主人。

老五不管不顾，可它的三个主人却不能不管不顾。这三个人约好了一个日子，准备一起到宗保那里去把牛拉回来，可到了那一天，三个人当中只来了两个。

来的是传坤和家福。他俩在山脚下见了面，站在那里抽了一袋烟，接着又抽了一袋，又抽了一袋，可还是不见贵旺的影子。后来他们才听说，贵旺是跑到邻村一个赌场里赌博去了。听到这个消息后他俩气坏了。平时，每当老五生病要找兽医时，贵旺就说自己一个子儿也没有。一个子儿也没有却能往赌场里跑！不见贵旺的人影，传坤和家福就只好两人一起去了。一路上他俩都在说贵旺不是个东西，一直说到了宗保家里。

宗保听他俩这样说那气就消了一半。随后答应了让他们把老五拉走。没想到老五却不肯走。牛鼻绳都快要拉断了，如果牛鼻绳不断，那牛鼻子就得断，反正总得断一样。看到这情形，两个人只好停下来哄那牛。他俩一个在前一个在后，前面的那个在摸老五的脸，后面的那个在摸老五的屁股。摸了一阵，老五还是不买账。之后，两个人都累了。随后他俩在宗保那里吃了中饭，说先把老五寄养在宗保那里，等过一段时间，等老五的气消了，气顺了，再把它拉回去。

过了一段时间，他俩又去了。这一次他俩终于找到了贵旺，把他一道拉了去。没想到，老五一见了贵旺就烦躁不安起来，又是吼又是叫的，还尥蹶子，还把脑袋低下，想顶人的样子。老五低下脑袋时的样子很吓人，眼珠子红红的。仇人相见分外眼红。老五见了贵旺，就跟见了仇人似的。三个人一看这样，只好就又回去了。

隔了不久，传坤和家福又到山上去了。这一次他俩没有叫上贵旺。他俩已经看出，没有贵旺事情恐怕还好办一些。谁知刚刚走到半山腰，贵旺却忽然从后面气喘吁吁地赶了上来。赶上来后又不说话，只顾一个劲地在那里喘气。传坤和家福你看我我看你，一时拿不定贵旺究竟打的什么主意。

等贵旺把气喘匀了这才说，他在赌场输了钱，想把老五卖了——把属于他的那一条半牛腿卖了。贵旺并不是不会算账，可他却一直这么说，他说他有一条半牛腿。那两个人跟他说过多次也没能把他纠正过来。后来他俩也就只好由他说去。只是，他说要卖就能卖吗？卖给谁呢？传坤和家福已经各自有了三分之一个老五，他俩觉得已经够了，不想多要，那么贵旺打算卖给谁呢？

贵旺说这还不明白吗，卖给宗保啊。那两个人一想，卖给宗保倒是不错，可是钱呢？谁都知道，宗保无儿无女，一直吃五保，吃五保的人是拿不出钱来的。那么，宗保的钱从哪里来？或者是，谁来替宗保出那一份钱？他贵旺愿意吗？

贵旺骂了一声娘说，老子卖了它就是想弄几个钱，你们倒好，倒要我来拿钱！

那两个人笑着，说也并不要他拿钱，他一分钱也不用往外拿，只要把他原先的那一份归到宗保名下就行了。

贵旺说，那还不跟拿了钱一样吗？

这两个人笑一笑说，原来你会算账啊，可你怎么老是说你有一条半牛腿呢？

三个人说笑着，不知不觉就到了宗保家。一进门，贵旺就一本正经地说要把他的那一份归到宗保名下，并要宗保马上拿出钱来，就好像是宗保自己说了要买他那一份似的。贵旺说，如果宗保不能马上拿出钱来，他就要砍下老五的一条腿，再加上半条腿。

贵旺的这番话让其余的几个人都感到非常气愤。尤其是传坤和家福，他俩认为贵旺完全是在扯横皮，甚至是在耍流氓。

几个人说着说着，差点打了起来。弄到最后，那牛还是没能拉下山。贵旺不让拉。贵旺说，除非宗保能拿出钱来，否则那牛就不能拉走，不仅不能拉走，还要让它一直待在宗保那里。

传坤和家福自然认为贵旺是在说混账话。可也正是这混账话让他俩忽然开了窍，既然老五不肯随他们下山，既然贵旺也愿意让老五待在宗保那里，他们何不让它就待在那里呢？待在那里由宗保喂养。当然，并不白白喂养，宗保没钱入股，那就让他出技术、出力气，技术和力气也可以入股。这么一合计，两个人顿时高兴起来。

在他们三个人之间早就定有一条协议：少数服从多数。现在他俩意见一致，贵旺虽说满肚子不高兴，但也只能服从了。经过这么一番折腾，宗保从此也就成了老五的四分之一个主人了，也就是说有了一条牛腿。

贵旺虽说很不高兴，但渐渐地却也看出了一点好处来：宗保一入股，老五就再也用不着他贵旺来饲养了，不仅用不着他，就连传坤和家福也不用操心了，一切由宗保经管。

青草从地面上长出来的时候。宗保把老五拉出去吃青草，青草枯萎了，宗保就让老五吃干草。干草用铡刀铡得细细的，老五舒舒服服地吃着，不用出门就把冬天度过去了。到了该用牛的时候，宗保把老五从山上拉下来。其实也用不着拉，他让老五自己在前面走着，他拿一根长烟管跟在后面，遇到老五打花招的时候就拿那长烟管在它的屁股上轻轻地敲打一下，只一敲，老五就又转过头去，径自朝前走了。

到了山下，到了水田里或旱地里，老五就被戴上了牛轭，拖着犁在水田或旱地里走。在水田里走时老五有点吃力，泥巴过于黏稠了，蹄子一扎下去就很难拔起来。老五艰难地拔着四个蹄子，交替着上下扑通扑通的，就像是在敲着一面鼓。而且，泥浆四溅，似乎也有一种乐趣。在旱地里，老五就走得轻松多了，它顺着犁沟一边朝前走，一边悠闲地朝两边望一望。有时，趁那耕田的人停住撒尿它就顺便在田边地头啃一口草。这是说如果它碰巧走到了田边地头的话。

通常，老五干活儿时宗保并不离开，而是蹲在田边地头陪着老五。而老五也像是知道似的。有宗保在的时候，老五就更卖力一些，也更听话一些。若宗保不在，它有时难免要耍一点牛脾气：不走正道，或者干脆犟头犟脑地站在那里不动窝。碰到这样的时候，除非宗保在，别的人简直拿它一点办法也没有。尤其是贵旺，老五似乎常常有意要跟他过不去。贵旺倒也不怕，遇到那样的时候他就干脆把牛鞭往宗保手里一交，一切由他去弄。再往后他就基本上不问农事了，专心专意地赌上了。

家福的地是自己耕。传坤的地一般也是自己耕。与家福不同的是，传坤的地更多。除了他自己名下的那一份，两个儿子的地也由他帮忙代耕代种。

传坤有两个儿子一个女儿。老大学军在河南当兵，一年难得回来一次，家里只有大儿媳大秀一个人忙进忙出；老二学柱娶了贵旺的女儿春香，学柱常年在外打工，春香也是一个人在家；传坤的老三学敏嫁给了家福的儿子光元。光元初中没读完就回了家，起初还跟人学过一阵木匠，可还没干上半年就跑掉了，以后一直闲着，东游西荡，吃喝嫖赌什么都来。所以家福常常说，他这个儿子德性一点也不像他，倒是很像贵旺。学敏嫁给光元后两人总是在打打闹闹，不久学敏就到外地打工去了。由于家福两口子身体都不大好，因此，实际上女儿女婿的这一份地也是由传坤代耕代种。

传坤代耕代种的地太多，忙不过来时就请宗保下山来帮帮忙。当然，帮忙也不白帮。每到油菜籽打下来，榨了油之后他总要让人给宗保捎一些去。花生也是一样。菜油和花生要算是这地里出产的比较高档一点的东西了。除此之外是水稻和小麦，这两样都不多，多的主要是土豆、红薯和玉米。庄稼打下来后，凡是老五能吃的东西，像稻草啦，榨过油的菜籽饼啦什么的，传坤都让宗保弄上山去。

人吃五谷杂粮有时难免要生病，这在老五也是一样。每当老五病了，就由宗保去请兽医。给老五治病的钱由传坤、家福、贵旺三人均摊。这三个人当中贵旺常常是输得一个子儿不剩，很难指望得上他。剩余的两个人情况又有点不同：家福只有光元这么一个不成器的儿子，两个女儿都嫁到了外乡。嫁出去的女泼出去的水，那是什么也指望不上的。家福生得瘦小，身体很弱。一个老婆也是病病歪歪的，动不动就躺到了床上。与家福不同，传坤身板硬朗，儿女又在外面打工，手头活泛得多。因此，给老五治病的钱大多是由他这里出。

这一年的九十月间老五又病了。这一次病得有些古怪。先是不吃不喝地站在牛栏屋里。一站就是一天，还不止一天，到了夜里也还是那样，就像是它能站着睡觉似的。可看那样子它也没睡，眼睛睁得大大的，像是在耍牛脾气。可是也不大像是耍牛脾气，它既不尥蹶了也不拿角顶人，光是站在那里，不叫也不吼，像是在跟谁赌气。不过，也不大像赌气。通常，牛在赌气时目光中会透出一股怨气，但老五的目光看上去却十分平和、平静。它只是平和、平静地站在那里。这情形就连宗保也没有见过。

宗保去找来兽医小屈（大家普遍认为他的医术不咋地）。小屈先是拿手摸摸老五的额头，看它有没有发烧；接着掰开它的嘴巴，扯出它的舌头，扯得长长的，他像一个老中医那样仔细地察看了它的舌苔。

舌苔没问题。小屈说了这么一句之后又去翻老五的眼皮。翻过眼皮之后小屈从衣兜里摸出来一个红色的橡皮小锤，在老五身上这里敲敲那里敲敲，尤其是那些有关节的地方，膝、髋、胯，到处都敲了敲。老五随他去敲，仍然站在那里，一动不动。

各处都敲过一遍。小屈仍然感到十分迷惑或者更加迷惑了。随后他就用那个小锤子在他自己身上敲打起来了，一边敲还一边围着老五转圈子，转了一圈又一圈，可还是没能看出问题来。末了他对宗保说症状还不明显，还得再观察观察。说过之后小屈就回去了，还顺便带走了老五的粪样和尿样。过一天小屈又来了，说粪检和尿检都已做过，没什么问题。如果要想发现问题，可能还需要等待一段时间。这一等就是好几天，情况仍然没什么变化，老五仍然只是一声不响地站在那里，让人不知道它究竟想干什么。

随后有一天早晨，宗保走进牛栏时看见老五的一条前腿忽然像抽筋那样抖动了一下，接着那条腿慢慢地弯下去，弯下去……噗的一声，老五的那条腿完全蜷曲起来，跪到了地上。随着这一跪它的身体失去了重心，一下倒塌下来。之后它就一直伏在那里了。这期间小屈又来过一次，这次他给老五打了一针。小屈说，不管怎样，先给它打一针再说，打一针看它有没有反应。

就像是为了给小屈留一点面子，在小屈说过这话之后的第二天老五的一只耳朵动了动，甚至还在宗保的脸上拂了一下。只是，对这个说法兽医小屈很是怀疑，他怀疑那只是宗保自己那么感觉或者是看花了眼。总之，小屈的看法是，老五就快死了，或者正在慢慢死。那像水一样的死或像死一样的水从脚下开始，正一点一点一层一层地往上漫……只是宗保并不同意这个说法。在宗保看来,老五也许只是有点身体不适或者是脑子有点混乱,因此它需要不食不眠静静地待上一个时候,就像有些吃斋念佛的人每隔一段时间就要这样待上一个时候一样。至于这个时候有多久,既然连兽医小屈也不知道,那就只有老五自己知道了。

对于他俩各不相同的说法,传坤一时不知道该相信谁的。本来,传坤打算最近到山上去一趟。可就在这时,他的老二学柱来了一封信,信中说,他要一斧头砍了那两个狗男女!

二

传坤一时慌了起来。有关光元和春香胡搞的事他早有耳闻,但他一直感到难辨真假。再说,作为春香的公公,他也不便掺和到这种事里去。弄不好只怕有人说是他想扒灰,或者是扒灰不成这才干预起儿媳妇的事来了。因此对于这类传言他一直是一个耳朵进一个耳朵出。但现在他若再抱着这么个无所作为的态度显然是不行了。

学柱说他要一斧头砍了那两个狗男女。一斧头虽说砍不了两个,但砍伤一个甚至砍死一个却是完全有可能的。学柱虽说平时看起来蔫不拉叽的,但遇到这种事也就很难说了。狗急了都还要跳墙,何况是人?何况是人遇到了这样的事?

可是,这样的事是哪样的事呢?究竟有没有这回事呢?眼下,当务之急是要弄清楚春香和光元究竟有没有这回事。如果有,就要说服他们争取主动,等学柱一到家就赶紧认错或者是认罪,争取得到宽大处理;如果没有,就要拿出没有的证据来,以证明那些传言完全只是传言。只有这样才能避免即将发生或可能发生的流血事件。

只是,这种事真正做起来也是有点难度的。难就难在人们一般不会承认,就算做了也不会承认。再一个,就算没有这回事,要想找到证据,证明没有这回事也是非常困难的。春香早已不是姑娘了,拿什么来证明自己的清白呢?拿她的品行?虽说她一贯老老实实的,在公公面前从未高声说过话,一开口总是细声细气的,脸上还带着温温吞吞的笑容,可谁知道她人背后怎样呢?闷头鸡仔啄白米,人们不都这样说么?那么她到底啄没啄白米呢?

可实在说,他那个女婿也算不上什么白米,最多只能算是一颗稗子罢了。这么一颗稗子怎么会被她看上呢?是因为太寂寞还是因为太方便呢?他们两个,一个是他的儿媳,一个是他的女婿,无须出门就把事情办了。当然,无须出门只是一个比喻的说法,实际上他的几个儿女早已各自有了自己的家,而且,家家都唱起了空城计。大儿子学军家里只剩下了大儿媳大秀,二儿子学柱家只剩下了二儿媳春香,女儿学敏家剩下了女婿光元。

比较起来，女儿女婿的家离得稍远一些，但也不是太远，尤其对于光元那样成天到处晃荡的人来说根本就不算远。常常的，隔不几天传坤就在哪里撞见了这个不成器的女婿。

几乎从一开始，传坤就看出光元是个不成器的东西。那时，传坤请光元帮忙做一张饭桌，光元把架势搞得很大，又是锯又是刨又是砍的，手上还拿一个墨斗，耳朵上面还夹着半截铅笔，嘴上还叼着一根香烟，看上去像模像样的，可等到把那东西弄好了拿出来一看，根本就不像个东西。饭桌应该有四条腿，四条腿应该一般长，可光元弄出的饭桌在地上根本就放不平整。放不平整还不说，光元还怪那地面不平，还反过来要传坤拿铲子把地面铲一铲。传坤听他这么说当时就有点恼。只是，恼归恼，工钱还得照付。

更要命的是，这期间光元还把传坤的女儿学敏搞到了手，学敏还偏偏要嫁他。传坤就这么一个女儿，奈何不得，只得随她去。可刚刚嫁过去不久两个人就打打闹闹起来，一闹闹到了他这里。先是女儿闹过之后就跑回来了，随后光元提着斧头一路追了过来要传坤交人——就好像是他把人藏了起来，就好像是他造成了他们夫妻之间的不和似的。这种打打闹闹一直就没停止过，直到学敏到外面去打工这才算暂时告一段落。

学敏到外面去打工，光元倒是不反对。光元每月都会收到学敏从外面寄回来的三百来块钱。三百来块虽说不够他吃喝嫖赌，但总比一个子儿也没有的好。至少他再也用不着帮谁去做那种放不平整的饭桌了。只是光元现在的生活里总还是缺了一样东西，那就是女人。像光元那样一个不成器的东西，很难想象他的生活中没有女人。是不是就是因为这个，他才跟春香搞上的呢？

传坤一个人在家里先把这件事情反反复复地琢磨了几遍，琢磨的结果是，他恐怕还得从春香那里入手。光元那里呢，恐怕还没说上三句话就得翻脸，弄不好还要操斧头。传坤倒不怕光元操斧头，但毕竟年纪大了，火气不如从前，不如年轻人了。再说操斧头也不如那人方便。那人木匠没学成，倒是学会了操斧头，动不动就要操斧头。因此，他最好还是从春香那里入手。当然，他也不能这么莽莽撞撞地跑去问她。公公去问媳妇这种事，总归是有点不方便的。想来想去，传坤觉得最好还是暗中悄悄观察一阵再说。

春香的家就在传坤那幢老屋的后面，与老屋相距两三百米的样子。两幢房子的中间是一片洼地。传坤的老屋坐落在洼地西边的一道高高的坡坎上，春香家的那幢土墙屋则蹲在东边的洼地里。洼地里是一些菜地和竹园。传坤只要从后门走出去，站在吊脚楼的廊道里，目光越过那些菜地和竹林，就能居高临下地看到春香的那幢土墙屋。土墙屋的大门朝着北面的一座山，朝着山下的一道溪流。东边呢，则有一条小径,小径一直朝前,通往两三里外春香家的农田。

春香不时会从大门口走出来,到地里去干活儿或者是到溪边去洗菜、洗衣服。如果是到地里去干活儿她手里就拿着农具,如果是到溪边去洗菜洗衣服她手里就提着竹篮,或者是端着木盆。春香到地里去干活儿时总是匆匆忙忙地从屋里出来,然后朝东一拐,走进了一片竹林,很快就看不见了。到溪边去洗菜或洗衣服则没这么匆忙,那时她用木盆装着衣服或用竹篮装着菜,不紧不慢地从大门里出来,穿过门前弯弯曲曲的小径,不慌不忙地走到溪边,蹲下来。洗菜的时候是无声无息的,洗衣服的时候会有棒槌声在洼地里响起来,梆!梆!梆!很有节奏。

此前,只要一听到那响声,传坤常常会不知不觉地来到屋后吊脚楼的廊道里,站在那里朝溪边瞭望。那时他想,她也是很不容易的,常年一个人在家,进进出出都是一个人。虽说她家的地一直是他帮着翻耕,但其余的事,像播种啦、施肥啦、浇水啦、锄草啦什么的全得靠她自己。忙完了地里的事还得忙屋里,屋里有猪,有她自己,猪和她自己都要吃,一日三餐,一餐都不能少。等把这些忙完天就黑了。天黑以后她就关了大门,一个人待在屋里。待在屋里干些什么,那就是他所不知道的了。

春香家有一台黑白电视机,由于收视信号不好,常常是什么也看不成。看不成就只好睡觉。一个人睡觉总归是有点怕的,那么一幢空空荡荡的大房子,天一黑伸手不见五指,一个人躺在床上难保不会害怕,也难保不会……孤单。是不是就是在这样的情况下让光元钻了空子呢?比如,哪天她没有关好门,黑暗中光元悄悄地摸了进去,一直摸到了她的床上,随后猛地把她压在身下。如果遇到了那种事她能怎么办?大喊大叫?可那又有什么好处呢?就算她真喊起来,就算有人闻声而动跑到了她那里,只怕那人也把事情干成了或者是干完了。像光元那样一个粗坯,对付她那样一个弱女子那还不是轻而易举?事情是不是就是这样开的头呢?

事情一旦开了头就很难收得住了。就算一开始她并不情愿,但干着干着就由不得她不情愿了,是不是这样的呢?再或者一开始就是她自己情愿的,而他也并不是晚上才摸进去的。像光元那样一个到处晃晃荡荡的人,又有什么地方不能去呢?他晃晃荡荡地走到了她的家,站在家门口跟她东扯西拉地瞎扯一气,随后跟在她的身后走进堂屋,走进厨房,直到……走进了她睡觉的地方。他抱着她滚到了床上。这两个人,一个孤男一个寡女,干柴遇烈火,还不嘭的一声燃起来?再说他俩还是姻亲,这就更少了一层顾虑。俗话说,十个女的九个肯,就怕男的嘴不稳。但光元会说家丑不可外扬,这事一旦从他嘴里漏出去岂不让人笑掉大牙?是不是就因为这样她才终于让了步呢?这样的事只要有一回让了步,就得回回让步,不让步也不行了。如果她不让步他就把事情说出去,看他俩到底谁吃亏。对他来说大不了挨一回斧头,这是说如果她男人要回来找他算账的话。而她呢?她会遇到些什么呢?很可能,她丈夫会把她撵回娘家,从此再也不让她回到这个家里来了……事情是不是就是这样？

这天上午，传坤站在自家屋后吊脚楼的廊道里，一边朝儿媳家那边望着，一边不知不觉地在心里胡乱琢磨开了。不过他也明白，他再怎么琢磨，琢磨也只是琢磨，究竟有没有那回事还得眼见为实。只是，这天上午他什么也没看见。他甚至没能看见春香出门，她既没有出门去洗衣服洗菜也没有到地里去干活儿。她在干些什么？传坤感到有点琢磨不透。中午，传坤胡乱吃了点东西，随后就又站在屋后吊脚楼的廊道里了。他站在那里抽旱烟，抽了一袋又一袋，抽得舌头都有些发麻了，可还是没有看见春香出来。太阳很快就转到了西边，看上去已是下午三四点钟的光景了，可春香那边还是没有动静。传坤站在那里又抽了几袋烟，一转眼，太阳已经下山，洼地里腾起了一道黑不黑灰不灰的暮色。再一转眼天已黑了。到这时他才意识到他已在这里站了一整天了。

一整天里传坤什么也没有发现。虽说如此，但这也说明不了什么。那样的事情，有许多不都是在夜里干出来的么？如果他放弃了夜间监视，那么多半什么也发现不了。这么想着时，他那两条已经麻木的腿已在不知不觉中开始顺着吊脚楼的楼梯往下移动了。楼梯有三四米高，一头斜搭在廊道的一端，一头落在洼地的泥地上。传坤从楼梯上走下来，穿过菜地和竹园，躲躲闪闪地朝东走去，渐渐靠近了春香家的那幢土墙屋。

现在，这幢土墙屋差不多已完全被夜色包裹了起来。传坤隐身在屋前的一片竹林里，目光越过屋前的稻场，朝那扇大门上看了看。大门紧闭着。留神细听，屋里一点动静也没有。她到底在搞些什么名堂？传坤寻思着慢慢从竹林里走出来，随后绕着那幢土墙屋走了一圈儿。走到后门时他伸手在那门上推了推，没推开。门从里面闩上了。也许还不是时候。传坤一边寻思着一边走到土墙屋东边的一条小径旁边。

春香的屋后，也就是洼地的南面，是一道四五米高的陡坎，因此，东边的这条小径是出入她家的必经之路。如果光元夜里来，那么他一定会出现在这条小径上。传坤这么想着踅进了小径旁边的一片竹林，蹲在那里瞪大了眼睛注视着那条小径。夜色越来越浓了，连鸟都不叫了，只有猫头鹰从不远的什么地方不时传来了一两声咕咕的叫声，就像是谁在打着什么暗号。有什么必要打暗号呢？打暗号为什么又一定要装成是猫头鹰呢？传坤站在那里一阵胡思乱想，不知不觉间月亮出来了。

月亮越爬越高，把四周照得明晃晃的。这个时候，如果光元从那条小径上走过来一定逃不过他的眼睛。传坤的眼睛已经瞪得发酸了，可光元还是没有出现，就像是有意跟他作对似的。

光元一直就在跟他作对，几乎从未把他这个老丈人放在眼里。像光元这种人，不管在什么时候都是个二流子。

月亮已经过了中天，露水开始下来了。夜露浸骨。传坤感到身上有点冷。冷得打起了哆嗦。可他不想就这么放弃。现在，他倒是有点盼望光元早点出现。光元出现得越早，事情也就会了结得越早。可是，直到从春香家传出了鸡鸣光元也没有出现。天快亮的时候传坤只好躲躲闪闪地撤了回去。

虽说一夜没有合眼，但次日一早，传坤就又出现在屋后吊脚楼的廊道里。只不过这会儿他是坐在一把椅子上。早餐是一个烤红薯，中餐也是一个烤红薯，晚餐也是一样，烤红薯。传坤吃着烤红薯，在那里一待又是一天。天黑以后，他照例又从木楼梯上溜下去，溜到了春香家附近，蹲在竹林里。一蹲又是一夜。一夜又一夜，他在那里连续蹲了三夜，加上白天在吊脚楼上的瞭望，那就是三天三夜。三天三夜里他什么也没有发现。他压根儿也没有想到，这三天三夜中光元根本就没有出门，他一直待在春香的房间里。光元不出门，传坤自然发现不了他。等到光元出门时，传坤又没有待在他该待的地方。那时，他忙着上山看老五去了。

三

跟传坤上次看到的差不多，老五还是老样子。牛栏里，老五伏在地上，一动不动。按兽医小屈的说法，老五是在慢慢死。那像水一样的死或像死一样的水正从脚下开始，一点一点地往上漫，一层一层地往上漫。照小屈看老五已经没有多少日子了。可宗保并不同意这个说法。为此，宗保和兽医小屈发生了一点争执。传坤走到宗保那里时小屈刚走，牛栏屋里只有宗保一个人。

自从老五出现这种古怪病症之后，宗保在牛栏屋里放了一把椅子，日夜坐在那里。早上他啃一个烤红薯，中午也一样，啃一个烤红薯，晚上呢，也还是一样，啃一个烤红薯。本来，他也想试着像老五一样不食不眠，但发现不行。他总还是需要啃一个烤红薯，而且也需要不时打一个盹儿，不然的话他担心会死在老五之前。或者，等老五重新站起来时他已经站不起来了。

传坤走进牛栏屋里时，宗保从那把椅子上半站不站地抬了抬屁股，算是对他客气了一下，随后就又坐回到椅子上。传坤看到宗保的两只眼睛已经熬得红彤彤的了。可宗保说传坤的眼睛也是一样。随后问他这些天来在干些什么？传坤稍稍犹豫了一下，随后还是对宗保如实说了一遍。他家的老二来了信，说要一斧头砍了那两个狗男女。

宗保首肯说，这是对的，捉贼捉赃，捉奸捉双。当年宗保的爷爷就是这样杀了自己的老婆和那个奸夫，然后去见县官。县官不仅没有问罪，反而还赏给他两块大洋。

传坤说，这会儿恐怕不行了，现在讲法律，那样干行不通了。

宗保说，法律是会变的，有些老道理却不会变，到什么时候也不会变。比如通奸，到什么时候也会有通奸，既然有通奸，就会有杀奸这样的事。不过最主要的是要弄清楚到底有没有这回事，那两个人到底有没有这回事呢？

传坤说他也拿不准，他已守候了三天三夜了，但还是什么也拿不准。

宗保说，世间有许多事情就是这样，你一时弄不清，有时甚至到死都弄不清。遇到这样的事就只好等着看了，等着看看究竟是怎么一回事。

两人说了一会儿话，传坤留下了一点给老五治病的钱，然后就回来了。那山海拔差不多两千米，光是爬上去就花去了差不多半天时间，等到传坤从山上下来时天已经黑了。

传坤前脚进门，大儿媳大秀紧跟着就进来了。大秀说学柱已经回来了，一进门就把春香按在床上，先是剥光了衣服一阵猛干，接着又朝死里打。

大秀气愤地说，这叫什么嘛，又要干她，又要打她！要打就不干，要干就不打，又打又干又干又打，这算是怎么一回事呢？

传坤听了半晌没有吭声。照他想，事情若是这样恐怕还好一些。男人遇到这样的事可能会出现好几种情况：一种是光打不干，一种是光干不打，一种是既不打又不干。比较起来，三种当中一种比一种可怕，最可怕的无疑是最后一种。那样的男人把所有的劲都憋着，憋到一把斧头上。所以，听到大秀这么说他倒是松了一口气。照他看学柱经过这么一折腾，恐怕就没有多少力气去操家伙了。

果然，这一个晚上就这么平安无事地过去了。

第二天一大早，传坤就让大秀去把学柱替他找来。可大秀一去就没影了。将近中午时他再也等不下去了，随后他只好自己去了儿子儿媳的家。

走进儿子儿媳的家时他不觉吃了一惊：堂屋里，学柱和大秀正坐在桌边一边吃饭一边说说笑笑，春香则是一个人在厨房里忙乎着，忙乎着炒菜，上菜。学柱叫她不要把菜一齐端上桌，而要炒好一个端上来一个。

看起来，在外面打工的这些日子里，学柱已经从城里人那里学会不少新东西。其中包括如何处理老婆跟人胡搞这类事。

学柱说，在他看来，他根本就用不着去动什么斧头，他所需要的应该是一种新的方法，文明的方法。具体说，经济制裁。说得再具体一点，作为胡搞的当事人之一的光元应该就此做出赔偿。当然，除了学敏每月从外面寄回的那三百来块之外光元自己是没有一分钱的，因此他们之间要解决的仅仅只是一个如何赔偿的问题。对于这个问题，学柱想出了一个办法：由他帮光元在外面联系一个打工的地方，打工三年，光元必须将他这三年里的打工所得（扣除必要的生活开支）全部上缴给学柱。三年之后他们之间的事情就算是一笔勾销了。对于这个提议光元没有表示异议，而且很快就与学柱签了一份书面协议。作为中人的大秀也在这份协议上签上了自己的名字。所有这一切，在传坤到来之前都已经弄完了。

传坤一点也没想到事情会是这样一个结果。有好一阵，他坐在那里一句话也说不出来。直到跟他们一起喝完了酒、吃完了饭，从大门口走出来时他才说，既然这样，你干吗又说要操斧头呢？

这句话就像是从他嘴里自动冒出来的一样。没想到，学柱听罢呵呵呵地笑了起来。学柱边笑边说，那还不是为了后面的事么？如果不先把风放出去，又怎么会有后面的事呢？学柱说罢又笑，就像是忍不住似的。

看着他那个样子。传坤忽然感到有一股火直往上蹿。不过，想到自己适才还在这桌上喝了酒，于是便把那火头往下压了压，慢慢穿过洼地里那些菜地和竹林一路朝自己的那幢老宅走去。一路上他不断地安慰自己说，这样也好，这样也好，总比当真动起了斧头好哇。

这么想着心里的那股火头就慢慢地缩了回去。可就在他沿着那个高高的木梯往吊脚楼的廊道上爬去时，那股本来已经缩回去了的火头不知怎么又蹿了出来。等他来到那廊道上时那火头已蹿得很高了，火烧火燎地烤炙着他的那颗心，就像是烤着一个生红薯。

想到红薯就又想到了连日来他所遭的那些罪：一天又一天地待在这屋后吊脚楼的廊道里，眼睛盯花了还不说，连饭都顾不上吃，觉也睡不成，一夜又一夜地蹲在竹林里熬更守夜，眼睛熬得像兔子眼。这还不算，连宗保也都知道了他为了儿媳偷人而熬更守夜的事。现在想来就像是被谁白白耍弄了一回。如果他早知道学柱不过是为了放出风声，不过是为了得到经济赔偿，他怎么还会去干那样的事呢？那样事一旦传出去岂不成了一个大笑话？想到这些，他感到心里堵得发慌。

这天下午，传坤把自己关在家里，把自己固定在一把椅子上。到了该吃晚饭的时候甚至到了该上床的时候，他也懒得动弹。他就那么一直坐在那里。有时他感到自己像是打了一个盹儿，之后就又醒过来了。

醒来后他看见了满屋黑暗。接着，老五又从黑暗中拱了出来。老五一动不动一声不响地伏在牛栏屋里。兽医小屈说它正在慢慢死去，不过宗保并不同意这个说法。对于他俩各不相同的意见，他一时不知道该相信谁。有时，他觉得自己是倾向于相信兽医小屈的。尽管宗保是个不错的饲养员，可他到底只是一个饲养员啊。小屈呢，尽管小屈是一个不咋地的兽医，可他到底是个兽医啊……黑暗中，传坤想着这些，感到自己像是又要打盹儿了。

一连数日传坤都待在家里，待在那把椅子上，不食不眠。这期间大儿媳大秀和老二学柱分别到他这里来过几次。大秀问他是不是病了？要不要找医生？想不想吃点什么或者是上床去睡上一觉？照她看他多半是病了，像他这样不食不眠成天就这么一动不动地坐在椅子上怎么行呢？

对于大儿媳的这些关心他不想搭理，懒得搭理。随后大秀也就不再过问了。他猜，她多半以为他就要死了或者正在慢慢死，从脚下开始，一点一点一层一层地往上死，就像是水潭里的情形。只是，他自己知道，他是不会同意这种说法的，他不过是有点不适或者是脑子有点混乱，他只是需要不食不眠地静静地待一个时候，就像那些吃斋念佛的人每隔一段时间就要这样待上一个时候一样。至于这个时候究竟有多久那他就不知道了，连他自己也不知道。

学柱每次来都只是匆匆忙忙地跟他说上几句话，告诉他事情的进展：学柱已经帮光元联系好了一个打工的地方，那是一个建筑工地，光元将去那里帮人干些简单的木工活儿。像光元那样一个半拉子木匠，也只能干些简单的活儿了。简单的锯啊，砍啊，刨啊。但愿光元能把这些简单的活儿干得像个样子，干得让人家满意，干得让人家允许他在那里干满三年。这样光元也才能很好地履行那个协议。

学柱第二次来时告诉他，光元已经出门了，上路了。光元带着早已生了锈的锯子、刨子和斧头已经出门了，上了路。但愿他从此走上正路，不再到处乱搞别人的媳妇。学柱自己也要回到他打工的地方去了。也许，在他走之前还会上他爹这里来一趟，这是说如果他有时间的话，他会来跟他道别。但学柱在说过这话之后却再也没有来过。不仅学柱没有来，学柱的媳妇春香也没有来。

春香不来，传坤不由得就琢磨开了。她为什么不来呢？是不好意思来么？没脸来么？那天，在儿子儿媳家，她始终只是低着头在厨房和堂屋之间来来去去。她的脸上仍然挂着以往那种温温吞吞的笑容，嘴巴也没有完全闭紧，就像是随时准备开口细声细气地说出点什么似的。她想说出点什么呢？一连数日传坤感到自己像是被这个念头攫住了。就像是一只手紧紧地抓住他。抓住他还不说，还把他从那把椅子上提了起来，一路拉扯着，到了春香那里。

洼地北边的那条小溪旁边，春香蹲在那里，撅着屁股，一只手扯着衣服，一只手拿着棒槌，在一块脸盆大小的卵石上捶击着。洗衣棒一起一落，梆！梆！梆！洼地里发出了有节奏的响声。传坤站在那里干咳了两声。春香把棒槌举在半空中，朝身后转过半张脸来。这半张脸上仍然是那种温温吞吞的笑容，嘴巴也只露出来了一半儿，仍然没有完全闭紧，像是随时准备敞开了说点什么。她想说什么就说吧！

您让我说什么？您想让我说什么？

传坤没想到从那张开了一半儿的嘴巴里冒出来的竟是这样一句话，这让他一时有点不知所措。只是他仍然能感到那只紧紧抓着他的手。只要那只手还没有松开，他就不可能从那里走掉。

你难道没什么要说的吗？

再次听到自己的声音时传坤感到有点陌生。这个上午似乎一切都让他感到有点陌生，春香，甚至他自己。这会儿，春香手中的那根棒槌已经从半空中有力地落了下去，落到了那块脸盆大小的卵石上，落到了一条被扭成麻花状的蓝色短裤上。

梆！梆！梆！随着棒槌的起落，从溪沟那边，从对面那座山的那边传来了一阵

有节奏的回声。往回走的路上，那颇有节奏的敲击声一路追逐着他，其间又夹杂着春香的声音，您要我说什么？您想要我说什么呢？是啊，他想要她说什么呢？传坤回到家里，跌回到椅子上时，他感到自己也有点糊涂起来了。是啊，他究竟想要她说什么呢？现在，他感到像是被另一只手抓住了，抓得紧紧的，这使他在那把椅子上几乎动弹不得。接下来的几天，他一直就坐在那里，几乎是不食不眠。直到从外面突然传来光元猝死的消息时，他才又重新站起身来。

四

光元猝死的消息很快就在村里传遍了，因此，大儿媳大秀跑到传坤这里时，只不过是将人们已经知道了的消息重复了一遍。

消息是从交警这条线上传下来的。光元打工那个地方的交警在处理一起车祸中从光元的身上找到了一个身份证，随后他们通知了这边的交警。这边的交警找到了光元的家人，即他的老爹家福。家福得到消息的当天就动身往那边去了。跟他一起去的还有贵旺。本来这事跟贵旺没什么关系，但贵旺却不知怎么得到了消息，而且一定要跟家福一道去。贵旺说，多一个人多一分力量嘛。家福想想也是，也就没说什么。两人一起上了班车，到了光元打工的那个地方。到了那里才发现事情还颇有点麻烦。

首先是光元还没有开始打工。至少，建筑工地的负责人就是这么说的。他们说，光元几乎是刚刚到了那里就遇到了车祸。那时，光元背着行李，肩上扛一把斧头，斧头上挂着锯子，锯子上挂着刨子，正一路丁零哐啷地走着。正走着，突然从后面来了一辆摩托车。摩托车驶得飞快，而且紧贴着光元，紧贴着他擦身而过。

目击者说，他们前一刻还看见有一个人在路边走着，一眨眼的工夫那人就不见了，再看时他已躺在十几米开外的地方，连脑浆都出来了，从鼻子里出来了，就像是挂着两道白鼻涕。据说摩托车先是剐到了那些锯子和刨子，随后连带着将光元带到了半空中，带到了十几米开外的地方。

工地负责人说这件事跟他们没关系，出事地点离他们的工地还有五十米。因此，不管是打官司还是要赔偿，他们都只能去找肇事者。

家福通过交警找到了肇事者。肇事者表示愿意赔偿，而不愿意打官司，不愿意坐牢。然而说到具体的赔偿数额时，肇事者又说拿不出多少钱来。这让家福一时感到不知怎么办才好。照家福的想法，如果对方没有诚意他就干脆把对方告到法庭上。

贵旺却劝他不要这么干。照贵旺的想法，家福的儿子已经死了，他就是把肇事者告到法庭上，弄进监狱里，也不能让他儿子再活过来，而且，也拿不到多少钱，弄不好一个子儿都没有也说不定。因此，一定要铁下心来要赔偿。贵旺为家福出主意说，不如把传坤也叫了去，传坤不是他的亲家么？不是他儿子的丈人么？现在，女婿出了事，他这做丈人的总该出点力吧？

随后贵旺就替家福打了个电话，找到了大秀，让大秀把这个消息告诉她的公公传坤。他们的意思是，传坤最好能赶紧过去一趟，多一个人多一分力量，再说，传坤从前还当过几天生产队长，跟人打交道自然比他俩强得多。而且，传坤不是跟省里的一个什么大官还有点什么关系吗？在这个时候，关系、后台什么的是最重要的。

传坤一声不吭地听着大秀的转述，听到这里不由得哼了一声。他想，那算是个什么关系呢？贵旺提到的那个人曾经在他们这一带打过游击，那还是解放前的事了。传坤曾听他的爹讲过，有一次那人受了伤，带着几个人在他们家住过两夜。解放后那人的官越做越大，从县里到市里，到省里，听说后来是在省政协当一个什么官。有一年，县里搞什么活动还把他请了回来。那一次，那人顺便看了看他曾经打过游击的地方，还在他们的家门口停留了一会儿。事情也不过如此，哪里能当回事呢？虽说不能当回事，但传坤还是不能不把光元的事当回事。虽说他一直就不喜欢这个半拉子木匠，虽说光元前不久还搞了他的二儿媳，连带着让他也遭了罪，但不管怎么说光元总是他的女婿，他女儿的丈夫。而且，既然现在人家已经求到了门上，他也只好走一遭了。

次日一早传坤就登上了班车。班车到了县里，又换了一辆班车。这辆班车一直把他拉到了光元打工的那个城市里。当天晚上，在一家小旅店里，传坤见到了他的两个亲家：家福和贵旺。

家福和贵旺两个人的眼睛都是红彤彤的，就像是兔子眼。传坤想，家福也许是因为熬夜或者是着急。那么贵旺呢？贵旺又是因为什么呢？是不是因为日夜赌才搞成这个样子的？

看到这两双通红的兔子眼时，有一会儿传坤不免又想到了老五。照兽医小屈的说法，老五正在慢慢死，那像水的死或像死的水从脚下开始，正一点一点一层一层地往上漫……他俩想没想过这些呢？想没想过要为老五做点什么呢？家福的身体一直不大好，一个婆娘也是病病歪歪的。那么贵旺呢？除了赌博，贵旺又干了些什么？传坤想到这些不知不觉就有些来气。

贵旺却说，现在不说这些不说这些，现在最要紧的是赔偿。贵旺说他已找人打听过了，像这样的事怎么也得有个十万八万的，虽说他也知道家福的儿子、他传坤的女婿不成器，但怎么着也是一条人命啊。

正说着，学柱和学敏几乎是一前一后地走了进来。

光元毕竟是学敏的丈夫，虽说他俩一直就在打打闹闹，但不管怎么说，光元总是她的丈夫。光元死了，她自然该来。那么学柱呢？学柱怎么也来了？问这话的是学柱的老丈人贵旺。贵旺话音刚落，学柱就说，你还问我，我还没问你呢，这事跟你又有什么相干呢？你怎么也跑来了呢？

贵旺说，我来不来莫非还要你来管？要我说，你只要管好你自己家里的事就行了。

学柱顶他一句说，我家里什么事？

贵旺说，你还当我不知道？你跟光元搞了个什么协议，那是拿我女儿卖钱咧。

学柱说，你还有脸说，你女儿偷人你还有脸说？

贵旺说，我没脸？我倒没脸？是你媳妇偷人又不是我媳妇偷人，我倒没脸？

学柱说，我媳妇不就是你女儿么，你女儿偷人你还觉得蛮光彩的是不是？

贵旺说，光彩不光彩，我还没想到拿她卖钱！

学柱说，你不想拿她卖钱那你跑到这里来干什么？

贵旺一听这话就恼了，抬手给了学柱一巴掌。学柱的半边脸立刻红了起来。学柱红着脸，捋出拳头来，叫着嚷着要揍他的老丈人。一时间这翁婿两个又喊又叫地纠缠在一起。两个人都抓着对方的肩膀，头顶着头，像牛顶架那样在狭小的客房里一来一去。学柱虽说年轻，但个子小了许多；贵旺虽说块头不小，但由于平时一直游手好闲，并没有多少力气。两人头对头地顶了一阵，渐渐都有些虚脱的样子，一齐坐到了地上，喘着粗气。虽说两个人都在喘着，可四条胳膊却还缠在一起，直到家福插到这一老一少之间，这一场牛斗才算告一段落。

当晚，几个人分别在两间客房里歇了。学敏单住一间，其余四个人住在一个四人间里。半夜里，传坤起来解手，发现贵旺和学柱都没有睡着，似乎是在互相提防着或者是为赔偿的事在动着脑子。倒是家福，却像是没事似的睡得鼾是鼾屁是屁的。

次日早上九点多钟的时候，肇事者的家人如约来到旅店。这是一大帮，七姑八姨，算起来有七八上十个，就像是来打群架。家福一看这阵势，先自虚了几分，脸上竟然堆着笑，端茶倒水地忙个不停，一点也不像个死者家属，倒像是个肇事者。那帮人一见这情形，立刻镇定了许多。

对方领头的是个中年男人，个子小小的，穿一套中山装，看上去像是个小干部。果然，他一上来就说他在某某局某某科工作。他才说完，旁边立刻就有人替他补充道，某某科的科长，肇事者的父亲。

等旁边的人补充完了，科长这才又慢慢地开口道，本来，一开始他也没想管这事，照他看，这件事是很容易解决的，但现在看来还不是这么一回事。因此他现在不得不放下手头的许多工作，亲自出马。现在，他希望双方都能本着实事求是的态度讲求效率的态度心平气和地来对待这件事，最好能在今天上午就将这件事搞定，不要拖拖拉拉拖泥带水，要快刀斩乱麻。

他才说完，贵旺立刻就说好好好，就是要快刀斩乱麻，想必你们也看到了，我们来了这么多人，旅店虽然小，但收费却不低，多住一天就多出了一天的吃喝，总不能让我们死了人，还要赔上这么多额外的开销吧？

贵旺说话时那位科长一直拿眼睛看着他，贵旺一说完科长立刻就问，请问你是死者的什么人？

科长显得有点咄咄逼人，就像是他早已看出贵旺不过是个次要角色。而且，没等贵旺回答，科长立刻就把目光掉开去了，开始在其余几个人当中搜寻起来。搜寻了一会儿之后他把目光停在了传坤的脸上。传坤被那目光弄得有点不自在起来，赶紧说，我是光元的丈人。说着又拿手朝家福指了指说，这是他爹。

家福见众人一齐朝他望过来，这才赶紧放下了手中的开水瓶，一边求救似的朝传坤望着，一边说，还是你说还是你说。

传坤听家福这样说，不得不慢慢地开了口。只是，在开口之前他一点也没有想过他该说些什么。头天晚上见面时他们几乎都没正经谈过这个，光是听见学柱和贵旺在吵架，吵着吵着还打了起来，打又不像打，而是像牛顶架那样顶着，顶着喘粗气。因此，这会儿一开口他就想到了那个情形，接着就又想到了老五。再接着，话头就岔开了，岔到老五上去了。

老五？老五是什么人？是头牛？那和我们要谈的有什么关系吗？

跟科长一起来的那帮人开始交头接耳地小声议论起来。科长却朝他们摆摆手，要他们安静下来，安静下来仔细听。

科长的手势显然具有一定的权威性，那帮人渐渐安静下来。安静下来仔细听。一听就听进去了，听得入神了。

那头牛怎样一开始是分属三个亲家，三个亲家轮流喂养，后来其中有一个人不怎么上心，那牛就跑回到山上、跑回到它以前的主人那里去了，再接着，第四个人加入了进来，四个人每人有了一条牛腿。随后那牛生了一种古怪的病，实际上也不是病而是死，正在死，慢慢地死。从下面开始，一点一点地往上死，一层一层地往上死。就像是水潭里的情形，随着雨量的不断增加，随着溪水的不断注入，潭水一点一点地往上漫，一层一层地往上漫……听到这里时，屋里一丝声响也没有，众人似乎都真真切切地感觉到了一点什么。似乎那像水一样的死或像死一样的水正从他们的脚下开始，一点一点一层一层地往上漫。从脚到膝、到胯、到腹、到两肋，渐渐到了他们的胸背……现在，胸背之上只剩下一颗脑袋了。由于剩下了一颗脑袋，他们十分真切地感觉到了那危险，他们自己的，以及，那个老五的。意识到这一点时，他们不由得为自己的处境感到了一丝庆幸，同时对那个老五产生出了几分怜悯之情。直到传坤讲完了好一阵他们都没有吭声。

沉默了一阵，最终还是那个科长最先开了口。科长说，这个故事好，大家听听有好处。隔一会儿又说，要不因为有这事我会把您请到我单位里去，让我科里的人都来听一听。这个故事究竟说的是什么？我相信，听过了之后他们各人会有各人的想法的。

科长才说完，跟他一起来的那帮人就开始嗡嗡嘤嘤地议论起来了。就好像他们正好就是科长手下的那帮人，或者是他们不愿意科长将他们排除在那帮人之外似的。他们议论了好一阵，随后才有一个人提醒说，他们该来谈谈赔偿的事了。

这一说大家就又重新安静下来，安静下来看着科长。

科长看看跟他一起来的那帮人，又看看这边的几个人，随后才慢慢开口道，本来，他也很想多拿几个钱出来，多赔偿一些，毕竟对方死了一个人，莫说是一个人，就是一头牛，那也是一条命啊。一头牛慢慢地死都会引起人的怜悯，更何况是一个人呢？更何况这个人还不是慢慢地死，而是一下子就死去了呢？因此——请对方相信他——他的主观愿望是打算多赔偿一点的。让他感到无奈的是他只有那么一点死工资，工资不多，开销却不小。上面要供老的，下面要养小的，他那个肇事的儿子，高中毕业后没能考上大学，先后给他安排了几个工作他都不满意，嫌钱太少。嫌钱太少也不自己想办法去挣，而是吃他的穿他的，还开着摩托在外面瞎转，这一下好了，出了人命，他还得替他补这个锅。他说这些，不过是想让他们知道他的实际情况并不像别人想象得那么好。尽管如此，他还是打算拿出五万块钱来。这五万块钱都还是亲戚朋友帮忙凑的。是多是少，总是他的一点心意。他希望这点心意对死者的家属多少能有一点弥补。如果对方没什么意见的话，他马上就可以把这五万块钱交到他们手里。

科长的话音刚落，贵旺立刻就叫了起来，说，不行！五万块太少了。你不要以为我们不晓得外面的行情，我们已找人打听过了，像这样的事少说也得有个……贵旺还没说完就被传坤制止住了。

传坤说，还是让家福自己说罢。

家福不知什么时候又把开水瓶拎在了手上，这时赶紧放下开水瓶，拿眼望着传坤，急巴巴地说，还是你说还是你说。

传坤只好又说。跟适才一样，他照例没有想好要说什么。尤其是有关赔偿的数目，他们事先基本上等于没有商量过。不错，贵旺提到过十万，贵旺说像这样的事总得有个十万八万的。十万八万，那是个什么数目啊，他们恐怕一辈子，不，九辈子都看不到那么多的钱啊。传坤私下里认为那个数目太大。除了这个数目之外，适才那个科长也提了一个数目。那个数目呢，又似乎太小。这是说，如果拿它跟贵旺提的那个数目做一个比较的话。那么，究竟应该跟他们要多少呢？传坤不由得将这两个数目放在一起琢磨起来。琢磨来琢磨去，他觉得这个数目应该是在那两个数目之间。可不知怎么，等他一开口，他却糊里糊涂地说了个十五万。似乎是糊里糊涂地做了个加法，将那两个数字加在了一起。

什么？十五万?!

听到这个数目时，对方那帮人当中有一两个立刻不无夸张地叫了起来。

是的，十五万。

传坤一点也没有意识到他犯了错误，而且还把那个错误重复了一遍。他重复得这么肯定，这么坚决，对方有几个人闹闹嚷嚷地叫了一阵，随后就又在科长的一个手势下渐渐安静下来。科长等大家完全安静了，这才又把目光停在传坤的脸上，慢慢地说了起来。

科长说，如果他有一些灰色收入的话，如果他像有些人那样敢于利用职权为自己捞点什么的话，那么这十五万对他来说也就不算什么了，莫说十五万，就是二十五万、三十五万，甚至再多一些他也能拿得出来，只可惜他事先没有想到这些，没有想到他的儿子会弄出人命来，否则，他也可能会伸伸手的。

他才说完，坐在他旁边的那帮人当中立刻就有人证实说，现在大家见到的这位科长是最最廉洁的，这是谁都知道的，群众知道，领导也知道，为此，科长还得到过不少上级领导的表扬呢！

谁知不提上级领导还好，一提领导，这边的贵旺立刻就叫了起来，说，不要把你们的后台搬出来，我们也是有后台的！传坤，你告诉他们，你的那个亲戚，他叫什么来着？告诉他们！

传坤听到贵旺这么说不由得愣了一下。他没想到贵旺会真的把那人搬了出来。而且还把人家说成是他的亲戚。他什么时候有这么个亲戚呢？就算他肯认这个亲戚，恐怕别人未必肯认他。实在说他跟那人一点关系也没有。当年，人家不过是受了一点伤，不过是在他家里住了两夜，而且，确切地说还不是他家里，而是在他爹家里。他自己那时恐怕都还在穿开裆裤呢。不过，他现在也没必要提到这些，贵旺想那么说就由他去说吧。

这会儿，贵旺还在那里兀自说着。贵旺说，告诉他们，告诉他们，把他的名字告诉他们！

对方那帮人一齐拿眼睛望着传坤。这会儿，如果他再不说点什么就显得他像是一个骗子了。传坤被那些目光弄得有些不自在起来，终于结结巴巴地提到了那人的名字。说完之后又说，这不好这不好，我们不该把人家也扯进来。

他才说完，那帮人就你看我我看你交头接耳起来。显然，这个名字他们当中有些人是听说过的，或者是，似乎听说过的。至于那人现在究竟是个什么情况，他们只要稍稍打听一下，就能打听出来。这对他们来说并不是什么难事。虽说不是难事，但多半也是一件很要紧的事。想到这是一件要紧的事，他们当中就有一两个人附在科长的耳朵上小声地说了点什么。科长不动声色地听着，听了一会儿，随即对他们挥了挥手，似乎是说，你们不用说了，你们说的这些我心里有数。

等大家重新安静下来，重新坐正了，科长这才又看着传坤，说，我建议今天先暂时谈到这里，双方都再好好地考虑考虑，等考虑好了，再约个时间，重新坐在一起。

你们看，这样可好？

传坤还未应声，贵旺就连连说，这样最好这样最好。

五

自此，第一轮谈判就算是结束了。那帮人一走，贵旺立刻喜形于色地说，这事还多亏了他贵旺，要不是他灵机一动把某某抬了出来，又怎么会是这个结果呢？

这个结果是怎么个结果呢？学柱对他的老丈人反唇相讥。眼下，说什么结果不结果的还为时过早，最多也只能算是一个阶段性的成果。而且，就连这个阶段性成果也没贵旺什么事。贵旺知道那人的名字么？再说，就算贵旺知道也没有用，那人跟他是八竿子打不着一点边。要说功劳，也只能算在他爹的头上，不光因为那个后台，就连十五万数字也是他爹提出来的。在这之前他们有谁想到过十五万呢？就连家福他老人家自己恐怕也认为能拿到五万就不错了（家福连连点头说那是那是），贵旺呢？贵旺也不过提了个十万八万。十万八万一砍价不就成了六万七万了么？六万七万不就等于只是十五万的一半儿么？连一半儿都还不到呢！

学柱这么一说，翁婿两个就又争了几句。争完了之后大家一起出去吃饭。吃完了饭又重新回到小旅店的客房里，几个人坐在一起正正经经地商量起来。但实际上，到这时已没什么可商量的了。没有可商量的也还是坐在一起商量。他们在商量那十五万到手之后如何分配。

照贵旺的意思，他们三家，最好是每家五万。大家都出了力嘛！

贵旺认为他的方案很有道理：家福本来就只指望能拿到五万，如果真的总共只有五万，那么冲着大家都出了力，家福不也得从那五万中拿一些出来是不是？现在好了，家福一分钱也不用往外拿，净得五万，这不是一件好事么？至于传坤呢，传坤的确起了很大的作用，特别是糊里糊涂地提出了那个数目，但如果不是他贵旺在关键时刻搬出那个人来那又会怎样呢？那帮人会就这么撤回去么？会说回去考虑考虑么？在他搬出那个人之前传坤说了些什么呢？他说的净是老五！老五怎么怎么慢慢地死。难道他们真的以为那帮人会因为你那里有一头牛在慢慢地死，他们就会多掏一点么？所以，他的那句话才是真正起了作用的。要说功劳的话，他要算是头功，就算不是头功，也不会比传坤的功劳小。

贵旺的这番话说得家福连连点头。

学柱一看这情形，气不打一处来。他不光是气贵旺，也气家福。家福就像是一点也不知道死的是谁的儿子似的！死的是他的儿子啊！这赔偿不就是因为他的儿子、他那个被撞死了的儿子么？他怎么就这么糊涂呢？贵旺让你只拿五万你就只拿五万？你只拿五万还要对他贵旺感恩戴德？你家福年纪这么大了，却还扛着个榆木脑瓜！

家福却不怕别人说他榆木脑瓜。他觉得能拿五万也不错了。毕竟他什么也没干，就只是倒了倒开水。从头到尾他都只说了两句你说你说，把事情全都推到了传坤那里。因此照他看，传坤也该拿五万。毕竟他出了大力。再说，虽说光元是他的儿子，可也是他传坤的女婿啊。女婿抵半子，这就有了一半，再加上出了力，因此，传坤也该跟他家福拿得一样多。至于贵旺嘛，贵旺虽说也算出了大力，但他毕竟跟光元没什么关系，因此，贵旺应该拿五万的一半，二万五，剩下的二万五就让学柱和学敏二一添作五，一人拿一半好了。

家福一说完，贵旺就叫了起来。学柱却冷笑了一声。冷笑着拿眼睛去看学敏。似乎是说，你呢？你怎么不开口呢？

传坤注意到，他女儿学敏从头天晚上到现在，几乎什么都还没有说。不管怎么说，死的是她的丈夫，虽说他俩一直就在打打闹闹，但不管怎么说，光元总是她丈夫。因此，她总该说点什么。

不，她没什么好说的。学敏说，照她看，现在扯这些还太早了。这个十五万，只不过是他们这一方提的要求，事情的结果最后究竟怎样，还要等一段时间才会知道。这会子就这么急巴巴地来分钱，岂不是太可笑了么？

她这一说，几个人这才慢慢地安静下来。

傍晚时分，几个人又一起出去吃了饭。这一餐饭是贵旺付的账。贵旺抢在家福的前面付了账。

贵旺说，既然大家绑在了一起，开销就应该分担一点，不能光是叫家福一个人拿。学柱讽刺他的老丈人说，不知道他又在打什么鬼主意。说着两个人差点又要吵起来，结果因为贵旺的肚子里突然闹腾起来，这才一时作罢。

一行人匆匆回到了小旅店。当晚，几个人都早早地上床睡了。照他们估计，那帮人说不定明天就会来，也许上午，也许下午。最迟也不过是下午吧？那个科长不是说过么，要讲究效率不要拖拖拉拉拖泥带水要快刀斩乱麻。因此，他们得蓄足精神，以便来日再战。

第二天，几个人很早就起了床，连早餐都没吃就坐在了一起，坐在了客房的一边，坐在了两张连在一起的小铁床上。两张小床的对面是另外两张小床，那是留给他们的对手的。可是，一上午过去了，对手也没有出现。中午，学敏从外面叫来一些盒饭，大家胡乱地吃了些，随后就又整整整齐齐地坐在了两张小床边上。对面的位置依然空着，一直空到整个下午都过去了。下午不来，会不会晚上来呢？想到对方有可能会在晚上来，他们连晚饭也不敢出去吃了。只得又叫了些快餐盒饭。吃了盒饭，大家依然坐在小床边上，依然将对面的位置空出来。但空出来也是白搭，整个晚上都已过去，也没见到个人影。

那帮人在搞什么鬼呢？他们会不会就此不管了或者是跑了呢？家福急得眼睛都红了。

贵旺说，跑是跑不掉的，跑得了和尚跑不了庙，那个科长可是有单位的，有单位就是国家的人，莫非他还能把国家背在背上跑？

家福听了这话这才稍稍安静了一会儿。可刚刚安静了不到两分钟，接着就又开始嘀嘀咕咕起来了。他一会儿埋怨传坤不该跟他们要那么多，要那么多，人家怎么拿得出来呢？他一会儿又埋怨贵旺不该把那个大官抬出来，那个人，就是还在，也恐怕早就退休了，退了休还有谁怕呢？

退休？贵旺说，那人当那么大的官又怎么会退休呢？就是退也不是退，是离，离休。离休和退休是大不一样，退了就退了，什么都退了，离就不一样了，离了并不退，离本来就不是退。

两人在那里闹闹嚷嚷地说了好半天。其余几个人都懒得理他们，由他们说去。

说着说着就又到了上床睡觉的时间。一夜无话。次日一大早，他们照例又早早地起来了，照例没顾得上吃早点，照例又早早地坐在了两张连在一起的小铁床上，照例又将对面的两张小铁床空了出来。这一空就又是一天。

到了晚上，家福说他是再也待不下去了。像这样的事他从来就没有遇到过，又是坐车，又是住旅店，什么都不干一日也还得有三餐。这还不说，自从来到这个地方后，他没有哪个晚上睡过一个囫囵觉。

他这一说，其余的几个人就都笑了起来。他们这几个男人中，就家福睡得最死，哪天夜里不是鼾是鼾屁是屁的？还说没有睡过囫囵觉！连学敏也证实，她公公一睡起觉来就鼾声如雷，还放屁，放的屁还特别肥。这一说又引出了一些不正经的玩笑。贵旺问学敏，她怎么就知道她公公的这些呢？传坤见他们说得不像话，忙将他们喝住了。这个晚上好歹就这么过去了。

到了第三天，一切还是照旧。照旧早早地起了床，照旧没有吃早点，照旧一起坐在两张连在一起的小床边，照旧将对面的两张小铁床空了起来，照旧空过了上午，空过了下午，空过了晚上。

到了晚上，家福怏怏地说，他最多再等一天，如果明天那帮人还不来他就要回去了，一定要回去了。他不想再等了，再等下去只怕他自己也得死了。他不想为了这几个钱把这把老骨头丢在这里。

他这么一说，贵旺就说他，那只是几个钱吗？他恐怕一辈子都不会见到那么多的钱，不光是一辈子，他恐怕九辈子也不会见到那么多的钱。家福要回去可以，不过他可要想好了，要是他当真回去了，他也许就不能拿到原先说好的五万了。

贵旺这话一出口，又把学柱惹火了。学柱说，什么是原先讲好的？那不都是你自己说的么？自己说的就是自言自语，自言自语能算数么？

说着两个人又要吵起来。

正在这时，门上忽然响起了敲击声。刚开始他们以为是服务员。住在旅店的这些天里服务员常常来敲门，让他们说话小点声。他们在房间里说话，在外面听起来就跟吵架似的。他们不好意思说本来就是吵架。他们常常用吵架代替说话，因此没有人弄得清他们到底是在说话还是在吵架。服务员又来了。有人这么说了一声，随后学敏就走过去把门打开了。

门一开，屋里的几个人就都愣住了，外面站着那个科长，那个说了要讲求效率不要拖拖拉拉拖泥带水而要快刀斩乱麻的科长。科长的身后还跟着两个大汉。两个大汉一个留在门外，一个跟着科长一起走了进来。

屋里的几个人很快就注意到了大汉手里拎着的一个黑色的塑料口袋。只是，他们不敢肯定那里面装的是否就是钱。几个人你望我，我望你，随后各就各位地在那两张连在一起的小床边很快地坐了下来。

对面的位置仍然空在那里，只是科长并没有在那里坐下，而是站在原地，很快地说：他很忙，最近几天一直忙个不停，直到这会儿才稍稍抽出来点时间，而且，时间还不多，所以他只能长话短说。简单地说，他认真考虑了他们的意见，尤其是上次传坤讲过的那个有关老五的故事使他颇受感动，农民兄弟不容易啊，这一点就是从那个老五的身上，从那头牛的身上都可以看出来啊，就连死都不能痛痛快快地死，还要慢慢地死，一点一点地死，一层一层地死，多不容易啊。因此，他决定痛快一点，虽说他也就那个情况，就那么点死工资，但是，考虑到对方的利益，尤其是，考虑到对方失去了亲人的悲痛，他就是借贷也要尽量满足他们的要求，只是，很无奈，他忙乎了两三天，跑断了腿，也只凑到了十三万，如果他们觉得可以的话现在就可以把钱交到他们手上，如果他们觉得一定得有十五万，那么恐怕就得让他们再等一段时间了，至于这一段时间有多久那就说不准了。而且，他也不敢肯定最终是否能够凑到十五万。

科长说完后拿眼睛看着传坤。传坤还未开口，家福就连连说，可以了可以了，不等了，再等下去我们连住旅店的钱都没有了。

没等家福说完，贵旺就急得跳了起来，说，不行，十五万就是十五万，少一个子儿也不行！

学柱也说不行，怎么也得有十五，至少十五万。

学敏也开了口。学敏说，如果一时拿不出来，可以先付十三万，剩下的两万可以打一张欠条。

他们说着这些时，科长根本就不看他们，仍然只是拿眼睛看着传坤，似乎别的人说了都不算，单单只等传坤发一句话。

传坤却一时没有说话，他先是拿眼睛把坐在他身边的几个人挨个儿看过了一遍，最后把目光停在家福的脸上，说，你是不是想好了，没想好就再想想？

家福连连说不想了不想了。

传坤见他说不想了,就拿眼睛看着其余的几个人说,光元是他的儿子,既然他已说了十三万,那就十三万吧。

六

十三万拿到了手。只是,几个人怎么也不相信,厚厚的十三捆钞票就那么随随便便地装在一个薄薄的黑色塑料袋里。几个人把那些早已数过了几遍的钱拿在手里翻过来翻过去地看了又看,该不会是假的吧?该不会是假的吧?

贵旺建议明天一早就把钱拿到银行去用验钞机验一遍,但学柱和学敏都反对这么做。尤其是学敏。

学敏说,这钱一看就是直接从银行里取出来的,在她打工的那地方,老板常常就是用这样的塑料袋拎着钱从银行里走出来,有时一拎就是半口袋,就跟拎一袋土豆似的。因此,完全没有必要再把它拎回到银行去。

学敏是在广州打工。谁都知道广州是个拿钱不当钱的地方,听说广州人最爱干的事就是烧钱,拿钱烧着玩儿。说这话的是贵旺。贵旺常年往赌场里跑,没少听人说起过广州。

但学敏却纠正他说,广州人钱多是不错,但她在广州打工这么久,也还没看见有谁拿钱烧着玩儿。说着说着,话就扯到一边去了,再也没有谁提到假钱的事了。

几个人东拉西扯了一阵之后接着又说到了钱的运输问题。这么大一堆钱,怎么弄回去呢?

贵旺说,最好这会儿就把钱分了,钱一分不就好带了么?再说,各人带各人的,就算路上遭了窃遇了抢也怪不着别人了。

但这个意见很快就遭到了学柱和学敏的反对。尤其是学敏。学敏说,钱到底怎么分,一时根本就定不下来,他们现在是住在旅店里,多耽搁一天就要多一天的开销,还不如回家再说。

她这一说,家福马上就表示赞同。死的是家福的儿子,现在家福说了话,别的人也就不好再说什么了。

事情就这么确定下来,钱暂时不分,而且要打堆成捆地带走。这样一来就又涉及包装问题。拿什么包装呢?

他们这几个人当中,学柱和学敏带的都是帆布旅行袋,其余的几个人用的却是装过尿素的编织袋。学柱和学敏主张把钱装在帆布旅行袋里,贵旺却不赞成。贵旺说旅行袋招眼,不如就放在编织袋里。学柱说,编织袋太薄,有经验的小偷只要拿手背碰一碰马上就会知道那里面装的是什么。他这一说,编织袋就被否定掉了。

几个人议论来议论去最后决定了用破棉絮。破棉絮背在背上,看上去就像打工返乡。就算遇到了抢犯，对方也不一定会想到破棉絮里去。只是，这破棉絮到哪里去弄呢？这也不难。客房的几张小铁床上垫的尽是破棉絮，找旅店老板买一床不就行了？只是，旅店老板多半会感到奇怪，要一床破棉絮干什么呢？那样一来岂不是不打自招么？

议论来议论去最后还是学柱想出来一个办法，他用烟头在一床破棉絮上烧出来一个巴掌大的洞，接着报告给了旅店老板，主动要求赔偿。随后还立即上街去买回了一床新棉絮。老板虽说感到有点蹊跷，可还是挺高兴的。

旧棉絮从小铁床上扯了起来，一捆一捆的钞票平铺在里面，随后旧棉絮结结实实地卷起来，学柱又找老板要来一根绳子，把棉絮捆好了。

等弄完这些已是晚上十一点多钟了。平时这个时候几个人早就上了床，但这会儿谁也不想马上去睡，几个人就又坐在那里说话，说明天路上的事情。

明天他们就要上路了，一路上最好由专人负责这个棉絮包，其余的人要寸步不离地走在这个专人的身边，如果是在车上，就尽量把他夹在中间。一旦有什么事情，旁边的人都可以帮忙。除非是拉屎拉尿，其他的事，像买车票啦，买盒饭啦，买矿泉水啦什么的都不要他管。如果遇到打劫的，他也无须动手，只要保护好那个棉絮包就行了。动手的事全都交给其余的几个人。学敏是个女的，女的不好跟人动手，她就专管报警好了。一旦有什么事她应当尽快跑到有警察的地方。学敏行么？她跑得动么？

学敏说没问题，她本来就是农村里生农村里长，在外打工干的也还是体力活儿，跑起来不比男人差。再说高中时她还在学校的运动会上得过名次。她这一说，几个人才记起来，他们当中也就她一个人念过高中。念过高中的人就是不一样，脑子好使。

家福说，他早就看出来，他的这个儿媳妇比他那个儿子强多了，他那个儿子从小就不成器，娶了学敏是光元的福分，只是，光元享不起这个福。家福一边说一边落下泪来。

看到家福落泪，其余的几个人这才又重新记起了光元，这个半拉子木匠、不走运的木匠，刚刚出门还没几天，就被一辆摩托撞飞了。要是他的背上没有那些丁零当啷的锯子和刨子，他兴许还不会这么倒霉——不过这也是命。

说到命，大家就不再往下说了。还有什么好说呢？总之，命中注定的事谁也躲不过去。不过，光元也还是用他的死为别的人造了福。比如家福，他儿子活着时什么时候孝敬过他呢？是不是就因为这个，光元这才突然这么死了，变着法子来孝敬他呢？

说这话的是贵旺。贵旺的本意是想安慰安慰家福，谁知家福一听，哭得更伤心了，眼泪成串成串地往下掉，止都止不住。他这一掉泪，其他的几个人就都跟着掉泪。这么一哭一闹，就到了后半夜。

这时，传坤见几个人眼睛都是红彤彤的，就劝大家都去睡一会儿，好歹睡一会儿，不然明天上路没精神，要真遇到点什么事，一个个脚瘫手软的怎么行呢？

几个人听了这话，这才各自躺到了床上，学敏兀自回到自己的房间里去了。等学敏走后，传坤小心地闩好了门，关了灯，随后才在自己的床上躺了下来。

一躺下，他像是又看见了几双红彤彤的眼睛，都浮在黑暗中，其中还夹杂着宗保的一双。宗保坐在一把椅子上，坐在牛栏屋里，日夜不离地坐在老五的身边，眼睛红彤彤的，正看着老五一点一点一层一层地慢慢死……出来这么些天，他每天都在想着这事。现在好了，这边的事情终于完了，他们最迟在明天夜里就可以到家了。传坤这么想着，迷迷糊糊地睡了过去。等他重新睁开眼睛时，房间里的几个人都已起来了。

大家匆匆地洗了一把脸，结了账，在街头买了一些包子，一边吃着一边朝长途汽车站奔去。棉絮包背在传坤的身上。其余几个人走在他的身边。

到了车站，学敏上前去买了票。还好，几个座位都挨在一起。到了进站的时间，几个人从候车室里站起身来，穿过检票口来到停车场，很快就找到了他们要上的那辆班车。

只是，在上车的时候遇到了一点麻烦。司机要他们把那个棉絮包放到客车一侧的行李箱里去。传坤本想跟司机说几句好话，但一看司机那个脸色，只好算了。

棉絮包塞进了行李箱里，塞到了最里面。虽说如此，几个人还是放心不下。他们一起站在车门那里，直到所有的人都上了车，直到司机把车发动了，他们这才在各自的位置上坐了下来。

车上人很多，所有的座位都坐满了。由于是早班车，许多人都还没有睡好觉，一到车上就都把头靠在椅背上打起了盹，只有他们这几个人一路上大睁着眼睛东张西望，看看有没有形迹可疑的人。还好，这车一路没停，到中午时直接开进了他们那个县的车站。

下了车，转车。他们连午饭也没吃就直接转到了一辆浑身泥巴的班车上。

这是一辆老式班车，行李架是在车顶上。从前，行李放哪儿司机根本不管。但这一次，就像是有意跟他们过不去似的，司机一定要他们把那个棉絮包搁到行李架上去。不就是一床破棉絮么，谁要？没办法，棉絮包只好搁到了外面的车顶上。

这一路几个人就不能再像适才那样光是坐在座位上了，差不多每隔半小时班车就要在哪里停一下。每当有人下车，他们就一齐扒到车窗口上，或者是走下车来，朝上面望着。等到上面那人下来了，他们当中的一个又爬上去，将已经弄好的绳网和帆布罩再拉一拉扯一扯，弄得司机很不耐烦。司机是个大胡子，一路上咕咕叨叨地说了不少难听的话。几个人也由他去说，该怎样还怎样。

好不容易挨到了天黑。天差不多已经黑定了，他们才在乡政府附近下了车。

从这里走到家还有十几里山路。虽说如此，但总算是一路平安地回来了。

乡政府附近的几个小饭馆已经关了门，几个人只好再次饿着肚子上路。虽说饿着肚子，但心情放松。一路上几个人放松地走着，翻山越岭，涉溪过涧，不到两个小时就已来到了村口。

来到村口时，家福突然停下脚步，放声大哭起来。这一哭其余的几个人立刻明白过来，说，糟了！说起来真是让人难以相信，他们竟将最重要的事情忘记了：光元的骨灰盒！

那个骨灰盒一直放在家福的床下。客房里没有一点多余的地方，光元的骨灰盒就只好放在那里。头几天，家福一直在吵着要走，有一天晚上还把那个骨灰盒拿出来看了看，看能不能装进尿素口袋里。可临了还是把它给忘了！

他怎么就把它忘了呢？家福一边哭一边捶胸顿足，骂自己不是个人。他连亲生儿子的骨灰都忘了，他还算是个人吗？骂过了自己又骂学敏。他不是个人，她呢？光元不是她的丈夫吗？就算光元是个不成器的东西，可总还是她的丈夫吧？她怎么竟也忘了呢？光元死了，拿死换来了钱，他们拿了钱却把他给忘了，忘在了那个小旅店里，忘在了那个床底下！

家福捶胸顿足地哭着，骂着，几个人劝都劝不住。家福哭着骂着渐渐有些累了，声音慢慢小了下来，随后终于停了下来，说，他这就要回去，回去把儿子接回来。

贵旺劝他说，班车要到明天早晨才发车，现在回到乡里也还是只能在那里干等着，不如先回家吃点东西，睡上一会儿，明天赶早往乡里去。

家福却不依。他这会儿怎么还吃得下东西？怎么睡得着觉呢？他若这会儿不去只怕以后要遭人万世唾骂，就是以后死了，也还要遭儿子的唾骂！

他这么一说别人就不好说什么了。几个人商量一下，由学敏陪她公公再走一趟。那个棉絮包就暂时搁在传坤那里。等家福和学敏把光元接回来之后再来谈分钱的事。

家福见他们到了这个时候还在谈钱，就恶狠狠地骂了一声，随后掉过头，径自往回走了。家福一走，适才一直一声不响的学敏也马上跟了上去。

当晚，其余的几个人各回各家。学柱一直陪着他爹走到门口，进了屋，看着他爹将那个棉絮包安置在一个大板柜里，上了锁，这才回到自己家里去了。

七

家福和学敏返回去取骨灰盒，一去一来最快也需要两天时间。在这两天时间里，传坤几乎是寸步不离地待在家里，待在那个放有棉絮包的乌黑的卧式板柜旁。

这期间，大儿媳大秀又不时跑到传坤这里来，向他报告在他们走后的这几天里村里发生的一些事。

主要是人们对这件事的各种各样的说法。其中最主要的一种是，村里有人认为是春香害死了光元。如果不是她跟光元搞出了那样的事，像光元那样一个游手好闲惯了的人又怎么肯外出去打工呢？他若不出去打工，又怎么会被摩托车撞死呢？

也有人认为是春香和学柱一起合谋害死了光元。比如，他们夫妻间先达成了某种协议，随后将光元逼上了那条路。谁都知道学柱不能生育，因此这件事很可能就是事先安排好的一个阴谋：先让春香去勾引光元，达到借种的目的，随后以通奸为由头把光元撵到外面去打工，这样一来不仅可以得到赔偿，而且也免除了日后可能会有的一些纠缠。现在好了，不仅借种的目的已经达到，而且——这大概是他们夫妻俩事先没有想到的——光元死了。光元一死，不仅借种的事没有了对证，而且，他们夫妻俩还可以凭借那个赔偿协议捞到一笔钱。

对于这些说法春香感到很窝心，学柱一回来她就跟他闹着要回娘家，先是说回娘家，但接着就又改了口(因为即便回到娘家也还是在这个村子里)，要学柱马上带她到他打工的地方去。总之，她在这个村里是一天也待不下去了。

学柱却要她再等几天，等他拿到了那笔钱再说。提到钱，春香就恼了，现在村里已经有人在背后指指戳戳，如果再拿了那钱，那就什么也说不清了。学柱却说，说得清说不清，他的媳妇已经被人搞了，如果光元这会还活着，那么他也还可以拿把斧头去把他砍了，这是说如果他不要那笔钱的话。但是，现在光元已经死了，他总不能再去砍死人吧？既然不能砍死人，那么，如果他不要那笔钱，那他的媳妇不就等于被人白搞了？媳妇被人白搞，你叫他今后怎么在这村里见人？因此，这笔钱他是一定要拿到手的，而且要尽快地拿到手。

春香反问他怎么尽快？光元的爹返回去取他儿子的骨灰盒，一去一来最快也要两天，回来之后至少要停灵三天，随后是出殡。照她看，在办完这些之前，家福未必会同意提前分钱。就算同意，也未必同意分给学柱。那个赔偿协议不过是光元活着时与学柱签的，如今光元已经死了，难道还要一个死人来履行协议吗？

学柱说：光元死了，可他的老爹不是还活着吗？子债父还。

春香说，从来只听说父债子还，又从哪里跑出来个子债父还呢？

学柱一听这话火冒三丈，说，你怎么尽帮着光元说话呢？是不是叫他操了几回操上了瘾还想叫他操？

说着又来剥春香的衣服，把她的衣服剥光了，劈头盖脸地一阵暴打，打过之后又干，干过之后又打。等到他打累了，干累了，就让她到厨房里去给他做下酒菜。她到厨房里去时他也不让她穿上衣服，让她赤条条地进进出出。他自己则坐在堂屋里喝酒。一边喝着一边又把她按在堂屋的地上干了起来。

简直就跟畜生一样，连畜生都不如！大秀说完了，问公公该怎么办？

看着她急巴巴的样子，传坤一时没有吭声。

的确闹得不像话。不过他又能怎么办？说到底，这也还是学柱和春香两个人之间的事。他虽说是学柱的老爹、春香的公公，但也只是老爹和公公。如果他是学柱，他也许会操起一把斧头，去把那两个狗男女一起砍了，就像宗保说的那样，而不会像现在这样，等到光元自己死了。光元一死，你自然就没了落斧头的地方。如果他是春香，事情也好办。既然弄出了那样的事，既然明知在村里已待不下去了，既然学柱不肯马上带她走，那她还等什么呢？她要走，腿长在她身上；她就是要死，别人也拦不住她，是不是？

只是，传坤并不想把这些话当着大秀的面说出来。他这个大儿媳，不光是个包打听，还是个喇叭嘴。她不光是到处打听到处乱说，有时还会把自己传出去的东西当成是一种新消息从别人那里打听回来。因此，对她适才说的那些，他不知道是不是就是打她那里传出去的。若有谁想弄清这一点，那也是很困难的。不仅别人会觉得很困难，就连大秀自己恐怕也会觉得很困难。因此，传坤对他这个儿媳，半点也不想多说。当她在说着什么的时候，他只是一声不响地听着，随后拿手朝她挥一挥，让她走开，爱干什么干什么。只是，有时他又觉得还离不了她。如果没有她，许多事情就与他隔了起来。对他来说，她有点像是他的耳朵。只是这耳朵有点怪，像是一只会说话的耳朵。

这天午后，大秀又来了。大秀说家福已经从外面回来了，是昨天夜里回来的。家福一回来就在门前扯起了帆布篷，在里面设了灵堂，请了一班道士在那里吹吹打打。几个道士刚刚吹打了一会儿就又来了一班人，这班人全都带洋喇叭，大的小的长的圆的，也不管家福是否认可，往人家门口一站就吹了起来。先吹了《潇洒走一回》，接着又吹了《今天是个好日子》。有人说，又不是白喜事，怎么吹这个呢？围观的人当中有几个人是听过这歌的，于是让他们换一个别的。可他们还是一个劲地吹。家福还夸他们吹得好，还让人给他们搬来了凳子，让他们坐在帆布篷子里吹。他们的声音大，道士的声音小。道士们先是不服气，还想跟他们比试比试。不过道士只有锣鼓钵镲，最响的也只是一个唢呐，对方却有一个扛在肩上的大喇叭，比了一阵，比不下去了，随后道士们干脆停下来，停下来喝茶、抽烟。时不时又把那木鱼棒拿起来梆梆梆地敲几声。家福看到他们这个样子就有点不高兴，嘴里叨咕了几句什么，随后那班道士就带上响器走了。他们一走，家福的婆娘就怨他，说他想叫儿子不得超生。说着说着两个人还吵了起来。那班吹洋喇叭的也不管他们吵不吵，他们只管吹。吹了一阵又玩起了花样，几个男人手拉手地站成了一个圆圈，另外几个坐在他们的肩上，一会儿朝前倒，一会儿又朝后仰，朝前倒时吹喇叭，朝后仰时也吹喇叭。有一个胖子，脚没有勾好，还从别人肩上掉下来，扭了脖子，把人都笑死了。不过村里人还是喜欢看他们闹。村里很多人都到那里去了。有的是去帮忙，帮忙搭棚子、拖桌子，帮忙烧火做饭，支应客人；还有一些只是去看热闹、坐酒席。这些人当中有的带了一小把挂面或者是几个鸡蛋，有的什么也没带。他们说如今家福已经很有钱了，不会在乎谁拿不拿东西，更不会在乎东西的多少。

大秀还看见贵旺也去了。贵旺还带去了一小块白布和一小坨腊肉，他把东西交到家福手里后又跟家福说了点什么，大秀看见家福很不耐烦的样子，连烟都没给贵旺一根就转身走开了。后来她听说贵旺还到学柱和春香那里去了，他让女儿女婿到家福那里去帮忙，还没说上两句，就被学柱轰了出去。学柱已经醉了，一只酒杯险些砸到他老丈人的脸上。

传坤听大秀拉拉杂杂地说着这些，半天也没听她提到学敏。学敏呢？学敏跟她公公一起回来了么？

听他这么问，大秀才像是刚刚想起来似的说，学敏也回来了，不过她不是跟她公公一起回来的，在县城里转车时她让她公公先走，她自己跑去找了律师，听说从律师那里抄回来了一些法律条文。按照那些条文，他们带回来的那些钱全都得归她，归她肚子里的伢子。

伢子？学敏怀伢子了？

是啊，她就是这么说的。

大秀说着拿眼睛看着她的公公。传坤从她的目光中看出了从他自己心里刚刚冒出来的那个疑问：学敏是什么时候怀上伢子的呢？学敏上一次回家还是在半年之前，如果这伢子是光元的，那么学敏的肚子应该早就鼓起来了。可就这么看上去，她根本就不像是怀了六七个月伢子的样子。这说明了什么？她在撒谎？或者竟是、竟是怀上了别的什么人的伢子？……传坤觉得不敢再想下去了。

这会儿，他又想起了一周以前的那些日子。那时，为如何分钱，学柱一直在跟他的老丈人贵旺打打闹闹的，而学敏却在一旁冷眼旁观，一声不响。也许，还在那个时候她就打定了主意？一点不假，在他的三个伢子中，学敏一直是最聪明的。她的脑子最好使，念的书也最多，她要是动起心眼来，不要说老大学军，就连老二学柱也赶不上。也许，还在那个时候她就打定了主意？……想到这些，他感到一阵头皮发麻。

大秀像是根本就没注意到这些，她还在继续说着。这会儿她说，学敏在丧宴上一直在对坐在她身边的几个女人说着她肚里的伢子，她说今年几月几日光元偷偷跑到她那里去玩了一次，表面上说是因为想她，实际上是去找她要钱，她每个月给他寄回的钱已经不少了，可他还想要更多的钱。学敏说像他那样又吃又喝又赌又嫖哪怕钱再多些也是不够的。说过了这些又说到了那些钱，学敏说，按照法律，那些钱全都得归她，归她肚子里的伢子。如果别的人要来跟她争，不管是谁，她都要把他告到法庭上去。末了，学敏还说，要不是眼前急着办丧事，要不是她公公坚持要先办丧事后分钱，她会马上把那些钱攥到自己手里。

大秀说到这里又停下来看着她的公公。

传坤想，他倒是宁可他们马上把这些钱取走。为这些钱，他为他们在外面耗去了那么多时日，这还不算，到这会儿他都还脱不了身。按说，作为光元的丈人和家福的亲家，他这会儿本来应该出现在家福的家里，本来应该在光元的灵前焚几支香，虽说光元不成器，但人一死，大家也就一般无二了，该焚香的还得焚香。可这会儿他却脱不了身。装在板柜里的那些钱，就像一根无形的绳索把他拴起来了，就像老五把宗保拴起来了一样。

想到老五，传坤就又感到了一阵焦躁。老五怎样了呢？是老样子，还是发生了一点什么变化呢？大秀带回来的消息也不算少了，可没有一条是关于老五的。

前一阵，满村的人都在谈论老五，老五怎么怎么了。但这会儿他们谈论的只是春香、学柱，谈的是刚刚被摩托车撞死了的光元，他们甚至谈的也不是光元，而是由他的死带来的那些钱。他们不仅在私下里谈论，有时还三三两两地聚在他的门前，坐在他家对面的杂货铺里，一边谈论一边拿眼睛朝这边瞟着。似乎是希望他走出家门对他们说上点什么。

他们指望他说什么呢？说光元死了，那个半拉子木匠、那个不成器的女婿死了，说他的死给别的人带来一大堆钱？说他们这三家正为那些钱吵吵嚷嚷打打闹闹，弄得不可开交？他们想听的是不是就是这些呢？或者还想听点别的？比如，他们如何来分那些钱？谁谁可以得多少，谁谁又可以得多少？只是，那跟他们又有什么相干呢？跟他传坤又有什么相干呢？不错，光元是他的女婿，但却也是家福的儿子，是学敏的丈夫。家福身体不好，他的婆娘一直病病歪歪的。照他看，光元要是地下有知，他会同意拿出一些钱来赡养生他养他的父母，他也会同意拿出一些钱来给他的媳妇学敏，至于别的人，他就说不准了。他说不准光元是否会同意拿出一些钱来履行他与学柱签的那个赔偿协议，他也说不准光元是否会同意拿出一些钱来给贵旺。说到底贵旺跟光元是一点关系也没有。虽说贵旺也在这件事中出了力，但那是不是就成了一个向别人要钱的理由呢？

就像是有一根神经在哪里连着似的，就在传坤这么想着的时候贵旺径自推开大门，穿过堂屋，走进厢房里来了。

看样子，贵旺像是在丧宴上喝了不少酒，一张老脸都已经喝红了。果然，贵旺说他刚刚从家福那里来。他给家福送去了一大匹白布和一大块腊肉。那一大匹白布花去了他二十块钱，那一大块腊肉他一直留着舍不得吃，没想到留来留去留给了光元。不过想想也是应该的，一来大家都在一个村里住着，乡里乡亲的；二来他是春香的爹，春香是传坤的儿媳，而传坤跟家福又是亲家，所以说起来，他跟家福也算是连带着有了一层亲戚关系；还有呢，光元又跟春香闹出了那档子事，虽说不是什么光彩的事，但总不能说他跟家福一点关系也没有是吧？再说，按照学柱跟光元签的那个赔偿协议，光元应该将他在外三年的打工所得全部拿出来作为赔偿交给春香和学柱。现在光元一死，这赔偿就该从别人赔偿的那些钱里拿出来。作为春香的爹，他贵旺是不是也应该关心这件事呢？还有，他在这件事当中也是出了大力的，他跟他们一起跑到外头这么多天，误了工还不说，还赔上了不少开销。这些也还是小事，最主要的，是他在那个节骨眼上把那个大官搬了出来，要不是那样，对方又怎么可能拿出那么多钱来呢？别看那个科长说得好听，说什么农民兄弟怎么怎么，还把老五也扯了进去，要不是听说他们背后有人，他才不会管那些呢。

传坤，你凭良心说，是不是这个理儿？

贵旺见传坤没有吭声，随后又继续往下说。贵旺说，家福回村的那个晚上他一直在村口蹲着，蹲在那里等着家福回来。家福一回来他就跟家福说起了光元的丧事。平生三件事，盖房、娶亲、办丧事。这三件事都是要花大钱的。家福手头没有钱又怎么好办事呢？因此，他建议家福在办丧事之前先把那笔钱分了。分了钱，不就好办事了吗？可家福不但不听他的，还差点跟他翻了脸。你说说，这不是好心没好报吗？

贵旺一边说一边走到了那个装有棉絮包的卧式板柜旁，拿一只手在那乌黑的盖板上拍了拍，说，钱还是放在你这里好，大家都放心。说着又用手扯了扯那挂在箱盖上的黄铜锁，说，你这把锁头可有年头了，一会儿我给你换个牢实点儿的吧。

贵旺说罢还真的马上跑回家去，拿来了一把大铁锁，逼着让传坤把锁头给换了。换了好换了好。

贵旺一边说一边又趁着换锁的机会把那盖板稍稍掀起来一些，朝板柜里面看了看，一边又伸进去一只手，在那棉絮包上捏了捏，一边又说，还是放在你这里好，大家都放心。

锁已换了，可贵旺仍赖着不走。又转轱辘似的把话转了回来。不管怎么说，他在这件事中都是出了大力的，再说，他跟家福也不是一点关系也没有，要不，他们怎么又一起合伙买了老五呢？

贵旺不提老五还好，一提老五，传坤就有点光火。贵旺从来就没有好好地喂过老五一天。要不是这样，老五又怎么会跑到山上、跑到宗保那里去呢？贵旺除了赌就没干过别的什么事，就连老五病了也看不到他的影子。传坤和家福接连三次上山，贵旺却只去了一次，而且还是被他和家福拉着去的。拉着去了也没起作用，反而还坏了事。老五一见他就尥蹶子，还拿角顶人。就连牲畜都晓得是怎么回事，他扯这个又有什么用呢？还有，他们从外面回来这么些天，贵旺怎么就想不到去山上看看老五，看看那像水一样的死或者像死一样的水已经漫到哪里……贵旺怎么就想不到这些呢？

传坤心里直冒火。可贵旺就是一点眼色也没有，只管赖在这里不走。直到大秀提醒他，说天快黑了，贵旺这才不紧不慢地从一把椅子上站起身来，不紧不慢地朝外走去。才走了几步却又回过头来，说，他刚才来得匆忙，忘了把锁头的钥匙带来，等明天一早，他就把钥匙送来。

那钥匙明明就攥在他的手心里，他却说什么忘了带来！

贵旺一出门，大秀就嚷了起来。

传坤心里很烦，什么也不想说。他朝她摆摆手，让她回家去。大秀见他这样，这才把后面的一些什么话吞回肚里，从厢房里走了出去。

不一会儿，传坤听见从厨房那里传来了一点响声。显然，大秀没有从堂屋的大门口出去，而是穿过堂屋和厨房，从厨房的后面、从吊脚楼那里下去了。她一定是又到春香和学柱那边去了。她去那里干什么呢？去传播那些消息？去火上浇油？

有一会儿，他很想起身叫住她，叫她不要把学敏说过的那些话拿到学柱和春香那里去说，也不要提起贵旺。但他还来不及起身，大秀的脚步声已从吊脚楼的楼梯上消失了。

八

这会儿，早已过了吃晚饭的时间，但传坤什么也不想吃。中午吃过的一个红薯似乎还堵在他胸口附近的什么地方，气鼓气胀的。他从烟袋里摸出一些旱烟，卷好了，摁在烟锅里，用打火机点燃了，坐在椅子上一口一口地抽起来。屋里已经充满了暮色，连烟雾差不多都看不见了。前面临街的窗口也变得模糊起来。大白天里，总有那么一些人经过那里时会有意无意地把头扭过来，隔着窗棂朝里面望一眼。看来，现在谁都知道那些钱是放在什么地方了。贵旺的话没有说错，这么大的一堆钱许多人一辈子都见不到，九辈子也见不到。现在，哪怕是隔着窗子看上一眼，哪怕是隔着板柜看上一眼也好哇。

想到板柜和窗子，传坤就站起身来，将窗口的两扇木板关好了，接着又走进堂屋，将大门也关好了。随后，他穿过堂屋和厨房，来到厨房后面的吊脚楼上。站在那里朝东边望去。

这会儿，洼地里差不多已是一片漆黑，菜地已经看不清了，竹林变成了一团一团的影子，只在两三百米以外的地方出现了一点灯光，那是从学柱和春香家的窗口里透出来的。隐隐地，他觉得还听出了点喧嚷，不过，那喧嚷也可能是从他自己心里发出来的，似有若无，不那么清晰。清晰的只有北边山脚下那条溪流穿过黑暗时发出的淙淙声。不久以前，春香还蹲在溪边，撅着屁股。您让我说什么？您想让我说什么？当她说出这句话时，她朝身后转过来半张脸，棒槌举在半空中。随后那棒槌有力地落了下去。梆！梆！梆！在他往回走的路上，那一路追逐着他的响声中还夹杂着春香的质问。是啊，他想要她说什么呢？直到这会儿，他感到自己似乎都没怎么弄明白他究竟想让她说什么。他能明白的只有一点，那就是他想听到的肯定不是那样的一句话。

这会儿，传坤一边回想着这些，一边慢慢地转过身来，从吊脚楼的廊道里走进了厨房，走进了堂屋。随后回到厢房，靠着墙，在一把椅子上慢慢地坐了下来。坐下来又卷了一根旱烟。卷好了，摁在烟锅里，用打火机点燃了，坐在椅子上一口一口地抽起来。

屋里已经充满了夜色，不仅看不见烟雾，连窗板，连墙根儿下的那个乌黑的卧式板柜也看不见了。不过，看不见也没什么，他知道还在，板柜里的旧棉絮、旧棉絮里的那些钱，都还在那里。只要他坐在这里，一切都会好好的。这些钱，许多人也许一辈子都见不到，九辈子也见不到。他猜，他那个已经死了的女婿如果地下有知，是会赞成他的主张的，那些钱，一部分给家福，给光元的父母，给生他养他的父母；一部分给学敏，不管怎样，她到底是他的媳妇。如果家福和学敏愿意的话，那么也许还可以拿出一点点出来给贵旺和学柱，不为别的，就为他俩多多少少总还出了点力。等这些一弄完，他就要上山去，看看老五是不是真像兽医小屈说的那样已没有多少日子了，或者还是像宗保说的那样它只是需要不食不眠地静静地待上一段时间……

有一会儿，传坤感到自己像是靠在椅子上打了个盹儿，因为他醒来时听到从远处传来了一阵唢呐和锣鼓钵镲的声音。看起来，家福又把那班道士重新请了回去。道士们现在正在敲敲打打。隐隐地，似乎还听到了一阵唱经声，不用说，那多半是超度光元的往生经。等光元得到超度、得到脱生之后，他是否会变得好一些呢？是否会把桌子做得像一张桌子，是否会不赌不嫖、不再乱搞别人的媳妇了呢？……不管怎样，等这边的事一完，他就要上山去了。那山海拔差不多两千多米，光是爬上去就要花去半天工夫。实际上等他走到那里时大半天都已过去了。宗保告诉他说兽医小屈适才还在这里，小屈说老五已挨不过今天了，可宗保不信。就在前几天，宗保还亲眼看见老五的一只耳朵动了动，那只耳朵甚至还在他脸上拂了一下，给他挠痒痒似的。不信的话传坤自己可以走近去试一试。

传坤听他这样说就走近了老五，朝着伏在地上的老五弯下身去，把脸靠近了它的一只耳朵。有一会儿他什么也没能感觉到。可宗保对他说，你朝它耳朵眼儿里吹一口气吧，吹一口气试试看。传坤把嘴巴对准老五的耳朵眼儿，小心地吹进去一口气。可老五什么反应也没有。宗保说，要不你对它说说话，说说话也好啊。传坤于是说，老五老五，你不能老是这样啊，就连宗保都说，他喂你这么多年，也没有见过你这个样子，你老是这样你叫宗保怎么办呢？你要是听见了我的话就把耳朵动一动吧。传坤说过之后又朝老五看，可老五仍然没反应。随后他把适才说过的话又说了一遍。老五老五，你不能老是这样……说着说着他感到自己的喉头有点发紧，可他依然说下去。随后他似乎听到了一声呜咽。那声音是那么粗，不知道是从哪里发出来的。

老五老五。这一次，他刚刚说了这么一句，就看见两道眼泪从老五的两只眼睛里面静静地流了出来。接着，他听到一声呜咽从他自己的喉咙里明明白白地蹿了出来。老五老五，光是流泪可不行啊，你站起来吧，你站起来给我和宗保看看。老五仍在那里一个劲地流泪，流啊流的，流不尽似的。随后，他抬起一只手，打算替它抹抹眼泪。一只手刚刚抬起来，突然，他看见老五的一只耳朵动了动！接着，另一只耳朵也动了动！再接着，两只耳朵一齐动了动！随后，老五一摇脑袋，竟一下子从地上站了起来。传坤发愣的当口，老五已扯开步子，走出牛栏，走到屋外去了。天已黑了，四处都已看不见了。老五老五，黑灯瞎火的，你要去哪里？传坤的耳边，响起了宗保的喊叫声。接着，他也加入了喊叫。老五老五，你要去哪里，黑灯瞎火的？他俩一起这么喊着叫着朝屋外冲去。四处漆黑一片。接着，他们听到从黑暗深处，从悬崖那边，传来了轰的一声巨响！

传坤醒来时有一会儿拿不准这响声是从哪里传出来的——既像是在屋后又像是眼前。他是否关上了后门？是否关好了由吊脚楼通往厨房的那道门？只是，这一切已用不着他来多想了：一个人影已蹿了进来，或者是早就蹿了进来。虽说十分模糊，可他还是很快就辨认了出来，干什么干什么，你想干什么？

黑暗中，回答他的只是一声巨响，又一声巨响。

响声是从那个卧式板柜那里发出来的。那么大的响声，就像是一头牛落到了山崖下。自然，那并不是牛。除了斧头，那不可能是别的什么。别的什么不可能使那个板柜发出那样的拆裂声。看来学柱已是等不及了，或者是他手中的斧头等不及了，它急于要落到什么东西上面去。他说过他要一斧头砍了那两个狗男女，可他说过的话没能兑现，而且永远也没法兑现了。那个协议和光元的死让他的斧头落了空，永远地落了空。现在，他急于要为那把落空的斧头找到一个替代品。可是，那只不过是一个板柜，一个从传坤的父亲、从他父亲的父亲那里传下来的一个板柜啊，难道他连这么个乌黑的板柜也不想放过么？

什么板柜不板柜的！

黑暗中的声音熟悉得有些陌生。当他朝着那个声音奔过去时，从黑暗中喷过来一股浓烈熏人的酒气。随后他又听到了一声巨响，又一声巨响，一声又一声。其中一声就像是从他脑袋里面迸出来的一样，很像是一头牛坠落到了山崖下面。随后他轰的一声倒在了地上——有点像是老五。只不过老五是蜷曲着四肢伏在地上，而他却是张开了四肢，趴着。

他一动不动地趴在那里。一股潮水正在迅速往上漫。他想，也许就因为这个姿态那潮水才漫得这么迅速。它不是从他的脚下开始，不是从脚到腿，到膝，到胯，再到腹部，到两肋，最后到胸背，而是从接触地面的四肢和胸腹部开始，迅速漫到了四肢的上缘，漫到了他的背上。一旦漫到背上老五就危险了。兽医小屈就是这么说的。不过宗保并不相信。宗保说老五只是一时有些身体不适或者是脑子有点混乱，它需要不食不眠地静静地待一个时候，就像有些吃斋念佛的人每隔一段时间就要这样待上一个时候一样。至于这个时候有多久那就只有老五自己知道了，而适才的那些……只不过是一个梦罢了——传坤脑子里最后闪过了这么个念头。随后，就像是一个念头似的，一股潮水迅速漫了上来，很快就将他淹没了——彻底地将他淹没了。

（选自《中国作家》2007 年第 9 期）

吕志青

湖北宜昌市人。湖北作协文学院签约作家。迄今已在《收获》《花城》《人民文学》《青年文学》《山花》《芙蓉》《中国作家》等杂志发表中、短篇小说一百多万字。出版有长篇小说《玩偶》等两部，人物传记两部，另有散文、文论若干。中篇小说《南京在哪里》入选《2002 中国中篇小说年选》《2002 年中国最佳中篇小说》，2003 年获“上海第六届优秀长中篇小说大奖”中篇小说奖，2004 年获第二届湖北文学奖。

我们的生活充满了阳光

李 铭

确切地说，艳秋在没结婚之前相过两次亲。

头一次，相的是村长家的儿子满柜。满柜早就对艳秋有那方面的意思，当村长的爹一直都给压着。有老爷子在中间作梗，满柜暗地里找的媒人都说不上话了。村长主要是相不中艳秋家的穷困和不上进。穷就导致了两家的门户差别，满柜是干部子弟，而艳秋不是。一个普通百姓家庭的女儿要和干部子弟成亲，村长担心结婚后没有共同语言。村长在这方面有切身体会，满柜他妈除了被窝里档次够了以外，其他方面就没什么相人的地方了。不上进就更不能容忍了，艳秋家仨丫头俩小子，没有一个是党员。没有党员离党那么远，觉悟能上得去吗？

满柜他妈跟村长的意见是不一致的。满柜他妈认为，娶媳妇最主要的不是看穷不穷，当然要是能富还是富好。可是，富不了也没办法，穷是命里带来的。是不是党员也没关系，入洞房钻被窝摸奶子做娃娃，不缺零件就成，零件功能齐全就成。女人最关键的一点就是屁股得大，奶子得大，这两样大了，就一俊遮了百丑。艳秋的屁股就大，像放了发酵粉，有活力和喧腾感。屁股大了，土地就显得开阔，男人就有使不完的劲在土地上耕耘。耕耘有了，就会有收成。不用时间长了，给咱满柜两天的时间，起点早贪点黑，凭咱儿子的虎实劲，娃娃崽立马就种上了。

村长瞪了一眼娘儿们蠕动的嘴，骂了句："老娘儿们家家的，知道啥是幺三四五六。头发长见识短，拿着白糖当面碱。"娘儿们的嘴嘎噔一下闭上，心里头不服也不敢说什么了。

在满柜家里，村长吐口吐沫就是钉。满柜和满柜娘不敢反对，屁都不敢往响了放。可这回满柜有满柜的打算，不让托媒人咱就不托。不去相艳秋，相别人我就搅浑水。转了一六十三遭，到头来满柜总是说，没太相中，好像嘴有点小，有点向左呈四十度角倾斜；好像眼睛有点偏光不聚焦，老往天上瞅。村长气得不行，后来终于搞明白了，满柜这是成心逼自己就范。

媒人挺会找时机,来提亲,明明是满柜让来的,偏偏说是艳秋他爹托他来的,艳秋他爹还说有点高攀了。村长的脸色好了起来,心里头乐意,嘴上顺水推舟地叹气:“儿大不由爹啊。”媒人得了村长的口风,去把好消息告诉满柜娘儿俩。当然,为这一消息兴奋的还有艳秋一家。

艳秋爹的脸色一直难看,走路都不愿意抬头瞅别人。村长起先不答应相亲的消息早传了过来,爹就觉着卷了面子,安慰全家人说:“有找不着媳妇的儿子,哪有嫁不出去的女?咱给艳秋找家比村长家还要强的人家。”话是那么说,那都是气话,艳秋知道这个目标基本上是实现不了的。比满柜家条件好的得是乡长家的儿子了,乡长家的大门口朝哪边开,现在艳秋一家都不知道,还提什么亲事。笑话,这不是能笑掉人下巴的笑话吗?

艳秋一直憋着一股劲,不知道是冲着谁,气鼓鼓的,总想找人发一通火。对待俩妹子和俩弟弟就多了霸道,干活也贪了起来,好像在跟庄稼赌气。锄板子下地,多了咔嚓咔嚓的声响,心里在不住地骂:“死满柜,放空炮,不得好死。”

满柜跟艳秋下过保证,要托媒人来提亲。满柜当时很认真的,艳秋就信了。辽西的娘儿们和姑娘夏夜喜欢到河里洗澡,满柜和一群小伙去偷看。满柜溜了边,一直盯着艳秋的去向。艳秋喜欢清净的水,就去柳林河水深的地方洗。满柜埋伏在柳树上偷窥,艳秋洗完上岸的时候,满柜在柳树上弄出了声响。艳秋反应很快,一把泥巴糊住了关键部位,一把泥巴飞向了柳树。头一把泥巴直接影响了满柜的收看效果,黑乎乎的泥巴糊在白花花的身子上,制造了一片朦胧;第二把泥巴带着风声过来,正糊在满柜的脸蛋子上。满柜大叫一声,翻身落水。

柳林河的水那晚失去了宁静。

艳秋等着满柜上岸,要个说法。满柜就说:“艳秋,我想娶你,我回家去找媒人提亲。”不久,传来村长说的那些门不当户不对的狗屁话,艳秋的心就乱了,骂满柜成了每天的必修课,一边骂着一边想:“满柜这个死东西,脸会发烧的。烧死你才好呢。”

爹扛着锄头进地,破例没有直奔庄稼,坐地下摸烟口袋,先卷了一颗旱烟,慢条斯理地说:“你回去收拾收拾,那头来信了,要相看相看。”艳秋的心咕咚一下,接着就嘣嘣地使劲跳。“那头”是谁,艳秋知道,来的是啥信也清楚。爷儿俩都挺乐呵,这些天的沉闷都为了这事。可爷俩都绷着,爹竭力做出来的镇静,让艳秋意识到:不能让别人看出来太上赶着。艳秋那天下午没有回去收拾,坚持在地里锄地。可锄地的时候,意识和思维是紊乱的。艳秋看见满垄沟是灿烂的阳光,自己的身影就在阳光里移动,像会跳舞的蝴蝶,飘啊飘,将一地的阳光踩得支离破碎。艳秋清晰地感觉到了,那些支离破碎的阳光正在一点一点集中起来,铺在垄沟里,不,铺在生活里,自己的生活被阳光彻底填满了。

相亲实际上成了双方走走过场的形式,一个村子住着,大家都熟悉。谈论的主要是张罗换盅的日期和男女双方财礼的事情。媒人在中间穿梭,女方要的东西有中间人作保,场面显得很隆重。艳秋爹首先感到了不快,都说村长家富裕,可人越是富裕越是抠唆。在双方提出的财礼问题上村长一再讨价还价,把艳秋爹整得心里不痛快。村长说话一直都只说上句,不说下句,连媒人也没放在眼里。媒人和女方都已经讲好的事情,到他这嘎呗一下打了驳回。什么四和礼长命衣,酒席的安排,都是村长说了算。最可气的是媒人,挨着村长的狗屁呲还没记性,明显的偏向满柜这方。商量成了村长的家庭会议,他咋决定别人是插不上意见的。

艳秋爹的脸色一直不好看,心里头咯叽得慌。要不是为了女儿,咋能这样在村长面前直不起腰来?孩子愿意的事,老人受点委屈也就认了。你村长不能把啥事往圈外做吧,我给女儿要这要那,结婚还不是得往你家拿?你不给拉倒,你舍得儿子,我就不怕女儿遭罪。

艳秋一直看着爹的表情。艳秋对村长的抠门心里也恼火,忍着。直到媒人说到六百块打酒钱村长也不想掏的时候,艳秋终于忍不住说话了。艳秋突然打断一屋子的谈话说:“别的钱能商量,给我爹的打酒钱一分也不能少。”艳秋的话,让全屋的人都愣了愣,因为自打进屋,艳秋一直没怎么讲话,只是不停地给大家倒水,她这么一说话,最先反应的是村长。村长是干部,啥事都不惧,见过大场合。村长说:“国有国法,家有家规,我们家没有这个规程。”村长的话说得不温不火,柔中带刚,既是给没过门的儿媳妇一个下马威,也充分展现了一下乡村干部的风采。现场的人都很佩服,媒人已经开始话里有话埋怨艳秋不讲分寸,不知道深浅了。

没想到艳秋又说,大家都没有想到艳秋会又说话。艳秋瞅着村长又说:“你们家的规程谁也没说不好,可我现在还不是你们家的人。不是你们家的人,就得按照我们家的规程办事。我们家的姑娘出嫁,都要给我爹六百块打酒钱。”村长当着这么多人的面被艳秋生硬地撅了回去,来个烧鸡大窝脖,脸臊得通红。媒人也傻了,三寸不烂之舌也没了词。艳秋爹从进屋起,就艳秋这句话对心窝子,到底是自己生养的女儿,就冲这一句话,没白养活。

屋内的气氛一下子就压抑起来。满柜赶忙说:“打酒钱我们掏,不就六百块钱吗?”满柜本来是想打个圆场,缓和一下现场的气氛。可这话说出口,叫谁听都是一有了媳妇忘了爹的货色。村长从来没有被谁顶过,刚才艳秋的一番话已经够噎人的了。儿子火上浇油,说出这样大逆不道的话来,村长的尊严还往哪里搁?村长站起来,冲儿子:“你掏?这话你说的?把你能的,你掏这个家就由你来当吧。我还不管你们的事了呢!”村长说着甩袖子要走人。媒人劝,亲戚拉,屋子里闹哄哄地热闹。

这么一闹,艳秋就坚定了信念,这六百块打酒钱高低不能少。这是自己跟婆婆一家正式的较量,输赢有可能决定自己将来在这个家的地位。现在不是宽宏大量的时候,挺得住,难受的是这一阵子。挺不住认了错,那就得难受一辈子。不但打酒钱得要，就是其他的钱也不能少，从现在开始起掐根，满柜你答应就答应，不答应咱这婚事就轻轻放下。

如此一来，主动权就回到了艳秋这里。艳秋这边按兵不动，满柜家里就毛了。满柜急得上蹿下跳，找人劝爹，找媒人答应艳秋的条件。感觉窝囊透顶的是村长，在跟没过门的儿媳妇第一回合的较量中，他以彻底失败而告终。条件都答应了，心里头的沉重就增加了许多。在街上见到艳秋爹，就没有多少热情了。村长认为，艳秋之所以敢公然顶撞自己，跟艳秋爹有直接的关系。艳秋对自己不敬，有她爹在后面给撑腰。想治住艳秋，首先得消灭艳秋爹的教唆。

村里再有啥香盈的事，村长就做了手脚，一件好事也摊不到艳秋爹的头上。艳秋爹纳闷，以前自己不是那靠前分子，可也没当过末后渣。跟村长眼看着成了亲家了，咋一点光也接不着了呢？忍了几次，还是找了村长，递烟，唠儿女的婚事。这些都是过渡，说到关键问题上，村长心里就得意了。心想小胳膊拧不过大腿，到底得找我了吧？心里这么想，嘴上一本正经，说什么大公无私的话，把艳秋爹的心说得冰一阵凉一阵的。不管你村长咋耍嘴，正事还是没给我办。艳秋爹心里头不好受，回家喝小酒解闷，解着解着就说："这亲戚亲戚，咋没亲戚的滋味，赶不上两旁世人近面呢。"

艳秋听了爹的话，脸上挂不住火，见满柜就甩脸子。两人也感觉，历尽千辛万苦终于把关系确定下来了，咋就一见面老吵嘴呢。艳秋偷偷找人算过，看跟满柜属相啥的合不合。人都说这是上等婚，年龄上也相当。满柜的年龄小艳秋一岁，女大一，抱金鸡，过日子再好不过了。

艳秋跟满柜换盅是当年的农历九月，正是庄稼收获的季节。双方按照事先的约定，两家的亲戚朋友凑一起，双方老人互换酒盅喝盅定亲酒。期间有个细节，该到喝酒的时候，两人都退后谁也不主动。这样把整个酒席的气氛弄得很不协调，缺少了应该有的热闹。艳秋爹想，来你们家你们是主，我是客，我不能太主动。通过定亲的事，艳秋爹已经意识到，亲家不是省油的灯，上赶着跟他喝，他会瞧不起你。村长一直没有主动，是因为感觉自己是干部，不应该那样下贱。第一个回合已经让了女方，再不能让步了。这么想着，两人就靠着，看把谁靠败了先端酒盅。媒人看不下去了，主动申请双方老人喝换盅酒，这才把事情圆了场。

按乡里的风俗，换完盅的姑娘是要在婆家住两天的。艳秋没有走，住在满柜家。没想到这一住，住出了麻烦。

艳秋没有想到未来的公公和婆婆是那么下作的人，晚上睡觉的被子铺的不是地方。开始没关灯的时候旁边躺的还是婆婆，灯一关，艳秋感觉身边的人换了，换成了满柜。艳秋心里的火压着，拳头攥着，专等着满柜来偷嘴吃。满柜不大一会儿就有了动作，先是往被窝里伸腿试探，见艳秋这边没动静，大了胆子摸过来。艳秋的火气已经烧得冒了烟，呼地起来，一脚就将满柜踹到一边。满柜的身子压在装睡的娘身上，满柜娘妈呀一声差点被压断了气。艳秋在黑暗中喊：“开灯，我要回家。”

艳秋当晚就回了家。爹知道了是咋回事，开始压着火，等满柜家来人认个错。可三四天过去了，满柜家像没事似的，大人孩子不见影子。艳秋爹就不干了，他认为已经给了满柜家改过自新的机会了。咱虽然是穷人家老百姓，可从祖上就没有出过伤风败俗的事。新媳妇换盅住婆家，没见过给孩子往一个被窝撺掇的事。孩子小不懂事老人也跟着糊涂啊，这人家出这样的事，咋说也不地道。艳秋爹骂：“上梁不正下梁歪，真是家风败坏啊。”

艳秋爹征求了艳秋的同意，找媒人说事。艳秋有了爹的鼓励，心里头有了底。自己这样做没错，爹要清白自己也得要清白。媒人苦着脸有点赖叽了，上沟下梁的婚事管了无数个，没见过这两家这么不好办事的。先劝艳秋家压压火，劝解无效，只好去村长那挨狗屁呲。村长正心烦，虽然这事心里有点发虚，可嘴上还是给满柜争理：“一个巴掌拍不响，母狗要是不撩腚，那公狗上不了身。”

媒人这回错就错在实话实说了，媒人也是给弄醋性了，经不起折腾，赌气就把村长的话学说了一遍。艳秋和爹都听见了，爷儿俩眼神一交换，就达成了共识：这婚事，黄，坚决彻底地黄。媒人说完村长的话就后悔了，后悔也晚了。媒人就心存侥幸，想力挽狂澜。没用，艳秋伤心未来的公公那句话，这能叫老人说出的话吗？这叫牲畜胡吣。别看你村长当着，就凭你说出的这话，给你安上条尾巴就跟活牲畜差不多了。

满柜爹那边接到媒人的信，先愣了愣。村长没有料到艳秋家这么强硬，既然把话已经说到这个份儿上了，不能再拿回头话了，硬气就硬气到底吧。黄就黄，开始我们家就对这婚事不心甜。黄也好，把钱都算明白了。

艳秋和爹话说得狠，可心里还有一丝幻想，只要满柜家认个错，这事也不一定就这么轻易黄了。可人家说了，开始就不心甜，开始不心甜你们又托媒人又犯张罗的？好，算就算，凭姑娘不怕没人要。高攀不上村长家的高枝，就是找个瞎子瘸子心里头也没有抱怨。双方态度一明了，两家的娘儿们就有充足的理由加入战团了。在事态不清晰之前，两家的娘儿们都持观望的态度，尤其在媒人来回说合阶段，两家的娘儿们是起到撮合维持的积极作用的。脸皮一撕破，娘儿们的态度马上来个乾坤大转移，在撒泼这个环节上，俩娘儿们都不是善茬。啥话埋汰拿啥话说事，陈芝麻烂谷子，七百年的高粱八百年的糠，使劲往外翻扯。连祖宗三代的风流韵事都给揭露出来，以示自己的家族是多么的干净纯洁。

满柜娘在这方面的能力要略胜一筹，不是她的基础怎么好，而是占了天时地利的优势。满柜是男的，男的和女的在一起，在人们的意识里，吃亏的永远是女的。你艳秋不是说满柜往你被窝伸腿了吗，伸了咋着吧？不但伸腿了，还伸鸡巴了呢。满柜娘的脏话骂得还有另外一个特色，那就是她的表演能力丰富多彩惟妙惟肖。满柜娘一边骂着，一边做着动作，给人以无限的遐想，启发你专往那地方琢磨。艳秋娘在叙述男女这方面的事就明显处于劣势，好在艳秋娘能够知己知彼，她充分发动了一下群众，率领另外两个女儿利用兵力上的优势以多胜少。娘三个在一起配合，像演小品常常能吸引围观的群众。满柜娘力战三个对手，愈战愈勇。她看明白了对手的破绽，虽然你们家艳秋在这件事上有理，可你是女的，就吃了亏。虽然你们家人多力量大，可那俩小黄毛还是丫头，攻击力不是很强，她俩总不能啥话都能骂出口吧。只要把男人裆里的家伙作为首选武器搬到前台，没见过世面的丫头蛋子，马上就得完蛋。双方你来我往，在骂街这阶段战成了平手。

最冤枉的是满柜，他还一句话没有插嘴说。只听了娘的话，又有点嘴急想尝鲜，结果只伸了一下腿，被踹了一脚，婚事就基本告吹了。满柜有点恍惚，感觉像是在做梦。现在没他什么事情，爹在忙着算该退多少财礼钱，算盘扒拉得噼啪响。娘每天像上班，吃完饭就往外跑，去骂艳秋家一窝子没好下水的东西。满柜后来就盼望着婚事快点黄吧，不黄自己就该疯了。

艳秋在事情闹着的时候，去找算卦的算了一卦，这次跟上次算得不一样，艳秋报了自己和满柜的年龄，算卦的说："女大一，不成妻。"艳秋的心彻底地冷了。婚事黄了以后，艳秋和满柜又见过一面，那个时候，满柜已经蔫了，艳秋的精神却是饱满的。艳秋焦心在心里，别人看不出来，她照常下地干活。艳秋心里知道，发昏当不了死，只要活着就不能让别人看自己的热闹。

满柜哭丧着脸："艳秋，都是我不好。"满柜说的是被窝子里伸腿的事。现在说这事已经没有丝毫意义了。艳秋说："讲那干啥？祝你再找个好的新娘。"满柜眼泪就掉了下来，说："没有你，找谁都没意思。"艳秋的心咯噔一下，将近半年的时间，两家就顾着生气了，把彼此的感情都埋起来了。艳秋甚至想，如果没有满柜父母故意铺被子，自己说不定会答应满柜的要求呢。自己心里其实是想着满柜的，是有满柜的。可事情不知道是咋闹成了这样。这样的结局已经没有挽回的余地了，自己的伤感就没有任何的理由了。艳秋又想起爹告诉她那天要相亲的情景，垄沟里的阳光把自己的身子镀成了金色，艳秋心底的凄凉感就更加强烈地涌了上来。

接下来的事情是双方坐下来研究偿还钱的事。乡下的规矩是，提出退婚的那一方要把花对方的钱如数偿还。退婚是艳秋家提出来的，那么，还钱就成了理所当然的事。这个时候，骂街也已经结束，大家开始在钱上算计。村长在这方面又占了优势，村长的账目算得精明。算盘一打，艳秋爹的后脖颈出了冷汗。财礼钱是明账，中间有媒人有保人错不了，差就差在吃喝钱、赏钱和零用钱，包括赏给押车送亲孩子的红包。

艳秋爹没有料到婚事会成了这样子，要不是这一家子老小没有一个讲理的，自己哪能挑头说黄呢？账单上写得清楚，两万多块钱得给人家掂过去。满柜家给的钱基本上都占上了，老婆前年做手术的钱都是东家借西家摘的，来了钱就跟艳秋倒个网，把窟窿堵上了。现在提退婚的钱，上哪再去掏弄去？艳秋爹心里着急，每天还得跟满柜一家算账去。为了拖延时间凑足要退的钱，艳秋爹有些账目就来个死不认账。比如，对于招待上的两千块钱，艳秋爹不认掏。艳秋爹认为，他们吃饭是吃饭了，可远没有吃那么多钱。那些饭菜更多的是被满柜家的亲戚吃了。村长认为，不是因为婚事的话，亲戚是不会平白无故地来吃饭的。也就是说，因为婚事让自己家破费了，这破费的钱当然得由女方负责。

双方来回一拉锯，艳秋就抓紧时间想办法。很快，艳秋就有了第二次相亲的经历。

艳秋城里有个多少年不走动的二姨，艳秋逼急眼了，就去投靠二姨。二姨知道了艳秋的处境，就问，在乡下的那根肠子彻底摘了吗？艳秋想了想，尽管心里头还有满柜，可如今的形势已经无法逆转了，就像流水一样是她艳秋奈何不了的事情。艳秋狠了心就说，你在城里帮我找个对象吧。艳秋说这话时，心里是没抱多大希望的。在乡下找对象还出了这样的啰唆，城市里的男人怎么会要自己？艳秋从二姨这借来了一万多块钱，心就落了底。二姨听了艳秋的话，也就有了数，她没说，是想借给艳秋的钱还没捂热乎，说这话火候早了点。二姨在城里有现成的茬，原来就想给艳秋提亲，主要是两家走动得不多，再加上艳秋爹不太好办事，所以一直憋在心里没愿意管这事。

艳秋回家把钱摆在桌子上，引起了爹和娘的一片唏嘘。关键时候，到底还是亲戚，患难才能见真情，这话没错。过年拿点黏豆包，得去城里走动走动。钱有了，还怕你村长叫号吗？咱这回可以静下心来，认真地把账目掰扯掰扯。别拿咱老百姓不识数，你想讹多少就是多少。眼瞅着天就冷了下来，艳秋和满柜的婚事宣布黄了，可善后工作进行得正如火如荼。双方在赔偿问题上产生了严重的分歧，谈判已经进入到白热化的阶段。

村长为了示威，以闪电般的速度给满柜找了对象。村长想向艳秋和艳秋爹，向全村的父老乡亲，向全世界各族人民证明一点：我们家满柜没你艳秋照样能说上媳妇，而且还是好的。事实上村长也做到了这点。吴杖子村的村长就愿意和满柜家结亲，把女儿吴美丽介绍给满柜。吴美丽人长得出众，比艳秋白，走路会甩屁股。会甩屁股，就能甩出无限的风情来。三甩两甩，就把满柜的眼睛给甩花了。据说没用几天，吴美丽就在满柜家的大炕上钻到满柜的身子底下了。满柜娘和村长晚上听见炕那头的短兵相接，心里头为儿子美。暗地里嘀咕，得亏跟艳秋那死心眼的妮子黄了，不黄一家三口能有眼下这样幸福吗？

满柜娘白天就跟村子里的娘儿们宣扬，主要是宣扬吴美丽的好，以此来贬低艳秋。她还故意压低声音说："我们家美丽肚子里已经有馅了。"这话马上就引起了反响。娘们开始议论，说艳秋没福，没有嫁到满柜家是个天大的损失。就凭艳秋那个条件，还能找啥像样的？再说，这艳秋的被窝毕竟是让满柜伸腿了，而且满柜娘明明说连满柜的鸡巴也伸了。这话的可信度是很大的,男人偷嘴咋能专伸腿呢?满柜再蠢也不会只伸一样。传过来的话很难听,艳秋一家的面子就有点被人当众抹屎的感觉。只能擎着不能擦,越擦会越埋汰。

爹有点坐不住了,在谈判桌子上就节节败退。最后,放弃了抵抗,把钱给拿了过去。爹不愿意再去满柜家说事,一去吴美丽就出来倒水,浪不溜丢地扭屁股。屁股上面是腰,腰的那一面就是肚子,眼下里面正蠢蠢欲动,形状挺滑稽,像是在嘲笑人高傲地往起拱。

爹回家就想,这事都拖了快半年了,是该解决了,不然的话这个年都没法过好了。要是双方不闹成这样,艳秋和满柜也是好事。都是老人糊涂,把孩子的事给耽误了。腊月二十三,小年的鞭炮声在窗外炸响,爹的心事就愈加重了。

二姨是在小年的上午坐车到的。二姨一直在城里关注着艳秋的婚事,知道这个时候来是最佳时机。艳秋爹先是一愣,以为二姨要钱来了,可看二姨的表情不像。二姨直截了当地说明了来意,给艳秋往城里提亲。

这个消息对于艳秋家来说是雪中送炭。二姨在炕沿上一字排开,一二三四,一共是四个大眼嘟噜的城里男人照片,活灵活现地仰面躺在那,供艳秋一家选择。艳秋爹一下子心情就愉快起来。艳秋娘也叨咕,早上就听见喜鹊叽喳地叫,敢情是贵人来了。

二姨说事不宜迟,下午就叫艳秋跟我进城,明天开始相亲,从一头来,挨个相,相中哪个就要哪个。最好争取在年前把这事给办了,也好让满柜一家人瞧瞧,咱艳秋也不是嫁不出去的。艳秋爹临时召开了一次家庭会议,首先是强调对这件事的保密工作一定得做好。严重警告以艳秋娘为首的三个女人,不能像以往那样,屎没来呢先把狗叫下了,吵得满世界都知道。艳秋的婚事相不成,咱就悄不声地放下。相成了也得等有十分的把握,才能对外公布。对于谁跟艳秋去相亲的问题上,发生了一点小小的分歧。艳秋娘坚持要去,说艳秋跟满柜相亲的时候,自己就没去成,这次高低得帮女儿把好关。艳秋爹想了想,说还是让艳秋一个人去比较妥当。她二姨家屋子窄招待不下,你就别跟着凑热闹了。再者,从艳秋在跟满柜家闹纠纷的处理上,爹明显感觉艳秋已经成熟起来了。艳秋自己的事还是让她自己定,爹有理由相信艳秋会办好。这次相亲不但艳秋娘不能去,连自己也不能去。快过年了,大人不在家会引起别人的注意。内部不能空虚,一空虚容易被人看出来。况且,最高指挥官是不能离开司令部的。艳秋爹为此还举个例子说,当年打锦州的时候,林彪就是在咱二十家子指挥的,二十家子离锦州好几百里呢。

艳秋和二姨是在傍下黑偷偷进城的。

到了二姨家已经是半夜了,艳秋洗了洗就使劲想睡。可不知道为什么,翻来覆去就是睡不着。艳秋第一次尝到了失眠的滋味。晚上睡不好,第二天艳秋的精神就不好,照镜子有点肿眼泡,艳秋就有点沮丧。真是乡下人,经不了大天,睡觉睡不着干什么。是想满柜吗？想人家干什么，满柜已经把吴美丽的肚子鼓捣得滚圆滚圆了，他要是心里头有你，会那么快就去鼓捣吴美丽？吴美丽那不要脸的骚货，几次在自己家的大门口招摇，能迷住男人算什么本事，女人都会，不就是大腿掰一下的问题吗？最主要的是女人没有几个像吴美丽那样贱，那样下作。跟吴美丽相比，艳秋的信心一下子就增强了。不管怎么说，自己也比吴美丽强。现在最关键的是放下包袱，全力做好这次相亲的准备。就是让城里的男人相不中，自己也不能先害怕了。想到这，艳秋的精神头又有了，洗把脸，心情也好了起来。

跑了一上午，艳秋连相了三个男人。这让艳秋很失望，事先做的准备以及那些话都没用上。艳秋首先对照片产生极大的怀疑，照片上咋看咋顺眼，真人咋看咋别扭。不是腿有毛病，就是胳膊有缺陷，而且毛病还不小。腿有毛病的坐轮椅，胳膊有毛病的是没有真胳膊，整个一假肢。相到最后，艳秋快气哭了。敢情让自己挑的城里男人都是残次品，打眼一瞅身上明显缺少零部件。

艳秋的脸色不好看，心想，照这样相下去，明天上午自己就能坐车回去了。一家人还在等着自己的好消息呢。二姨见出师不利，想缓解一下局面，跟艳秋商量要不要等明天再相第四个吧。艳秋想想，年前家里要杀猪要拆被子浆洗缺人手，这个快相完了，好赶回家去帮娘干点活。艳秋坚持要在下午见面，二姨只好去安排。艳秋又详细地问了那男人的情况，是不是也缺点什么。二姨打了保票，说啥也不缺。艳秋就奇怪了，啥也不缺咋不先相这个？二姨说，这四个里面就数这个囫囵，就是有点话迟。艳秋就站住了，二姨的话经过一上午的检验，已经定性为基本没准了。话迟是不是哑巴？如果是哑巴就不去了。二姨说，你是我外甥闺女，我不能骗你，真不是哑巴，就是说话哏吃，结巴。

这回二姨没有说谎，叫二成的男人真不是哑巴。就是说话结巴得严重，该断句的地方他不断，不该断句的地方他生要断。除了这方面有点缺陷，其他方面还不错。尤其是二成的父母说了，只要婚事能成，女方的工作能给安排。艳秋跟二成谈了几句话，基本上都是艳秋一个人说话。二成耗时十五分半终于阐述了自己的观点，他对艳秋的初步印象比较满意。他虽然说话有毛病，可心不坏，愿意跟乡下姑娘结婚，孝顺乡下的父母。

艳秋被二成这番话弄犹豫了，本来一进屋就失望的心有了松动。看这人话说得不地道，可人品不坏，能说这样的话还是让人感动的。这么一犹豫，就没有像前几次那样断然拒绝。艳秋说："我回去考虑考虑。"艳秋的犹豫一下子让二姨看到了希望，回去就做艳秋的工作。二成的父母对艳秋很满意，除了是乡下人以外，艳秋各方面的条件都不错。艳秋没有当场答应下来让他们的心捞不着底。问二成感觉咋样，二成就说除了她我是谁也不要了。你就是现在把七仙女给我弄来，给我找个阿尔巴尼亚的姑娘，我的眼珠都不带错一下的。二成一直以为，阿尔巴尼亚的姑娘是最漂亮的。

二成的话很快由二姨转述给了艳秋，艳秋红了脸，心想这结巴，还挺痴情的。对方越是着急，自己越得稳住了。明天不先回去，看看风声再说。二姨欢天喜地，给艳秋接着灌输城市的好处。艳秋还是有些不甘心，凭自己伶牙俐齿找个结巴男人，是不是有点亏了？可又一琢磨，自己能上城里相对象已经够骄傲的了。人家要是没有点毛病，能要自己吗？舌头短点总归比胳膊腿短好，再说舌头在嘴巴里，只要不说话，还是很容易骗过别人的。自己要是能嫁到城里，爹会很高兴的。还有满柜一家，会彻底瘪了茄子。

艳秋一直在二姨家住到腊月廿七，艳秋也没有明确表达自己的态度。二姨在两家穿梭，二成家的人已经乱了套，非跟二姨要个痛快话。二成他娘跟二姨说了，行不行给个痛快话，别不死不活地靠着，我们家二成已经两天没吃东西了。再这么水米不打牙地耗下去，二成就彻底完蛋了。还有，我们家二成又不是说不上媳妇，上赶着还有几家在后面排队呢。二成娘的话有百分之三十的真实，确实有一个聋姑娘在给二成提着。起初，二成的父母挺满意，聋姑娘正好听不到二成的结巴。在聋子面前，二成的结巴马上成了优势。可相了艳秋以后，聋子姑娘就没有竞争力了。二成的娘说出这句话，完全是想震震艳秋，杀一下这个有主见的乡下姑娘的威风。

艳秋听二姨这么说，快速地卷了衣服，去车站赶汽车去了。二姨跟头把式地给二成家送信，二成的父母还想拿拿高姿态，二成已经急得哇哇乱叫。二成的父母就只好缴械投降，打车去车站追艳秋。

艳秋进车站并没有直接买票，她知道二成一家是会追来的。

艳秋是在腊月廿九被二成接进家过年的。二成强烈要求艳秋跟他们一家一起过年，并且把初次见面的赏钱数目都透露给了艳秋。艳秋偷着抿嘴笑了，这个结巴男人，还挺知道向着女人。还没等定下是怎么回事呢，就顺了勺跟自己的爹妈不一个心眼了。艳秋表示不去，她要回家过年，这么着就去二成家名不正言也不顺。二成的父母马上出面，跟二姨正式谈论婚事。城里没有换盅的说道，可钱得到。有关订婚的一切事情，都由艳秋做了主，再由二姨做代表把婚事给定了下来。艳秋去二成家过年，就成了认门。这样，艳秋就新事新办，把换盅一系列的步骤整个给省略了。

最高兴的是二成，围着艳秋不知道该怎么办好。艳秋对他却冷漠得很，艳秋一直跟老人接触。艳秋知道，二成并不难对付，自己潜在的对手是老人。城里的老人毕竟不同于乡下的老人，跟村长更不是一个档次上的。该硬气自己必须得硬气，但活计人情啥的必须样样不能落后。二成的父母乐得心花怒放，艳秋的饭菜做得好，爱干净，见人说话不口羞，不脸红。这哪像是乡下的姑娘啊？干脆见到像样的亲戚咱就介绍艳秋是街边子的，不是农村来的。

艳秋住在二成家，头一次住楼房，感觉处处新鲜，尤其是厕所，在里面解手，冬天也不会冻屁股。要是把这样的新奇事告诉给父母姐妹，他们一定会羡慕的。艳秋心里高兴，脸上却不表现出来。艳秋从进二成家就没有一次表现出乡下人的大惊小怪，这让二成的父母有些摸不着艳秋的底。摸不着底就对艳秋产生了很多种良好的印象，由喜欢到佩服。二成他妈首先将自己手指上的纯金戒指撸了下来给艳秋戴上。艳秋摘下来又还给二成的妈，二成的妈就坚定不移地想娶艳秋进城来了。有所戒备的是二成的爹，他被艳秋的从容和冷静折服的同时，也怕儿子上当，所以一直保持着清醒，及时制止了二成的妈死乞白赖再次撸下金戒指。

艳秋单独睡在一个房间里，房间里布置得很漂亮干净。艳秋不叫二成进来，二成是不敢越雷池半步的。每天艳秋收拾完就跟二成的父母打了招呼，进自己的房间里休息去了。二成嘎巴着嘴，插不上话，急得在门口转悠。

正月初二，艳秋在饭桌上提出明天要回家了。二成一家人的脸上都有了遗憾和失落，尤其是二成，虽然艳秋来到他家里了，可一直没有跟艳秋单独交谈过接触过。就这么走了，有点心不甘的滋味在心里。晚上吃完饭，也不愿意进自己的屋，溜着艳秋的一举一动。直到艳秋旁若无人地关了门，把自己关在门外，二成的心都没有关死。他就一直在门口守着，睡过去了都不知道。但艳秋的门响了一下，二成就听见了。二成看见艳秋在冲自己招手，有点分不清楚是不是在做梦，掐了自己几下子，才知道是真的。

二成进了艳秋的屋，艳秋就把门关上了。二成不由得紧张起来。艳秋就笑了，说："你是不是想我了？"二成点头。艳秋说："想我咋不进屋？"二成结巴着说："不敢，怕你生气。"艳秋的脸就红了，说："你要真心对我，现在我就给你。"二成先是忸怩着，抱住艳秋的身子时，羞涩感就没有了，力气就来了。他将艳秋抱上床，亲着艳秋。艳秋心里想着的是满柜伸进被窝的腿，直到二成笨拙地进入自己的身体，艳秋才长嘘了一口气，手上抱紧了二成的裸背。

二成后半夜还要做第二回，艳秋拒绝了。艳秋一拒绝，二成就停止了使劲呼吸，用力憋着。艳秋说："想我，就早点张罗结婚。条件我都跟二姨说了。"二成痛快地答应着。艳秋就说："你回屋去吧，别让你妈看见了。"二成贪婪地从上到下摸了摸艳秋，翻身下地。

艳秋正月初三回到家，正月十八进城结的婚。半个月的时间，二成不但摆平了他父母，还摆平了冰箱彩电洗衣机。拉到乡下的没有实物，都是冰箱彩电洗衣机的纸壳包装。艳秋坚持要这样做，纸壳子摆在那，证明咱的富有。艳秋想给满柜一家看看，咱不但城里的男人要了，还拿咱当回事了。这方法果然收到奇效，吴美丽捧着大肚子撒开泼，高低跟婆婆要冰箱彩电洗衣机。为这事，满柜家干起了罗圈架。吴美丽认为，满柜一家没安好心，先鼓捣大了她的肚子，想花仨瓜俩枣就把她给娶家里去，没门，艳秋婆家给啥了，你们家就得给啥。为这，吴美丽来找过艳秋，要去一份财礼家具的详细清单，她也想如法炮制。

以村长为首的强硬派不答应,吴美丽就大张旗鼓地上医院。满柜一家就都怕了,无条件地先答应下吴美丽的要求。吴美丽怕夜长梦多,半道上有变故,提出尽快落实。村长就求吴美丽说冰箱那样的家用电器乡下用不上,就别买了。吴美丽噎村长一句:“咋用不上?夏天我冻煎饼,冬天我冻豆包,实在用不上我愿意搁那闲着。冰箱不但得买,洗衣机我也要双缸的,用不上,我就一缸装小米,一缸装白面。”

艳秋回到家就张罗做结婚的被褥,买最好的棉花和最好的面料。爹征询过艳秋的实底,艳秋给爹下了保证,准着呢。艳秋心里有底,爹也放了心。果然没几日,二姨就来了,拉来了纸壳箱子,送来了聘金。二成的照片就从四张照片中脱颖而出,端端正正地放在炕上供大家瞻仰。艳秋娘说,一打跟的时候她就四选一相中了二成,只是没听艳秋的意思,没敢瞎参与。艳秋心里的滋味没有人能懂,说不上高兴,也说不上胜利。身子下面被二成弄了,鼓胀得慌。艳秋心想女人被男人弄了一下,不就是男人的了吗?电影上都这么演的,可二成弄了自己,艳秋还是艳秋,艳秋没有属于二成的感觉。

艳秋的婚礼场面是整个村子的第一,这是毋庸置疑的。艳秋出嫁那天,也正是满柜家仗打得热闹的一天。那一天吴美丽披头散发,跟婆婆大打出手。满柜娘打不过吴美丽,村长就上了手,教训了一下不听话的儿媳妇。吴美丽打不过满柜的爹妈,回娘家搬兵。娘家人很抱团,来了一大伙。给吴美丽出招,哪人多在哪脱衣服,丢村长的脸。村长彻底全线溃败,割地赔偿,分家另过。

过门后的艳秋发现二成跟自己撒了谎。

二成的户口本上写着的年龄跟二姨报的年龄根本不是一回事。照户口本上的年龄计算,二成要大自己九岁呢。艳秋心里生了气,晚上就给二成断了饷。吃得馋的二成彻底告饶,求艳秋开开恩,发给他粮食吃。艳秋的眼泪直往下掉,城里的男人保养得好,细皮嫩肉的看不出实际年龄,眼睛一花就让二成给骗了。骗不能白骗,先晒二成两个月的干白菜,再考虑其他的事。二成为了早日争取宽大处理,拼命地献殷勤。工资全交给了艳秋,艳秋把钱扔到地上,不要。二成蒙了,下了班自行车直接拐到二姨家。

情况一说,二姨就埋怨二成,怎么这样不加小心。艳秋那是多精明的人,她睡着了都比你醒着精神。二成点头说那是那是,谁精神二成根本不在意,二成最担心的是艳秋会不会跟自己闹离婚。二姨说,那倒不能,你回去赶快哄哄。二成说哄了,洗衣板我都跪了,没用,艳秋根本不理我这茬。二姨说,加条件,赶快加条件,趁着艳秋还在新婚里,她也吃得甜嘴吧咂舌的,舍不得你呢。

二成的活动能力果然不简单,三天落实两件事,件件是大事。二成跟父母把事情说了,并且要父母一定得全力支持,不支持艳秋要走,自己也不想活了。父母心里头也发虚,任凭二成折腾。二成晚上告诉艳秋,工作妥了,明天就可以上班,跟二成一个厂，属于暖壶厂分厂，专门生产暖壶盖的。暖壶盖厂生产的暖壶盖是这个城市的拳头产品，据说能远销阿尔巴尼亚。艳秋的心一动，可脸上仍然没有亮色，淡淡地说："你这是养活不起我了，撵我出去自己打食。"二成就慌了，不是，不是，我不看你在家待着没意思吗？你要是不愿意上班，你就不去，我愿意养活你。艳秋哼了一声，算是答应。二成又说："从现在开始，这楼房就归咱了。爸妈回平房住去了。"

二成说这话，艳秋的确吃了一惊，独自住楼房是她没有想到的。艳秋认真地看二成，不相信。二成急哧白咧地拼命表白，是父母主动的，也是大哥大成同意的。大成单位分了房子，根本不想要这楼房。父母在市区还有三间平房，住楼嫌上下不方便，搬那去住也是自愿的。艳秋瞥了一眼二成："那我得问问爸妈去，如果不是这个事，我高低不住楼房。我不能落个不养老人赶老人走的不孝顺名声。"

在虚报年龄这个问题上，由于二成改过自新的表现很突出，艳秋终于原谅了二成。原谅可是原谅，警戒期两个月并没有解除，接受必要的惩罚还是应该的。二成经过又一番艰苦卓绝的表白，艳秋才赏了他一顿快餐。这顿快餐让二成吃成了慢餐，艳秋说："你还有完没完？这都后半夜了，明天是我第一次上班。"二成只会说一句话："艳秋，艳秋，我老想你了，我老想你了。"艳秋抿嘴笑了，心想这个老男人，结结巴巴的对这事的兴趣可不小。

艳秋第二天就上了班。穿上工作服，艳秋精神了不少。走在宽敞的厂房里，艳秋恍如做梦，阳光从窗子外边照射进来，懒洋洋地洒在身上，暖烘烘的，肉皮子都跟着舒服。艳秋的心情突然就好了起来，她感觉生活就像眼前的阳光一样光辉灿烂，有嚼头有滋味有希望有奔头。

二成被心情好的艳秋解除了惩罚，对那事就更加认真起来。有时候被二成鼓捣得精疲力竭，艳秋忍不住就问："二成，你到底多大岁数，咋这么大的劲头？"二成忙活得浑身是汗，回答一句："这跟岁数没啥关系，这不憋……的年头多了，猛一开……开闸放水，劲头足吗？"艳秋就在被窝里自豪地想，这个二成，是离不开自己的。离开三天，就要憋得爆炸呢。这么想着艳秋就坚定了改造二成的决心。

艳秋给二成买了几本书，监督二成朗读。二成一旦读结巴了，艳秋就用一根小木棍敲二成的脑袋。敲的时候，艳秋不客气。二成跟自己结婚后，还没回去几次呢。回家也不敢让二成多说话。二成一说话，结巴的秘密就该暴露了。如果进展顺利的话，二成的结巴扳过来，还可以回去看看，给爹带回去城里的姑爷子，爹的脸面好看，也能在全村人的面前直直腰了。二成因为心里更多的是想着晚上咋弄艳秋，学得马虎，挨敲的次数明显要多一些。

工友渐渐发现了这个秘密，问二成脑袋上咋有疤。二成不好意思，又幸福无限地说："老婆给亲的。"大家就起哄，老婆给亲的，恐怕是用棍子给亲的吧？艳秋有时候下班来接二成，工友们就发现了艳秋，都瞪大了眼睛。好你个二成，好有艳福啊。这么俊的女人，你二成结结巴巴的也能弄上了？这世道，好汉没好妻，赖汉娶花枝，真是没地方讲理去了。二成嘿嘿笑，幸福得找不着北。艳秋后来一进厂，就会有人话里有话地喊："嫂子，来取精了？"艳秋被这话问得脸通红，心想城里的男人也这么粗俗，拐弯抹角地把床上的事往外抖搂。

不过，也有例外的男人。车间主任就不这样，他细高挑个，戴副眼镜，听说是大学毕业生。他姓唐，唐伯虎的唐，大家都管他叫唐主任。唐主任从来不乱说粗话，浅浅地笑，从不咧大嘴叉子。对工人也不摆架子，友善得很。尤其是女工人，都爱拿唐主任跟别的男人比较，一比唐主任的优势就明显了。有结婚年头多的女工就故意用话气自己的男人："你看你一副粗俗相，就知道来劲了硬干。要是人家唐主任，办这事肯定文质彬彬的。"

艳秋听了这话，脸就红了，好像唐主任跟自己有什么关联似的。别看唐主任还是一个小伙子，可对女人心细得像头发丝。艳秋一次去水池边干活，唐主任就叫住艳秋，给她换了另外的活计。其他的女工起哄，说唐主任对艳秋有意思了。艳秋气得笑了，说："人家还是童男子呢，会看上我？"艳秋不在乎大家的说笑，姐妹们在一起熟了，开个带荤彩的玩笑很正常。艳秋怕唐主任因为这样会难搞对象，艳秋拒绝唐主任换活计。唐主任低声说："你来例假了，要注意身体。"一句话，艳秋的脸腾地红到耳朵根上了。艳秋抬起头，幸好跟前没有别的人听见，艳秋感觉脸很烫，这个唐主任，连女人那个来了都知道。来事还不说来事，偏要说什么例假。例假这个词，只听在医院的大夫说过，乍一听唐主任这么说，还不习惯。

艳秋后来发现，唐主任有一本账，那上面记着女工例假的日期呢。唐主任分配工作，有时候就按这个本上记载的调整。有时候，哪个姐妹的事提前了，或者拖后了，大家就起哄让唐主任检查明白了再分配。唐主任这个时候，脸红红的，认真地改做记录。

艳秋渐渐发现，整个车间只有唐主任和自己说到害羞话的时候，还会脸红一下。唐主任好像无意地问艳秋一句是哪里人。艳秋犹豫了一下，回答说是老北街的。艳秋没有说自己是乡下来的，跟谁都想保密。艳秋怕自己说出是从乡下来的，惹那些城里人笑话。唐主任就甜甜地笑："艳秋姐，我一看你就是真正的城市人。"艳秋被唐主任的这句话搞愣了，这个小唐主任怎么会有这样的判断呢？

晚上回家艳秋就在镜子里照，艳秋发现自己真的看不出来有丝毫的土气。其实乡下人跟城里人真的没有什么大的差别。如果要区分的话只有两样，除了衣服，还有气质。衣服是个很怪的东西，穿上好的就是城里人，穿上破的就是围着锅台转的农妇。脱了衣服，里面的东西是一样的。只不过城里的女人要白一些，可艳秋比较过了，跟浴室里的城里女人比，自己的身体并不吃亏。艳秋刚进厂去洗澡，特意看了城里的女人。艳秋感觉新鲜，在乡下见到的女人裸体不多，而在城里浴室里太多了。艳秋不喜欢城里女人没有活力甚至有些苍白的皮肤。那些皮肤，松软经不住阳光的抚慰，总是呈现一种病态。艳秋终于搞明白了，为什么城里的女人要美容要按摩,原来都是对自己身体的不信任和失望,促使她们那样做的。艳秋对自己的皮肤是自信的,健康富有活力这样的词汇都不能很好表达对皮肤的正确描述。艳秋对女工们的羡慕,用了一个"结实"的词语来形容了自己的身体和皮肤。结实这个词语用得妙,是那种人人认为妙又说不出来哪里妙的感觉。至于气质,乡下的女人身上也有,只不过乡下女人身上的气质更容易被人忽略罢了。比如在艳秋身上,很多人就发现了气质的存在。唐主任认定了艳秋是真正的城市女人,是因为他从艳秋身上看到了别的女人身上不具备的一种气质,所以才有了这样的错觉。

艳秋看着镜子里的自己笑了。乡下和城市一夜之间就这样转换了,自己还没有来得及做好准备,就整个脱胎换骨了。按照娘的话说自己的命挺有福,这福是谁给自己带来的?是二成,是二姨,还是满柜伸进被窝的腿?人有时候真是很有意思,明明看着是坏事,坏到一定的程度就转变成了好事。艳秋,那个村子里土气的乡下女孩,不也有很多城市的男人在献殷勤吗?小唐主任今天叫了艳秋姐,叫的时候,艳秋发现了他的眼睛原来是会说话的。想说什么,艳秋不知道。艳秋从那双眼睛里更多地看出了一些温暖,像照射进车间里的阳光一样。

二成一年多来一直沉浸在幸福的漩涡中,每天他都准时回家,准时吃饭,准时上床,准时去干夫妻间的事。不管刮风下雨,不误点,不怠工,耕耘得很辛苦,很辛勤,很卖力。艳秋没有阻止二成的亢奋与辛勤,自己的好运气毕竟与眼前这个男人是分不开的。男人要,就给了,反正又不是什么难的事情。没有情绪,可以酝酿,乱七八糟地胡想一通。就像一个车间姐妹说的,她跟自己男人干事,每次都很快乐,可心里想着的是刘德华。在姐妹们的嬉闹中,她还说,从刘德华开始数,她用了两年的时间,把天下的好男人都给睡了个遍呢。艳秋这样想着有时候就会笑出声,二成诧异地问:"咋的了?"艳秋就鼓励:"没咋,你接着干你的。"

二成最近干那事有些离谱,完了就下床,把艳秋的腿往起抬。艳秋光着身子,双腿被抬得高高的,羞得脸通红。不知道二成这是在干啥。二成说了,往起抬腿,能早生孩子呢。艳秋忽地想起来,自己跟二成还没有孩子呢。刚结婚的时候,艳秋就没有同意避孕,去了一次医院,带避孕环的大夫馊性,好像这个世界除了她就没有正经女人一样。脱光了衣服,掰腿躺在铁架子上,大夫慢条条地往手上戴橡胶手套,像要解剖尸体。拎一铁镊子,嘴里磨叽着过来,艳秋就腾地起身跑了。艳秋回去跟二成商量,不避孕了,啥时候怀孕啥时候生,反正二成年龄也不小了。

二成从干成第一把就想要个孩子,可艳秋的肚子一直没有动静。心里着急,满处去掏弄偏方。抬大腿的高招就是一哥们传授的。本来是挺灵的,到艳秋这就突然不灵了。二成抬艳秋的大腿后来成了一种习惯。有几次,艳秋实在是不忍心再让二成折腾,就说:"你睡吧,我自己抬腿得了。"直到大腿抬得酸了,艳秋才放下来。放下来就失眠了,自己的身边好像经二成这么一提醒,真的缺少点什么了。同村跟自己同时结婚的女孩都有了娃娃,自己回娘家,娘问,艳秋就用城里人要孩子晚来推脱。说这话时，艳秋自己的心里就犯开了琢磨。结婚将近两年了，那事办得有无数次了，咋就不见娃娃的影子呢？

艳秋自己悄悄去了医院做检查，艳秋想把主动权掌握在自己手里。艳秋怕自己真的有什么毛病，如果有，就偷着把毛病治好了。这事不能让二成知道，也不能让二成的父母知道。知道了，自己的面子往哪搁？本来就是乡下人，再不能给人家留下什么话把了。艳秋在等待化验结果的时候，内心是忐忑不安的。

医生清晰地告诉艳秋一切正常时，艳秋的心里一沉。自己没有毛病，那就是二成有毛病了。可要是把这样的事实告诉给二成，那自己这辈子岂不是就不能有孩子了吗？还有，二成是个自尊心强的男人，他怎么会接受得了自己光开花不结果的事实？

二成要孩子的愿望越来越迫切，在外边装得跟没事似的，可一回到家就不住地长吁短叹。艳秋试探二成，提出要去医院检查的事。二成很吃惊地反问，咱们那事做得好好的，检查什么？艳秋心里好笑，这个二成，别看是城里人，愚昧得比乡下人差不了太多。艳秋就说，她怀疑自己有毛病，可又不愿意去检查，主要是怕医生问这问那。如果让二成去医院，检查男的没事，那肯定是艳秋有毛病了。到时候再吃药治疗就好办多了，这叫作排除法。二成就嘻嘻地笑了，说艳秋你真逗，想这么个办法来实验，要说你们农村的女人啊。

二成说这话时，是站在一定的高度上的。二成很大度，欣然跟艳秋去医院检查。去了医院，二成就后悔了，敢情检查这方面的事，还要化验那东西。那东西只有晚上才会给艳秋，这大白天的，上哪去淘弄？二成红了脸，逃跑。艳秋追出，说二成你不化验，他们就化验我了。二成听了艳秋的话站住脚，脑袋上见了汗，问："女的要咋检查？脱了吗？"艳秋就吓唬："不脱咋检查？检查的还是男大夫呢。"

这话关键时刻起了作用，二成决定牺牲自己，也不能让艳秋脱光了让别人看。二成进了厕所三次，每次都空着手出来。二成采集不到自己新鲜的精液，急得团团转。艳秋跟着进了厕所，监督二成操作。这回二成总算争了气。艳秋拿了样品瓶进医生办公室，出来时表扬了二成的储备能量。二成问化验结果。艳秋告诉他，结果要等礼拜天才能出来。为了给二成恢复元气，艳秋回家特意杀了一只老母鸡给二成补身子。

结果出来了，二成的精子是先天性死精子。也就是说，二成从一生下起，就注定不会有自己的后代。艳秋把结果改了，改成了一切正常。艳秋太了解自己的男人了，把真相告诉给他，他还会有生活的乐趣吗？跟一个对生活失去信心的男人过一辈子是可怕的事情。艳秋横下一条心，这黑锅自己先扛起来吧。自己可以被工友指指戳戳，就是不能让自家的爷们蔫吧了。

艳秋假装心情不好几天，二成的关心就显得含金量十足，显得很珍贵。二成劝："没事，有病咱就治，我不会嫌弃你的。"艳秋听着这话就在心里好笑，笑了一会儿，滋味就变了。不管是谁的毛病，对于两个人都不是什么好事情。让艳秋没有想到的是，二成私自做主抓来了中药，还亲自熬了药让自己喝。艳秋偷着把药水倒掉，二成没有发现艳秋倒药，可尽管这样，艳秋还是心疼的。中药的价钱不便宜，倒掉太浪费。可喝了它，艳秋心里有数，就是喝八百碗也不会起什么作用的。几次在二成温柔的监督下，艳秋忍受不了药水的苦涩，都差点把事情真相说出来，可每次艳秋都理智地阻止了自己。

艳秋在结婚第三年的夏天，又回了一趟老家。这次回老家，主要是帮二妹子艳娟相亲。工厂也正好放高温假，难得有了空闲。还有，二成的结巴已经大有改观，只要有艳秋在旁边看着，二成结巴的概率就很低。艳秋也想借这个机会，给爹的脸上再增点光彩。

艳秋和二成进村，就听见娘带着俩妹子正跟俩人骂架。艳秋太熟悉娘的骂声了，家里不管发生什么事，娘都要跟人去对骂。骂架的对方是满柜的娘和另外一个大肚子的女人，艳秋细看是吴美丽。艳秋纳闷的是，自己跟满柜的婚事都黄了三年了，仇疙瘩怎么还没解开呢？还有，那吴美丽的肚子打自己出嫁那天就大着，怎么还没生出来娃娃啊？

娘和骂架的俩妹子艳娟和艳丽以及满柜娘和吴美丽，见村口艳秋和二成的出现都停止了骂声。她们几乎认不出来穿着打扮都很城市都很入时的艳秋来了，艳秋喊娘，大家都醒过味来。俩妹子放弃了对手，跑过来接东西。敬业的娘还没忘了最后骂一句，转身回家去。满柜娘看出了艳秋，尴尬地忘了骂架，折回身子散了。只有吴美丽邋遢着没有走，看着这边一家子的团聚。艳秋也看了吴美丽，如今的吴美丽身上已经丝毫没有美丽的影子了。鼓着肚皮，灰着脸，上衣太小，只象征性地挡了下肚子，黑乎乎的肚皮不知道是本色还是脏着没来得及洗。艳秋的眼神碰到了吴美丽的眼神，艳秋想自己一定会震住吴美丽的，可艳秋想错了。吴美丽是迎着艳秋的眼神冲上来的，甚至她的目光比艳秋还要凌厉还要灼灼逼人。艳秋在心底不由得打了个冷战。吴美丽的眼神有一种仇恨埋在里面，那种仇恨让艳秋说不上来是为了什么，可它非常真实地存在并且威胁着艳秋。艳秋还是镇静地结束了与吴美丽的对视，艳秋心里想，自己不能跟一个乡下女人计较，不能像娘和妹子那样骂街，那样显得没有风度没有文化，简直是太农村了。

艳秋回家首先训斥了娘和妹子。娘磨叽几句，说吴美丽做事太霸道，她家养的鸡来吃咱家的白菜，说两句还不行。她要横我就往白菜地里下农药。那小骚狐狸精要来祸害咱家白菜，不给她点厉害看，那骚货就拿咱不识数。骚狐狸不上道在咱这谁不知道，打婆婆骂公公，跟满柜扯哩哏扔、不要脸使劲地喊，白腿抬老高从院子外就能看见在窗台上晃悠。头一胎还没出满月，夹不住大腿跟满柜就有了第二胎。刚收拾下去没半年，这又鼓捣上了，环都带不住呢，架不住她浪折腾。艳秋的脸一红，眉头皱了皱，娘就没了动静。二成在跟前，娘竟然也能说得出口这样的话来。艳秋一下子想起了二成抬自己的腿来，心里不由得生出对娘的懊恼。艳秋甚至羡慕起吴美丽来，想怀孩子就怀孩子。哪像自己摊上这样一个没用的男人，自己还得为他背黑锅。

娘出去了，艳秋训俩妹子："艳娟，你和艳丽都多大了，还跟娘去骂街？不嫌臊得慌啊？"艳娟和艳丽红着脸低着头不言语。艳秋接着说，咱家跟吴美丽也没仇，以后不准再去骂街。娘愿意去让娘一个人去，你们不凑热闹，娘骂着就没劲了。艳娟抬头无辜地说："姐，我们去骂吴美丽，是为了你。"为我？胡说。我跟吴美丽也没仇没冤的。艳丽说："姐，吴美丽恨你，经常跟别的娘儿们臭派你，还说……还说……"还说啥了？艳秋问。艳丽吞吐起来："还说，当初你跟满柜睡觉了。"艳秋扑哧一下笑了："她说睡了就睡了啊？你们别勒她，姐做事心里有数就是了，咱没做亏心事不怕鬼叫门。"

艳娟红着脸提醒艳秋："姐，吴美丽很坏的，她跟别人说，你把满柜的魂给勾走了呢。"艳秋问："她凭啥这么说咧？"艳娟征求姐的意思："我要说了，你别怪我不嫌臊。"艳秋瞅了妹子一眼："你说吧，没事。"艳娟就说："吴美丽跟别人说，她跟满柜睡觉的时候，满柜使劲叫你的名字。"艳秋愣了，脸色开始不好看起来。艳秋一下子想起吴美丽跟自己对视的眼神来。艳秋明白了吴美丽的恨是从哪里来的了。艳丽问："姐，你没事吧？"艳秋很快恢复了平静，对俩妹子说："姐没事，你们别理她胡说，她爱咋嚼舌头就咋嚼舌头。你们都大了，不能跟娘一样再去骂街了。"

艳秋跟俩妹子说完话，心情就莫名地不好起来。家里今天格外热闹，再有两天，艳娟就要相对象了。二成的风度已经鼓舞了一家人的士气，村里的乡亲都在夸二成的好处呢。爹很满意，觉得出师大捷，艳秋给全家争了光彩光荣和光辉灿烂，艳娟的婚事就得找回艳秋两口子商量商量。艳秋对艳娟的婚事已经没有了最初的热情。况且婚事是个人的事情，别人还是不掺和的好。自己当初和满柜，要不是他爹娘的掺和，一步一步赶到那，也不至于黄了。艳秋开始一直以为满柜早忘了自己，从满柜那么快就把吴美丽的肚子搞得滚圆起，艳秋就对满柜失望了。婚事还悬着没解决完，满柜凭什么不管自己的感受去鼓捣吴美丽？可妹子说的话证明满柜心里还是有自己的，就像自己很多时候，二成爬上身子的时候，就不由得想起了满柜伸进被窝里的腿。艳秋清晰地记得，满柜的腿慢慢钻进被窝，先是停顿了一下，然后顺着自己的腿往上爬。碰到那个部位时，艳秋是浑身战栗一下的，可是，愤怒很快取代了这种特殊的感觉，艳秋等待着满柜偷嘴过来，就猛地踹了一脚过去。这一脚把所有美好的感觉都踹飞了……

艳秋对艳娟的婚事表现得有些漫不经心，可二成却非常热情。他问长问短，深得爹娘和妹子弟弟的喜欢。二成的活跃，感染了全家人的心情。艳秋对二成的表现用微笑来鼓励。二成跟娘的关系处得一熟，就把艳秋不能生育的病说了出来。

娘直劲抖搂手："你看你姐夫，咋不早说啊，一问艳秋她就说城里人不着急要孩子，不着急要孩子，敢情这是在骗我呢？"二成就大吐苦水："谁说不着急，我盼孩子都快盼疯了。"娘开始替二成打抱不平："我们家艳秋就那性子，连我都管着呢。你呀，甭跟她客气，该管就得管着她。都老大不小了，不要孩子像话吗？娘帮你想想办法，早点把孩子怀上了。"

艳秋听见了娘说的这句话，心里又差点气笑了。你能帮什么忙，我的事我自己还不知道该咋处理呢。晚上，娘就开始着手帮忙的事情。这屋那屋两铺炕，把丫头小子往一个炕上归拢，给艳秋和二成倒地方，整得鸡飞狗跳怨声载道。艳秋说："娘，睡得好好的，你又折腾啥？"艳丽也附和："就是，不就两宿吗，还不能将就了？回城不天天一个被窝吗？"娘骂："小黄毛丫蛋子，你知道啥？当不上姥姥的滋味我好受吗？"得得，乖乖睡吧，娘一会儿说不定还能说出啥样的话来呢。艳秋睡之前，警告了二成，别拿着没脸当官做啊，房子不隔音，注意点影响。二成说："娘答应了，说等你洗完澡就睡觉，能怀孩子，一怀一个准呢。"

艳秋扑棱一下就起来了。艳秋想起来了，村里有这样的风俗，不能怀孕的女人只要深夜到柳林河深处洗个澡，回来跟男人做那事，就能怀上孩子了。可是，自己守着一个没有种子的男人，就是把身子洗秃噜皮了又有什么用呢？艳秋不去，娘进来硬是把艳秋拽了出来。一边拽一边说："都是为你好，不识抬举的东西。"

艳秋坐在柳林河边上，望着朦胧的水面，深深吸了一口气。时令正好适合洗澡，艳秋想洗洗也不错。自己进城这几年，一直没有在露天的地方洗过裸澡。有时候在公共浴池洗着洗着就厌倦了，艳秋感觉城市的表情是那样的僵硬，洗澡的人都在用着同样的动作，打香皂，冲水，搓澡，真是腻烦透了。哗哗淌着的是死水，搓下的是汗泥和污垢，留下的是没有新意和活力的躯体。哪里像在乡下洗澡，可以在天地间伸展，连汗毛孔都跟着舒畅。人是从哪里来的？艳秋想是天地给的，既然是天地给的，就应该把身体展示给天地。那种展示的感觉真的好庄严好神圣，就像女儿把身体给父亲看，没有亵渎，没有欲望，纯洁得让人肃穆。除了骄傲，还是骄傲。

艳秋脱光了衣服在河里尽情地游了起来，不知不觉就忘了自己是谁了。

艳秋要上岸穿衣服的时候，突然看见岸上有一个人正坐在那里看着自己。艳秋心里吃了一惊，振作了一下喊："喂，谁啊？"岸上的人站起来，艳秋看清楚了，是满柜。满柜跳进了河里，艳秋没有慌张，也没有躲闪，就那样看着满柜游过来游过来。直到游到身边，艳秋才说："你那么傻干吗？"满柜呼呼喘着气说："艳秋，到了洗澡的季节我天天来河边，真把你给等来了，我是在做梦吗？"艳秋的眼泪唰的一下子就流了下来。满柜抱住艳秋的身子，艳秋觉察出了腹部的水里有一条泥鳅在焦急地舔自己，艳秋没有躲闪，放那条泥鳅进去了。

柳林河的水面上泛起了一圈圈的涟漪。

艳秋回到家的时候，二成还没有睡。做娃娃是大事情，二成很重视。艳秋躺下

身子的时候，把枕头巾子塞给了二成。二成不得要领，艳秋就说："咬在嘴里，不准出声，注意影响。"在娘家炕上做这样的事情，艳秋连想都没有想过，每次回来，她跟二成都是分开住的。这次情况有些特殊，是娘鼓励这样做的。做起来才知道，在紧张的氛围里做这事还有妙不可言在里面。不一会儿艳秋就受不了，抢过二成嘴里叼着的枕头巾子塞进了自己嘴里。

艳秋早早就起来了，虽然晚上没睡好，艳秋还是坚持起来了。姑娘在娘家，不能太放纵了，还有弟弟妹妹在看着，得做出个榜样来。二成起来时，艳娟问了一句："姐夫，昨晚上睡得好吗？"二成的脸一红没有回答，艳秋瞪了一眼艳娟。艳娟一吐舌头溜走了。艳秋从艳娟一吐舌头的表情里，知道艳娟长大了。至少，她知道晚上睡得好不好的内涵了。艳娟的婚事相得很顺利，那家的小伙子很不错。家里的老人也通情达理，家境也好。可是，艳娟关键时候还是拒绝了婚事。问她为啥，她也不说，二成就打圆场："不中意拉倒，以后姐夫帮你找个城里的对象。"

到了晚上，几乎是艳秋主动了。艳秋第一次觉得，在娘家做这样的事也没有什么了不起。艳秋开始怀疑她看过的一些电影，女人都是那样的忠贞，艳秋不明白，为什么非得忠贞呢？不忠贞就不是好人了吗？自己在水里把一切都给了满柜，心里并没有后悔和对二成的愧疚。难道自己是一个罪恶的女人吗？世界好大也好小，艳秋转了一圈，最后还是把自己给了满柜。她跟满柜说了，就这一次，你得答应我个条件。满柜语无伦次地说："艳秋，我答应，我答应。"艳秋放进了那条泥鳅，说："以后跟吴美丽的时候，不要再喊我的名字，你得对她好。"

满柜愣了愣，呜咽着抱紧了艳秋光溜溜的身子。

一个月后的保温瓶厂发生了变化，虽然没有像别的厂那样彻底黄摊，可还是被个人给承包了。谁再想当工人，得需要跟老板签合同，而且工资也实行计件工资，多挣多得，不上班就没钱可开。效益滑坡，活少，挣得就不多了。艳秋骂，真是自己点子太不好，刚上三年班，就摊上这样的事情。

这天下班，唐主任突然找到艳秋，说有重要的事情要跟艳秋说。艳秋让他说，他还忸怩起来，"艳秋姐，我想晚上请你吃顿饭。"艳秋笑了，逗唐主任："我还以为你要求婚呢，吓我一身汗。好吧，我去跟二成请个假。"

唐主任在饭桌上显得很紧张，大口大口喝白酒。艳秋给他夹菜，他的脑袋上直冒汗，打开空调也没用。艳秋吃饱了，就问："小唐，到底啥事，看把你紧张的。"唐主任看了几眼艳秋，眼圈红了，啥话没说，先把包间的门关上了。艳秋说："小唐，你不是想做坏事吧？"唐主任说："艳秋姐，明天我就离开咱厂了，合同我没同意签。"

艳秋不解地瞅着唐主任，"你傻吧，你不签合同大学不就白念了吗？"唐主任一直跟艳秋走得比较近，他的事艳秋都知道。唐主任老家是乡下的，念完大学分进了保温瓶厂，当上了车间主任，那可是干部啊。这么着说放弃就放弃了，实在是太可惜了。

唐主任突然抓住了艳秋的手，说："艳秋姐，我舍不得的就是你，在我见过的城里女人里，你是最特别的，说真的，我从心里喜欢你。"艳秋慌了，"小唐，你说着说着还来真的了，要知道你真是这样的人，我就不来参加你这鸿门宴了，我这不是自投罗网吗？"唐主任松了手，"艳秋姐，你听我说，我一直把你当作心中的女神，不，你就是女神的化身。"艳秋松了一口气，"得，你还是少夸我吧。"唐主任喝了一口酒，很悲壮。艳秋抢过酒瓶子，训斥："小唐，你不干了，难道去喝西北风啊？"唐主任起身，端空酒杯说："艳秋姐，你给我做证，我小唐不混出个人样来，我不姓唐我。"

艳秋去扶小唐，突然就被小唐给抱住了。艳秋挣了挣，没有喊。艳秋说："小唐，你胡闹什么？"小唐说："艳秋姐，你给我做证，我一定会有出息的。"艳秋刚要回答，胃里突然翻腾起来，嘴巴张了几下，难受地干呕起来。小唐瞅着艳秋，不知道发生了什么事情。艳秋收拾一下被小唐弄乱的衣服，说一句："你慢慢喝吧，我得走了。"然后捂着嘴出去了，把小唐一个人丢在那。

二成是晚上回家才知道艳秋怀孕的消息的。二成快乐地叫："真他妈的，老子这是这丢那找，工资少了，孩子种上了，要说娘的办法可真灵。"艳秋在得知自己怀孕那一刻，心是咯噔了一下。孩子是满柜的，都是水里那条泥鳅惹的祸。孩子要不要？告诉不告诉二成自己怀孕的事？艳秋的大脑飞速地旋转着，最后她终于决定，孩子要，既然来了就要，这是自己意外的收获。这样一来，对二成也有交代了。

艳秋的妊娠反应太厉害，吃不下东西，吃点吐点，人都瘦脱了相。班暂时上不了，厂里捎信来赶快找人打替班，厂里现在忙，保温瓶盖不生产了，改做方便筷子了。车间的机器正在调试阶段，不能占着茅房不拉屎。一个萝卜顶一个坑，叫艳秋快想办法。

二成跟艳秋商量，让艳娟来城里替你上班吧。

艳秋想想也是，让艳娟出来锻炼锻炼也是好事。自己生完孩子，再打发艳娟回去。艳秋想往家里捎信，二成说等把信捎到乡下，恐怕黄花菜都该凉了。这样吧，我回去一趟，下午走晚上就回来了。二成说到做到，果然在晚上把艳娟给带了来。艳秋就让艳娟跟自己一个屋先住一宿，不是没有房间，艳秋想知道这一段家里的情况。艳娟先说的是满柜家的变化，说满柜家最近消停多了，满柜跟吴美丽好得跟一个人似的。艳秋愿意听到这样的结果，可在心里纳闷的是，艳娟为什么非要先告诉这件事情。艳秋埋怨艳娟说跑题了，艳娟说到家里的事时，哈欠就来了，讨饶似的说："姐，让我睡吧，明天我还要上班呢。"艳秋无声地笑了，艳娟想上班的心情跟自己几年前的心情是一样的，而艳娟渴望在城里留下的想法比自己还要迫切。自己能进城，全是命运在暗中做的怪。艳娟来城里是这样的吗？艳秋一时还说不清楚。

艳秋每天就这样捧着日渐隆起的肚子，送二成和艳娟去上班，又每天怀着同样的心情迎接两个人回来。艳秋喜欢在阳台上静静地晒太阳，艳秋听人说，多晒太阳对孩子有好处。二成现在把艳秋当作了国宝，像呵护宝贝似的处处依着艳秋。倒是艳娟时常替姐夫打抱不平，怪艳秋对姐夫太苛刻了。艳秋说:“死妮子，你懂啥?男人惯不得，你惯了他，他会变坏的。”

艳秋缓过劲来，孩子也快生产了。艳秋不再有剧烈的反应，可以出去走走。上哪去呢? 艳秋一下子又想起了小唐。那天自己把小唐一个人扔在饭店，再也没有去理会他。听说小唐一个人真的离开了工厂，不知道鼓捣啥去了。小唐给自己捎过信，说是在步行一条街一家电脑社找到了工作，艳秋没太记住那家电脑社的名字，看天正下着细雨，二成和艳娟又没回来，就想去转转，兴许还能见到他呢。

艳秋撑着伞在细细的雨中走着，心是像湖水一样平静的。孩子隔一会儿就动一下，在平静的湖面荡出圈圈细密的涟漪来，那涟漪让艳秋的心中充溢着幸福的感觉。艳秋这个时候，忽然想如果天空再来点阳光，那一定是更加美丽。自己一会儿见到小唐的心情也会跟着好转起来的。这个小唐，还真有着一股乡下人闯世界的勇气和决心，艳秋是佩服小唐的。

因为小雨的缘故，步行一条街显得很冷清。偶尔有一两个行人路过，也是来去匆匆。艳秋路过一家服装精品屋的时候，突然听见了一阵熟悉的笑声。艳秋相信自己的耳朵，因为这声音几乎每天都陪伴着她。艳秋放慢了脚步，往那家精品屋里张望。艳秋看见了艳娟正在给二成挑衣服。他们正高兴地谈论着什么事情，艳娟笑得很开心。

艳秋只用了几秒钟的时间，就决定不去找小唐了。

晚饭做得很丰盛，艳秋特意买了一条鲫鱼。二成和艳娟是一前一后回到家的，艳秋不动声色，默默地做着手里活计。看见二成身上穿的新衬衫，艳秋漫不经心地问一句:“谁给你买的?”二成脸上没有丝毫慌乱，平静地说:“下午我去妈家了，妈给买的。”艳秋注意了二成的表情，艳秋发现二成的镇定和从容，艳秋的心就沉了下去。

这个直肠子的男人竟然学会了说谎，而且说谎说得是那样圆全，是艳秋没有想到的。艳秋在心里开始埋怨这段时间对二成的管理太不到位了，以至于他学会说谎了。小姨子给买件衬衫为什么非得说谎呢? 这个死妮子，该不是要争姐姐的饭食吧。艳秋看了几眼艳娟，艳娟低着头在装傻充愣。看她不自然又努力掩饰的神情，艳秋就坚定了自己的判断。艳秋的心情是复杂的，自己的亲妹妹来了没几天，竟然跟丈夫有了瓜葛。虽然现在没有什么确凿的证据来证明他们究竟发展到什么地步了，可通过精品屋里的笑声，艳秋隐隐感觉到了一种潜在的危机。

艳秋心里想着事，脸上却照样很高兴。吃完饭，艳娟去厨房收拾碗筷，艳秋就对二成说:“妈的眼光太旧，衬衫的颜色土气了一些。你脱下来，明天换件鲜艳点的。”二成不知所措地抻着衣角，说:“我看着挺好的，别换了。”艳秋嗔笑着:“我说你还不信，你让艳娟看看。艳娟，艳娟，你出来给评判一下，我婆婆的眼光是不是太旧了？”艳娟磨蹭着出来，说姐，我刚来城里，我也说不好。艳秋说，我妹子咋还谦虚起来了，我都听厂子里的人说了，艳娟表现得很活跃呢。

艳娟在姐姐面前站了一会儿，很不自在。艳秋就关心地问：“咋了？艳娟，有啥事跟姐说。”二成说：“没事，艳娟就是有点累了。”艳秋不高兴：“我又没问你，艳娟累不累，艳娟不会自己说啊？多嘴多舌的，当姐夫的得有点当姐夫的样子。”二成红了脸，自嘲地冲艳娟说，你看，你姐姐的嘴巴太厉害了。艳娟没有言语，转身又进了厨房。艳秋把二成的手放在肚皮上，让二成摸。二成摸了，那里面孩子正在踢嗒腿。艳秋按二成的脑袋去肚皮上听，这个时候，艳娟又从厨房出来了。二成想起身，艳秋的手劲很大，二成的努力没有成功。艳秋说：“艳娟，明天下午你抽时间，咱一起给你姐夫换衬衫去。”

洗漱完毕，二成又要回自己的屋睡觉。艳秋说：“把行李搬过来，我害怕。”二成只好搬了行李进艳秋的房间。艳秋搂着二成，二成的肚子贴着艳秋的肚子，二成清晰地感觉到了里面的律动。二成突然说：“艳秋，妈买回衣服不容易，咱就不换了，行吗？”艳秋说：“不行，我的话你不听，你想听谁的？”二成起身急咻白咧地争辩，艳秋那边已经传来了酣睡的声音。二成坐在黑暗里，发了好一会儿的愣。

艳秋第二天早上送二成和艳娟出门，就到阳台去观察。出了楼门，艳娟和二成都没有马上走，说了几句话，艳娟可能发现了二成身上有头发，走过去用手指捏了起来，熟练地弹掉。二成很慌乱地躲闪了一下，艳娟的动作是很自然的。艳秋轻轻地关上了窗子，离开了阳台。看来，下午换衣服还真是很有必要了。

艳秋进厂，不时有人跟她打着招呼。艳秋也故意做得很热情，见人就主动说，找我妹子，我妹子替我上班呢。艳娟在车间里忙活，见艳秋腆着大肚子站在那，出来问：“姐，你还真要去啊？”艳秋说，是啊，衣服不合适就得换换，只有老婆最知道男人咋打扮。艳娟说：“姐，咱又不知道人家在哪买的，上哪去换啊？还有，厂子能给我假吗？”艳秋说：“不知道找啊，没有找不到的服装店，没有瞒得住人的事情。假我去请，姐好歹也当了三年工人了。”

艳秋的假请来了，艳娟只好跟姐去换衣服。磨磨蹭蹭走到那家精品屋的时候，艳秋就说：“进这家看看吧。”艳娟不言语，艳秋走到哪就跟到哪。艳秋和艳娟一进去，服务员就认出了艳娟，热情地说：“小姐，昨天给男朋友买的衣服合适吗？”艳秋故意问：“怎么，你们认识？”艳娟的脸就白了，痛苦地说：“姐，我错了。”

艳秋安慰了艳娟一通，不就给姐夫买件衣服吗，又不是做了啥见不得人的事情。咱们亲姐热妹的，出不了丢人让人笑话的事来。我不知道是你买的，知道是你就不来换了。姐还以为是狐狸精呢。下回再买，也给姐买一件。姐把工作让出来叫你做，还不是看你懂事听话吗？还有，你自己攒点钱，再有个仨月俩月的，姐就能上班了。你回乡下也好自己买件像样的衣服，没白来一趟城市。

艳娟三天后，突然在饭桌上说："姐，我想搬厂里的宿舍住。"二成和艳秋都一愣，艳秋说："艳娟，咋的了？嫌姐这的条件不好了？"艳娟说："下礼拜起，就有夜班了，晚上，不方便，搬厂宿舍住也不贵。"艳秋冲二成："你说呢？"二成变得结巴了："我看……挺好的。"艳秋说："随你的便吧，哪好你就住哪。不过，可不是姐撵你走的，有事还得跟姐说，别就瞒着我一个人，里外不分。"

艳秋在第二年的春天生下一个大胖小子，二成乐得没法，满月的酒席办得很隆重。

艳秋招待客人，孩子由艳娟在屋里看着。艳秋进屋休息的时候，艳娟说："姐，我想跟你谈谈。"艳秋问："谈什么？没看我忙着呢。"艳娟说："姐，原来车间的唐主任来厂里找过你了。"艳秋愣，"小唐找我？"艳娟说："是啊，他来找你，想让你去他的公司帮忙。"艳秋坐下来，听艳娟讲。艳娟说，如今的唐主任可是了不起的人物了，人家自己开一家广告公司，生意火着呢。艳秋笑笑说："他找我去广告公司，我又不懂咋干，你告诉他一声，我不去，我有好好的工作，我可不想冒那个风险。"艳娟急了："姐，下个月你就上班了，我不想回乡下去了。"

艳秋瞅了瞅艳娟，这才是艳娟找自己谈话的关键所在。姐俩都沉默了，艳秋说："你愿意上班？"艳娟点头。艳秋说："要不，你给姐看孩子做饭，姐的工资分你一半。"艳娟马上说："我不想当保姆，我想上班。"艳秋说："可咱只有一个名额，你要是上班，姐就得在家待着。"

艳娟起身，出去，走了几步又折回头说："姐，这孩子不是姐夫的。"

艳秋听艳娟这么说，赶忙关上房间门，"艳娟，你胡说什么？"艳娟说："姐，我没胡说，你的诊断书我看见了，在你的衣柜里呢。你没毛病肯定是姐夫有毛病。"艳秋上去给了艳娟一个嘴巴，骂道："你凭什么胡说八道，你给我滚！"艳娟没有躲闪，倔强地说："姐，孩子是满柜的，那天晚上你们在河里弄的水声太响了，我一直在岸上给你看着人呢。"

艳秋再一次抬起的手凝在半空，怎么也落不下来了。

艳秋按照艳娟留下的纸条，很快找到了小唐办的广告公司。

如今的唐主任变成了唐总经理，手下有一大帮的工人呢。小唐见到艳秋，很高兴。冲艳秋招手示意她坐下。唐总应付了几个客人后对年轻的女秘书说："再来客户就说我不在，我有朋友来了。"秘书嫣然一笑，关上了房门。

唐总瞅着艳秋笑了，"艳秋姐，我知道你会找我来的。"艳秋接过唐主任递过来的茶杯，说："小唐，我没答应来你的公司做事。"唐总挨着艳秋坐下，"艳秋姐，你还守着那破厂子干什么？那里不会有你的发展空间的。"艳秋说："可我来你这里，能干什么呢，我不会做这些啊。"

唐总说："你不用干什么，只要你陪着我就行了。"艳秋说："三陪我不会，你找错人了。”唐总猛地抱住艳秋，说：“艳秋姐，你来陪我吧，我说过我会有出息的。”艳秋没有挣扎，任凭小唐紧紧地抱着。艳秋说：“小唐，你变了。”

唐总说：“没有，我没有变，过去我就爱你，一直都在爱着你，可我不敢说，因为那个时候我是穷光蛋，穷光蛋是没有资格说爱的。你是我见过城里的女人当中最有魅力的，我做梦都和你睡觉啊。”艳秋冷静地掰开唐总乱动的手，“小唐，你听我说，我来的时候是想在你这干工作的，可现在突然又不想了，我得走了，我家里还有丈夫和孩子。”唐总不松手，艳秋就停顿了一下说：“咱不能在这纠缠吧，这是你接待客人的地方。”

唐总停下，放开艳秋饱满的身子，转身从抽屉里摸出一把钥匙和一沓钱。“艳秋姐，你千万别多想，这一万块钱你先花着。这是宾馆的钥匙，你先打车走，我半个小时后就到。”艳秋数了数钱说：“钱我拿着，就先借给姐吧，姐以后还你。”艳秋从办公室出来，打车去了小城最著名的红灯区。艳秋没有下车，冲酒店门口几个打扮入时的小姐招手。小姐到车跟前才发现叫她们的是个女的，嘴里嘀咕着：“操，碰上同性恋的了。”艳秋选了一下，看中了一个很有气质的小姐。艳秋说：“就你了。”小姐愣了，“你跟我干啊?”艳秋说：“干你个头啊，我请了个老板，这是宾馆的钥匙，半个小时你就去。”小姐接过钥匙，不信任地问：“你那老板是男的还是女的呀？女的我可不做啊。我怕传染艾滋病。”艳秋回来的路上想，男的也会传染艾滋病的。估计小唐不会有那病吧，也难说，现在的男人有什么病都是有可能的。

艳秋先去了熟食店，买了二成最爱吃的猪蹄子和猪耳朵。然后给二成打电话，二成正跟一帮工人找厂长论理呢。工厂效益不好，工资只开百分之三十。二成接了电话，说艳秋，你先等我回家再说，卖服装不是小事情，你别这么冒失啊。艳秋在电话这一头说：“钱我都交上了，大世界十九号床子就是咱的了。我给你买了猪蹄子，你买点青菜回来，把爸妈也接着，咱家要庆祝一下。对了，你去厂子把艳娟也接回来。”二成说：“艳秋，又没过年，你折腾啥?”

艳秋轻轻放下了公用电话，心想：以后的日子就让它天天像过年。阳光白花花的洒了一地，艳秋钻进阳光里，步履很轻松。艳秋感觉自己的生活里真的像充满了阳光一样。伸手摸摸，阳光调皮地舔了下她的手指头，有点酥痒。艳秋轻松地叹了一口气，大步继续走。

路都被阳光铺得满满的。

（选自《星火》2008 年第 3 期）

李　铭

1972 年出生于辽宁省朝阳县。初中毕业，辽宁省作家协会签约作家。曾先后毕业于辽宁省文学院首届“新锐”作家班、鲁迅文学院第八届高级研习班、西安曲江电影编剧高级研习班。其创作的小说、散文被多家报刊转载，收入多种年度选本，并有多篇作品被买断影视改编权。其短篇小说获第四届、第五届辽宁省文学奖，2005年、2007年《鸭绿江》年度小说奖。担任《磨剪子抢菜刀》《梨花雨》《拉钩》《黑蛋，快跑！》《幸福的毛毛雨》等电影的编剧。

逆水而行

胡学文

一

霍品从鸡心湖缩回目光,眼睛又涩又胀。侧过头揉揉,眼前顿时一片模糊。一个人向霍品跑来,霍品怎么也看不清。到跟前儿,是刘会计。霍品问这么慌张,出啥事了?刘会计边揩汗边说吴乡长让你去开会。霍品说知道了,却不动弹,目光再次抛向鸡心湖。湖水刚刚融化,泛着青色的光泽。在湖水映照下,岸边那排红房子格外刺眼。刘会计焦急地说,吴乡长让现在就去。霍品不答,却瞅着刘会计脖子上的伤痕问,又挂彩了?刘会计捂着脖子嘿嘿笑,不再催促。霍品这才往回走,慢悠悠的。

霍品前后当了二十多年村长,乡政府大门进了无数次,现在却挺犯愁进去。不想见吴石。数日前,吴石把霍品喊去,说要送霍品一块大蛋糕。一个老板打算承包鸡心湖及周围的千亩荒滩,吴石已和对方谈妥条件,霍品等着签字就行。霍品不悦,地是黄村的,就算你是乡长,也该征求村里的意见吧?霸气,是吴石一贯的作风。吴石做主却不签字。霍品明白,一旦有什么责任,吴石绝对是净身出户。霍品当然不会任吴石摆布,他顶不过吴石,只能绕着来。霍品看了吴石勾的草图,马上抛出问题关键:岸边有一百多亩耕地,涉及到七户人家,荒滩村里说了算,那七户人家,村里做不了主。吴石说,所以,你要做这个工作。霍品问,万一做不通呢?吴石说,在黄村,还有你霍村长办不成的事?霍品说,吴乡长太高看我了。吴石腔口很硬,这是个机遇,绝不能错过。而后又意味深长地说,老霍,可别耍滑啊。霍品说借我十个脑袋也不敢。吴石说我等你消息。可吴石并没有等,隔两天就催一次。吴石也算吃透了霍品,如果等,得到猴年马月。霍品每次汇报,都急得骂娘,心里却平静如水。霍品就是要拖下去。

跨进乡政府大门,霍品步子陡然快了许多,推开吴石的门,已然带出喘息样儿。屋里只有吴石一人。吴石永远那个姿势,厚重的身子陷在老板椅里,头却偏着,给人的感觉是安错了位置。吴石脸上的笑像身躯一样厚,可霍品知道吴石生气了。

吴石两只手频频在扶手上敲打着。霍品叫声吴乡长，说，我还以为来晚了呢，原来别人还没到。吴石凌然道，你想等谁？霍品说，不是开会吗？吴乡长要给我一个人开？吴石盯霍品几秒说，是给你一个人开，别人没这待遇。霍品说，我又犯错误了？吴石说，你清楚。霍品说，吴乡长，我可是笨脑子啊。吴石抓起一个信封晃晃，这是告你的。霍品想看，吴石却丢进抽屉，你还是别看的好。霍品问，吴乡长相信？吴石说，我不信，怕别人信。霍品说，随他告吧，我不怕。吴石说，无风不起浪。霍品问，吴乡长找我就为这个？吴石说，我给你提个醒儿，你已经栽过一次，再栽就起不来了。当然，你别有思想负担，我会尽力压着，除非压不住。话题一转，问霍品进展如何了。

霍品顿时一脸气愤，吴乡长，我正要向你汇报呢，我嘴皮子磨破了，一亩地三十块钱承包费，去哪儿找这么好的事？可就是谁也不同意，我看让派出所出面算了。

吴石马上道，胡说！老霍，你这是想往火坑推我。

霍品忙堆出笑脸，我是气昏头了。

吴石说，几个村民能难住你？

霍品一脸无奈，和过去不一样了。

吴石哼哼，这么说，你没辙了？

霍品说，吴乡长，你得给我时间。

吴石说，一个月。

霍品问，如果……

吴石断然道，没有如果，耽误签字，你就是黄村的罪人。

霍品一副谦恭的样子，心里却极不是滋味，想你吴石也忒霸道了。

吴石没放霍品走，一定要留霍品吃饭。霍品暗暗冷笑，吴石先抽一鞭子，然后再往嘴里塞块糖。所谓的告状信很可能是吴石炮制的，但霍品知道它的杀伤力。如果逆着吴石，霍品会被杀得片甲不留。霍品是有过教训的。从这点说，告状信的内容并不重要，那不过是吴石的借口。霍品并未被吓住，心想我还就不信了，难道会再栽一次？

霍品随吴石和陈秘书到了翠香楼。这是乡里最好的饭馆。霍品想，吴石怕是别有用意，乡长请村长吃饭，说什么也有点儿不合常理，就揣了一份警惕。阵势摆开，霍品就瞧出来，吴石想把他灌醉。吴石频频敬酒，霍品连喘息的工夫都没有。霍品说喝不动了，吴石便咄咄逼人地问霍品什么意思，一杯酒的面子也不给？霍品只得喝。吴石的海量是出了名的，就这么喝下去，霍品必醉无疑，何况还有个陈秘书。陈秘书没吴石那么霸气，但极其难缠。霍品并不怕醉，又不是没醉过，可今天不能。吴石灌他，怕是要在醉上做文章：趁酒醉，让他在协议上签字。那样，霍品就成了被夹住七寸的蛇。吴石完全做得出来。

霍品决定设法离开。

又一杯酒下肚，霍品龇牙咧嘴。吴石说你装啥？酒里有毒？霍品抹着嘴巴，岁数不饶人了。摇摇晃晃站起来。吴石喊，你干什么？霍品说，水箱满了。陈秘书跟出来，搀住霍品，没事吧？霍品说不碍事，别管我，把吴乡长照顾好。陈秘书说我也方便。霍品暗暗骂娘，脸上却笑着，年轻轻的，水箱也不中用了？陈秘书笑说，基本属于劣质产品。

陈秘书一泻千里，霍品撒撒停停，待陈秘书离开，方畅通无阻。陈秘书竟然在门外候着，霍品出来，陈秘书再次搀住他。经过大厅，霍品瞥见柜台旁的女服务员，心里忽然一动，狠狠将一口痰吐在地上。霍品甩开陈秘书，指着女孩鼻子气咻咻地问，你骂我什么？女孩不明所以，呆了。霍品声音提高一倍，你骂我什么？女孩煞白了脸，说，我没骂。霍品吼，我明明听见了，你还嘴硬，骂我什么了？女孩胆怯地说，没……有。陈秘书拽霍品。霍品叫，不行，她凭什么骂我？胳膊一扫，柜台上的水壶摔到地上，发出巨响。女孩泪眼婆娑，霍品不依不饶，叫你们老板来，你给我说清楚！

老板和几个吃饭的围上来。陈秘书说，他醉了。

霍品说，我没醉，你才醉呢。无论陈秘书怎么拉他，他就是不走。

吴石终于露面，瞪霍品一眼，闹什么闹？

霍品说，吴乡长，你得替我找个公道。

吴石没理他，一个人出去了。

陈秘书低声道，吴乡长生气了。

霍品痴痴地看着陈秘书，脑袋耷拉下去。

霍品是被陈秘书半拖回去的。临出门，霍品瞟那个女孩一眼。她挨了老板训斥，边扫地边抹泪，霍品的心被什么东西刺了一下。

霍品在陈秘书那儿睡了一觉，起来便给吴石道歉，说自己喝多了，给吴乡长丢了脸。吴石问，现在清醒了？霍品说，再不清醒，我就不是个人了。吴石说，那就好，我正寻思送你呢，一个月，记住了？霍品做老实状，记住了。

霍品走走停停，停停走走，仿佛气力不支。每逢心里有事，他总是这样子。一截路走了很长时间，黄昏一寸一寸铺到脚底。离村口几十米，霍品听到一声古怪的笑，然后看见光棍黄棒子从半截土墙后跳出来。黄棒子看见霍品，呆了呆，撒腿就跑。霍品喊了一声，黄棒子停下来。霍品问，干吗见我就跑？黄棒子嘿嘿笑，我看见一只兔子。霍品骂，胡扯淡，你要是搞歪门邪道，我敲烂你狗头。黄棒子又嘿嘿一笑，一溜烟没了踪影。黄棒子怕霍品。

又一声古怪的笑，是从矮墙后传出的。霍品忽然想到什么，三步并两步穿过去。矮墙下，二丫猫一样缩着，胸敞着，双乳凸露，上面似乎有抓挠痕迹，裤带也开了。此时，她紧紧抓着裤腰，惊恐地瞪着霍品。

霍品蹲下去，二丫的眼珠几乎迸出来。

霍品轻声说，别怕。

二丫哆嗦，我认得你，你是方干头。

霍品说，我不是。

二丫固执地说，你就是。

霍品叹息一声，替二丫系好扣子，像对二丫，又像自言自语，你躲在这儿，黄毛不知急成啥样呢。直起腰，却和黄毛撞个正着。黄毛目光锋利如刀，狠狠戳着霍品。霍品语气带着责备，咋不好好看着，又让她跑出来了？黄毛恶狠狠道，不用你管！背起二丫，大步离开。

霍品盯着黄毛的背影，久久地。

该死的黄棒子！霍品跺跺脚，便去找他。黄棒子住在村西南，两间土屋，冬天透风夏天漏雨。没有哪个村民肯到这儿，霍品却是常客。每次都是黄棒子惹了是非，霍品不得不来。屋内弥漫着浓烟，好半天，霍品才瞅见蹲在灶坑的黄棒子。黄棒子显然早就看见霍品，就是不吱声。霍品骂，哑巴了？黄棒子说，霍村长，我不是忙着煮饭吗？你还没吃吧，和我一块吃？霍品揭开锅，锅底是清水煮麦子。霍品骂，你咋不把脖子系住呢？黄棒子懒得出奇，小麦不磨面，天天生煮着吃。喝凉水、睡冷炕，吃上顿没下顿，黄棒子却不得病，身体极棒。黄棒子嘿嘿一笑，霍村长来了，当然不能这么招待你，我去买瓶酒。身子便往外挪。霍品喝道，你要是敢跑，我敲断你腿。黄棒子说，我不跑，干吗跑呢？我一没杀人二没放火。霍品受不了烟呛，站在屋门口，狠狠瞪着黄棒子，问，你对二丫干了啥？黄棒子说，啥也没干。霍品骂，你他妈还嘴硬，非到派出所才招？黄棒子忙做老实状，我说我说，我……解了她的扣子。霍品问，还有呢？黄棒子说，我摸了她……挤牙膏似的，一点儿一点儿，说到解了二丫裤带，便顿住。霍品骂，把你嘴里的羊粪蛋全屙出来！黄棒子说，没了。霍品厉声道，等我撬你的嘴？黄棒子带出哭腔，我啥也没干呀，我想干来着，她一笑，我就怕了。霍品盯黄棒子好一会儿才说，这笔账先记着，等我有空儿再收拾你。狗日的，竟然打二丫的主意。黄棒子忙不迭保证，霍村长，我再不敢了。霍品哼一声，转身就走。黄棒子外表张狂，却没胆子，霍品料他不敢说谎。霍品相信自己的震慑是有效果的，至少十天半月之内，黄棒子会老实点儿。二丫已经成了那样儿，若再被糟蹋，就是雪上加霜了。也许二丫不觉，可黄毛呢？还有他霍品……霍品想起黄毛仇视的目光。黄毛恐怕不会相信，霍品对自己在二丫事件上扮演的角色，厌恶而内疚。

二

黄村是霍品的黄村。霍品是黄村的符号。

当然，多年前村民还没把霍品刻在脑里，霍品也不知把自己放到什么样的位置。霍品当了几年代课教师，乍当村长，脸上依然带着谦和。所以黄村人很难把村长和霍品等同起来。霍品作为村长的出场是在一个夏日。那天，吴老三在家抽打女人，因为女人碰倒了他的酒瓶子。吴老三脾气暴躁，常常为鸡毛蒜皮的事打老婆。吴老三习惯，人们也早已习惯。吴老三女人大概也已经习惯，前晌挨打，后晌就下地了。那日吴老三打得凶，她受不了，挣脱吴老三跑到街上喊救命。吴老三拎着腰带猛追。女人跑进霍品家院子，哆嗦着躲在霍品身后。霍品拦住吴老三，让他放下家伙。吴老三根本没把霍品放在眼里，让霍品躲开，不然连霍品一块抽。霍品生气地说，你胆大包天——话音未落，脸上结结实实挨了一下。在场的人都怔了，霍品也有些蒙。霍品没躲，这种时候不能躲，躲就是怕吴老三。吴老三又抽一下——胳膊已有点儿抖，抽在霍品腿上。吴老三终于怯了，霍品从他眼睛里看出来。吴老三骂骂咧咧地离开，霍品却来了精神。他去了一趟派出所，下午吴老三就被铐走了。吴老三在派出所待了一天一夜，出来蔫得好像被拧断了脖子。等在门口的女人说，是霍村长把你待出来的。吴老三忙冲霍品笑笑，霍品警告，再随便打女人，就让派出所收拾他。吴老三赔霍品三百块医药费，霍品用这个钱请派出所吃了顿饭。那一皮带让他意识到村长不仅仅是一个称呼，必须得撑起来。他一个人无法做到，需要帮手。

那件事使黄村对霍品刮目相看。

吴老三收敛许多，却一直怀恨在心。两人再次交锋是因为收提留款，那时收款是村干部很重要的一项工作。吴老三欠着不交，一再拖延。霍品便将吴老三家的电视搬到村部。那是一台黑白电视机，吴老三刚买回不久。之后，吴老三交了款，把电视机抱回去，却咬定电视机坏了，要村里赔钱。霍品明白吴老三趁机讹诈，可是他占着理。霍品不动声色，赔了。等到秋天，吴老三终于撞到他手里。那年胡麻值钱，吴老三偷偷收胡麻——那时尚不允许个人收购粮食。霍品先没理他，待吴老三收了三车，方去报告乡里。主管乡长领着税务把吴老三和尚未运走的胡麻堵在院里。三千块钱罚单，吴老三一下傻了。吴老三垂眉顺眼地求霍品说情，未开口先把讹村里的钱搁到桌上。霍品问，电视机没坏？吴老三一副挨了打的样子说，我是个混球，霍村长别和我计较。霍品训斥吴老三一顿，去找副乡长说情。吴老三被罚一千，这已经相当不错了。自此，吴老三彻底老实了。对霍品而言，震服的却不是一个吴老三。

黄村和邻村一直为一块草坡的划界争执，乡里却没拿出明确意见。黄村的牲畜常常被邻村拉回去，邻村的牲畜也常常被黄村赶回来。你罚我的钱，我罚你的钱，各有胜负，谁也没占便宜。霍品早就琢磨这事了。他在等机会，至于什么机会，也说不上。那天，夏疤子背着绝症老爹从医院回来，霍品明白机会来了。夏疤子欠一屁股债，霍品问他想不想还上，夏疤子说做梦都想。霍品说恐怕得让你老爹受点儿委屈。夏疤子说庄稼人委屈算个蛋。待黄村的牲畜又一次被邻村拉回去，霍品让夏疤子把老爹背去，只要对方动一指头，医药费就挣下了。夏疤子明白了霍品的意思，跟老爹一说，老爹相当配合。果然如霍品设计的那样，夏疤子老爹一碰就倒。夏疤子老爹竟然死了。出了人命，事情就大了，乡里出钱，在草坡中间竖了一道网栏，纷争平息。夏疤子没少掉泪，但一点不怨恨霍品。他得了一笔赔偿，还了债，替儿子娶了媳妇。霍品对夏疤子说，没想到你老爹会过去。这话有点儿虚。也许，霍品早就料到这个结果。夏疤子不怪霍品，谁还说霍品的不是？

霍品一点儿一点儿把自己撑起来了，跺跺脚，黄村的地皮也跟着颤。

黄村离不开霍品，霍品也离不开黄村，这是他的舞台。霍品喜欢踱在街上的感觉。过去他用粉笔在黑板上写字，现在用脚步在地上写字。每天黄昏，即使没什么事，也要在村里转一圈。转着转着，他就转到别人家炕上。第一个跟他的女人是王阅家的。霍品经过王阅门口，王阅女人喊住他，让他辨认一张钞票。王阅卖菜，每天有进项。霍品对辨认钞票没经验，不知道王阅女人为啥喊他，想必认为霍品什么都行。霍品拿着那张五十元钞票看了一会儿，认定是真的。王阅女人欢喜地说，那就好，吓死我了。她泡了茶，让霍品一定喝了再走。霍品不忍拂她意，边喝边和她说话。茶喝完，霍品也趴到她身上。说实话，王阅女人并不好看，皮肤还粗，也就那对奶子中看点儿。可霍品上了瘾，隔三岔五，总要经过王阅家一次。女人带给他的好，不如说是村长带给他的好。

一个夏天过去，霍品对王阅女人的兴趣淡了，但瘾却没减。眼珠子开始在别人身上转。霍品不霸道，不强迫，不是逮谁抢谁。什么都得有度，他很懂。和霍品好上的第二个女人是哑女。说起来，霍品只和这两个女人好过。哑女丈夫大牛犯了事，霍品带哑女去看他。哑女听不见汽车喇叭，不是霍品拽她，她就被撞飞了。哑女还是吓坏了，霍品冲她打手势，没事，没事。哑女突然扑进霍品怀里，揉了霍品一胸脯眼泪。霍品没想到自己会喜欢哑女。回村后，霍品总是回想哑女依恋的眼神。一个黄昏，霍品走进哑女家。大牛判了一年，给了霍品机会。大牛出来，霍品仍然和哑女好着。霍品给大牛不少照顾，两人相安无事。

霍品是黄村一棵树，遮天蔽日，他喜欢个女人算什么？

可是，吴石上任，把一切都改变了。吴石让霍品栽了跟头。

三

睡到半夜，玻璃突然爆裂，霍品的腿同时被重重击了一下。霍品第一个动作是拉灯，灯绳在炕沿边，几下才摸着。电压不够，日光灯管闪烁半天，勉勉强强亮了。被子上丢着半拉砖头和碎裂的玻璃碴子。赵翠兰坐起来，妈呀，吓死了。霍品斜她一眼，又不是第一次，有啥吓的？赵翠兰叫，你让砸出瘾了？发什么呆？追呀！霍品说，早跑了，去哪儿追？赵翠兰拿来簸箕，霍品把玻璃碴子抖进去。这一弄，两人没了睡意。赵翠兰让霍品报案，这么下去，总有一天砖头会砸到脑袋上。霍品说，这么点儿事，值得满世界嚷？赵翠兰气呼呼的，还嫌事儿小？一个村长让人欺负到这份儿上，还想要啥大事？霍品横她一眼，闭会儿嘴行不？没人当你哑巴卖了。赵翠兰没闭嘴，当半辈子村长，越当越萎缩了，你在外面干了啥？霍品吼，有完没完？霍品一生气，赵翠兰就噤声了。

霍品不报案，并不是不在乎，半夜让人砸玻璃，说什么也憋屈。已砸过好多次了，隔几天就得换次玻璃。也不是害怕，在黄村谁能让霍品害怕？霍品不愿声张，是因为知道是谁，正是因为知道，才怕他露出面目。如果霍品有所惧怕，也不是怕那个人，而是怕他自己，怕他内心深处的诘问。

刘会计每天早上都要到霍品这儿看看，霍品没别的指派，他方去忙自己的事。霍品喜欢他这一点儿，他是霍品用的第三任会计，跟霍品多年了。霍品家的私活有一半是刘会计张罗干的。但安玻璃的事霍品不用刘会计，不想让刘会计知道。刘会计进门，霍品已经把玻璃安好。

霍品让刘会计去趟乡上，帮他买一箱玻璃，并按上次的尺寸划好。刘会计失声道，那么多，都用完了？霍品说，这年头什么都费。刘会计满脸疑惑，但没再问。霍品说，快去吧。刘会计却站着不动。霍品问，还有事？刘会计犹犹豫豫的，霍品不耐烦了，问他嘴巴是不是缝住了。刘会计方说他听到个信儿，不知真假，那排红房子卖了九十万。霍品猛地盯住他，这么多？刘会计说，是啊，谁能想到，一排破房值那么多钱，造价撑死也就三十万。霍品觉得一枚钉子从喉咙滑进肚里，但还是嘱咐刘会计，没影儿的事，别乱传。刘会计说晓得了。刘会计走了好一会儿，霍品表情仍然僵着。其实，霍品已猜到吴石这着棋，但没想到卖这么多。九十万，对黄村来说是天文数字。霍品想到吴石的比喻：一块蛋糕。如果说这是一块蛋糕，大半拉已被吴石啃了，余下的一小块儿还沾了泥土。

农民对“上面”怀着天然的敬畏，任何管着他们的都是“上面”。霍品也敬着上面，但他不畏，不把上面当回事。霍品是块难啃的骨头，捋顺霍品，一切都顺；霍品这儿卡了壳，黄村就是一块铁板，什么也插不进去。那年，黄村砍了一批树，清一色钻天杨。数个乡干部都“买”，当然没一个带现钱。霍品没让他们打欠条，只写了棵数。没价钱，谁还当回事？一个毛头乡干部自己拉了一车，似乎觉得这便宜好占，又给亲戚弄了一车，一并写了条。数月无事，那些人早忘到九霄云外。年底，霍品拿着那个毛头的条要钱。毛头挺恼火，霍品不亢不卑地说，村民急了，要告我，我倒不怕，一个破村长有什么当头？我是替你担心，告到纪检委，就不是还钱的事了。毛头生气地说，你也太黑了，松木也没这个价。霍品说，没砍的时候价就定了。毛头说，你怎么不说？霍品说，没打算跟你要，一说价不是驳你面子？你不问，我怎么好说？毛头觉得当了冤大头，和霍品吵起来，结果吵得全乡都知道了。乡长从中调解，让毛头还钱，但价格太高，乡长往低压了压。霍品给足了乡长面子，其实，价格也没低到哪儿去，原来就是故意定高的。霍品只找毛头一人催账，事后那些买树的都悄悄把钱给了，包括乡长。霍品没当众催要，说起来，这是很大的人情。一个晚上，霍品又把乡长的钱还回去。什么事都不能太绝，霍品绝不会为一车树打乡长的脸。乡长责备霍品，你这是让我犯错误啊。霍品说，一车树的主我都做不了，还当这个村长干什么？

黄村的便宜不是随便占的，没人轻易和霍品开口。霍品的硬，使历任书记乡长都让他三分。但霍品绝不以硬碰硬，而是以软对硬。村长对于上面不过是一颗鸡蛋，但谁又能轻易把鸡蛋捏烂呢？

当然，吴石例外。

吴石上任前，有关他的消息已漫天飞扬。其一，吴石是本乡的女婿。其二，吴石有一段颇为传奇的经历。吴石原本是某局司机，不过一个职工，可他撞了运气。一位县领导与某位女士关系暧昧，女士丈夫不好惹，揣了刀子找县领导算账，地点在宾馆大厅。谁也没想到竟然有人在大庭广众之下行刺领导，那么一干人竟呆若木鸡。吴石正在沙发上等人，冲上去护住县领导，并将行刺者制服。吴石挨了一刀，并无大碍。没多久，吴石转成正式干部，仕途一帆风顺。关于吴石的综合评价，知底儿的人都说，有能力，但有点儿狠。

霍品第一次见吴石便觉出吴石的狠。吴石的语气眼神，一点儿没有掩饰。一个村长小声道，不是善茬，这下可得小心了。霍品淡淡一笑，不是不屑，而是认为吴石狠归狠，但不足以让人怕。

几天后，霍品领教了吴石的厉害。吴石召村长开会，霍品晚了半小时。不是故意，他不当出头椽子，那天确实有事。临出门，小学校报告，教室被盗，丢了几节炉筒。霍品去现场看了，交代刘会计处理，然后往乡上赶。他不想第一次开会就给吴石留下不良印象，还是误了。霍品歉意地冲吴石点点头。吴石说你迟到了。霍品想解释，吴石却不给机会，说，劳驾你站一会儿，我把多余的凳子撤了。霍品瞅瞅，果然没有多余的凳子。霍品就那么在会议室站着。他没有走开，那样就把关系撕裂了。吴石不给他面子，他得给吴石面子。肚子里，霍品的火几乎把五脏六腑烧焦了。怎么说他也是一个村长，吴石竟然像个毛孩子一样训他。谁开会没迟到过？谁又拿这个认真过？

若是别人，吴石那天也不至于这样，他知道霍品的头难剃，偏拿霍品开刀。

吴石给每个村长配一部手机，当场发放，并且要求村长们必须带在身上，以便随时联系。霍品享受着同等待遇。饭桌上，吴石单独给霍品敬了杯酒，说，我不是冲你来的，谁迟到都得这样，没规矩不成方圆。霍品满脸带笑，我没意见。本来要说自己迟到的原因，忽然打消了。霍品没把手机带在身上，丢了。当然，怎么丢的，只有霍品自己清楚。霍品给派出所所长老闫打电话，老闫问在哪儿丢的，霍品说在路上。老闫说这个没法找。吴石知晓，让霍品自己配一部。霍品说我再找找，吴乡长配的手机，我怎么能丢呢？吴石催了几次，最终不了了之。吴石没把霍品怎么样，他能管住霍品丢东西？手机事件，两人算交个平手。

再次交锋是收戏台款。吴石建了一个戏台，戏台外建了个广场，费用按人头摊。各村都交了，唯有霍品赖着不交，他原本就没收。霍品赖惯了，赖上一两年就成了账。黄村欠乡里账最多。再者，霍品对吴石这项工程有意见，建戏台也就罢了，广场有什么用？谁没事干跑大老远的路逛广场？吴石请霍品喝酒，霍品烂醉，稀里糊涂写了欠条签了名。第二天，陈秘书便拿着欠条索要。历年的账，霍品都没打过条子，这个条子逃不了。霍品上了吴石一当，也看到吴石的另一面。吴石是没套路的，不按牌理出牌。

黄村遭受了百年不遇的洪水，学校成了危房。霍品找吴石，吴石说上面正好给每个乡建一所项目学校，就安排给黄村吧。吴石也许觉得那次过了，想弥补一下。他让霍品做预算，工程款很快到。

准备工作进行到一半，吴石把霍品召去。听完霍品汇报，说有件事和霍品商量，然后拐弯抹角表达了意思，要让秦小龙承包学校工程。霍品吓一跳，想吴石胆子也太大了。秦小龙是吴石内弟，外号秃子。秃子父亲——吴石岳丈是杀猪的，也算乡上的富户。秃子不谋正业，整天骑辆摩托招摇过市，见女孩就调戏，曾因流氓罪进去过，虽然只有半年，毕竟是坐过牢的。秃子承包，哪靠得住？吴石看出霍品的顾虑，说秃子联系了工程队，那个工程队曾建过大楼，还说给秃子找个事做，不能再让他混了。吴石还未曾用这样知己的口气和霍品说过话，况且项目款要经吴石的手，霍品怎能再不识相？然而霍品就像被掐住脖子似的，感觉呼吸不畅。让秃子罢手，除非他自己退出。霍品冥思苦想。那天，刘会计无意中说起小姨子的事，霍品突然有了主意。刘会计小姨子风骚，跟个已婚男人同居五年，那男人突然死了。找了几次对象，都因名声臭而告吹。霍品说反正在你家吃闲饭，村里给她找份差事吧。刘会计满心欢喜。霍品说出自己的计划，刘会计害怕了。霍品说放心，你小姨子少不了一根汗毛，就算少一根又咋的？刘会计勉强同意，说千万别让他媳妇知道。霍品说除非你嘴不严。那天，秃子到黄村实地考察，霍品留他吃饭，安排刘会计小姨子掌勺。不出霍品所料，没多一会儿，秃子就和刘会计小姨子眉来眼去。霍品装糊涂，频频向秃子敬酒，把秃子灌得云山雾罩。中途，霍品和刘会计撤离，去“处理”一桩事，嘱咐刘会计小姨子暂且陪一会儿，然后霍品通知刘会计女人到村部开会。刘会计女人极其泼辣。待霍品和刘会计两人返回，刘会计女人已在秃子脸上抓了两把。秃子抱着她妹子乱啃，被她撞个正着。刘会计小姨子嘤嘤哭，一副被欺侮的样子。

霍品把秃子抢出来，说你这祸闯大了，人家告你强奸呢，你究竟干没有？秃子说，你不都看见了？霍品骂，屁话，我看见还由你胡来？你好好想想。秃子的脑袋已是一堆糨糊，自己也搞不清了。霍品给吴石打电话，吴石开车来了。

吴石把秃子臭骂一顿，让霍品处理。霍品说这也简单，女方提出让小龙娶她，不然可能有些麻烦。轮到吴石吃惊了，这成什么了？难道她嫁不出去？霍品说，吴乡长说对了，她真嫁不出去，不是丑，长得蛮俊的，只是……名声……也算不了啥，小龙愿意，我倒愿意做这个媒。霍品极其诚恳，秃子似乎动心了，向吴石投去询问的一瞥。吴石瞪他一眼，他低下头。

吴石甩出两千块钱，事情就算平息了。秃子撤离黄村。

霍品占了上风，但最终被吴石耍了。校舍竣工，霍品方知吴石早已把项目给了另一个村。吴石说，一位县领导打了招呼，我不得不这样，有机会再给黄村吧。

四

霍品围红房子转了一圈。红墙红屋顶，门口那块石头也是红的，异常刺眼。房是秃子盖的，当然，房主绝不是他。去年盖起一直空着，就等着卖呢。刘会计说得没错，房的造价撑死也就三十万，转手就是九十万。如果房子易主，绝不会值这么多钱。话说回来，谁能想到在此处盖房？其实，吴石早就动作了，只是他压着，没人知道。吴石设计得滴水不漏，蛋糕却吞进自己肚里，还用了冠冕堂皇的理由。

难怪吴石如此逼迫。

霍品想到吴石咄咄逼人的目光。吴石既然把红房子卖了，绝对要签这个协议。霍品硬顶，吴石会把霍品拿掉。吴石做得出来，霍品被他拿掉过。村长这顶帽子很轻，一旦拿掉，霍品方知对自己是多么重要。

那次校舍的事让霍品陷入被动。包工头是霍品找的，砖石木料全是包工头垫的，说好竣工一并结清。包工头老郝是个粗人，问霍品有准没。霍品说当然有准。老郝说不按时付款，我就把房子扒掉。吴石说上面给二十万，霍品和老郝签的是十八万，想用另外两万买点桌凳啥的。如果秃子做这个事儿，霍品肯定挤不出两万。霍品没想到吴石来这一手。老郝知道房款没了影儿，急了，把霍品堵在家里，脏话连篇。霍品也火了，说你不把嘴洗干净，有了也不给你。老郝威胁要扒房子。霍品冷笑，敢扒你就扒，就算是你盖的，也是破坏，不让你坐几年牢我就不姓霍。老郝呆了半晌，号啕大哭。霍品很难受，他没想过骗老郝，他是被一步步推到这儿的。老郝哭累了，又可怜兮兮地和霍品说好话。霍品安慰，别急，我会想办法，这么大个村，还能欠下你的？老郝问什么时候，霍品说有钱通知你。老郝隔三两天就来催一趟，说别人怎么怎么催他，老婆也提出离婚，霍村长，你救救我吧。霍品找方干头贷了八万，算是消停了一阵。霍品完全可以摊派下去，但他不愿意那么做。霍品憋着一口气，不想这么输给吴石，想找机会把钱从乡里搞回来。黄村建校舍欠账，对吴石大小也是压力。一旦摊了，与吴石就没多大关系了。

霍品找了吴石几趟。他不能像老郝那样堵着吴石骂脏话，也不能像老郝那样痛哭流涕，说老婆离婚之类的话。他依然像过去那样，眼里含着谦和，话里带着恭敬。那是下级对上级、一个村长对一个乡长应有的姿态。吴石也不恼，让霍品想办法。他说，这点儿钱能难住你霍村长？这世上还有你办不到的事？霍品听出吴石话里的挖苦，自嘲道，一个村长，跟苍蝇差不多，谁不敢踩？吴石说，别作践自己嘛，办法一块儿想，怎么样？霍品再去，问吴石想出办法没。吴石说，我又不是如来佛。霍品提出跟乡里借点钱先打发老郝，吴石哈哈一笑，说老霍你这办法倒是不错。忽然收紧脸，要不，你来当这个乡长？这话棒槌一样，硬硬捅进霍品嘴巴。霍品半晌方干笑几声，吴乡长，我不过开个玩笑。

霍品尝到了吴石的狠，吴石是要往悬崖逼他。秃子的事，吴石自然早就明白过来了。这么找下去，怕是没指望。霍品想了个主意，组织村民到县政府静坐，不信县里不管。霍品也知道此招冒险，说不定他的村长就当到头了。因为这份担心，霍品一直犹豫。

吴石嘴上硬，其实对霍品很不放心。数日后，就把霍品拿掉了。没有什么程序，吴石一句话，霍品就成了老百姓。二十年的村长，霍品以为自己坐稳了，可吴石舌头一卷，他就摔下来，简单至极。当然，吴石是有借口的，霍品长期霸占一位残疾妇女。吴石说，把你免了也算是对你的保护，不然你得吃官司。霍品想到哑女，不相信哑女会告他。霍品没有承认，说，吴乡长，我可是清清白白的。吴石叹息，到这一步，你还硬撑？打了个电话，老闫把一个人带来。

是大牛。

霍品的心软软地颤了一下，目光却冰冷、坚硬。大牛慌了慌，很快迎住霍品。霍品明白，吴石给他吃了定心丸。霍品依然不承认，大牛不能代表哑女。哑女不会背叛他的。霍品提出和哑女对质，如果是事实，宁愿坐牢。吴石说你当着村长，他们怕你，这个质没法对。上了公堂，你想怎么对怎么对。不过把事情闹大，收场就难了。

霍品想到瘦弱的哑女，她肯定不知道大牛告状。她还得和大牛过，霍品照顾不了她一辈子，也不想搞得满世界都知道。况且，吴石决意拿他，哑女的态度并不重要。

没了村长的帽子，霍品不再是从前的霍品了。跺跺脚，黄村没什么感觉了。霍品依然在黄昏中穿过街道，那些常喊霍品进屋吃饭的人，见霍品过来便转了身，留给霍品一个僵硬的后背，如果来不及转身，便抛出一个笑，干巴巴的，没一点儿水分。霍品万分失落，娘的，都是势利眼。吴老三被霍品搞过两次，一直服服帖帖，逢年过节必定要把霍品叫到家里。如果喝了酒，必定躲着霍品。那天在街上撞见霍品，吴老三不但没躲，反迎着霍品走过来。吴老三嘿嘿笑着，霍品皱眉道，你小子又喝多了。吴老三哑着嗓子说，喝多了又咋样？我的酒我的嘴，想咋喝咋喝。吴老三出了趟车祸，脖子被树枝扎了窟窿，变成哑嗓子。霍品说，那你就往死喝吧。吴老三嘿嘿着，你倒了，你也有今天啊。霍品冷笑，你逞什么能？你放肆，我照样收拾你。吴老三说，是吗？我好害怕……嘿嘿。吴老三摇摇晃晃离开，显然不信霍品会翻身。霍品虽然那样说，但明白自己的话已经失去威力。吴老三赤裸裸地嘲笑他，别人虽然没吴老三张狂，可是霍品更加不舒服。连赵翠兰也嘟嘟囔囔地抱怨。她去小卖部买东西，不过短了二毛钱，生生让人家把五十块钱打开，过去欠三块两块推着不要。赵翠兰说哪个村的摊派不比黄村多，哪家没沾过你的光，现在……哼，一个比一个没良心。霍品让她闭嘴，没人把她当哑巴卖了。霍品只剩这一招了。赵翠兰说，我是哑巴，你还舍得卖？霍品狠狠瞪她一眼，她的嘀咕方轻烟一样没了。

只有一个人没因霍品栽跟头而对霍品另眼看待：哑女。霍品偷偷去看过她，她问霍品怎么不当了。霍品比画，他不想干了，有点儿累。哑女问当村长比种菜还累？霍品说累多了。哑女说她不信，还做了个顽皮的表情。霍品笑笑。霍品到来，对哑女是节日。她把自己打扮得漂漂亮亮，然后才开始脱衣服。那天，霍品看着哑女瘦瘦的胸脯，重重地叹口气，把衣服给哑女披上。哑女抱住他，一脸愕然，那眼神分明在问霍品怎么了，不喜欢她了？霍品说自己不舒服。哑女不信，固执地摇着他，询问。霍品只好说，你和大牛好好过日子吧。哑女明白霍品要和她断，眼里蓄满泪水。她不死心，依然用眼神问她哪不好了，霍品为什么要离开她？霍品在她肩上摁摁，如果再和她来往，她的日子不会安宁，可这些话没法和她说。哑女执拗，如果她说自己不怕呢？霍品怎么回答？说他害怕吗？

霍品掩门出来，身后传来啜泣。霍品顿顿，终是没有回头。他没资格找哑女了，也没了那种雄心勃勃的感觉。

吴石捋他的时候，霍品还有些不在乎，现在他的心境彻底变了。他是在乎的，非常在乎。他甚至后悔轻易放弃，他应该想法捂住那顶帽子。当然，霍品不会死心塌地认输。他开始考虑怎么重新上去，他和村长应该叠在一起，那个位置属于他霍品。现在的村长是代理，转过年要正式选举，霍品的心思草一样疯长着。

有两个人比霍品还急，一个是方干头，一个是老郝。

方干头官名方福，开着榨油厂面粉厂，是黄村首富。方干头个儿不高，脑袋连三两肉也剔不下来，乍一看像骨头上绷一张皮。哪个女人愿意嫁这样一个男人呢？丑不说，还穷。可方干头没打光棍，从邻村娶了一个软骨女。那女人上身好端端的，两条腿却麻秆一样。谁能想到方干头会暴发呢？有了钱，方干头腰板硬了，说话口气也不比从前，只是脑袋还是那样干巴，脸皮绷得太紧，一丝肉都长不出。那八万块钱，霍品就是和方干头贷的。霍品倒了，方干头当然着急。他问霍品就这么认了？霍品说不认咋的？我还能把乡长杀了？方干头说你拍拍屁股歇凉了，我的

钱咋办？霍品说谁也欠不下你的。方干头说理是这么个理，可你都弄不上钱，别人又有啥办法？霍品说我是没辙了，办法你想吧。方干头一闲了就找霍品，这家伙鬼主意挺多，但没一个用得上。

老郝三五天就找霍品一次，每次还要在霍品家住一夜两夜的。老郝不再大着嗓门叫，没用；也不再低声下气，霍品已不是村长了。他缠，死缠。霍品说你找新村长吧。老郝说冤有头债有主，我就找你，不给钱，我就住你家了。霍品说愿意住你就住。老郝喜欢热炕，早早把位置占了，赵翠兰只得挪窝儿。老郝能喝水，一夜下几次地，在尿盆里冲出朗朗的声音。赵翠兰不乐意了，每日供老郝吃喝，还得给他倒尿。她和霍品抱怨，霍品说老郝也可怜，女人撵得不让他回家，他能去哪儿？赵翠兰问，你要养活他了？霍品说，还不上钱，我就得养活他。赵翠兰就躲出去，到了吃饭时间，又得乖乖回来。那个春节，老郝就在霍品家过的。赵翠兰到女儿家过年了。女儿在县城，是一名小学教师。霍品和老郝面对面喝酒，老郝醉眼蒙眬，但愿新的一年咱俩能两清了。霍品问，还欠多少？老郝说，装什么糊涂？整整十万。霍品说那是先前，你在我家住了四十六天，连吃带喝，哪天不得一百块钱？老郝几乎跳起来，你讹人！霍品说，你可以告我去。老郝呆了半晌，声音就稀了，我实在没地方去啊。霍品嘿嘿一笑，你敞开住，我说着玩呢。老郝却不踏实了，说你要是讹我，我就死在你家。

霍品尽量装出轻松样儿，心里却憋得几乎发霉。他霍品咋就狼狈成这样呢？不，这不是他。老郝的缠磨在某种程度上坚定了霍品的决心。他必须上去。

第二年选举，霍品终于把那顶帽子抓在手里。吴石对选举结果挺意外，话中有话地说，群众基础不错嘛。霍品谦卑地笑笑，谢吴乡长夸奖。吴石说，好好干吧，别辜负大家的心意。霍品说，我记着。

霍品记着吴石的狠，他绝不会轻易任吴石摆布。可在鸡心湖这件事上，霍品还是踌躇了，那九十万如一群蝴蝶在脑里飞舞。吴石是一定要把蛋糕吞进肚里的，霍品能拦住他吗？霍品想起吴石扬着那封信的样子，是的，吴石还会下手的，如果霍品成了拦路石。与其这样，不如顺着吴石，也算送吴石个人情。挺窝囊，可有什么办法呢？他的村长还得当下去。

五

霍品进屋，吴老三两口子同时站起来，一副受宠若惊的样子。霍品再次当选，第二天吴老三便给霍品道歉，说那天喝多了，让霍品别计较，还说他投了霍品一票。霍品挖苦，这么说我欠你的情了？怎么个还法？请你喝酒？吴老三忙说，我请霍村长喝酒。从此，吴老三三天两头请霍品，霍品当然不会去。一年也没把霍品请去，现在霍品竟然主动上门。吴老三斥责女人，呆头呆脑的，倒水呀。吴老三声音嘶哑，目光却凶。其实吴老三脑瓜蛮活络，只是嗜酒如命，毁了自己，也害了别人。那次出车祸就是酒后驾驶，一位搭车的老汉摔出几米远，当场身亡。看病，赔偿，踢光了家底，还背了外债。

霍品和吴老三说了两句，闻得一股菜香，问，还没吃饭？吴老三神色带了些兴奋，霍村长是稀客，上门不容易呀。霍品明白过来，正色道，我不是来喝酒的，我还有事。吴老三生怕霍品跑了，堵在门口，喝一点点，就一点点。转眼，吴老三女人已把酒菜摆上。霍品推托，吴老三说，霍村长怕啥？我不会下毒。霍品说，说好了，就一点儿。吴老三说，多了我也不敢呀。

一喝上吴老三就控制不住了，一口一杯。霍品见吴老三女人神情紧张，让她把酒瓶拿走，今儿就到这儿。霍品提出湖边土地的承包，吴老三和女人面面相觑一会儿，问，听说有人要把鸡心湖买了，这么说是真的？霍品纠正，不是买，是承包，三十年期限，三十年后还是黄村的。吴老三说，还不一个样，没准三十年就成了他自己的，这老板也邪了，干吗还要承包湖边的地呢？霍品说，搞旅游，光有一片湖不行。吴老三问，一亩给多少承包费？霍品说，三十。吴老三又问，一次结？霍品顿了顿说，一年一付。吴老三骂，这老板也太欺负人，凭什么来黄村占便宜？霍品说，这得从大局出发，鸡心湖开发对黄村是有好处的。霍品把吴石的话照搬过来。吴老三说，不划算呀，我八亩菜地，每年怎么也得收入几千块，让给他，才二百四十块钱，这点钱连吃粮都买不回来。霍村长，我还欠一屁股债，就指望种菜还呢，承包了，谁替我还债？吴老三说的是实情，其实霍品何尝不知？可吴石催得紧，顺着吴石，只能牺牲吴老三之类。这些话霍品不能说，只说是上面的意思，并提出在别处划一块地给他。吴老三说，地和地能一样？霍品明白吴老三的意思，一块好菜地几年才能养出来。这么做对吴老三不公平，可既然说出来了，就不能把话收回去。霍品说，已经定了，你不同意怕是不行。吴老三问，没法改了？吴老三身子前倾，脖子伸得格外长，如一只待宰的羊。霍品第一次看见吴老三可怜兮兮的样子，被派出所铐了也没这样。霍品觉得自己的心开始融化，已经有了水迹，可他最终控制住自己，硬了声音道，不能改了。吴老三不死心，我要是不同意呢？霍品反问，由你么？

吴老三女人哭了。先是一绺细细的水，很快便成了挟带着泥沙和石块的洪水。吴老三骂，号啥丧？老子还没死！吴老三女人想压制，嘴巴闭住，声音却从鼻腔往外喷，鼻孔大张。吴老三不敢和霍品撒火，只好借女人出气。

霍品站起来，已经没有再待下去的必要。

吴老三喊住霍品，霍村长，我想再问问，我不同意，是不是要坐牢？

霍品觉到吴老三言语的冷硬，停了停说就算让你种，你的菜怕也要变成一堆垃圾。

吴老三说，变成屎我也不怕。

霍品问，这么说，你就是不同意了？

吴老三没有马上回答，迎视着霍品，目光红得怕人，似乎要把霍品吃掉。霍品轻轻笑笑，吴老三的目光突然凉下去，一根根折弯。吴老三说，我不甘心啊。

霍品说，我再和上面争取点补偿。

吴老三说，霍村长，我不怕上面，上面能把我怎样？顶塌天就是坐牢。我……你说话了，我听你的。吴老三终于掂量出来，和霍品顶是没有好结果的。霍品说出来，自然有招数让他服。他对抗不了霍品，就像霍品对抗不了吴石一样。这种时候，吴老三没忘向霍品卖好，不就是证明吗？吴老三的恭顺其实是无奈。

霍品把吴老三搞定，却没一点儿喜悦。

黄村的夜晚是宁静的，偶有一两声狗吠。对霍品来说，白天和夜晚没什么区别，旮旮旯旯都熟悉。他的脚踢到一块石头，估摸鸡蛋大，石块在地面划出声响。霍品没有直着走，他寻到石块，又踢了一脚。霍品知道自己在踢石块，可不知干吗要和石块过不去，踢出去就觉得舒服一些。就这样，他一直把石块踢到黄棒子门口。

黄棒子的屋和夜晚一个颜色，霍品喊了两声，没人应。他推推，门开了，伸进头喊，黄棒子，开灯！没有声音，这家伙又去瞎逛了。黄棒子从来不锁门，他不用担心丢东西，实在是没东西可丢。霍品正要离开，忽然闻见一股腥味。再嗅嗅，确信了自己的感觉。霍品摸了一会儿，找到灯绳。突然一亮，霍品的眼睛竟然发黑，但还是一眼瞅见散在地上的鸡毛。揭开锅盖，腥臭直冲鼻孔。水面上依然飘着鸡毛。霍品骂声娘，把锅盖住。屋内尚有烟气，黄棒子肯定没走远。霍品拉灭灯，决定守株待兔。

仅一会儿，霍品就适应了屋内的气味。霍品觉出哪些地方不对，想想，赶紧拉亮灯。是的，没找见鸡的影子。黄棒子肯定没来得及煮，可鸡到哪儿去了？黄棒子听到他的声音躲了？偷鸡是黄棒子的老毛病，霍品收拾过他一次，黄棒子收敛不少。霍品对黄棒子恩威并施，平时没少照顾他。黄棒子没的吃就找霍品，霍品损他，却不缺他食粮。咋也不能饿死人呀——当然，霍品清楚黄棒子饿不死。黄棒子没钱交电费，被掐了电，霍品和电工打招呼，电就接上了。霍品有自己的考虑，有个灯，黄棒子还能在屋里待会儿，黑灯瞎火的，他该整夜瞎逛了，那就真是祸害了。他虽然怕霍品，可精力过剩，难免搞出点儿什么。

霍品没想到黄棒子又犯了毛病。

站了很久，黄棒子依然没露面。霍品骂声娘，离开。谁知道黄棒子会不会逛一夜？霍品脑里闪出二丫痴痴的样子。这家伙该不会……心顿时沉甸甸的。

霍品问赵翠兰有人找他没，赵翠兰说没有。霍品纳闷，丢了鸡该有人告状才对。

第二天，霍品把黄棒子堵在被窝里。黄棒子边打哈欠边揉发红的眼睛，霍村长，我正做梦入洞房呢，你再晚来半小时，我的好事就成了。霍品喝道，你还扯白皮！黄棒子马上正经了，看着霍品说，我没干犯法的事呀。霍品问，地上的鸡毛是怎么回事？黄棒子顿时慌了，你来过？霍品冷笑，你还想赖？黄棒子露了怯，却咬定没偷，说谁家丢鸡，他就剁只手给他。轮到霍品犯怔了，如果黄棒子偷了，没这么气冲。霍品盯住他，问，鸡毛是怎么回事？黄棒子说，反正我没偷。霍品突然想到什么，问，你从别村偷的？黄棒子嘻嘻笑，兔子不吃窝边草嘛。霍品骂，狗日的，越偷越胆大了，你以为去别处偷我就管不住你了？黄棒子小声道，别的村也不行？霍品说，不行！黄棒子说，我改，我改！霍品问鸡哪儿去了，黄棒子犹豫一下，说拿饭馆换钱了。

霍品训了几句，忽然说，湖边的地别种了，你这号人占着也是浪费。

黄棒子紧张了，好歹打点儿粮，不种我吃啥呀。

霍品说，我替你承包出去，到时候自会给你钱。

黄棒子嘿嘿几声，你就是为这事找我吧？

霍品问，怎么，不愿意？

黄棒子说，愿意，我的事你做主。

霍品说，就这么定了。你长记性啊，别给我惹麻烦。

黄棒子说，一定一定。

黄棒子比吴老三还容易搞定。湖边土地的户主虽有七八家，有一半在外打工，目前种的只有四户：吴老三、黄棒子、大牛和黄毛。这四户同意承包，难题就解决了。可霍品也知道，剩下的两户有点儿麻烦。哑女和黄毛毕竟不是吴老三和黄棒子，吴老三和黄棒子怕霍品，但哑女和黄毛不会。相反，霍品倒有点儿怕他们，尤其是黄毛。

六

霍品喜欢喝浓茶。他不喝绿茶花茶，而是喝砖茶。砖茶水黑红黑红的，喝一口，满嘴都是香气。每天晚上，赵翠兰早早熬好，不管霍品回来得多晚，必定要喝。

晚饭后，霍品本打算出去，一搁碗，赵翠兰已将一杯茶端上，霍品就没动。吸了一口，马上问，换新茶了？赵翠兰说，换了，你一年得四五块。霍品随意问现在多少钱一块，赵翠兰迟疑一下，说比以前贵了。霍品咬住不放，贵了？贵多少？赵翠兰支支吾吾。霍品挺恼火，你又白拿人家东西了？赵翠兰手贱，别人随便让让，不管是真是假，她是不客气的，霍品没少说她。赵翠兰说你少给我扣帽子，这是别人送的。见霍品盯她，补充说，方福给的。霍品问送了几块，赵翠兰说五块。霍品的声音里带着狠，他送你就要？赵翠兰嘴硬，不就几块砖茶吗？你又不是没收过他的东西。霍品突然火了，你倒有理了？送回去，现在就送！赵翠兰委屈地说，你看我不顺眼，也不能这么找碴吧？我看你让免了一次，胆子吓破了，半夜让人砸玻璃吭也不吭，为几块破茶大嚷大叫。霍品重重将茶杯放下，赵翠兰闭了嘴，装了余下的四块就要出去。那块劈下一个角，无论如何不能还了。

恰好方福进来，问赵翠兰要出去啊。赵翠兰嗯了一声，用目光勾着霍品。方福看看霍品，再看看赵翠兰手里的东西，顿时明白。他一把夺过来，搁在炕上，霍村长，你这是把我当外人啊，不就几块破茶么？霍品看赵翠兰一眼，赵翠兰识趣地退出。霍品这才说，不能惯她这个毛病。方福说，跟嫂子没关系，要怨就怨我。方福扭着脖子，表情生动，这使他的脑袋看上去更小，而肚子蛮横地腆着，仿佛一只竖立的乌龟。霍品摆摆手，那个话题就此掐断。

方福自己倒一杯茶，坐在霍品对面。他的随意显示着和霍品关系的特殊。没错，方福有资格这样。霍品否认不了，只是不舒服。

方福呷了几口，说我也开始喝砖茶了，我觉得砖茶味贼香贼香。霍品淡淡一笑。砖茶味道虽香，毕竟上不了台面，比那些名贵的绿茶、红茶差远了。霍品喜欢喝是因为离不开，不喝砖茶他的消化就极其糟糕。霍品没对旁人说过，赵翠兰也不知道，方福这还不是瞎起哄？

方福直来直去地问，那事怎样了？霍品明白他问的是什么，装糊涂，什么事？方福说，鸡心湖啊。霍品哦了一声，正弄着，不知协议什么时候能签。方福问，卡在哪儿？湖边的地？霍品讨厌方福，又知道自己必须敷衍，村里毕竟贷着方福八万块钱。鸡心湖承包出去，方福的钱才有指望。霍品点点头。方福叫，那还是个事？这难不倒你么。霍品说，涉及到个人，不能硬来，搁你头上你愿意呀？一亩三十，比自己种差远了，不愿意承包也在情理之中。方福问，那怎么办？霍品说我还没想出来，总会有办法的。方福说我相信你，黄村没你办不成的事，你是能人，我方福也不是谁都帮。霍品的厌恶又涌上来，冷冷盯着方福，你知道给黄村多少承包费？方福说，不是三十万吗？霍品说，是三十万，分三十年给，一年一万。方福的眼顿时硬了，照这么付，我的钱什么时候能还？霍品说，急啥，连利息算，十年怎么也够了。方福呆了半晌，又道，这也太长了，再说，村里还欠包工头的钱，他一定也盯着呢，到时候你给谁？霍品想，好，你自己把问题抛出来了。他的回答很圆滑，没什么意外，当然先还你。方福并没因霍品的承诺踏实，起身给霍品续满水，没再给自己续。他说，霍村长，咋说也得先替我考虑啊。霍品说，当然。

送走方福，霍品站在墙角撒尿，觉得异常痛快。终于杀了方福的气焰，方干头，以为你是谁呀！

一声凄厉的笑划破夜空。

霍品突地打个寒战，那点儿快感顿时消失，他知道二丫又跑出来了。黄毛稍有疏忽，二丫就往外跑。笑声消逝，可分明又在霍品耳朵里钻着。如一柄钢钻，狠狠往里扎。如果刚才对方福只是厌恶，现在则是痛恨了。方福对二丫造了孽，可霍品充当了什么角色呢？那是霍品不愿触及却又躲不过去的痛。

霍品再次当选，方福立了头功。方福生怕他的钱打水漂，天天给霍品出主意。那日，方福说他出点儿钱，给村民点儿甜头。霍品早就想到了，但他没那个闲钱，就算有，也不愿意那么做。花钱买选票，霍品做不出来。他没点破，等方福自己说出来。霍品并没附和，让你破费，这不合适。方福说，为了你，我豁出去了。霍品还是不同意，不行，不能这么干，乡里知道那就麻烦了。霍品这样，方福更坚定，他说，这事你甭管了，有什么问题也跟你无关，我只问你一句话，你当了村长还记住我不？霍品笑笑，黄村人谁都记得你，贷了你的钱么。

霍品如愿以偿。方福也没花多少钱，不外乎吃点饭喝点酒。可在方福看来，没他，就没霍品今天这个村长，不管心理上还是架势上，总想以恩人自居。霍品不舒服，但方福提出什么要求，还是尽量满足，毕竟欠了方福。况且，那贷款一时半会儿还不了他。方福先让自己的兄弟当了电工，后又让霍品给他小姨子弄块地。方福女人没福，方福发迹，她却彻底瘫了。方福小姨子以照顾姐姐为由，整日住在方福家，还离了婚。其实两人早住一块儿了。那女人没名分，自然算不上黄村人，可霍品硬是给她划了块地。不久，方福又找霍品，说想挨着原来的房再盖几间。霍品问，在别处可以，那儿怎么盖？方福家西面是路，东面挨着黄毛的房子，根本没地方。方福提出把黄毛的房子扒了，占那块地，让霍品再给黄毛批一块儿。霍品说，这怎么可能？方福说只要霍品同意，其他的事他找黄毛商量。霍品说黄毛同意，我当然没意见。方福和黄毛没商量成，吓唬了黄毛几句。黄毛倔，根本不吃方福这一套。没几日，方福小姨子被黄毛家的狗咬了，方福让黄毛赔二百块钱，黄毛拿不出钱，方福就让二丫侍候他小姨子三天。黄毛觉得这笔账合算，让二丫去了。方福却不让二丫回了，理由是小姨子的伤口恶化，除非黄毛同意把房子让给他。方福家高墙深院，二丫逃不出，黄毛进不去。黄毛找霍品告状，霍品知道这是方福搞的把戏，劝方福不要过分。方福说现在占理的是我，我不会逼迫他，怎么办随他自愿。霍品嘴上说管，其实没怎么管——方福答应如果黄毛让步，他给黄毛补偿。霍品觉得也说得过去。二丫就在隔院，黄毛却见不着她，情急之下同意了方福的条件。方福给黄毛两千块钱，让黄毛在收据上摁了手印。方福把黄毛的房子扒了，然后才放出二丫。黄毛和二丫租了一个在外打工的户家住。二丫心情郁闷，几个月后竟然疯了。黄毛告了几次，当然不是找霍品，他已不信霍品了。黄毛上乡里告，这是他能去的最远的地方。派出所调查，方福拿出和黄毛的协议及黄毛收钱的收据。方福还有霍品这个证人。派出所问霍品当时是否在场，霍品说在场，可……后边的话霍品没说出来。后边的事看似合理，可那是建立在前面的不合理之上的。黄毛脑子缺根弦，只告方福硬占他的房，却不提女人被方福关着——也许他认为自己的狗咬人就该那样。如果说出来，结果可能是另外一个样子，方福关二丫的性质其实是拘押，这是犯法的。当然，霍品也逃不脱，他当了方福的帮凶。那样，他的村长可能又当不成了。种种担心使霍品没说一句多余的话。

方福加盖了几间房，成为村里最气派的人家。黄毛放弃了告状，他的生活只剩两项内容：干活、追逐二丫。

一切似乎都归于平静，霍品却没能忘掉这件事。这事如一把锋利的刀窝在心里，时不时划开一道血口子。黄毛更没忘掉，恨霍品超过恨方福。每隔几天，霍品的玻璃就会碎裂。霍品当然知道是黄毛干的，放在过去，霍品早就收拾他了。现在不，那声脆响，释放着黄毛的怒气，也使霍品的内疚得到某种缓减。

霍品怕过什么？没有，现在确实怕了。黄毛没把霍品怎样，但他在霍品心里插了刀子。

七

霍品被眼前的一幕惊呆了：

黄毛在炕上趴着，二丫骑在他身上扇巴掌。人疯癫，却扇得又准又狠。每扇一下，二丫都要骂，方干头，还欺负人不了！黄毛诚惶诚恐地，不敢了，我再也不敢了。二丫扇得更欢了，黄毛的脸便激起道道紫痕，他讨饶，二丫呀，我方干头不是人，我再也不敢了，饶了我吧。

难怪黄毛脸上常带伤。

二丫抽累了，呼哧呼哧地喘，人也安静许多。黄毛坐起来，把二丫抱在怀里，说，二丫，吃饭。舀一勺稀粥往二丫嘴里送。二丫目光呆滞，忽地将一口粥喷出来，黄毛的脸顿时成了地图。二丫叫，我要打方干头。黄毛哄，方干头吓跑了。二丫嘻嘻笑，吓跑了？黄毛说，是呀，让我的二丫吓跑了。

二丫扭过头，看见站在门口的霍品，叫，方干头！黄毛这才向霍品抛来冷冷的一瞥——其实，他早就看见了霍品。冰冷的目光收回去，马上面条一样柔软了，他说，那不是方干头，是村长。二丫欲挣脱出来，村长来了？我要告状。黄毛说，村长把方干头抓起来了，你不好好吃，他就放了，嗯？二丫安静了。

霍品不知应该站着还是离开。一个声音催促他，走吧走吧。另一个声音说，来了还是要把话说清的，你没退路。脚抬起来，似乎要挪开，摆了摆，还是搁到原来的位置。

二丫睡觉了，神色婴儿般安详。

黄毛带住门，问霍品，干啥？

霍品没说话，慢慢蹲下去，看着空阔的院子。黄毛则靠在墙上，目光戳着霍品，见霍品没反应，便游弋开去。院子很大，却没有旁的活物。那只肇事的狗已被勒死，狗皮换了八十斤小麦。一只鸡探头探脑地出现，两人同时望过去。显然，这是一只外来鸡，想进院觅食，也许曾经进来过，知道院子很少有同伴光顾，没谁和它争夺，可两个男人的注视让它警惕了。它探进一只脚，再探进一只脚，没再向前，转身溜掉了。

霍品说，找个地方看看吧。

黄毛没反应过来，左右看看，似乎想搞清霍品是否和他说话。

霍品说，二丫的病。

黄毛十分干脆，不用你管！

霍品并未对黄毛的态度意外，问，今年还种油菜？

黄毛依然僵僵地，不用你管！

霍品说，鸡心湖承包了，上面要把湖边的地收回。顿了顿，补充，在别处给你划一块。

黄毛喉咙呼哧呼哧响着，死死盯住霍品，想说什么又说不出的样子。霍品觉出他有点抖。

霍品征询着，就这么定了吧，你没意见吧？

黄毛大叫，不——！脸上道道暗紫的伤痕几乎跳起来，那是我的地，我就要在那儿种。

霍品说，没错，那是你的地。

黄毛叫，我不同意！

霍品问，不同意？

黄毛说，死也不同意！

霍品站起来，说那就这样吧。霍品似乎妥协了，他的话绵软无力，这不是霍品，至少不是进门前的霍品。霍品虽然内疚，但不得不遵照吴石的想法把障碍清除，所以硬着头皮来了，决心一定，黄毛是拦不住的，只需吓唬几句。黄毛是个愣头，也许不怕吓唬，可谁身上没软肋？黄毛的软肋是二丫。霍品只需说你要是抓起来，二丫怎么办？黄毛肯定蔫。但霍品没这么说，他甚至在暗示黄毛，地是你的，你不同意，谁也没办法。那一幕让霍品发蒙，二丫抽打着黄毛，也抽打着霍品。霍品摸摸自己的脸，别人看不见，他自己清楚伤在哪儿。

黄毛不同意。霍品知道黄毛绝不会同意。二丫的疯癫是有规律的，在野外基本就好了，很安静；回到村，穿行在房屋之间，她的病就重了。黄毛干活总把二丫背上。二丫在地头逗弄蚂蚁，追逐蚂蚱，或揪些花草装饰自己。黄毛可以一心一意干活。天一热，黄毛会在地头搭顶帐篷，夜里和二丫睡在那儿。可是吃饭还得回村，一进村二丫就犯病。北方，春夏季节短暂，油菜花一落，秋风就起。那时，黄毛和二丫不得不回村住。在黄村，没有谁比黄毛和二丫更留恋田野。黄毛肯定认为，只有那片地才能让他的二丫安静下来，就算他不恨霍品，也不会承包出去。

霍品竟有些轻松，原本憋足劲要打一仗，忽然觉得没必要，放弃了。

可……一个问题很快横在霍品面前，吴石那儿怎么交差？其实不止一个问题：老郝的校舍款怎么还？方干头的贷款怎么还？

霍品再次站到那排红房子前。天色暗下去，它依然那么刺眼。没有这排房，也许吴石不会那么催逼他。那次，吴石没把霍品喊去，而是亲自来黄村转了一圈，说秦小龙没事干，想在鸡心湖边做点营生，问霍品行不。霍品很痛快，那有啥不行的？霍品复出后，吴石第一次找他办事，用的还是商量口吻，霍品没有理由不痛快。霍品只是不解，虽说也有人看鸡心湖，来鸡心湖玩，可仨瓜俩枣的，在这儿做营生不等于喝西北风？秃子打地基时，霍品揣摩出味了，吴石是要做点文章的。什么文章？猜不出来。直到吴石抛出谜底，霍品才看清吴石的棋路。当然，吴石不提红房子，吴石在招商引资嘛。一个硬得不能再硬的理由。

吴石在等霍品信儿，霍品怎么答复他？说那几户死活不同意？显然不行，吴石会说同意还要你这个村长干啥？也许吴石正等霍品这句话呢。干不了？那就甭干了，想干的人有的是。躲着吴石？更不行。吴石会认为霍品消极怠工，故意和他作对。一个村长违背乡里的大政方针，等于用脑袋撞镢头。同样，吴石会免了他，还可能把他作为顽固不化的典型。

霍品一筹莫展。霍品没被什么事难住过，现在似乎迈不出去了，眉间那个疙瘩几乎撑裂。

第二天，霍品去了乡里。他想了半夜，决定变被动为主动，要让吴石相信他是上心的。吴石相信又怎样？他还想不出，但知道这是前提。他费劲了，事情有难度，吴石总得缓个时间吧？

吴石似乎熬了夜，眼睛泛红，一脸疲倦。一见霍品，目光便亮了。老霍，我正等你呢，怎么样？霍品说，我就是来向吴乡长汇报的。

吴石声音很大，却只一个字，讲！

霍品重重地叹口气。

吴石不耐烦了，有什么说什么，怎么娘们儿样？

霍品忽然骂起来，真想叫派出所铐了他们，平时人模狗样，遇事就露出本性，脑袋个个像花岗岩。然后，添油加醋地讲他怎么做工作，那些村民怎么刁难，怎么骂他。霍品天生就有这个本事，能把假的说成真的。说到最后，霍品委屈得要掉泪了。他说，当了这么多年村长，我还没这么窝囊过。

吴石的脸黑得要滴墨，冷冷地问，没做通？

霍品很老实地说，就差两户了。

吴石脸上的墨顿时散尽，那不错呀，我说么，黄村哪有你办不成的事。

霍品不安地说，他们恨我呀，半夜砸我家玻璃，就差刨祖坟了。

吴石说，鸡心湖开发了，他们会反过来感激你，几块玻璃算啥，暂时受点委屈吧，谁让你是村长呢？我倒是想替你受，可这个事只能你来做。

霍品一副谦恭样儿，吴乡长出主意就行了。

吴石拉长声调，老霍啊，别给我戴高帽子，我哪有你主意多？不是剩两户了么，这几天抓紧落实一下。

霍品点点头，提出承包费能不能加点，村里的钱能不能一次性付清。霍品知道这不可能，吴石谈妥的事，怎么会轻易更改？霍品之所以提出来，是要让吴石意识到，他没有答应黄村的要求。

吴石一挥手，似乎要把霍品的话斩断，不可能！眼光放远一些，不要盯着眼皮底下这点儿蝇头小利。

霍品告辞，再说下去，吴石就该罗列大道理了。那无非是一堆臭袜子，塞进耳朵实在难受，霍品已多有领教。

出了乡政府大门，霍品听见有人喊他，四下睃寻，然后便看见老郝从对面理发店跑出来。老郝身上还系着护裙，头发剃光一半，如同被劈开的葫芦。他喊住霍品，让霍品等会儿。几分钟后，老郝顶着光头跑出来。霍品问他怎么跑这儿理发，老郝笑眯眯地说，等你呀，我去过你家了。为追那笔钱，老郝什么招式都使了，软的硬的，歪的横的，还扬言要绑架霍品，只是没付诸行动。霍品几次打算把钱摊到村民头上，可一想到白白被吴石涮了，就心有不甘。就这么拖着。

老郝生拉硬拽，把霍品弄进饭馆。欠着钱，再让人家破费，霍品于心不忍，说我请你吧。老郝讨好地说，哪能让你请呢？一顿饭钱我还掏得起。几盏下肚，老郝就转到房款上，霍村长，这次该给我结了吧，你说一有钱就给我。霍品道，谁说我有钱了？老郝眨巴着眼，你这不是耍小孩儿吗？鸡心湖承包了谁不知道？霍品说，没定呢，还不知道行不行。老郝额上的青筋便凸起许多，你的意思，这是狗操猪，没影儿的事？霍品说，没影儿。老郝声音顿时高了，你哄谁？以为我是傻子？我早打听清楚了。霍品心情突然恶劣，盯着老郝的光头说，别看你光，你以为光就能吓住我？老郝骂声娘，扑上来掐住霍品脖子，双眼喷火，有了钱你还想赖，老子掐死你！霍品没想到老郝这么大劲，脸憋成紫色的球。若不是服务员拽开老郝，霍品没准就断气了。霍品猛烈地干咳着，老郝却傻了，脸色煞白，眼里满是惊恐，似乎难以相信自己掐了霍品。怔了片刻，忽然大哭起来，霍村长，我不是故意伤你，我他妈又犯浑了呀。霍品没理他。老郝把脖子伸过来，你掐我吧，你掐死我吧。霍品往后仰仰，老郝扇了自己一巴掌。霍品的心颤了颤，厉声道，你他妈还让我喝酒不了？老郝听出霍品的态度，连声道，喝喝，我他妈不是人。演戏一样，两人又碰杯了。霍品没和老郝计较，知道老郝窝着火。老郝小心翼翼地问，不疼吧？霍品说，要不你试试？再用劲儿还想要钱，去大牢蹲着吧你。老郝不知所措地讪笑。霍品叹口气，说我哪是哄你呀，现在还没说定，就算定下来，承包费一年才两万块钱。老郝说，少也是钱啊，你答应给我就行。霍品说，我也急呀，当初也不是有意骗你，我也是让人坑了。

事情定了,这钱我会给你留着。老郝得了霍品的保证,酒喝得就猛了,结账时已是人事不省。

八

玻璃又被砸了。一块碴子飞到霍品脸上,划出一道血痕。赵翠兰披头散发地坐起来,说什么也不睡了。她埋怨霍品不报警,没准哪天要命呢。霍品没好气地说扯淡。赵翠兰说,我是瞎说吗?砸玻璃的见你不吭气儿,胆子一天比一天大,今儿划了脸,明儿要扎眼上呢?不成独眼儿龙了?霍品骂,乌鸦嘴!赵翠兰道,你咋越来越窝囊?霍品扯了灯绳,赵翠兰马上拽亮。她说想起个办法,晚上在窗户上遮块木板,并且为自己这个办法高兴得眉飞色舞,说明儿就找赵木匠钉一块儿。见霍品没反应,问你说咋样?霍品说少丢那个人。赵翠兰说,你让砸出瘾了吧?几天不砸你痒痒是吧?你过瘾,我害怕呢。霍品让她去女儿家住几天,消停了接她回来。赵翠兰说,这可是你说的啊!霍品说我还逗你不成?第二天,赵翠兰上县城了。

霍品倒没生赵翠兰的气,五次三番这样,放哪个女人头上不害怕?但霍品没法解释自己沉默的原因,甚至不愿意碰那个问题。赵翠兰说得对,砸一次他确实舒坦一点儿,可说出去谁信呢?事实就是这样。霍品只能沉默,别无选择。如果说这是秘密,霍品要让它烂在肚里。

方福鬼头鬼脑地溜进来,发呆的霍品吓了一跳。霍品说,你怎么像个鬼,连声儿也没有。方福的眼神四处抓抓,我不能大摇大摆的,万一撞上啥呢?我看见嫂子出门了,得小心点儿。方福玩笑中依然透着随意。霍品说,撞见又有啥?有本事我还娶两个老婆呢。方福嘿嘿一笑,将话岔开,问协议什么时候签。霍品问,你不清楚?方福愕然,我怎么清楚?霍品说,都喊你二村长呢。方福品出味了,正色道,嚼舌根的家伙陷害我,霍村长,我可没乱搞啊。霍品说,你紧张啥?你给学校捐八万块钱,我这个村长就让给你。方福差点儿跳起来,这可不行。霍品说,村长不值钱喽!方福说,我不是那意思……那点儿钱也是我黑天半夜刨出来的。霍品说,放心,没人逼你。方福身子微微前倾,做出一个恭敬姿势,说了来意,请霍品这几天去他家吃饭。霍品推辞,方福说,一个人开什么伙呀,到时候我喊你。

没到中午,方福就来了,说前天从乡上买了两瓶好酒。霍品想方福这么上劲儿不单是怕他赖贷款,肯定另有用意。别看方福脑壳小,里面的渠渠道道却不少。霍品说留着以后吧,我有点儿牙疼。方福说牙疼也得吃饭么,霍村长当真不给面子?霍品说我什么时候见外了,今儿真不行。方福终是没喊动霍品,讪讪地走了。霍品盯着方福背影,冷笑。如果不是欠他钱,连眼皮子也懒得睁。可如果不是欠他钱,方福不可能在选举中那么卖力,霍品也不欠他人情。那样,在二丫事件上,霍品就不会由着方福折腾，也不会给自己背一笔良心债。欠钱是因为吴石出尔反尔。推导半天，责任在吴石那儿。当然，这不过是霍品自我安慰罢了。其实，他完全可以说句公道话，只要他说，方福总会有所顾忌。但他哑了，他的舌头在那一刻失效了。

霍品没想到方福把小姨子打发来了，不是喊他吃饭，而是干脆把饭拎来。小娘们儿确实比方福媳妇漂亮，还会打扮，猛瞧上去还以为城里来的。她不怯生，款款一笑，霍村长，尝尝我的手艺。揭开，霍品看清是一摞馅饼。霍品淡淡地说，搁那儿吧，你告诉方福，别再麻烦了。她没有马上走，似乎要看着霍品吃。霍品看她，她又是一笑，说这几天她来给霍品烧饭吧。霍品说，我可没方福那福气。她脸微微一红，却不慌不忙地说霍品有屋里的活儿尽管招呼她。霍品想，这娘们儿不简单，就算方福女人不瘫，也得被她篡位。

霍品夹张馅饼，还未送到嘴里，忽然听见门口有嬉笑声。瞥一眼，似乎是二丫的影子。霍品跳出去，果然是二丫。她敞着怀，边走边唱，几个小孩在她身后扔石块。霍品把小孩喝走，二丫扭过头，迟钝的目光在霍品身上摆了摆，忽然叫，方干头！霍品说，我不是方干头。二丫跟在霍品身后进了院，站在那儿痴痴地寻找着什么。霍品喊她进家，她不进，霍品就拿了张馅饼。二丫眼睛突然亮了，伸出手又停住，她说，方干头。霍品说，我不是方干头，我是村长。二丫偏着头，似乎想在脑里搜寻村长的样子。霍品再次伸过去，她犹犹豫豫地接了，大口吃起来。

黄毛旋风一样冲进来，从二丫手里夺出馅饼扔在地上，怒冲冲地说，不能吃！二丫说，我要……黄毛叫，不准要！仍嫌不够，在半拉馅饼上踩了几脚，背起泪汪汪的二丫，大步离开。

霍品骂，狗日的，有毒呀。连他自己都没听见声儿。再看那摞馅饼，怎么看都是方福的脸，心想难怪呢，一点儿胃口也没了。

晚上，方福又来了，提出让小姨子给霍品烧饭。霍品说你小姨子水灵着呢，我怕犯错误。方福笑嘻嘻地说，我倒愿意和霍村长当连襟。霍品骂少扯淡，绕什么弯子，有鸡巴话赶紧说。方福提出要在鸡心湖边建几间房。霍品吃了一惊，方福真会算计。霍品不动声色地问，你盖房子干啥？要把面粉厂搬过去？方福说，我女人心情不好，想给她换个地方。霍品说，我还想盖呢，但现在不行了，乡里不批。方福僵僵地问没可能？霍品反问，你以为这主意就你想得出来？方福的脑袋终于缩回去，我也就是说说。

方福的话提醒了霍品——只是太迟了。秦小龙在湖边建房那阵，如果村里也跟着建一排，绝对有赚头。可那时，怎知吴石的棋路呢？不过，借这个由头可以试探一下吴石。

两天后，吴石把霍品召去。霍品见到一个西装革履的后生，后生眼窝深陷，皮肤黝黑，像个混血种。后生是老板助理，姓郎。霍品微笑着，心里却想，姓氏够凶的啊。郎助理不说话，脸像带着硬壳的花苞，一说话便灿烂地开放了，仿佛和霍品熟了几百年。牙齿外凸着，亲热得要跳到霍品嘴里了。郎助理说霍村长辛苦了，霍品说我不辛苦，吴乡长才辛苦呢。吴石说郎助理来打前站，问霍品怎样了。霍品说还是那两户。吴石不悦，老霍，你的劲儿都使到什么地方了？霍品当然听出吴石的意思，装出委屈的样子说，我全使外面了，老婆和我闹别扭，把我一个人撇下了。吴石说，装什么窝囊，我还不清楚你？你是猫，你老婆是耗子。霍品说，那是过去，现在耗子都比猫厉害。吴石说，少废话，你行不行吧？霍品把球踢回去，。吴乡长认为呢？吴石硬邦邦地撂下话，别让我失望。郎助理补充，有什么条件，还可以商量。霍品看吴石一眼，吴石的嘴皮子粘住了。

吴石带郎助理和霍品到邻县度假村参观。邻县的度假村到处都是，几百米就一个，拉拉扯扯的，连绵数十公里。吴石说，鸡心湖搞起来，就能拽一部分游客过去，别看他们规模大，自然资源不如黄村，缺水啊。瞅瞅吧，哪个地方有水？霍品确实没看见水，但也没看见人。吴石对霍品说，鸡心湖开发了，黄村可以搞一些农家旅社。霍品趁机说了方福的意思，但不止方福一人，方福和老郝都想在湖边盖房，村里还不上钱，不如就此抵顶一下。眉飞色舞的吴石顿时严肃，这个……怕是不行，马上要签合同了，突然冒出几间房算谁的？过去盖的也就盖了。似乎意识到自己的口气过于温和，后边的话就硬了，绝对不行！你别把村里的鸡毛蒜皮掺进来。霍品竭力笑着，承包费一时半会儿补不上这个窟窿，我实在是让人追怕了，要不，先跟乡里借点儿？吴石说，你以为乡里有钱？发工资我得四处凑。有机会吧，看能不能从上面争取点儿。另一个办法就是村里自行解决，谁受益谁出资，你比我懂。霍品还欲再说，吴石阻止了他，咱们别当着郎助理讨论这个。霍品愤然，难道自己连说话的分儿也没了？霍品依然适度地笑着，但他沉默了。不得不开口的时候，就哦哦几声。吴石和郎助理选了一处景点照相，郎助理招呼霍品一块儿过去，霍品说憋不住了，得放放去。听见吴石在背后说，老霍水箱不好。霍品冷笑，你怕进嘴的蛋糕掉出来，我怕啥？也就是泄泄气，霍品知道自己是有怕的。比如，他怕免掉村长，怕看见疯癫的二丫。可谁心里没怕呢？

霍品游走在黄昏的街道上，不光是喜欢那种感觉，还为想些事。黄昏总能让霍品想点儿什么。那时，他不怕什么，而他是让人怕的。他把黄村看成自己的孩子，训斥着，也呵护着。霍品沾沾自喜，让人害怕不是谁都能做到的。他以为自己是一枚钉子，牢牢钉在黄村，可吴石随便一个借口就把他拔掉了。没了那顶帽子，黄村不再怕他。他终于明白，黄村怕的仅仅是一顶帽子。当然，那得看戴谁头上，在代理村长头上和霍品头上就不一样。霍品明白自己和黄村的关系，说穿了只是一个字：怕。他舍不得村长，因为他需要有人怕。霍品看清了别人的怕，也看清了自己的怕。

郎助理碰碰霍品，想啥呢？

霍品说，没想啥。

吴石说，老霍怎么突然像个哲学家？霍品淡淡一笑。

中午在县城吃饭。饭后，霍品说要回村，郎助理当即提出送霍品，并不由分说上了吴石的车。吴石说有郎助理送，我就不去了。霍品连连摆手，我可担待不起呀。郎助理竟然是个话篓子，整整说了一路。到村边，郎助理把一个信封往霍品兜里装，霍品怔了一下，马上明白过来，往旁边撤撤。郎助理动作异常有力，同时给霍品使眼色，那是怕司机看见。霍品迟疑的工夫，郎助理把信封塞进去。

车一离开，霍品马上掏出那个信封。尽管已经猜到，可看到厚厚一沓钱，还是被烫了一下。整整齐齐的，外面还扎着封条，数数，共一百张。霍品知道郎助理什么意思，那算是他的酬劳，因为他要代表黄村签字。他看着那些钱，一时无措，有点兴奋，有点不安。过了一会儿，把钱塞到一个地方，出了屋子。

霍品转了一圈，潦潦草草的，之后便急急往家赶，仿佛母亲惦记着吃奶的孩子，仿佛家里放着一枚炸弹，随时会引爆。

钱原封不动地躺着，霍品嘘了口气。

这钱该不该留下？霍品自问。留下来应该没什么问题，吴石一处房子卖八九十万，他拿一万块钱又算什么？对霍品，这是一个不小的数字。当村长多年，好处没少占，比如每年的吃吃喝喝，加起来也是挺惊人的；比如吴石发的那部手机，他转手给了女儿；比如电费，电工从来不收他的。还有女儿的工作，女儿先是分配到乡下，他找了找教育局长，女儿就调到县城。局长是先前的乡长，是霍品的上司。如果他不是村长，局长能认识他是谁？他舍不得村长，和这些没关系吗？可这么大额的钱砸他头上还是第一次。就算不拿，他能阻止吴石吗？不能！他干吗要阻止吴石？也许吴石说得没错，长远看，开发鸡心湖是有好处的。这笔钱，自己也用得上。别看是村长，住的房子比方干头差远了。更重要的，装了这个信封，吴石就不会拿另一个信封找他碴了。霍品几乎能列出一百条理由说服自己。就这么着吧，他想。

九

霍品决定找哑女和大牛。

想起哑女，霍品的心情极其复杂。他和哑女的关系随着村长的结束而结束，却未随着村长的开始而开始。说不清为什么，也许是没了那份心思，也许不想给吴石留下把柄。总之，人不去了。他甚至不愿走进那个院子。他和哑女照过几次面，哑女打着手势，一脸急切和疑问，她想知道为什么。霍品没有回答。他没法回答。他至今没有把大牛拎出来。哑女是固执的，她一定要搞清楚。她问霍品是不是不喜欢她了。霍品说，是的，不喜欢了。哑女没纠缠霍品，没找过霍品麻烦，再见面，她抛出幽怨的一瞥，便匆匆走开。

现在，霍品不得不找哑女，和她说地的事。哑女和吴老三一样，把那块地侍弄得很是肥沃。她肯定舍不得包出去。霍品没有选择，他安慰自己。哑女在他心中占着位置，但与村长的分量不能相提并论。

霍品熟悉那处院子，熟悉那两间黄泥小屋。院子破，但永远收拾得干干净净。哑女是个洁净而勤快的女人，每年有一定收入，那些钱最终被大牛赌光了。正是大牛的四处赌博，给哑女和霍品提供了便利。

哑女和大牛都在，霍品突然驾临，令两人意外。慌乱卷过哑女清瘦的脸颊，她站起来四处找杯子。大牛则显得紧张，霍品当了村长，还从未找过他。霍品找碴收拾他一顿，他反而会踏实点儿，但霍品什么也没做，难免让他忐忑。哑女倒了水，平静下来，脸还有点沉，但眼睛亮晶晶的。霍品还注意到她把鬓角的乱发理到耳根后了。

六目相对，一时无言，挺尴尬的。

大牛说，霍村长你坐，我出去一下。

霍品忙说，你不能走，有个事要和你一块儿商量。

哑女瞥一眼霍品，再瞥一眼大牛，目光中有了丝丝缕缕的疑惑。

霍品的舌头有点儿硬，那些话不怎么利索，仿佛每个字都带着粗大的刺儿，但意思还是说清了。他说一句，大牛冲哑女比画一下。

哑女突地站起来，幅度很大地做着手势，我不同意！仿佛觉得这样不够坚决，她的手在脖子上比画着，死也不同意。她的胸脯急剧起伏，眼里堆满愤怒的乌云，随时要将冰雹击到霍品脸上的样子。

大牛摁她一下，被她甩开。她的脖子伸得长长的，为什么？为什么？如果她能发出音，一定是声嘶力竭，字字带血。

霍品无力地解释，这是上面的决定。上面，一块锋利的玻璃片。

大牛说话了，他说，别和她说了，说不清，这个事我做主，就这么定了。

霍品略一顿，干吗瞒她？地是她在弄。

哑女不知霍品和大牛说什么，询问地看霍品。霍品告诉她，不同意也罢，我和上面说说。

霍品起身离开，哑女忽然牵他一下，霍品捕捉到她眼里的急切。哑女说，她改主意了，她同意。

霍品怔住，没想到哑女变化这么快。霍品点点头，突然有点难过。他想他该再说点什么，可又不知说啥。本来要和哑女说的，最后却说大牛，别再赌了！大牛眼睛红红的，是熬夜的缘故。

哑女询问大牛，大牛告诉了她。霍品看见她的目光迅速灰暗下去，霍品决绝地扭转身。

事情比霍品预料的顺利，太顺利了，霍品的心却更加沉重。他知道哑女为什么改主意。哑女并不看重村长这个身份，从来没有。

霍品听见有人吵架。若是往常，霍品会过去，他不说话，只需往那儿一站，双方便会自动收敛。对错在其次，重要的是他们看到霍品的态度。似乎有点简单，可三年五年是修炼不成的。别人看霍品只是随意地站着，其实霍品在使劲儿呢，劲儿在目光上，阴冷而凌厉，活脱脱的剪子。此时，霍品不愿意过去，提不起精神。

刘会计从那边跑过来，说黄毛和方福打起来了。霍品一惊，大声问，你是干啥的？刘会计说，我拉不开啊。

霍品到了那儿，黄毛已把方福摁在地上。方福肚大，被黄毛一压，身子往两边摊开。方福拼了劲挣扎，可是动弹不得，只是脑袋左右拧着。黄毛只用一个膝跪着方福的背，冲二丫喊，过来呀，踢他的干头。方福小姨子抓着把扫帚抵住二丫，二丫不敢动，脸因兴奋和恐惧扭曲得变了形。

霍品的目光硬硬地戳着黄毛，黄毛没有丝毫畏惧，喊，打呀，二丫，这是方干头。

二丫往前挪挪，马上又缩后了。霍品看方福小姨子一眼，她马上把扫帚拿开。但二丫并没上前，她的眼睛失去了光彩，如被拔掉羽毛的呆鸟。

霍品本可以喝开黄毛，但他没那么做。尽管他怵黄毛，但众目睽睽之下，他绝不让自己的威严扫地。他不开口，就那么盯着黄毛。只是苦了方福，憋得吭吭的，喊都喊不出来。黄毛避开霍品的目光，然后，欠欠膝盖，方福趁机滚开，跳起来踹黄毛一脚。

霍品喝道，方福！

方福的第二脚撤回来，怒冲冲地骂着脏话。

霍品很快弄清事情的原委。二丫在方福家门口撒尿，被方福撞见，方福踹了她，恰被黄毛看见。基本是方福在讲，黄毛冷冷地站着，仿佛方福的叙述与他无关。那也是一副豁出去的架势。方福羞恼万分，语速极快，说他早就发现有人在门口拉屎撒尿，早就憋上气了，竟然敢找他的碴，真是活腻歪了。

霍品的眼皮渐渐耷拉下去。方福已经说得很清楚，可仍然喋喋不休。他确实气坏了，挨打让他丢了面子。他是谁啊，他可是二村长。霍品心中冷笑，早就该挨打，这顿打来得太迟了，黄毛不知替你挨过多少次了。

方福越来越愤怒，霍村长，你要是不替我做这个主，我就找派出所了。

霍品终于听不下去了，说，行啊，那就等派出所处理吧。霍品让黄毛回，黄毛牵着二丫僵僵地走了。方福拦住霍品，我不是冲你，我气坏了。霍品点着他鼻子骂，你有啥气的？你女人疯了？还想找派出所，派出所没找你算账算你轻的，非法拘押是什么罪你知道不？方福的脸顿时绿透，半晌才软中带硬地说，霍村长，你可是做过证明的。霍品说，你以为不能改了？我做了伪证，我宁愿坐牢！方福慌了，我开个玩笑，霍村长怎么认真了？方福变化快，从头到脚都是笑，非拉霍品进屋坐。霍品说，我可没这个胆子，你那院进不得啊。方福小姨子也拽霍品，霍品不好发火，说我还有事呢，改天吧。方福小姨子半真半假地，改天你一定要来啊。霍品走出一截儿，方福又追上来，霍村长，别生我气啊。霍品骂，我生个蛋！方福嘿嘿笑，知道霍品不跟他计较了。

霍品没工夫和他计较，他急着去黄毛那儿。目睹黄毛和二丫离去的背影，他有一个猜测，当然不是好奇，只是想印证一下。

果然。

老远就听到抽打的声音。无人围观，二丫不再胆怯，她果敢有力，每一巴掌都带着仇恨。

霍品站在门口听了听，大步离开。

离开并未让他好受。那声音一直追着他，走哪儿跟哪儿。吃饭时响，睡觉时也响，怎么也摆不脱。睡不着，索性坐起来，他想起什么，跳下地。那沓钱依然完好，没那么烫了，相反，冰凉冰凉的。霍品感觉到阵阵寒冷。他没有马上放回去，而是丢在那儿，冷眼瞅着。没有它，他并非就能拧得过吴石，可它在那儿摆着，霍品就有一种被拴住的感觉，被打败的感觉。只能妥协，他舍不得村长。这不是他一个人的事，是整个黄村的事。他一直这么认为。村里一个女人不孝敬公公，总是冷食剩饭打发老人，有一次竟然两天不给老人吃饭，老汉饿昏了。霍品狠狠收拾她一顿。霍品的法子是给她开会，就在她家。霍品领了好几个人，轮流教育，教育是表面的，主要是在她家吃饭。十一只鸡杀了，一头猪杀了，该杀牛的时候，那女人终于痛哭流涕地告饶，从此服服帖帖。老汉对霍品说，黄村离不开你啊。怕，但又离不开；离不开，所以才怕。霍品飘飘然。但在这个夜晚，他被巨大的疑问罩住，村长给他带来了什么？他给黄村带来了什么？村长带给他的是清晰的，比如这沓钱，他带给黄村的却说不清，唯有二丫的抽打看得见听得清，结结实实。

霍品没打算把钱送回去，赵翠兰不在家挺好，落到她手里就拿不出了。他觉得这笔钱该用在一个地方。第二天，他揣着钱找黄毛，让他给二丫看看病。黄毛嘴巴张得能塞进皮球了，目光噼噼啪啪烧着，他绝对没见过这么多钱。可黄毛拒绝了，眼中的警惕毫不掩饰，他肯定认为霍品别有用心。他问霍品，你凭啥给我钱？这个简单的问题把霍品问住了。说怕他砸玻璃？怕二丫抽打他？

十

黄毛不合作，霍品难住了。难的不是没有招数，而是没有勇气把招数使出来。怎么和吴石解释呢？那些话没法说，何况吴石也不听。吴石才不管你黄毛黑毛呢。吴石修的是一条路，他会把所有影响畅通的石块花草树木铲掉。霍品不愿把黄毛拎出去，那样，黄毛无疑是一棵没长对地方的草。

这时，黄村发生了一件事。其实不是在黄村发生的，但主角是黄村人。黄棒子惹了麻烦。黄棒子到邻村搞女人，被那家男人堵住，女人为洗脱自己，咬定黄棒子强奸。男人将黄棒子暴打一顿，问黄棒子公了私了。黄棒子答应私了，但他一无所有，家里最值钱的就那口铁锅。结果，黄棒子把湖边的地给了对方。

霍品赶到黄棒子那儿，黄棒子已处理妥当，躺在冷炕上歇着。霍品骂，这回穷得就剩一条鸡巴了。黄棒子愤愤地，那女人不是东西，男人一回来就不认账了。霍品问，你去过几次？黄棒子说七八次。霍品问，那天你是给她送鸡了？黄棒子嘟囔，吃我好几只鸡了。霍品说，你他妈中圈套了，还把地送给人家，你以为地是你自己的？那是黄村的。黄棒子说那男人说了，什么时候挣回那些钱什么时候把地还他。霍品说，这还有个点儿？黄棒子让霍品想个办法，这亏实在吃大了。霍品骂，活该！你以为女人是好睡的？没吃官司就够轻的了。灵光一闪，霍品忽然乐了，有借口向吴石汇报了。

吴石没有霍品想象的那样生气，只是很奇怪地笑了笑，黄村的事越来越复杂了，能写一部书。霍品一副做错事的样子，我也没想到啊。

沉默数秒，吴石忽然说，你不用费心了，过两天签字。

霍品不解地看着吴石。

吴石说，公司改主意了，湖边的地让他们种吧，算个景点儿。

霍品暗暗一惊，半晌方说，就怕到时候纠缠不清，会有麻烦。

吴石说，以后的事以后再说，老霍，你要记住一个原则，任何时候都要从大局出发。

吴石语气坚定，霍品知道没有再说的必要。事情变化太快，霍品有点发蒙，就像一个士兵举着坚硬的盾牌，以为足可以抵挡一阵，没料对方从背后杀过来了。

霍品先是沮丧，很快就轻松了。这样也好，不是他顺着吴石，而是和他没关系了。回村，他绕到湖边，看见了二丫。二丫拿个小铲子，正挖辣害害(土名，一种植物)。初春季节，辣害害只顶出一个翠绿的尖儿，尖儿下的白茎都有电线粗。挖起一根儿，她用手抹抹，搁在嘴里。霍品盯着她看了好一会儿，她竟然没有发觉。她的神色痴迷而专注。霍品心中泛起潮乎乎的东西。二丫的季节又来临了。远处，黄毛在给土地施肥。那是农家肥，需均匀铺洒开。两人站在田野上，谁能相信这是一对受到伤害的小夫妻呢？

霍品想起那份协议……二丫的季节怕是要终结了。即使这些菜地作为景点存在，又怎能容忍小两口搭一顶帐篷？况且女人还是个疯子。即使可以容忍帐篷存在，度假村夏天肯定有不少人，难保二丫会如此安静，黄毛和二丫依旧会被垃圾一样清理掉。霍品哆嗦一下，然后听到骨头开裂的声音，似乎有什么东西渗出来。和他没关系？这是自欺欺人的鬼话。只要他签字，那就和他有关。霍品不想从大局出发了，他要从小局出发。

是的，小局。

霍品的嘴角飘起一丝笑意。

那天清早，对捡垃圾的张老汉来说，是个特殊的日子。他从家里出来，夜色尚有淡淡的痕迹。原先附近只有张老汉一人捡垃圾，一个死了丈夫的女人没有生活来源，和张老汉抢饭碗，张老汉只得比过去起得更早。他知道先去什么地方，乡政府、学校、医院，总有意外的收获。不像卖肉的关麻子，一张报纸油腻得没了边也舍不得扔。快到乡政府门口，张老汉看见一个包，然后看清那是一个麻袋。真是意外的收获。张老汉四下瞅瞅，心跳加快。这是什么东西？摸摸，麻袋里传出呜呜的声音。妈呀，是个人！张老汉大叫起来，惊颤的叫喊传出很远很远……

一小时后，霍品躺在了医院病床上。麻袋里的那个人是霍品，昨天夜里，他被人算计了。霍品浑身是伤，脸是青的，手是肿的，鼻子嘴巴血迹斑斑。

吴石进来，霍品龇牙咧嘴地欲起身，吴石摁住他。吴石已然知道经过，但还是问，怎么回事？吴石话里含着关切，也含着恼火。老板就要来了，霍品却出了事，所幸没出人命。本乡曾发生过两起报复村长的案子，一桩是村长家柴垛被点，殃及房屋，三间房烧了两间半；另一桩是村长被砍伤，行凶的村民很快自首。这两桩案子在全乡影响极大。

霍品简短说了过程。晚上，他在村里溜达，忽然挨了一棒。他还清醒，喊救命，随后嘴被堵上。他被装进麻袋扔上车，挨了一顿打，什么都不知道了。霍品的样子可怜到极点，声音气愤而委屈，我咋这么倒霉啊。

吴石皱着眉说，放心，你这顿揍不会白挨。

霍品说，谢吴乡长。

吴石说，我相信老闫，他有办法。

老闫永远粗声大气的，还没露面，声音就滚进来，迟了，迟了。霍品说，我早盼着你呢。老闫说，我刚从外地回来，脸还没顾上洗呢。霍品的目光落在老闫鼻子上，数日没见，鼻子似乎又长大了，鼻孔明显粗了。霍品曾嘲笑老闫，鼻子占去半张脸。霍品和老闫是老关系了。老闫爱喝酒，每次去村里，霍品都管个够。老闫说黄村烂事少，他出不上力，酒喝得不公气。霍品说没准哪天就麻烦你了。老闫脸上透着隐隐的兴奋。霍品说，你总算有机会了。老闫忙说，我说着玩的，谁喜欢出事？

老闫询问霍品一些细节，比如，夜里几点钟出去的，是别人约的，还是自己出去走走？哪些人熟悉霍品的生活规律？霍品得罪过什么人？包括过去和现在的。霍品对行凶的人有没有什么印象？是一个还是两个还是多个人？说什么没有？霍品很配合，有些他能肯定，如他是十点来钟出去的，老婆不在，一个人睡不着，想在街头溜达溜达。但多数问题，霍品回答得很模糊。二十多年村长，得罪过什么人？他哪说得清楚？行凶的人肯定两个以上，但究竟是两个还是多个，霍品回答不上。说了什么没？霍品竭力想着，脸就抽得难看了。老闫忙说，别急，慢慢想。霍品说，除了要操我祖宗，没听见旁的。老闫问，声音熟不？是本地人？估摸年龄多少？霍品说是本地人，声音有点熟悉，年龄在二十到四十之间吧。老闫让他想想，那声音与哪些他所知道的声音相仿。霍品表情痛苦不堪。老闫问，疼？霍品说踢着命根儿了。老闫骂，狗日的，我一定替你出这口气！再想想？霍品说，那个声音与吴乡长挺像的。老闫的鼻子险些跳起来，你说胡话了吧？霍品说我也没说是吴乡长啊，只说是挺像。老闫咧嘴笑了，伤成这样还吓唬我？霍品说，我是认真的。老闫制止了他，歇着吧，我先去村里调查一下。

老闫白天调查，晚上继续询问，霍品让已经从县城赶回来的赵翠兰出去，老闫说没关系，又不是什么秘密，没准她还能提供点线索。赵翠兰得意地瞟霍品一眼，把欠起的屁股稳在那儿。

老闫的询问有新问题，也有老问题。霍品说过他先是被抬到车上，拉出村后，又把他弄下来揍了一顿，再次抬到车上。第一次上车，霍品是有记忆的。老闫让霍品推测他挨揍是在路边还是什么位置。如果只是报复，为何把他丢到乡政府门口？这样做用意是什么？霍品说我也纳闷呢，想在乡长面前臭我？一旁的赵翠兰终于憋不住了，说，杀鸡给猴看呗，今儿绑架村长，明儿就轮到绑架乡长了。霍品瞪她一眼，她闭了嘴。老闫笑笑，问霍品假如是黄村人，谁嫌疑最大。没等霍品开口，赵翠兰抢先道，大牛！老闫问她何以断定。赵翠兰说，你问他，他最清楚。而后小声补充，大牛有个哑巴女人。霍品骂，住嘴！老闫说，让她说嘛，我要把相关线索都摸清楚。霍品说一堆烂谷子，抖不清楚。老闫问最近发生过别的没有。赵翠兰说，家里玻璃让砸了好几次。老闫眼睛一亮，忙问怎么回事。赵翠兰瞅着霍品，似乎等霍品批准，老闫就盯住霍品。霍品讲了，说，这挺丢人的，我也没放心上，砸玻璃的人没什么胆量。老闫严肃道，你这不是宽容，是纵容。

住了两天，霍品就回家养着了，毕竟没受内伤，他不想待在医院。他问老闫进展如何，老闫说我一定给你个交代。过了五六天，没听到什么信儿，老闫连面也不露了。赵翠兰抱怨，看他那样以为有多大能耐呢，原来是个饭桶。霍品骂，没人当你是哑巴！赵翠兰又嘟囔什么，霍品没听清。

吴石来家里看过霍品一次，说那件事不能再耽搁了，你的手能握住笔吗？霍品为难地说，案子不破，我心里不踏实呀，不知绑架我的人出于什么目的，会不会和这个有关？这次揍一顿，没准下次就用刀了。吴石沉下脸，案子也许会拖一段。霍品说，老闫说快了，他有办法。吴石说，原来你伤了胆呀。霍品知道吴石生气了，扮出一脸无奈相。

一天夜里，霍品和赵翠兰再次被玻璃的爆裂声惊醒。几乎同时，院里传来叫骂和扭打声。霍品跑出去，拉着院里的灯。老闫已经把黄毛摁在地上，并戴上了手铐。老闫呼哧呼哧喘着，摁倒黄毛并非易事。黄毛一脸惊恐，肩微微抖着，可他还想挣扎，老闫踹他一脚，还想逃？

霍品难以掩饰自己的惊愕。老闫说他这几天一直在霍品院外蹲坑,天黑来天亮走,他没告诉霍品,霍品知道也许会受影响。老闫要连夜带回黄毛审讯。霍品说算了吧,不就一块玻璃吗?老闫说,现在我抓住了,就不是你个人的事了。霍品说他家里有个疯女人。老闫掷地有声,什么理由都不能犯法。

赵翠兰骂,原来是黄毛呀,这个该杀的。霍品没理她,样子呆呆的。

天亮,霍品就去找刘会计。刘会计边系扣子边问霍品什么事。霍品草草说了,让刘会计安顿女人去看二丫。霍品说,告诉你女人,不白用她。刘会计迟疑着说,黄毛要是关进去……霍品火了,我不追究,他能有什么事?

早饭前,霍品赶到派出所,他要把黄毛弄出来。黄毛不在,二丫就更惨了。霍品不计较,老闫还能拿黄毛怎样?如果想收拾黄毛,霍品早就收拾了,哪轮到他老闫?但老闫兴奋地告诉霍品,黄毛都招了,是他绑架殴打了霍品。

霍品目瞪口呆。半晌方问,他招供了?

老闫得意地说,我还骗你?喏,这是口供,我连夜审的。我早怀疑他了,调查时就觉得他对你很敌视。

霍品感到透骨的寒意,反反复复道,怎么会这样?怎么会这样?不是问老闫,而是问自己。绝不是黄毛干的,霍品最清楚不过。因为那是霍品自己导演的。

霍品要从小局出发。霍品受伤,就有理由拒绝,除非破案。吴石总不能按着他的头签字。还有,这件事搁在那儿,吴石不会把他免掉。霍品认为老闫破不了,这根本就是一桩无头案,那样就会无限期拖延。

霍品选择了老郝,他给了老郝一万工程款,说这样做是为了和开发公司叫价,剩余的九万就有指望了,并说一切后果由他承担,与老郝无关。老郝感激涕零。霍品选择老郝有自己的考虑,他要让老郝相信,为了还钱,他什么都豁出去了。

霍品没想到老闫这么快就确定了"真凶"。纸上竟有黄毛签字画押的口供,不说出实情,黄毛会被公安局带走,如果说出来,霍品知道那意味着什么。

老闫冲发怔的霍品说,总算能向吴乡长交代了。

霍品的心抽了抽,异常冷静地说,闫所长你搞错了,打我的绝不是黄毛。

老闫鼻子挺得贼高,你什么意思?怀疑我的办案能力?

霍品说,这是我自个儿搞的苦肉计。

老闫的鼻子像被砸了一拳,有点歪,有点扁,你想往自个儿身上揽?

霍品纠正,不是揽,我就是主谋。霍品把老郝拎出来,说,老郝是在我的安排下实施的,你可以问他。黄毛有帮手吗?能雇上三轮车吗?这么简单的常识,难道老闫没想到?

老闫连连搓手,你唱的是哪出戏?这下可把我坑了,这……这……怎么向吴乡长交代?霍品说那是你的事。老闫要找老郝,走前,把黄毛交给霍品,让霍品先领回去。

黄毛跟在霍品身后，低着头，一言不发。但霍品还是瞅见他耳根后的乌青，没想到老闫是这么破案的。霍品想问什么，最终没开口。黄毛不愿意说，就让他沉默吧。走出乡政府大门，黄毛拔腿狂奔，很快把霍品甩在身后。

这天上午，霍品又去看鸡心湖，还有湖边的红瓦房。红瓦房自从盖起来，一直在等待着。现在，霍品也在等待。目光慢慢缩回，便看见一个人向他跑过来。除了刘会计，别人没这样的步数。刘会计走路稳当，跑起来永远一脚高一脚低。刘会计站定，气喘吁吁地说，吴乡长让你去，现在就去。

霍品说，知道了。

（选自《当代》2007 年第 6 期）

胡学文

1967 年 9 月生，河北沽源人。毕业于河北师院中文系。中国作协会员，河北省作协理事，张家口市文联副主席、作协主席，河北省文学院合同制作家，著有长篇小说《燃烧的苍白》《天外的歌声》，中篇小说集《极地胭脂》《婚姻穴位》等。小说曾被《小说月报》《小说选刊》《中篇小说选刊》《新华文摘》《中华文学选刊》《作家文摘》等报刊转载。其中《极地胭脂》获《中国作家》大红鹰杯佳作奖，《秋风绝唱》获《长江文艺》2000 年度方圆文学奖，中篇小说《一棵树的生长方式》《飞翔的女人》《极地胭脂》《婚姻穴位》等多部作品被改为影视剧。